L'ÉPURATION

Ouvrages du même auteur
en langue française

Albert Camus, Paris, Éditions du Seuil, 1979.

La Rive gauche, du Front populaire à la Guerre froide, Paris, Éditions du Seuil, 1981.

Pétain, Paris, Éditions du Seuil, 1984.

HERBERT R. LOTTMAN

L'ÉPURATION

1943-1953

traduit de l'anglais
par Béatrice Vierne

FAYARD

Pour moi, prêt à suivre mes sources lorsqu'elles sont d'accord, je livrerai sous leurs propres noms leurs récits lorsqu'ils diffèrent.

Tacite, *Les Annales* XIII, XX

REMERCIEMENTS

L'auteur tient à remercier tous ceux dont la coopération et les conseils ont permis l'élaboration du présent ouvrage, et par-dessus tout le personnel des Archives de France, notamment Mme Chantal de Tourtier-Bonazzi, directrice de la Section contemporaine, et Mme Sylvie Nicolas ; il remercie également Mmes Françoise Mercier et Lucienne Nouveau, de l'Institut d'Histoire du Temps Présent, où il a par ailleurs eu l'occasion d'avoir de féconds entretiens avec MM. Marcel Baudot et Jean Leclerc. Il remercie la Fondation Nationale des Sciences Politiques (et Mme Nicole Richard), les Archives départementales du Rhône à Lyon et de la Haute-Savoie à Annecy, ainsi que la Commission d'Histoire de la Guerre 1939-1945 (dont il a aussi compulsé les archives à Lyon). Il remercie tout spécialement la Société des Gens de Lettres, les Archives de l'Assemblée nationale, celles du ministère des Relations extérieures et du Service historique de l'Armée de terre.

Parmi tous ceux qui lui ont apporté leur témoignage ou bien ouvert leurs dossiers, il tient à remercier Raymond Aubrac, André Bay, Mes Jean Bernard et Roland Blayo à Lyon ; André Cellard, Jean Chaintron, Pierre de Chevigné, Jean Comet, Geoffroy de Courcel, Jacques Debû-Bridel, Michel-Henry Fabre, Charles Fournier-Bocquet, Adrien Galliot, Renato Grispo, Serge Klarsfeld, Henri Krischer, Joseph Lambroschini, Gilles de La Rocque, Pierre Laroque, Raymond Lindon, François de Menthon, Pierre Mouthon, Joë Nordmann, Pierre Péré, Roger Peyrefitte, Robert Poirson, Maurice Rolland, René Tavernier, Pierre-Henri Teitgen, Alexis Thomas, Adolphe Touffait, Raymond Triboulet, Claude Urman, Robert Vassart, Charles Zambeaux.

AVIS AU LECTEUR

Les documents officiels font tantôt référence à un Comité départemental de Libération, tantôt à un Comité départemental de *la* Libération ; j'ai utilisé la première formulation, sauf en cas de citation directe. Le sigle est *CDL*.

Le sigle *FFI*, signifiant Forces Françaises de l'Intérieur, est souvent employé pour désigner la résistance non communiste, c'est-à-dire les unités distinctes des *FTP* (Francs-tireurs et Partisans Français, d'obédience communiste). Dans la phase ultime des combats de la Libération, les FTP faisaient en principe partie des FFI. À certaines époques et en certains lieux, les éléments non communistes des FFI sont désignés sous le nom d'Armée secrète.

Entre autres sigles souvent utilisés, citons :

CNR, Conseil National de la Résistance
PPF, Parti Populaire Français (Jacques Doriot)
RNP, Rassemblement National Populaire (Marcel Déat)
LVF, Légion des Volontaires français contre le bolchevisme, unité qui a combattu aux côtés de l'armée allemande (à ne pas confondre avec la Légion Française des Combattants, organisation des anciens combattants vichystes).

L'occupation de la France par son ennemi héréditaire durant la Seconde Guerre mondiale obligea presque tous les Français à faire un choix. On pouvait choisir soit de ne rien changer à la routine de son existence et, dans ce cas, heureux celui à qui sa routine n'imposait pas de contacts quotidiens avec l'occupant. Soit éviter justement le choix en se soustrayant à la présence de l'ennemi par un exil volontaire à l'étranger ou au fond de quelque retraite rurale et retirée ; ce moyen n'était évidemment pas à la portée de tout le monde. Une minorité, dont les rangs grossirent durant les mois qui précédèrent la Libération, découvrit pour sa part, quand elle ne les créait pas, des occasions de résister aux autorités d'occupation et à leurs complices français, en risquant presque toujours sa vie ou sa liberté.

Une autre minorité, cependant, estima nécessaire — ou trouva profitable — de collaborer avec l'occupant. Certains de ses membres contribuèrent à l'effort de guerre allemand parce qu'ils adhéraient à l'idéologie nazie. D'autres voyaient dans la collaboration le moyen d'assouvir leur vengeance contre les politiques, les partis ou les hommes politiques d'avant-guerre qu'ils avaient abhorrés : les Nazis et leurs sympathisants français à Paris et à Vichy ne persécutaient-ils pas les communistes, les francs-maçons et les Juifs, comme certains Français eussent aimé le faire ? Bon nombre de ceux qui furent ultérieurement accusés de collaboration firent valoir qu'ils n'avaient servi le gouvernement de Vichy que pour sauver ce qui pouvait l'être, pour atténuer le mal causé par les Allemands. Au début de l'occupation, le vieux maréchal Pétain faisait figure de protecteur. C'était l'époque où — pour reprendre la formule d'un historien — il y avait en France quarante millions de pétainistes, soit la population entière.

La coexistence de résistants bien résolus, d'un côté, et de collaborateurs non moins déterminés, de l'autre — même si ces deux groupes étaient en réalité des minorités — déboucha sur une guerre civile, alors même que se poursuivait l'occupation de la France. Guerre civile qui, le plus souvent, s'apparentait à des braises en train de couver davantage qu'à un feu déclaré. Aux côtés des Allemands, des citoyens et citoyennes français s'employèrent à arrêter, torturer et tuer. Dès qu'ils le pouvaient, certains adversaires de l'occupation attaquaient et exécutaient les collaborateurs au même titre que les occupants. Lorsque les Forces Françaises Libres, sous les ordres de Charles de Gaulle, revinrent en métropole, avec leurs alliés anglo-américains, pour reprendre leur pays à l'Allemagne, un symbole de l'occupation ennemie demeura sur le sol français en la personne du noyau de collaborateurs inconditionnels. Il était impératif de les identifier et de les châtier.

Une rage péniblement ravalée, une plainte trop longtemps refoulée remontèrent soudain à la surface. Un peuple qui venait de vivre dans une sujétion que les historiens s'accordent à reconnaître comme l'une des plus atroces qui fût — sous la botte des nazis — se trouva libre de reprendre en main sa destinée et de se venger. L'un des résistants chargés de l'exécution des châtiments, Yves Farge, commissaire de la République pour la Région Rhône-Alpes et représentant les FFL, a évoqué l'intensité des sentiments à ce moment précis : « (...) Je savais très bien de quoi était faite cette colère populaire. Elle était alimentée par des révélations qui dépassaient l'entendement humain. Si nous étions quelques-uns à connaître une partie de la vérité, et à soupçonner le reste, les autres formaient une multitude chloroformée par Vichy, qui sortaient d'une torpeur complice, sans qu'ils l'eussent voulu, et qui s'apprêtaient à se ruer contre le crime alors qu'il était depuis des années perpétré [1]. » Il suffit de compulser n'importe quelle histoire de l'occupation pour trouver des exemples du crime dont parle Farge. En ce qui concerne la région lyonnaise, où il exerçait ses responsabilités, on peut lire dans une histoire de la ville de Saint-Étienne, au sujet des Stéfanois qui collaboraient avec la Gestapo : « Toute dénonciation était récompensée par une prime et l'on évalue à 300 environ le nombre des indicateurs au service des nazis. » Leurs victimes étaient torturées, puis transférées à Lyon (où elles tombaient entre les mains du tristement célèbre Klaus Barbie). Dans la seule région de Saint-Étienne, nous dit-on, les gestapistes ont eu à leur actif 700 arrestations. Le service de renseignements de la Gestapo — le S.D. — employait des jeunes Français des deux sexes appartenant au mouvement

franciste (issu d'un groupe fasciste d'avant-guerre) ; une cinquantaine d'entre eux dénoncèrent des Juifs et des résistants ; ils
portaient des uniformes allemands pour opérer des arrestations et
élever des barrages routiers. Il y avait en outre la Milice, tant
redoutée, regroupant environ 500 membres dans tout le département, dont 300 avaient une activité réelle. « Armée par les
Allemands, la Milice se comporta comme l'avaient fait naguère les
SS en Allemagne : arrestations, tortures, exécutions sommaires,
pillage des biens des victimes. » Ces confiscations, « sous prétexte
de lutte contre le marché noir », étaient le moindre de leurs
forfaits. Après le débarquement des Alliés en Normandie, la Milice
fut mobilisée pour participer à des opérations contre le maquis,
avec les sanglants résultats qu'on pouvait en attendre [2].

Il s'agissait là de cas extrêmes, parmi les plus acharnés des
inconditionnels de la collaboration. Le courroux populaire, cependant, était attisé chaque jour par les abus que l'on découvrait
partout : « L'épicier, le crémier deviennent de petits princes »,
peut-on lire dans un récit de ces années noires. « La vie de château
(...) sera réservée aux féodaux de cette nouvelle société — les
paysans et les commerçants, fournisseurs et distributeurs, avec la
cohorte louche des intermédiaires (...) La courbe des faillites
commerciales tombera presque à zéro (...). » Les véritables
maîtres, les Allemands, laissèrent l'administration française
accomplir la sale besogne. « Les plus malins l'emportent. Tout
devient source de trafic. » L'auteur de cette histoire populaire se
montre dur envers les agriculteurs. « Les paysans camouflent la
plus grande partie de leurs réserves : il faut souvent la menace,
surtout dans les régions ouvrières, pour les leur faire livrer. Par
contre, ils ne s'opposent jamais à la réquisition des occupants qui
paient bien (...) A partir de 1942, les départements agricoles sont
les seuls où les naissances l'emportent sur les décès ; et même, la
paysannerie se nourrissant *mieux* qu'avant la guerre, la proportion
de la mortalité régresse en son sein [3]. »

La libération de la France donne libre cours en même temps à
une énorme colère. Au début, on dut avoir l'impression de
découvrir, partout où l'on portait les yeux, une cible méritant le
châtiment. Si les Allemands étaient parvenus à défendre leur
propre patrie et à maintenir en place le régime nazi, le sort de
nombreux collaborateurs eût été différent, car ils auraient pu
franchir la frontière dans les fourgons de l'ennemi qui battait en
retraite et rester sous sa protection. Mais le troisième Reich
s'effondra et de nombreux Français qui s'étaient réfugiés au-delà
du Rhin furent ramenés en France pour y être jugés.

L'*épuration* fut le châtiment des personnes convaincues ou soupçonnées d'avoir aidé l'ennemi. Elle ne fut nullement confinée aux enceintes des tribunaux, avec, par exemple, les procès qui condamnèrent le chef de l'État, Philippe Pétain, à mort — peine commuée en détention perpétuelle —, et le chef de son gouvernement, Pierre Laval, à la peine capitale. Le présent ouvrage traitera donc de toutes les formes que devait revêtir l'épuration : la justice expéditive de la France occupée, où les collaborateurs étaient parfois exécutés en pleine rue ou chez eux, les cours martiales clandestines de la Résistance, puis les tribunaux *ad hoc* institués dès le lendemain de la Libération. Et puis aussi les arrestations massives, les exécutions sommaires, le défilé des femmes tondues accusées de « collaboration horizontale », et les purges plus ordonnées de l'administration à l'échelon municipal, départemental et national, du Parlement et des professions libérales.

Ces dernières années, le terme *épuration* a eu fort mauvaise presse. Peu de Français reconnaissent aujourd'hui en avoir fait l'expérience personnelle. Le *Dictionnaire des idées reçues* de Flaubert, dans lequel la définition du budget est : « jamais en équilibre », celle des députés : « ne font rien », et celle de la franc-maçonnerie : « encore une des causes de la Révolution ! », ne comporte, et pour cause, aucune allusion à l'épuration. Cependant, si Flaubert avait vécu la Seconde Guerre mondiale, peut-être eût-il ajouté quelque chose du genre : « Les communistes massacrent les innocents pour prendre leur place. » Tout de suite après la guerre, certains des épurés et de leurs sympathisants publièrent (souvent à leurs frais) des récits de leur épreuve. Les « épurateurs », en revanche, n'ont presque rien écrit sur leur rôle dans l'affaire, et les documents officiels ont été gardés secrets. Certains s'estimaient moralement tenus de ne rien dire sur leurs activités, alors que d'autres craignaient, semble-t-il, de reconnaître avoir participé à des cours martiales clandestines ou à des exécutions sommaires. Un nombre considérable d'abus furent imputés à la résistance communiste et à son groupe de combat, les FTP (Francs-Tireurs et Partisans Français). Il serait évidemment fort précieux de disposer de la version FTP des événements, mais les anciens combattants communistes restent muets. Et ce, nous dit leur association, parce qu'un trop grand nombre d'entre eux — près d'un millier — ont été poursuivis comme criminels en dépit de l'amnistie qui couvrait les actes accomplis au nom de la Résistance[4]. Il est également certain que le processus de l'oubli a été favorisé par les amnisties successives.

De ce fait, la plus grande partie de ce que nous savons sur l'épuration émane de ceux qui s'en sont sentis victimes. Le tableau risque donc d'être partial.

Les événements de la Libération furent traumatisants, les blessures sont à peine cicatrisées ; on ne peut néanmoins tenir enfouie à tout jamais une affaire de cette ampleur. Pour que le tableau déformé dont nous parlions revienne à un plus juste équilibre, il est nécessaire de tenter de retracer l'histoire complète de l'épuration. Aujourd'hui, grâce à la compréhension de ceux qui détiennent les documents officiels et officieux, il est possible de le faire.

Lorsque nous nous sommes lancés dans la présente entreprise, les renseignements les plus aisément disponibles sur l'épuration consistaient en mémoires des épurés ou en tracts rédigés pour leur défense, par exemple *Les Crimes masqués du Résistantialisme*, de l'abbé Jean-Marie Desgranges, qui comparait le sort des collaborateurs emprisonnés à celui du capitaine Dreyfus[5]. Au cours des dix années qui suivirent la Libération, le châtiment des collaborateurs fut présenté dans la presse révisionniste et dans d'innombrables pamphlets comme une moderne Terreur ; les excès de l'épuration furent dépeints comme des atrocités telles que celles qu'on attribue d'ordinaire à un ennemi en temps de guerre. Un récit de ce genre nous présente un mari exécuté, sa femme violée avant d'être abattue à son tour avec leur fils de onze ans, afin que celui-ci ne puisse témoigner contre les coupables. Un autre nous montre un homme ligoté, obligé d'assister au viol de sa fille vierge par une douzaine d'hommes[6]. Ailleurs, une jeune mère est violentée, après que son bébé lui eut été brutalement arraché[7]. Dans ces comptes rendus, la torture précède bien souvent l'exécution du collaborateur : un prisonnier a les yeux crevés, les parties sexuelles arrachées, ou bien on oblige la victime à s'allonger sur un lit de sciure de bois auquel on met le feu[8]. Un prêtre doit creuser sa propre tombe où il est enterré vivant après avoir reçu une balle dans les parties génitales[9]. Un autre prêtre, âgé de 65 ans, a le « thorax enfoncé, côtes cassées, ongles, cheveux, poils arrachés, chair déchirée avec des tenailles[10] ».

Dans bien des récits hostiles à l'épuration, on retrouve ce cocktail de sexe et de sadisme. On coupe les seins des femmes[11]. Dans une forêt, des collaborateurs sont obligés de marcher pieds nus dans un fossé rempli de tessons de bouteilles, tandis que les femmes doivent se mettre nues pour satisfaire les désirs de leurs tortionnaires ; certaines sont forcées à copuler avec des animaux[12]. Parfois, ce sont des femmes qui infligent les atrocités, par exemple

dans le Puy-de-Dôme où deux résistantes qui prennent part au
châtiment des collaborateurs sont vêtues en tout et pour tout de
short et de soutien-gorge [13]. Dans les Pyrénées-Orientales, des
femmes tapent sur les cadavres de collaborateurs exécutés et vont
même jusqu'à « les souiller de leurs excréments [14] ». Quel que soit
le crédit que l'on accorde à de tels récits, il est certain que des
femmes furent punies, parfois de mort, souvent d'humiliations,
pour avoir participé à la guerre secrète dans l'un ou l'autre camp.
Nombre d'entre elles se distinguèrent dans les rangs de la
Résistance et leur nouveau prestige allait être consacré dès la
Libération, puisqu'elles devenaient pour la première fois éligibles.

Il ne servirait à rien de jeter un voile pudique sur ces accusations
dans lesquelles entre nécessairement une certaine part d'affabula-
tion ; mais comment juger, quand tout les témoins appartiennent
au même camp ? Des survivants de cette époque, pourtant très bien
intentionnés, ont encore gardé le souvenir des heures chaudes de la
Libération. Les photographies nous montrent des combattants de
la Résistance escortant le long des rues des miliciens en uniforme et
des femmes hagardes, la tête tondue. Ce qu'aucun souvenir,
aucune photographie ne nous montre, ce sont les juristes occupés à
rédiger la législation de l'épuration, les comités de fonctionnaires
en train de juger leurs homologues égarés sur la mauvaise voie, les
magistrats statuant sur le sort des généraux et des amiraux.
Pourtant, l'épuration c'était aussi cela.

Il semble parfois qu'une conspiration du silence, fondée sur une
curieuse entente entre épurateurs et épurés, ait fait obstacle à toute
enquête objective sur les événements immédiatement postérieurs à
la guerre. Peut-être le temps d'une telle enquête est-il néanmoins
venu ? Les fils et filles des Français qui ont vécu ces événements
occupent à présent des postes de responsabilités dans l'administration du pays, dans les affaires, les médias, les arts. Tout un chacun
continue de vivre dans l'ombre portée de cette époque. L'histoire
ne peut-elle pas en être aujourd'hui évoquée sereinement ?

PREMIÈRE PARTIE

Les gaullistes et le maquis

*Les exécutions sommaires, c'est comme les boúles, c'est
un jeu français.*

Jean ANOUILH, *Pauvre Bitos*

CHAPITRE PREMIER

La justice de la Résistance

La première épuration eut lieu sur le champ de bataille, autrement dit un peu partout en France. Les épurateurs — appelons-les des justiciers, des exécuteurs des hautes œuvres — étaient des résistants, très disciplinés pour certains, plus ou moins organisés et dépourvus de formation pour d'autres. Leurs cibles étaient au premier chef les forces d'occupation ennemies — l'armée, la police et, si possible, les agents de la Gestapo —, mais on considérait aussi comme gibier légitime les hommes et femmes que l'on soupçonnait de collaborer avec les Allemands. Parfois, les cibles étaient facilement reconnaissables à leurs uniformes ou à leur présence aux quartiers généraux d'organisations allemandes ou collaborationnistes, mais, dans certains cas, les personnes à punir étaient des individus isolés, considérés comme dangereux pour la Résistance ou pour la cause de la France libre. Bien souvent, mais pas toujours, les cibles de cette épuration faisaient l'objet d'enquêtes, étaient soumises à des interrogatoires en cas de capture, et passaient même en cour martiale clandestine. Dans quelques cas, comme nous le verrons, des personnes que l'on tenait pour des collaborateurs étaient inculpées et jugées par contumace au cours des procès organisés dans la clandestinité. Quelle que fût la procédure suivie, les condamnations à mort qui en résultaient se transformaient en exécutions sommaires. Parce que tout devait se dérouler en secret et que la légalité de la procédure était rien moins que certaine, ces exécutions ont donné naissance à des mythes sur lesquels sont venues achopper toutes tentatives de présenter un historique serein des faits.

Hasardons-nous néanmoins dans cette voie.

Durant l'occupation de la France par les Allemands, deux événements ont principalement contribué à transformer des actes isolés en véritable guérilla. L'un fut la mobilisation de citoyens français pour aller travailler dans les usines allemandes (d'abord sur les bases d'un « volontariat », puis, à partir de 1942, par l'entremise du Service du Travail Obligatoire de Vichy qui contraignit un nombre croissant de jeunes Français à aller seconder l'effort de guerre allemand). L'étendue de cette mobilisation, sa brutalité incitèrent de nombreux travailleurs susceptibles d'être recrutés à se réfugier dans la clandestinité ; les rangs de la Résistance grossirent ainsi de jeunes gens déterminés. Le second de ces deux événements fut la création de la Milice, organisation paramilitaire instituée par Vichy, avec le soutien des Allemands, pour combattre leurs ennemis communs.

L'enthousiasme des jeunes recrues de la Milice fut chauffé à blanc par les collaborateurs à tous crins de Vichy et cette organisation ne tarda pas à se tailler une réputation de férocité pour la façon dont elle maintenait l'ordre au nom du maréchal Pétain, sous l'égide de son chef, Joseph Darnand, et de Pierre Laval ; dans la pratique, les Miliciens servaient bien souvent d'auxiliaires aux forces d'occupation allemandes et chantaient des chansons SS en défilant. Dès avant la disparition du régime de Vichy, Pétain lui-même, d'ordinaire imperturbable, devait protester contre « l'action néfaste de la Milice », s'élevant (dans une lettre au chef de son gouvernement, Laval) contre « des faits inadmissibles et odieux » perpétrés au nom de la répression du terrorisme. Outre les usurpations de fonctions, arrestations arbitraires, collusions avec la police allemande, la Milice aurait (selon les propres termes de Pétain) « employé des procédés tels que l'opinion publique est maintenant révoltée contre elle partout où elle existe ». Le vieux maréchal énumérait ses griefs : « Des fermes et même des villages entiers ont été incendiés par représailles, des otages innocents ont été arrêtés, des meurtres commis (...). Des rapts et des vols nous sont constamment signalés. » Qui plus est, Pétain imputait à la Milice l'assassinat de Georges Mandel, juif et ancien ministre de la Troisième République ; la Milice était aussi « sans doute » responsable du meurtre de l'ancien ministre Jean Zay. Dans ce document daté du 6 août 1944, Pétain protestait également contre le fait qu'elle torturait « des victimes souvent innocentes », créant « une atmosphère de terreur policière inconnue jusqu'à présent dans notre pays [1] ».

Il y avait donc, d'un côté, les jeunes réfractaires du maquis, plus ou moins organisés en unités de Résistance, parfois (mais pas toujours) encadrés par des officiers chevronnés qui avaient opté pour la France libre ; et, en face, une autre armée de jeunes gens,

Francs-gardes de la Milice. Tout au long de l'occupation allemande, et particulièrement en 1943 et 1944, les villages et villes de la zone occupée, ainsi que la campagne environnante furent le théâtre d'actes de violence, voire d'accrochages et de combats. Et de même qu'un résistant tombé aux mains de la Milice était torturé, parfois tué ou bien remis aux autorités allemandes afin qu'elles disposent de lui, le sort du Milicien capturé par la Résistance n'était pas difficile à deviner[2].

La justice expéditive comportait inévitablement des risques d'injustice. Chacune des personnes soupçonnées d'être un agent de la Gestapo, un mouchard de la police allemande ou de celle de Vichy était-elle vraiment coupable de crimes contre ses compatriotes? Le camp de la Résistance manquait de moyens de s'en assurer et n'avait bien souvent même pas le temps d'essayer. Il est certain que beaucoup de ceux ou de celles qui furent exécutés, dont les demeures ou les fermes ou d'autres biens furent endommagés ou détruits, auraient pu fournir une explication satisfaisante de leur conduite. Bien souvent, des rivalités locales, des dissensions politiques datant d'avant-guerre venaient exacerber l'hostilité des résistants envers de présumés collaborateurs. En temps de paix, une procédure légale dénuée de passion aurait pu régler l'affaire, mais en ces jours où la guerre faisait rage, on n'avait ni le temps ni l'occasion d'y avoir recours.

Les archives de la Résistance sont singulièrement elliptiques en ce qui concerne les châtiments réservés aux collaborateurs; une grande part des éléments dont on dispose provient, nous l'avons dit, de ceux qu'ils visaient, par exemple des rapports confidentiels des gendarmeries ou des préfets du gouvernement de Vichy. Ainsi, dans une synthèse des rapports préfectoraux préparée par le ministère de l'Intérieur dudit gouvernement, au printemps de 1943, sont signalés « des actes de terrorisme — plus fréquent moyen d'action communiste — qui témoignent de la part de leurs auteurs d'une particulière audace », dans les régions de Limoges et Lyon, « pôles attractifs des attentats les plus sérieux ». Parmi les incidents consignés : l'assassinat d'un brigadier de gendarmerie, le lancement d'un explosif contre la maison d'un délégué à la propagande du Maréchal. À Bergerac, un autre délégué réchappa à un attentat, mais le chef de la Gestapo de Chalon-sur-Saône, moins chanceux, fut tué alors qu'il procédait à l'arrestation d'un suspect[3].

Les rapports adressés à Vichy par le préfet de la Région de Lyon, Alexandre Angéli (dont le procès allait être, à Lyon, un des événements de la Libération, comme nous le verrons), indiquent bien la sévérité avec laquelle la police française et les Allemands luttaient contre les activités de la Résistance dans le sud-est du pays. Pourtant, « des communistes et des terroristes » — pour reprendre les termes utilisés par Vichy et les occupants — se livraient à des attaques « un peu partout ». Un rapport du 7 août 1943 relate l'assassinat à Chambéry d'un jeune soldat de la Légion des Volontaires français contre le bolchevisme (détachement français de l'armée allemande), l'exécution du président de la Légion Française des Combattants de Verdun-sur-le-Doubs, d'un autre membre de la Légion des Volontaires français à Lyon, en même temps que d'un sous-officier allemand ; le rapport d'Angéli pour le mois d'août signale que deux miliciens ont été tués à Grenoble, cinq autres blessés dans le Rhône, l'Isère et la Haute-Saône ; qu'un membre de la Légion Française des Combattants a été abattu dans la Drôme. En septembre 1943, on met sur le compte des « terroristes » 23 morts et 31 blessés ; parmi les victimes, huit miliciens, trois membres de la Légion Française des Combattants, onze officiers de police ou de gendarmerie, quatre membres du Parti Populaire Français pronazi de Jacques Doriot, etc. [4].

À Lyon même — que l'on devait plus tard baptiser la « capitale de la Résistance » — le préfet du Rhône allait très vite alerter Vichy sur le climat d'insécurité créé par « les attentats terroristes ». Entre le 1er septembre et le 31 octobre 1943, il y eut neuf meurtres ou tentatives de meurtre, sans compter les attaques contre les soldats allemands ; il y en eut neuf autres en novembre, onze en décembre, notamment l'assassinat de Jacques Faure-Pinguely, conseiller à la cour d'appel et président de la trop fameuse Section spéciale, le tribunal qui, sur directives allemandes, envoyait à la mort les prisonniers politiques. Le préfet du Rhône, Jean Dissard, rapportait que Faure-Pinguely avait été abattu chez lui par quatre personnes, dont deux avaient pour l'occasion revêtu des uniformes allemands [5].

Il est rare de dénicher le récit d'une exécution de collaborateur perpétrée par des résistants, mais il en existe justement un dans le cas de Faure-Pinguely. Les justiciers appartenaient à une faction dure rattachée aux Francs-Tireurs et Partisans (FTP), mais agissant indépendamment d'eux ; il s'agissait des FTP-MOI, regroupant des immigrés ayant fait partie avant la guerre d'une organisation communiste, la MOI (Main-d'Œuvre Immigrée). Faure-Pinguely avait requis la peine de mort contre un combattant FTP, Émile Bertrand, guillotiné le 2 novembre 1943, puis contre le militant des FTP-MOI Simon Fryd, Juif polonais blessé et arrêté alors qu'il commandait un groupe de partisans occupé à se procurer les tickets d'alimentation dont le groupe clandestin avait besoin ; Fryd avait été guillotiné le 4 décembre, à la suite de quoi les FTP condamnèrent Faure-Pinguely à mort. Selon le rapport du matricule 94068 des FTP-MOI :

« Nous alertons notre Service de Renseignements... Il nous était absolument indispensable de posséder la photo du criminel, son ou ses adresses personnelles, de connaître les voitures qui le transportaient, les trajets employés, sa protection (...). Le choix des hommes était facile : les camarades de Fryd étaient volontaires ; depuis la mort de leur héroïque frère de combat, ils ne pensaient qu'à le venger. Le chef de bataillon 94001 dirige lui-même l'opération.

« Le 12 décembre 1943, à 6 heures du matin, le chef donne ses dernières instructions, poste les hommes qui doivent assurer le repli. Quatre camarades vêtus d'un uniforme allemand et deux civils avancent vers le nº 30 du Cours Eugénie. Deux des camarades en uniforme restent dans la rue en protection. Les autres sonnent à la porte de Faure-Pinguely qui les introduit sans méfiance dans son bureau. Avec un parfait accent germanique, notre chef lui dit : " Monsieur, nous avons besoin de quelques éclaircissements sur les exécutions que vous avez ordonnées, en particulier celles des dénommés Bertrand et Fryd. " Faure-Pinguely s'écrie : " Comment pouvez-vous, messieurs, mettre ma bonne foi en cause ? Je travaille en étroite collaboration avec vous... et je puis vous assurer que la morgue avec laquelle Fryd me répondit m'aurait suffi. " Il ne put en dire davantage : à sa gauche, en uniforme allemand, se trouvait un camarade d'enfance de Fryd que la colère faisait trembler et qui, enfreignant les ordres, assena un coup de crosse sur la tête du criminel.

« Faure-Pinguely se relève, chancelle, bascule par-dessus le bureau, tombe la tête sur les genoux du chef qui sort son arme, appuie le canon sur la tempe. Une détonation. Justice est faite[6]. »

À Lyon, les FTP-MOI prirent le nom de « Carmagnole ». À Grenoble, ce devait être « Liberté ». Dans les deux villes, les jeunes gens qui estimaient n'avoir rien à perdre en résistant se livraient à des actions contre des collaborateurs individuels, même si le gros de leurs activités était dirigé contre des installations telles que voies ferrées et usines produisant pour les Allemands. Les hommes des FTP-MOI étaient des réfugiés juifs en provenance de l'Europe centrale envahie par Hitler, ou bien (plus particulièrement dans le Midi et le Sud-Ouest) des ouvriers italiens itinérants et des réfugiés espagnols républicains. Beaucoup d'entre eux étaient familiarisés avec la clandestinité et leurs chefs étaient souvent aguerris. Dans leurs rangs régnait une stricte discipline ; ils respectaient des consignes de sécurité extrêmement sévères qui contribuèrent à leur survie. Lorsqu'un membre du groupe découvrait une cible intéressante, par exemple un contingent de soldats allemands passant régulièrement à certain endroit, il n'agissait pas, mais transmettait le renseignement aux échelons supérieurs. Ou bien il recevait l'ordre de tuer un soldat ennemi, au hasard, près d'un QG de la Gestapo, afin de montrer qu'il était possible de braver les Allemands. L'un des objectifs était de créer un climat d'insécurité parmi les forces d'occupation, afin de les obliger à faire stationner en France des soldats que l'on aurait pu autrement envoyer au front. On cherchait aussi à se procurer des armes (celles-ci étaient souvent prises à la police française ; lorsque tout se passait bien, l'agent de police n'offrait aucune résistance, et aucun mal ne lui était fait). Les FTP-MOI ne recevaient en effet aucune arme de la Résistance française non communiste, non plus que des Alliés [7].

L'un des jeunes membres de cette organisation avait vécu à Paris jusqu'à ce que l'envahisseur allemand fût aux abords de la capitale. (Ses parents avaient émigré de Pologne avant la guerre.) Après avoir été mineur dans les Cévennes, il atteignit Grenoble, distribua des tracts pour un mouvement de la Jeunesse communiste et, lorsque se créa une section des FTP-MOI, il y eut sa place. Il avait alors 19 ans.

À Grenoble, le groupuscule « Liberté » envoyait des lettres de menace aux collaborateurs notoires, les faisant suivre de violences physiques chaque fois que c'était possible, même si là encore une grande part des actions visait avant tout des cibles impersonnelles du type voies ferrées. Cependant, durant le séjour à Grenoble de notre jeune homme eut lieu un événement décisif. Le responsable de la propagande vichyste, Philippe Henriot, arriva en ville et toutes les sections de la Milice régionale se rassemblèrent pour l'entendre. Le groupe « Liberté » avait tout d'abord projeté d'abattre Henriot, mais il se révéla que la protection policière dont il était l'objet ne le permettrait pas. On décida alors que des équipes de deux hommes iraient s'attaquer individuellement aux chefs de la Milice. Notre jeune militant, en vélo, portait sur lui deux grenades et un pistolet à six coups. Près de la gare, il repéra un chef de la Milice avec son garde du corps ; il sauta de sa bicyclette et se mit en devoir de vider son revolver. Il ne savait pas trop qui il avait touché, mais il ne pouvait évidemment s'attarder sur les lieux ; sa chaîne de vélo se rompit ; il dut lancer une grenade pour couvrir sa fuite à pied. Il s'aperçut alors qu'il avait oublié dans sa sacoche un livre contenant sa carte d'adhérent à la bibliothèque municipale ; dès le lendemain matin, des membres du groupe firent irruption dans l'établissement, arme à la main, pour s'emparer du fichier. Par la presse, le jeune homme apprit que sa victime était le secrétaire général de la Milice pour le département du Rhône.

Il fut arrêté en septembre 1943, mais parvint à s'échapper de l'École des cadres de la Milice, à Uriage. Ses mouvements l'amenèrent à Lyon où, dès le jour de son arrivée — le 10 novembre —, il fut désigné pour aller faire sauter des transformateurs électriques afin d'obliger les usines à fermer le lendemain, 11 novembre, anniversaire de l'armistice de 1918. En avril 1944, il devint membre d'un troisième groupe d'action des FTP-MOI, à Toulouse, appelé la « 35e Brigade ». Ce groupe avait à son actif quelques exploits spectaculaires. Son chef, Marcel Langer, avait été arrêté en gare de Toulouse alors qu'il transportait une valise bourrée d'explosifs : il était passé en jugement en mars 1943 devant l'une des Sections spéciales, et l'avocat général, Pierre Lespinasse, avait requis contre lui la peine de mort. Langer fut guillotiné. À compter de ce jour, Lespinasse fut lui aussi condamné. Son nom fut cité jusque sur les ondes de Radio-Londres. Le 23 septembre, dans une émission vengeresse, le porte-parole de la France libre, Maurice Schumann, dénonça la « servilité sanguinaire » des magistrats de Vichy, cita des noms et avertit que l'on n'oublierait pas ceux qui avaient ainsi poursuivi leurs compatriotes, « comme il sera tenu compte à vos collègues de Toulouse du sang du franc-tireur Langer [8]... »

Le 10 octobre, un membre de la « 35e Brigade » abattit Lespinasse. Cet attentat eut un retentissement national ; un membre de l'état-major de Pétain assista aux obsèques. Les hommes des FTP-MOI étaient convaincus que, désormais, les résistants échapperaient à la guillotine et, effectivement, un de leurs camarades qui avait tué un milicien ne fut condamné peu après qu'à vingt ans de travaux forcés [9].

Durant l'occupation, le mouvement de Résistance France d'Abord, à Lyon, institua un tribunal de guerre officieux chargé d'instruire clandestinement les procès de personnes accusées de collaboration ou d'intelligence avec l'ennemi. France d'Abord se réclamait de l'autorité de « Max » — nom de guerre de Jean Moulin, émissaire de Charles de Gaulle auprès de la Résistance métropolitaine. Un ancien juge d'instruction de Metz présidait le tribunal. Ses verdicts indiquaient si les sentences prononcées devaient être exécutées avant la Libération ou ultérieurement ; s'il fallait appliquer sans tarder la peine capitale, on en transmettait l'ordre aux « Templiers », des corps francs spéciaux qui tuaient les traîtres et menaient à bien d'autres expéditions punitives. Les audiences eurent toutes lieu en 1943, sous la présidence du magistrat messin, avec un huissier de la région au ministère public et un jury composé de membres de France d'Abord, ainsi que des groupes de résistance Combat et Franc-Tireur (ils siégeaient à ce qu'ils appelaient alors une Cour suprême). Il y avait, semble-t-il, des chambres corporatives, permettant des mises en accusation par et pour différentes professions, et même une chambre spéciale où les Juifs pouvaient juger d'autres Juifs [10]. Les accusés étaient originaires non seulement de la région de Lyon, mais de villes aussi éloignées que Marseille ou Périgueux [11].

Le 27 juillet 1943, le tribunal de guerre de France d'Abord jugea par contumace François Cinquin, huissier à Oullins, dans la banlieue lyonnaise, accusé d'être un des fondateurs du groupe « Collaboration » et l'un des principaux rédacteurs d'un organe proallemand intitulé *L'Union française ;* Cinquin s'était rendu en Allemagne dans le cadre d'une délégation de propagande, et il était un antisémite notoire. Le tribunal clandestin le condamna à mort. On peut lire la conclusion de l'histoire dans les pages du quotidien *Lyon Républicain,* où la mort de Cinquin est rapportée à peu près en ces termes : le 10 août, trois cyclistes s'approchèrent du bureau de la victime à Oullins. Deux d'entre eux pénétrèrent à l'intérieur du bâtiment, tandis que le troisième montait la garde à la porte. Dès qu'un secrétaire les eut introduits, ils tirèrent trois coups de feu sur Cinquin, qui mourut sur le coup. Le journal signalait que la victime avait reçu des menaces par la poste, la dernière l'avertissant d'une « froide exécution [12] ».

Voici un verdict tout à fait caractéristique de la cour clandestine de France d'Abord :

> « Vu l'information suivie contre le nommé...,
> Inculpé d'intelligence avec l'ennemi,
> Vu les réquisitions du Ministère public,
> Le Tribunal de Guerre de la France Combattante,
> siégeant à Lyon, a rendu le 8 octobre 1943
> la sentence suivante (...) »

Dans ce cas précis, l'accusé avait été « au mieux » avec des agents de la Gestapo et on le croyait responsable de l'arrestation de gaullistes ; cependant, le tribunal clandestin estimait avoir besoin d'un complément d'enquête qu'il était impossible d'effectuer dans l'immédiat ; il ordonna donc l'incarcération « dès la Libération du territoire ».

Très tôt des « décisions de principe » furent prises contre les propagandistes tels que les journalistes Henri Béraud et Philippe Henriot, le secrétaire général à la Propagande du gouvernement de Vichy Paul Creyssel, cinq inspecteurs de police de Lyon, dont le détesté Charles Dagostini, qui devait être jugé et fusillé à la Libération, contre des membres de la Légion Française des Combattants et d'autres éminents vichystes [13]. Au total, 1 800 dossiers furent instruits. Outre la rédaction des actes d'accusation, les groupes professionnels des chambres de mise en accusation devaient remplir plusieurs tâches : ainsi, le groupe de la presse, où figuraient une trentaine de journalistes, lisait les organes de la collaboration, organisait le boycott de la publicité dans les journaux en question et cherchait à « intimider les mous et les hésitants qui n'oseront plus collaborer avec l'ennemi ». Les chefs de France d'Abord estimaient agir avec la bénédiction du Comité français de libération nationale, à Alger, et avaient d'ailleurs entre les mains une lettre du commissaire à la Justice, François de Menthon, datée du 3 mars 1944, dans laquelle on pouvait lire : « Votre travail est très utile. Je vous demande de le continuer dans les mêmes conditions [14]. »

On trouvera ailleurs d'autres récits d'exécutions menées à bien par la Résistance, mais ils ont presque toujours été rédigés dans le but de condamner ces actes. Ainsi l'abbé Desgranges a évoqué un incident auquel il avait assisté sous l'occupation. Un conseil de guerre secret, présidé par « un officier d'une haute valeur morale », avait condamné à mort un homme qui avait dénoncé des réfractaires au travail obligatoire en Allemagne, ainsi que des suspects recherchés par la Gestapo ; pour chaque personne appréhendée par les Allemands, il recevait 1 000 francs. Desgranges se trouvait dans la rue, juste en face du lieu choisi pour l'exécution, lorsqu'une mitraillette faucha un jeune homme dans l'ombre d'une porte cochère. On s'aperçut alors que celui que les résistants avaient abattu ainsi n'était pas le coupable, mais son frère ; Desgranges voyait là un exemple de la « légèreté » des justiciers — pour ne pas dire pire [15].

Vers la fin de 1943, le gouvernement de Vichy autorisa la publication des noms des victimes de la Résistance, dont le total se montait à 709 pour les quatre derniers mois de l'année : 230 gendarmes, 147 membres des gardes mobiles, dont 19 officiers, 152 agents de police, 30 miliciens, 150 civils. Il y avait eu 9 000 bombes lancées contre des usines ou autres installations, 150 attaques contre des mairies, 686 fermes détruites, 3 714 meules brûlées, 600 trains déraillés [16]. À Alger, la presse de la Résistance titrait :

> « Condamnée par l'unanimité du peuple français,
> la Milice de Laval ne peut rien
> contre l'action des patriotes »

Rapportant qu'un Franc-garde de la Milice avait été abattu à Toulouse — c'était l'une des exécutions menées à bien ce jour-là par la Résistance —, *Alger Républicain* annonçait que les milieux de la Milice étaient à présent inquiets : « Ils savent que d'autres encore sont condamnés par la justice des patriotes (...) En outre, les succès militaires alliés leur font entrevoir le châtiment, et beaucoup d'adhérents se montrent de plus en plus tièdes [17]. »

En tout cas, les collaborateurs ne pouvaient pas dire qu'on ne les avait pas prévenus. Dès le départ, la France libre à Londres — par le truchement d'émissions radiodiffusées que presque tout le monde écoutait —, la presse clandestine à laquelle la plupart des intéressés avaient accès, maints graffiti et lettres anonymes avaient tous clairement précisé que pour ceux qui étaient au service de l'ennemi, le jour de l'expiation n'était pas éloigné. Dès le 13 juillet 1940, soit la semaine même où une Assemblée nationale amputée et abattue, siégeant à Vichy, avait voté les pleins pouvoirs au maréchal Pétain, Charles de Gaulle, dans une allocution radiodiffusée retransmise en France, promettait que « la France libérée punira les responsables de ses désastres et les artisans de sa servitude [18] ». Toujours via Radio-Londres, en août, réagissant au procès intenté par Vichy contre les dirigeants de la Troisième République accusés d'être responsables de la défaite française, de Gaulle déclarait : « Je crois qu'il y a lieu, en effet, de condamner les responsables, et je vais dire lesquels. » Et de faire remarquer qu'au moins deux des hautes autorités militaires auxquelles on pouvait imputer l'impréparation de la France étaient à présent « à la tête du soi-disant gouvernement de Vichy » ; ils seraient jugés [19].

En 1941, les menaces se précisèrent. Depuis Londres, dans l'émission « Les Français parlent aux Français », l'animateur Jacques Duchesne conseillait à ses compatriotes outre-Manche : « À la Gestapo d'Hitler comme à celle de [l'amiral] Darlan, il faut opposer votre propre police secrète, votre propre terreur secrète. » La vengeance de la Résistance s'était d'ores et déjà mise en branle, révélait-il. Ainsi, dans le département du Calvados, un homme s'était suicidé après avoir dénoncé quelqu'un aux Allemands, car il avait eu peur « d'affronter la réprobation et les représailles possibles des Français [20] ». L'un des animateurs les plus ardents de Radio-Londres, Maurice Schumann, au cours de l'émission « Honneur et patrie » du 1er septembre 1941, raconta à ses auditeurs comment Vichy avait remis aux autorités allemandes, qui s'étaient empressées de le fusiller, un prisonnier de guerre évadé, et comment, après qu'une cour martiale allemande eut condamné à mort des Français, cette sentence avait été exécutée par d'autres Français collaborateurs. « Nous avons et nous garderons les noms et les fiches de tous ceux qui — mouchards, juges indignes ou soldats déshonorés — se sont condamnés à mort en prêtant la main à la mort d'un patriote, déclara-t-il. Que l'avertissement ne soit pas oublié de ceux dont il peut encore sauver la conscience... et la tête [21]. » Quinze jours plus tard, Schumann mentionnait la récompense offerte par les Allemands à tous ceux qui dénonçaient des résistants. Quiconque acceptait cet argent, promettait-il, serait aussitôt inscrit sur une liste de « condamnés à mort ». « J'ajoute que la sentence est, cette fois, exécutoire avant la victoire [22]. »

En France métropolitaine, la presse clandestine, rédigée et imprimée par les résistants sous la constante menace d'être découverts, dénoncés et punis sans appel, précisait clairement que la France libérée réglerait ses comptes avec les traîtres et n'accepterait aucune excuse. Ainsi, *Le Franc-Tireur*, qui se décrivait comme un « mensuel dans la mesure du possible et grâce à la police du Maréchal », s'éleva dès février 1942 contre ceux qui prétendaient que Pétain ou d'autres dirigeants de Vichy faisaient de la résistance aux Allemands ; il était déjà trop tard pour ce genre de conversion : « Nos comptes sont désormais à jour (...). Les responsables en doivent compte au peuple français. En dépit de leurs volte-face, de leurs reniements et de leurs palinodies, nous déclarons hautement qu'ils n'échapperont pas à leur sort. » Et l'éditorial concluait : « Dès à présent, la justice est en marche [23]. »

La presse clandestine ne se bornait nullement aux généralités. *Libération*, organe du mouvement portant ce nom en zone sud, publiait régulièrement des listes noires de « propagandistes (...) de la collaboration et ennemis jurés de la Résistance ». Ainsi, le 10 janvier 1943, ce journal citait-il les noms d'un membre du comité directeur du groupe « Collaboration » de Toulouse, du président de la Légion Française des Combattants de Haute-Garonne, d'un professeur de collège du même département, de trois profiteurs se livrant au marché noir à Périgueux, d'un chef du Service d'Ordre légionnaire (prédécesseur de la Milice), etc. « Ces noms sont cités à titre d'échantillon, expliquait le journaliste anonyme ; les intéressés sont invités à réfléchir. L'œil et l'oreille de *Libération* sont partout [24]. »

En 1943, l'une des listes noires de *Libération* comportait les biographies détaillées d'un groupe de professeurs (sous le titre : « Liste noire n° 9. La République des Professeurs... »). Le 1er février 1943, dans un éditorial intitulé « Notre tâche : le Châtiment », le journal appelait « crime » l'armistice de juin 1940 et désignait les criminels : Pétain, Laval, le général Maxime Weygand et Darlan ; leurs complices étaient les ministres, hauts fonctionnaires, préfets et officiers de police de Vichy, les membres de la Légion Française des Combattants, et tous leurs propagandistes. Ces gens-là n'obtiendraient pas de grâce ; tous seraient jugés. « Et, à l'heure où les tribunaux d'exception puniront les crimes de trahison, les fautes d'indignité, le moindre châtiment sera cette peine d'incapacité qui écartera des pouvoirs publics et du destin de la France les traîtres et les indignes [25]. » Un tract diffusé par le mouvement Combat fut adressé à des officiers de police et de gendarmerie : il leur enjoignait de prévenir les résistants d'éventuels dangers et, lorsqu'ils étaient chargés de procéder à des perquisitions et à des fouilles, de les faire superficiellement : « Ralentissez les enquêtes — Ne poussez pas à fond les interrogatoires — Brouillez les pistes — Atténuez les rapports. » Autrement, le sort habituel guettait les quelques traîtres dans les rangs de la police : « Ils seront couchés sur nos listes. La France libérée appliquera le châtiment [26] ! »

À dater de cette époque, le châtiment des traîtres allait être un des leitmotiv de la propagande de la France libre. Marx Dormoy, ancien ministre de l'Intérieur du Front populaire, avait été tué par des collaborateurs ; lorsque l'occupant libéra ses assassins, *Le Populaire,* organe clandestin du parti socialiste, annonça : « Nous juré de venger Marx Dormoy. » Dans le même numéro, la rédaction s'en prenait aux « Kollaborateurs » et avertissait : « Les patriotes français retrouveront tous ces traîtres au règlement de comptes [27]. » Dans un autre journal de la Résistance, *Bir Hakeim,* la liste noire prenait des proportions encyclopédiques. Elle commençait par les noms d'importants hauts fonctionnaires de Vichy, par exemple :

« Général Dentz : a, par son attitude, collaboré directement avec l'ennemi en donnant l'ordre de résister et de tirer sur les nôtres pendant la campagne de Syrie. *Condamné à mort.* »

Suivait une liste d'écrivains et de journalistes dont beaucoup étaient également *condamnés à mort* (et dont certains furent de fait condamnés à la peine capitale par les tribunaux à la Libération), notamment Jean Luchaire et Georges Suarez ; contre d'autres, dont Jacques Chardonne, Henry de Montherlant et Jean Giono, le journal ne réclamait que l'arrestation et le jugement. Il condamnait à mort l'auteur et acteur Sacha Guitry, et réclamait des poursuites contre Édith Piaf, Fernandel, Danielle Darrieux, Pierre Fresnay, Henri-Georges Clouzot et Henri Decoin[28].

Ceux qui collaboraient avec les Allemands, avec Vichy, pouvaient-ils espérer que la justice fonctionnerait dans le bon ordre, que la loi suivrait son cours normal ? Les gaullistes firent savoir que la menace d'une mort immédiate pesait sur ceux qui avaient causé du tort aux patriotes français (à défaut d'autre chose, cette attitude avait le mérite d'être tactiquement fondée : les menaces pouvaient par exemple inciter un collaborateur à se montrer moins féroce envers les résistants). C'est ainsi qu'en juillet 1943, sur Radio-Londres, le journaliste socialiste Pierre Brossolette — qui allait devenir peu après l'un des martyrs de la Résistance — avertit que les policiers collaborateurs coupables d'actions contre les résistants connaîtraient le sort du chef nazi Reinhardt Heydrich, abattu à Prague un an auparavant. « Déjà, annonçait Brossolette, plusieurs d'entre eux sont tombés sous les balles vengeresses. La seule chance qu'aient les autres d'échapper au même traitement sommaire, c'est de renoncer sans délai à leurs activités criminelles. » Il citait des noms : des chefs de brigades de torture à Paris, le directeur de la police municipale parisienne, celui des Renseignements généraux, ainsi que des policiers de province qui travaillaient avec les Allemands à Marseille, Lyon, Montpellier et Nice. « Tous ces hommes dont la liste n'épuise pas le palmarès d'infamie doivent disparaître de la scène : ils n'ont que le choix du moyen[29]. » Au terme d'une mission en zone occupée, Brossolette allait être arrêté en Bretagne, alors qu'il regagnait l'Angleterre ; torturé, il se jeta par une fenêtre de peur de finir par révéler ce qu'il savait.

L'identification des collaborateurs par la radio devait continuer jusqu'à la veille même de la Libération ; en mai 1944 encore, dans l'émission « Les Français parlent aux Français », André Gillois expliquait qu' « après une longue et sérieuse enquête », il était en mesure de révéler l'identité des hommes responsables de la mutilation et de l'assassinat de six résistants à Nice, au mois de décembre précédent. Et il cita les noms des coupables, ainsi que les noms et adresses des chefs miliciens de Nice[30].

À la fin de mai 1943, Charles de Gaulle transféra son quartier général de Londres à Alger et le Comité français de la Libération nationale (le CFLN, dont de Gaulle partageait alors la présidence avec son grand rival le général Henri Giraud) fut créé le 3 juin. Le 3 septembre, le CFLN prit officiellement la décision de faire passer en jugement Pétain et « ceux qui ont fait ou font partie des pseudo-gouvernements formés par lui, qui ont capitulé, attenté à la constitution, collaboré avec l'ennemi, livré des travailleurs français aux Allemands et fait combattre des forces françaises contre les Alliés ou contre ceux des Français qui continuaient la lutte [31] ». Le commissariat à la Justice du CFLN, avec à sa tête François de Menthon, ne tarda pas à faire savoir par un communiqué que les collaborateurs ne pourraient justifier leurs actes en se cachant derrière le gouvernement de Vichy (cela pourrait tout au plus leur valoir des circonstances atténuantes [32]). Un autre communiqué du Commissariat avertissait que les tortionnaires appartenant à la police de Vichy « seront impitoyablement poursuivis et punis dès que la Libération de la France le permettra [33] ».

Au fur et à mesure que les rangs de la résistance grossissaient et que la répression allemande et vichyste se durcissait, le ton des mises en garde montait. Le chansonnier Pierre Dac écrivit pour Radio-Londres des couplets à chanter sur l'air de la « Complainte de Macky », extraite de *L'Opéra de quat'sous*, de Brecht et Weil :

> *Gens d' milice*
> *Et complices*
> *Des polices*
> *De Vichy*
> *Traquent nos frères*
> *Réfractaires*
> *Qui se terrent*
> *Dans l' maquis*

terminant sur un avertissement à la Milice :

> *Vous devrez*
> *Tristes êtres*
> *Disparaître.*
> *Pour les traîtres*
> *Pas d' pitié* [34] !

Dac lui-même s'adressa à ces traîtres en avril 1944, « uniquement et en toute bonne foi pour vous rassurer et vous donner quelques précisions sur ce qui vous attend ». Malgré tous les efforts que les collaborateurs pourraient faire, assurait-il, chacun d'entre eux serait retrouvé. « Vous êtes repéré, catalogué, étiqueté. » Un jour, ou bien une nuit, on viendrait le chercher. « Vous serez verdâtre, la sueur coulera sur votre front et dans votre dos ; on vous emmènera et, quelques jours plus tard, vous ne serez plus qu'un tout petit tas d'immondices (...) » Il ajoutait, ironique : « Et ne craignez surtout pas l'indifférence ou l'ingratitude de vos concitoyens. Où que vous alliez (...), on vous trouvera » pour « un feu de salve, une corde ou un couperet [35] ».

Au cœur même de la France, les menaces pouvaient être encore plus précises. Ainsi, un journal clandestin publié en Ardèche par France d'Abord rapportait que des Françaises témoignaient un peu trop d'intérêt aux officiers allemands. Certaines d'entre elles avaient déjà été tondues et parfois aussi badigeonnées de mercurochrome ou d'encre. « Le moyen est bon », notait le journal tout en expliquant qu'il était bien sûr plus difficile de l'appliquer dans les grandes villes. Quant aux femmes qui séduisaient les résistants pour les faire parler afin de les dénoncer ensuite contre récompense, pour elles « les sanctions seront beaucoup plus graves, on s'en doute [36] ». Un tract émis par le Comité départemental de Libération de l'Ardèche avertissait les miliciens et autres collaborateurs qu'ils seraient jugés par des conseils de guerre et « exécutés dès maintenant sans pitié », comme certains d'entre eux l'avaient d'ailleurs déjà été [37].

On en arriva au point, durant la dernière année d'occupation allemande, où le Conseil National de la Résistance (CNR), fondé sous les auspices gaullistes et chargé de la coordination des mouvements de la Résistance en métropole, dut prendre position contre la diffusion de listes de collaborateurs, car elles confondaient souvent — spécifiait la déclaration du CNR — « les simples dupes du mythe Pétain avec les traîtres avérés à la solde de l'ennemi » ; parfois même, des personnes absolument irréprochables figuraient sur des listes noires ; on pouvait y deviner le travail d'agents provocateurs. Le CNR déclara également qu'il s'opposait aux lettres de menace et aux tribunaux improvisés. Justice serait faite à la fin de l'épreuve, et ce serait « une justice impitoyable au nom de ce que nous avons souffert, une justice inattaquable au nom du droit pour lequel nous avons souffert ». Pour le moment, cependant, concluait-il, « le combat, rien que le combat... [38] »

CHAPITRE II

Combat pour la France

« Le combat, rien que le combat : » cela ne signifiait pas moins qu'il fallait dès à présent s'attaquer à l'ennemi, ainsi bien sûr qu'à ses complices. Durant la dernière année d'occupation, celui qui parut le mieux incarner la collaboration dans toutes ses implications idéologiques fut Philippe Henriot, alors âgé de 55 ans, ancien député et journaliste d'extrême droite, ardent propagandiste, qui, lorsqu'il s'adressait à une assemblée dans le Paris occupé, portait la chemise noire de la Milice. En 1944, il fut avec un groupe d'intransigeants de la collaboration imposé par les Allemands au gouvernement de Vichy ; il devint secrétaire d'État à l'Information et à la Propagande et, sur les ondes de Vichy, ce fut sa voix qui s'éleva pour prôner la violence et l'alliance inconditionnelle avec les Nazis. « Le jour où les Allemands seront chassés, la colère et la vengeance des Français éclateront sur cette poignée de canailles — déclara le speaker de Radio-Londres, Jean Oberlé, en janvier 1944 dans l'émission « Les Français parlent aux Français ». Pauvre Philippe Henriot ! Il n'est pas rassuré [1] ! » L'intéressé, pour sa part, avertissait dans ses allocutions radiodiffusées que la Libération apporterait « la famine et le désespoir », ajoutant que la plupart des Français ne seraient plus là pour voir ce désastre. Les maquisards étaient pour lui des jeunes gens qui s'étaient laissé « embrigader par les tueurs de Moscou au nom du patriotisme, ou plus simplement de la paresse et de la resquille ». Il s'adressait ainsi à de Gaulle : « La France dépouillée de ses colonies, livrée au bolchevisme et occupée par les nègres, ce serait cela votre libération. » Il dénonçait les « judéo-gaullistes », « les Juifs qui ont voulu, qui mènent, qui financent cette guerre et qui en attendent une domination universelle [2] ».

Le 28 juin 1944, trois semaines après le débarquement anglo-américain en Normandie, Philippe Henriot ouvrit la porte de sa chambre, au ministère de l'Information, à un commando de résistants et fut abattu devant son épouse. Aussitôt, le Mouvement de la Libération Nationale (MLN), coalition qui regroupait Combat, Franc-Tireur, Libération et d'autres groupes de la Résistance, revendiqua l'attentat. Il avait été perpétré par les troupes de choc de ce mouvement, les Corps Francs de la Libération [3]. On sait aujourd'hui que ce commando avait été choisi par un des chefs du groupe Franc-Tireur et que moins d'une heure après avoir reçu son ordre de mission, il était à la porte d'Henriot, avec des mitraillettes soigneusement dissimulées ; il fut cité à l'ordre du jour des FFI [4]. Le jour même, Radio-Londres annonça la nouvelle, précisant que l'exécution de Henriot avait provoqué « une allégresse étrange » ; au micro, Jean-Jacques Mayoux s'empressa d'ajouter qu'avant la guerre, nul n'eût songé à souhaiter la mort d'un compatriote, mais qu' « en face des traîtres (...), l'exécution sommaire devient le plus sacré des droits, la seule forme possible de justice [5] ». On a la preuve que le CNR regretta cette révélation de Radio-Londres ; il existe un communiqué dans lequel sa direction exprime la crainte qu'un tel aveu ait pour résultat « une aggravation des représailles sanglantes exercées contre ceux de nos camarades qui sont entre les mains de l'ennemi ou de la Milice [6] ».

Le contre-amiral Charles Platon, né en 1886, était devenu en septembre 1940 secrétaire d'État aux Colonies dans le gouvernement de Vichy ; par la suite, il fut l'un des plus proches collaborateurs du chef du gouvernement, Pierre Laval, et se révéla plus hostile aux Alliés que la grande majorité des autres dignitaires du régime. Ayant quitté le gouvernement en 1943, il adopta une position extrémiste : le 9 juillet 1944, il remit à Pétain une « Déclaration commune sur la situation politique », signée par lui-même et les collaborateurs les plus acharnés, notamment Marcel Déat, Jacques Doriot et Fernand de Brinon ; ces hommes jugeaient le gouvernement Pétain-Laval trop timoré, son action « minée intérieurement par le doute et l'hésitation » ; ils accusaient les vichystes d'être « fascinés » par le récent débarquement des troupes anglo-américaines. Platon et ses alliés politiques réclamaient une purge au sein du gouvernement de Vichy, n'hésitant pas à demander que la peine capitale fût appliquée à ceux qui se montraient trop tièdes ; Platon aurait bien voulu prendre lui-même la place de Laval [7]. Peu après, la Résistance retrouva Platon en Dordogne ; il fut jugé par une cour martiale clandestine et exécuté [8].

Mais ce n'était pas tous les jours qu'on avait l'occasion d'abattre un Henriot ou un Platon. La plupart de ceux que visaient les attaques de la Résistance étaient des personnages moins éminents. Il pouvait s'agir de notables d'un village, d'une ville ou d'un département, qui représentaient soit une menace pour la sécurité des opérations locales, soit un obstacle idéologique à la lutte pour la libération. Parfois, la victime avait le malheur d'être présente lorsqu'un appareil britannique parachutait des armes aux maquisards ; vivante, elle mettait en danger toute une organisation [9]. Presque toujours, cependant, les cibles de la Résistance étaient des ennemis déclarés du maquis. Les archives nous permettent d'avoir accès à un échange de messages entre le Comité de libération de l'Ain et le capitaine Henri Romans-Petit, chef militaire départemental des FFI : au début de mai 1944, le CDL réprimanda Romans-Petit pour avoir tardé à arrêter dix miliciens et agents de la Gestapo qu'on lui avait signalés, et il répondit avec acrimonie qu'il faisait de son mieux, fournissant sa propre liste des personnes exécutées au cours de la semaine écoulée : un milicien à Bourg, cinq autres à Coligny (opération menée à bien avec le concours de l'Armée secrète locale), un autre encore à Beaupont ; deux agents allemands abattus à Saint-Paul-de-Varax, un autre à Villervesure [10]. Les historiens de la Résistance se sont hasardés à estimer à 2 500 environ le nombre d'exécutions sommaires de collaborateurs, adeptes du marché noir et autres éléments antipatriotes, entre l'automne 1943 et le 6 juin 1944. Ce chiffre couvre plus du quart de tous les actes de répression extrajudiciaire dont on avait retrouvé une trace documentaire en 1974, date à laquelle l'étude fut faite [11].

Le jour J, où les troupes alliées débarquèrent enfin sur les plages de Normandie, marqua le début d'une guerre acharnée — « l'insurrection nationale », pour reprendre les mots des chefs de la Résistance citant eux-mêmes Charles de Gaulle [12]. Dans un ordre d'opération traçant les grandes lignes de l'aide que les FFI devaient apporter aux Alliés en juin 1944, le COMAC, section militaire du CNR, fit savoir aux forces de l'intérieur qu'elles devraient, entre autres :

> « destituer les fonctionnaires dévoués aux Allemands. Arrêter et, si c'est nécessaire pour le succès de l'insurrection, exécuter les traîtres, miliciens de Darnand, RNP, PPF, Francistes, etc. [13]... »

Dans un mémorandum adressé aux Alliés, le commissariat à l'Intérieur du CFLN soulignait le rôle de la police dans la double tâche d'assurer la sécurité militaire et de maintenir l'ordre aux premières heures de la Libération. Concernant les « personnes dont l'activité est dangereuse pour l'ordre public », ce document reconnaissait que

> « dans la plupart des cas, la police sera mise devant le fait accompli, la population résistante ayant effectué elle-même les exécutions sommaires ou arrestations que la vindicte publique aura réclamées ».

Le commissariat insistait cependant sur le fait qu'il fallait rétablir au plus vite la légalité [14].

Dans quelle mesure cette justice expéditive était-elle nécessaire ? On a des preuves que la question fit passer quelques nuits blanches aux chefs de la Résistance intérieure : que l'on en juge d'après une note rédigée par une coalition de mouvements résistants appartenant aux zones occupée et libre, adressée avant juin 1944 à tous les chefs de région et chefs de service en prévision du jour J — quand le débarquement allié déclencherait l'insurrection. Ce document frappe un grand coup dès la première phase : « Les éléments hostiles autres que ceux ayant participé au combat, s'il y a eu combats, doivent immédiatement être arrêtés ou abattus en cas de résistance. » Il fallait entendre par là les fonctionnaires de Vichy, les collaborateurs notoires, ainsi que les agents de la Gestapo et les soldats ennemis, « au cas où il en reste encore ». Les responsables du projet d'insurrection dressaient des listes très complètes de cibles de ce genre, avec leurs adresses personnelle et professionnelle, ainsi que celles de leurs propriétés « en cas de fuite ». Un peu plus loin, on lit :

> « Toute la période précédant l'insurrection doit nécessairement être marquée par une intensification progressive des exécutions des traîtres.
> La question qui se pose est de savoir s'il est souhaitable que l'insurrection triomphante soit marquée par des exécutions sans jugement.
> Il est indiscutablement nécessaire, à notre avis, de tenir compte du légitime besoin de justice immédiate des Français opprimés, et surtout de la nécessité d'éviter des troubles sanglants qui risquent de se produire si la justice tarde à agir. »

Les rédacteurs de cette note demandaient donc au CFLN de prendre une décision concernant cette question délicate, suggérant pour leur part que fussent spécialement institués des Tribunaux de la Libération, composés de résistants et de magistrats connus pour leur intégrité et leur attitude favorable à la Résistance [15].

Les Francs-Tireurs et Partisans (FTP), d'obédience communiste, émirent des instructions dépourvues d'ambiguïté. Chaque membre de cette organisation s'engageait sur l'honneur à respecter les dispositions suivantes :

> « À venger tous les crimes commis par l'ennemi et ses policiers contre les patriotes.
>
> À rechercher tous les traîtres coupables de délation à l'égard d'un patriote ou d'une organisation et qui s'est par là même condamné au châtiment de la peine de mort, qui doit lui être appliqué dans les plus brefs délais et sans recours possible même après la libération du territoire [16]... »

Sur Radio-Londres, le représentant communiste, Waldeck Rochet, diffusa les plans de bataille des FTP pour l'insurrection ; y figurait l'ordre

> « d'abattre ou de faire prisonniers les miliciens de Darnand et de désarmer les gendarmes et les policiers qui résistent aux forces de libération [17] ».

Le 11 juillet 1944, un peu plus d'un mois après le débarquement des Alliés, une déclaration du CNR fut lue sur les ondes de Radio-Londres. On y trouvait ces mots : « L'heure est venue d'exterminer les tueurs de la Milice sur qui [l'ennemi] compte pour empêcher la France d'agir et de s'insurger [18]. »

Après le débarquement, les forces alliées se déployaient à travers la Normandie, prenant Cherbourg le 27 juin, Caen le 9 juillet ; le 15 août, des forces françaises et américaines attaquaient les plages de Provence ; Marseille et Grenoble furent libérées le 23 août, Paris le 25. La Résistance jouait son rôle. *France d'Abord*, organe clandestin des FTP, publia le détail de ses opérations dans douze départements de la zone occupée — contre des voies ferrées (avec déraillements, bombes contre des locomotives et des trains), contre des troupes ennemies (parfois contre un courrier à moto isolé, parfois au cours de véritables batailles ; dans un certain nombre de cas, ce furent les Allemands qui lancèrent des attaques contre le maquis). Il était aussi question d'opérations contre des pylônes à haute tension, des transports fluviaux et routiers, des installations téléphoniques et télégraphiques, des camps d'internement. Et

enfin : le 17 juin, une femme, agent de la Gestapo, avait été
« exécutée » dans l'Oise ; entre le 1er et le 19 juin, dix agents de la
Gestapo avaient été tués dans l'Aube ; les 16 et 17 juin, trois
miliciens et deux agents de la Gestapo en Saône-et-Loire ; le
24 juin, un milicien à Paris [19]. Le bataillon Carmagnole des FTP-
MOI a publié une chronologie de son action dans la région
lyonnaise. Bien que la majorité de ses attaques eussent été dirigées
contre des troupes allemandes et des installations d'intérêt militaire, on note néanmoins : l'exécution de deux traîtres le 7 juillet,
de deux agents de la Gestapo le 9, d'autres agents les 10, 12, 15 et
29 juillet ; le 21 août, c'est un chef de la Milice qui a été abattu [20].

La description de l'exécution d'un chef de la Milice par les FTP
est disponible. Elle a pour cadre Vaugneray, dans les monts du
Lyonnais. Une trentaine d'hommes des FTP sautent de camions et
d'une automobile, prêts à tirer. Après avoir demandé leur chemin,
plusieurs d'entre eux pénètrent dans un « châtelet » situé au fond
d'un parc : c'est l'École des cadres de la Milice. Les miliciens l'ont
quitté la veille et seul leur chef (marié, trois enfants) s'y trouve
encore. Il paraît, entouré d'hommes des FTP qui l'escortent
jusqu'à la place de la Mairie, où une sentence de mort est lue ; le
chef de la milice est fusillé par un peloton. L'un des membres des
FTP appose au mur de la mairie une affiche annonçant qu'un
assassin a été exécuté [21]. Les historiens locaux ont noté, après le
débarquement de Normandie, un brusque accroissement du
nombre des actions contre des collaborateurs de la région lyonnaise
(la moyenne est d'une par jour en juillet), ainsi qu'une plus grande
audace (emploi de mitraillettes, par exemple). Ces attentats
visaient surtout à intimider et les chiffres, pour les collaborateurs
exécutés, restent relativement bas : une quarantaine en tout durant
les deux années qui ont précédé la Libération [22].

Il n'est pas toujours facile de saisir les tenants et aboutissants des
exécutions sommaires qui ont eu lieu sous l'occupation. Les
sentences de mort étaient, par la force des choses, tenues secrètes,
prononcées par des personnes inconnues ; il est rare de voir un
responsable ou un exécutant venir donner des détails. Bien
souvent, les exécutions étaient précédées d'un interrogatoire ou
d'une cour martiale clandestine ; parfois on en dressait procès-
verbal. Ce sont donc de tels documents figurant dans les archives
des divers groupes de la Résistance, ce sont les papiers préservés
individuellement par des résistants, c'est enfin l'histoire orale,
encore fort peu exploitée, de la Résistance, que nous devons tenter
de rassembler.

Voici, par exemple, l'histoire d'un ex-gendarme dont le nom de guerre dans le maquis du Lot-et-Garonne était « lieutenant Edouard ». En raison de son expérience, il est nommé officier de justice militaire. Il interroge un milicien qui est condamné à mort et exécuté ; il interroge « Miss Betsy », une Anglaise de 28 ans qui a été en contact avec les Allemands et dont les fréquents voyages restent inexpliqués ; elle refuse de passer aux aveux et sera exécutée. Néanmoins, la plupart des personnes interrogées par le lieutenant Édouard, notamment un ancien garde mobile qui a été membre du PPF et 25 miliciens des deux sexes, ne seront pas condamnées à mort [23]. Dans le même département, nous disposons aussi de l'histoire d'une jeune couturière d'Agen, qui a pour ami un soldat allemand et qui se déplace beaucoup, dans une région où les dénonciations de maquisards sont fréquentes et où de nombreux résistants ont été tués. Un résistant chargé d'enquêter se présente à elle sous l'identité d'un chef de maquis ; aussitôt elle manifeste un vif intérêt, expliquant qu'elle a toujours eu envie d'aller rendre visite aux maquisards et qu'elle adore la vie au grand air. Elle pose des questions : combien de maquisards y a-t-il, où se trouvent-ils ? Elle est enlevée et on découvre qu'elle est en possession d'un plan de la zone du maquis et d'une liste de 30 suspects (dont certains sont identifiés comme chefs de maquis). Lorsque de jeunes maquisards la frappent, leur chef les arrête. Elle finit par avouer qu'elle est la maîtresse d'un Allemand qui recherche des renseignements sur la Résistance. On fait venir l'aumônier du maquis et elle est exécutée, en même temps que ses parents qui étaient au courant de ses activités. « C'était une belle fille », se rappelle le chef du maquis [24].

Jean Chaintron, un des personnages centraux des opérations FTP dans le sud-ouest de la France, en sa qualité de membre du Comité central du parti communiste, a évoqué pour sa part à quel point ces cours martiales clandestines pouvaient, ou devaient, être sommaires. Condamné à mort par Vichy, sa peine avait été commuée en travaux forcés à perpétuité sur intervention personnelle du cardinal Pierre Gerlier auprès du maréchal Pétain ; en juin 1944, un commando de résistants délivre Chaintron et plusieurs de ses codétenus de la prison de Dordogne où ils sont enfermés. Peu après, les anciens prisonniers reviennent tirer de leur geôle les mouchards qui les ont dénoncés et en ramassent encore deux autres au passage dans la ville de Nontron, dont une jolie jeune femme qui couche avec un des gardiens de la prison et que l'on soupçonne d'avoir dénoncé des résistants à ce dernier et aux Allemands (qu'elle fréquente également). En raison du besoin impératif de mobilité, le maquis ne peut avoir de prisonniers ; cette impossibilité incite les ravisseurs à constituer un tribunal improvisé à l'orée de la forêt. Plusieurs de leurs captifs, dont la jeune femme de Nontron, sont reconnus coupables et abattus à côté des tombes qu'on leur a creusées. Les autres sont finalement relâchés[25].

Un autre participant explique qu'à partir du jour J, ces exécutions sommaires sont devenues plus fréquentes et qu'elles étaient, semble-t-il, nécessaires à la survie du maquis, car il aurait été dangereux de permettre à des suspects découverts dans les environs de repartir librement, même si un authentique tribunal n'aurait pas jugé les preuves suffisantes pour établir leur culpabilité[26].

Chaque fois qu'ils le pouvaient, les résistants menaient des enquêtes de leur mieux. Prenons un autre témoignage : à la suite de rapports qui paraissaient dignes de confiance, un ouvrier agricole accusé d'avoir pris part à certaines opérations avec les Allemands fut appréhendé en juillet 1944. Il nia avoir collaboré, se bornant à reconnaître que sa sœur travaillait pour l'occupant. Le chef de secteur des FFI le fit néanmoins passer par les armes. Peu après, un rapport fit savoir que les Allemands avaient cerné le village de cet homme dans l'espoir de le sauver ; le chef des FFI estima que c'était là une confirmation de sa culpabilité[27].

Nous disposons d'un exemple d'enquête plus poussée concernant un autre suspect, en ce même mois de juillet 1944 ; le 2e Bureau de la Résistance de Grenoble avait ordonné son exécution, mais comme l'ordre ne mentionnait aucun motif, le chef du 8e bataillon des FTP, qui avait opéré l'arrestation, interrogea son captif. Celui-ci avoua avoir été membre d'un gang de malfaiteurs dans le Midi, avant la guerre, mais il nia avoir agi contre la Résistance. Un homme des FTP retourna donc à Grenoble pour y apprendre que deux amis du suspect avaient été arrêtés et exécutés en mai et l'avaient alors accusé de plusieurs crimes contre la Résistance, notamment d'avoir transporté des corps à bord de son automobile ; grâce à ces renseignements, on parvint à le faire passer aux aveux. Après deux autres jours d'interrogatoire, il reconnut avoir participé au meurtre d'un doyen d'université et de son fils, et à celui d'un journaliste. Il fut condamné à mort et la sentence fut immédiatement exécutée[28].

Beaucoup plus tard, le dirigeant communiste Jean Chaintron, analysant les actes de justice expéditive dont il avait eu connaissance, conclut qu'en ce qui les concernait, les communistes avaient agi conformément à leur tradition de justice révolutionnaire. Ils auraient même pu aller plus loin qu'ils ne le firent : Chaintron attribuait cette modération au fait que, dès juin ou juillet 1944, la direction du Parti avait compris que la libération de la France ne s'accompagnerait pas d'une révolution[29].

Radio-Londres prit la peine de justifier ainsi les activités du maquis, qui constituait « la légalité française » : « Tous les hommes des maquis de la Résistance unie obéissent, eux, à des ordres précis, affirma un speaker au début de 1944. Radio-Paris dit : " Ils assassinent. " Ceux du maquis répondent : " Nous faisons justice. " » Le journaliste citait le journal clandestin *Libération* qui, le 20 octobre 1943, faisait allusion à des actes de sabotage et autres attentats commis à Grenoble : « Les mouvements de Résistance ne peuvent pas approuver des actes de sabotage et attentats privés qui portent préjudice beaucoup moins aux Allemands qu'aux intérêt français (...) Le moment est à l'action juste et efficace contre l'Allemagne, l'heure n'est pas aux vengeances personnelles. » L'article citait de Gaulle : « Les châtiments des coupables doivent se faire dans l'ordre et dans la justice[30]. »

De nombreux documents montrent que la résistance intérieure souligna explicitement le besoin de se montrer circonspect : « L'œuvre de justice exige une recherche impartiale du crime, expliquait un organe clandestin. Honte à elle si elle atteint un innocent. » Le Conseil National de la Résistance prit position contre « des tribunaux improvisés », car il était impossible de rendre la justice à la façon des cours martiales de la Milice[31]. (Vichy les avait établies en janvier 1944 pour juger les terroristes : la procédure judiciaire normale était suspendue, les terroristes reconnus coupables devaient être « immédiatement passés par les armes », pour reprendre les termes de l'ordonnance signée par Joseph Darnand, tout à la fois chef de la Milice et secrétaire général au Maintien de l'Ordre du gouvernement de Vichy[32].)

Néanmoins, l'insurrection exigeait que l'on traitât les ennemis véritables sans aucune pitié. Un document des FTP, contenant des instructions sur l'attitude à adopter envers les collaborateurs, est parvenu jusqu'à nous. Il recrée, aussi fidèlement que pourrait le faire le plus éloquent des témoins oculaires — à supposer qu'un tel témoin fût prêt à venir déposer —, le climat de guerre civile qui régna durant l' « insurrection nationale », du moins parmi ceux qui prenaient part à la lutte. « Il faut être impitoyable, précisait cette instruction. Tout milicien prouvé doit être condamné à mort et exécuté, de quelque âge, de quelque sexe soit-il. » On expliquait alors pourquoi il était ainsi question du sexe du coupable : c'était parce que des femmes et des jeunes filles appartenaient elles aussi à la Milice : « Elles vous diront, si vous les arrêtez, qu'elles ne faisaient que de la charité », précisait le document. Or, il était prouvé que les miliciennes avaient reçu l'ordre d'alléguer cette excuse en cas de capture. « C'est pourquoi nous insistons sur la nécessité de se montrer impitoyable à l'égard des miliciens, des miliciennes et des francs-gardes de tous sexes. »

Les FTP expliquait ensuite comment juger les suspects. Étant donné qu'il n'était pas possible d'obtenir la preuve tangible qu'un prévenu avait, par exemple, dénoncé des patriotes (car les Allemands gardaient ou détruisaient cette preuve), il fallait se contenter de la déposition de plusieurs témoins ; mais il convenait néanmoins de respecter les formes légales. L'accusé devait comparaître devant une cour martiale composée de trois personnes ; une quatrième personne présentait l'acte d'accusation et il fallait aussi qu'un défenseur d'office fût présent (puisqu'il était évidemment exclu, en pleine guerre, de permettre à l'accusé de faire appel au défenseur de son choix). Ces défenseurs d'office existaient déjà dans les cours martiales de la Milice, précisait l'instruction des FTP, même si leur rôle se limitait à faire appel « à la clémence du tribunal ». Le verdict devait être rendu public : « Toutes les fois que vous arrêtez, condamnez et exécutez quelqu'un, vous devez l'afficher avec les motifs. » Et l'instruction s'achevait sur un avertissement contre trois dangers : « La sentimentalité, qui vous fera abandonner à leur sort des traîtres prouvés ; l'indifférence, qui vous fera abandonner des recherches ; et l'espionnite, qui vous fera exagérer la répression. » Parmi ces risques, les deux premiers « sont les plus graves [33] ».

Henry Ingrand, chef régional de la Résistance en Auvergne, déclara à ses hommes, le 1er août 1944, qu' « en dehors des circonstances exceptionnelles, motivées par la nécessité d'assurer la sécurité de troupes au contact de l'ennemi, ou en cas d'attaques imminentes, ils ne sauraient faire procéder aux exécutions de miliciens, membres du PPF ou tout auteur de crime flagrant d'espionnage, de trahison, de vol ou de pillage commis dans un but personnel, qu'ils pourraient capturer ». Il fallait, disait-il, les retenir pour les faire passer en jugement après la Libération ; en attendant, il était important d'obtenir les dépositions des témoins disponibles [34].

CHAPITRE III

Organiser la Libération

Prévoir l'après-guerre fut toujours l'une des principales préoccupations des gaullistes, tant à Londres qu'à Alger, ainsi que de la résistance métropolitaine. Il ne suffisait pas seulement de débarrasser le pays des Allemands et de leurs complices ; la France d'après la Libération devait être meilleure. En France occupée, les objectifs de la Résistance se forgèrent dans des études qui circulèrent d'abord à l'intérieur de chaque groupe de résistants, puis entre les groupes ; les projets furent ensuite résumés dans le programme du Conseil National de la Résistance, vaste coalition qui regroupait en son sein des tendances aussi diverses que le Front national, contrôlé par les communistes, et l'Organisation Civile et Militaire (OCM), en passant par des groupes tels que Combat et Franc-Tireur (qui opérait alors à l'intérieur du Mouvement de Libération Nationale) ; le CNR comportait aussi des représentants des partis politiques d'avant-guerre. La première assemblée plénière eut lieu en mai 1943, à Paris, sous la présidence de Jean Moulin. (Un mois plus tard à peine, ce dernier allait être arrêté et mourir peu après entre les mains de la Gestapo.)

Parmi les questions abordées en prévision de l'après-guerre figurait le châtiment des coupables : « Le premier acte du Gouvernement de la Libération doit être la liquidation impitoyable de la trahison et la recherche des responsabilités de la défaite », annonçait l'OCM dans le journal clandestin *Résistance* en janvier 1943. « Après la délivrance du territoire, aucune tâche n'est plus urgente ; elle conditionne toutes les autres[1]. » Le programme du CNR fut publié le 15 mars 1944 (« publié » s'entend sous forme de tracts clandestins et d'insertions dans les journaux clandestins), sous le titre prometteur : « Les jours heureux ». La première section présentait un « plan d'action immédiate » qui nécessitait la mise en place de comités locaux pour travailler dans le cadre et sous l'autorité de comités départementaux : il s'agit là des Comités départementaux de la Libération, ou CDL, dont nous reparlerons plus loin. Les groupes opérant dans les villes et villages se voyaient confier un certain nombre de missions pour la période antérieure à la Libération ; l'une d'elle était de « traquer et punir les agents de la Gestapo et de la Milice de Darnand, ainsi que les mouchards et les traîtres ».

Les FFI — Forces Françaises de l'Intérieur — devaient être renforcées par de nouveaux groupes francs, les milices patriotiques. La section suivante du programme traitait des « Mesures à appliquer pour la libération du territoire » ; dans ce domaine, la coalition du CNR annonçait son intention de rester unie :

> « 1° Afin d'établir le gouvernement provisoire de la République formé par le général de Gaulle pour défendre l'indépendance politique et économique de la nation, rétablir la France dans sa puissance, dans sa grandeur et dans sa missions universelle ;
> 2° Afin de veiller au châtiment des traîtres et à l'éviction dans le domaine de l'administration et de la vie professionnelle de tous ceux qui auront pactisé avec l'ennemi ou qui se seront associés activement à la politique des gouvernements de collaboration ;
> 3° Afin d'exiger la confiscation des biens des traîtres et des trafiquants du marché noir[2]...

Les statuts des Comités départementaux de la Libération (on disait plus souvent « de libération »), que l'on fit circuler vers la même époque, leur confiaient un rôle dans la préparation des « mesures immédiates d'épuration et de neutralisation des traîtres » ; ils étaient plus spécifiquement chargés « d'arrêter les traîtres et les suspects[3] ».

Cependant, le principal instrument des forces de libération et du gouvernement provisoire dont de Gaulle avait pris la tête devait être cette autre création, unique en son genre, des gaullistes : les Commissaires régionaux de la République, corps de proconsuls qui, à l'heure de la Libération, se virent investis de presque tous les pouvoirs dont peut se prévaloir un président, voire un souverain (de fait, le droit de grâce est une prérogative présidentielle ou régalienne). Grâce à cette invention, les gaullistes furent en mesure de renforcer leur autorité dès l'instant où l'ennemi et ses acolytes eurent disparu de la circulation, et parfois même avant ; la France n'eut ainsi jamais besoin d'un gouvernement militaire anglo-américain tel que ceux conçus par d'autres territoires fraîchement libérés du joug nazi. (Par la même occasion, les

Français n'eurent pas davantage la possibilité de se prononcer sur le gouvernement gaulliste.) Dans l'idée de leurs inventeurs, les commissaires régionaux — il y en avait un pour chaque grande région française (soit 17 entités géographiques), correspondant grosso modo aux préfets régionaux de Vichy — devaient être des hommes d'action avant d'être des administrateurs ; on allait les recruter non pas dans les rangs de l'administration ou du corps préfectoral existant, mais dans toute une variété de professions, et ils devaient représenter un vaste éventail d'opinions ; ils devaient surtout incarner l' « esprit nouveau » de la France d'après-Vichy.

L'ordonnance par laquelle était créé ce corps de proconsuls fut élaborée et signée le 10 janvier 1944, cinq mois avant le jour J ; cependant, à la différence de la plupart des décrets promulgués par le CFLN, puis par le gouvernement provisoire, celui-ci fut tenu secret pour n'être publié qu'après le 6 juin, afin de ne pas alarmer les Alliés de la France qui n'étaient absolument pas préparés à une reprise en main aussi radicale de la part des gaullistes [4]. Le rôle de ces commissaires fut révélé à la France occupée par « Les Français parlent aux Français ». Le journaliste fit clairement savoir que si les communications avec le gouvernement provisoire venaient d'être interrompues, chaque commissaire « dispose de pouvoirs d'une exceptionnelle ampleur ». Il pouvait suspendre ou *promulguer* n'importe quelle loi, prendre toutes décisions nécessaires « pour assurer le maintien de l'ordre, le fonctionnement des administrations (...) ainsi que la sécurité des armées françaises et alliées ». De ce fait, les pouvoirs de ces hommes « n'ont pratiquement d'autre limite que le but même en vue duquel ils lui sont conférés ». Un commissaire avait tout loisir de suspendre un fonctionnaire local, élu ou nommé, d'ordonner des opérations policières, de faire bloquer des comptes en banque. « Retenez surtout — insistait Pierre Laroque, gaulliste, membre du Conseil d'État, qui avait pris la tête d'une des équipes de planification — qu'il n'est pratiquement pas de mesure qui ne puisse être prise en cas de nécessité par le commissaire régional de la République [5]. »

Nul ne sera donc étonné d'apprendre que les commissaires allaient jouer un rôle primordial dans l'épuration des collaborateurs. L'ordonnance, telle qu'elle fut publiée à Alger au *Journal Officiel* du 6 juillet 1944, énumérait leurs pouvoirs, précisant que ces fonctionnaires avaient pour mission d' « assurer la sécurité des armées françaises et alliées » et de « rétablir la légalité républicaine » ; elle devenait applicable « dans chaque département ou commune dès sa libération [6] ». « Ce n'est pas l'un des moindres aspects de l'effort de la Résistance que cette mise en place, sur toute l'étendue de la France occupée, d'une nouvelle administration qui attend l'heure de se dévoiler ! » s'exclama André Gillois dans une autre émission de juillet 1944. « Des commissaires de la République clandestins, des préfets clandestins, des Comités de Libération clandestins administrent même d'ores et déjà, avec une autorité que n'eurent jamais les cadres épuisés de Vichy[7]. »

En réalité, ces hauts fonctionnaires du gouvernement étaient des émissaires clandestins. Il est certain qu'au départ, cette clandestinité leur fut imposée : de même que l'ordonnance resta secrète, le nom des hommes choisis le resta également lorsqu'ils prirent leurs fonctions en France occupée. Ils arrivèrent munis d'instructions confidentielles, le plus souvent sous forme de brouillons ; fréquemment, comme nous le verrons, ces instructions étaient incomplètes. Elles insistaient sur le fait que le commissaire de la République serait vraisemblablement, pour « quelques heures, peut-être même quelques jours », tenu d'agir seul, sans aucune possibilité d'obtenir l'aide ou les conseils d'une autorité centrale. En ce qui concernait le « maintien de l'ordre et sanctions, leur disait-on, vous n'attendrez pas [les ordres du gouvernement] pour arrêter les individus dangereux pour la paix publique ». De telles arrestations pourraient satisfaire, dans certaines régions, ceux qui demandaient justice, mais « ailleurs, elles seront peut-être, à elles seules, inopérantes... Vous présent, vous ne pouvez rester passif devant la colère du peuple... Les tribunaux militaires institués en cours martiales, conformément à notre droit, jugeront les traîtres[8] ».

Jean Pierre-Bloch, commissaire adjoint à l'Intérieur dans le gouvernement provisoire gaulliste, cite une circulaire adressée aux mêmes commissaires en janvier 1944 : « L'arrestation des traîtres et la certitude de la condamnation de leurs crimes seront la première condition du rétablissement de l'ordre public. La répression devra être rapide et brutale, pour limiter au minimum l'agitation qui ne manquera pas de se produire au moment des arrestations. » Dans la mesure du possible, les commissaires devaient respecter les lois de la République ; il fallait réduire les internements au minimum, car le gouvernement provisoire tenait à éviter « la facilité et l'arbitraire » de Vichy. En ce qui concernait les arrestations, les commissaires devaient consulter les Comités départementaux de la Libération, mais sans oublier que la décision leur appartenait en propre ; les « passions politiques ou des animosités locales » pouvaient se révéler dangereuses[9]. Michel Debré, qui va bientôt nous apparaître comme l'un des principaux architectes de ce réseau de proconsuls, élabora des instructions adressées en mai 1944 aux Comités départementaux de la Libération, les habilitant à arrêter et à détenir des suspects. Il revenait néanmoins aux préfets d'éviter les excès ; la justice de la République n'était pas celle de Vichy. Dans une autre circulaire adressée le même mois aux préfets et rédigée elle aussi par Debré, il était clairement précisé que « d'elles-mêmes, les forces de la Résistance se seront assurées de la personne des traîtres les plus notables » ; suivit un nouvel avertissement mettant en garde contre les « débordements de passion [10] ».

Le fait que beaucoup de ces projets prirent forme non pas dans des clubs londoniens, ni dans les hôtels ou bâtiments gouvernementaux d'Alger, mais en France métropolitaine, souvent au nez et à la barbe des Allemands, dans ce Paris si ostensiblement occupé, par l'entremise d'hommes de loi a priori peu faits pour ces activités rocambolesques et clandestines, n'est pas l'aspect le moins étonnant des plans de la France libre. Tout en élaborant des lois pour une France libérée, les planificateurs veillaient en effet à consulter à tout moment la Résistance. Dans le cadre des efforts gaullistes pour coordonner ce qui se pensait en métropole, fut créé à Lyon, en 1942, un « comité des experts » qui prit très vite un nom plus officiel : Comité général d'Études (CGE). Sa mission était triple : préparer « les mesures immédiates » à appliquer lorsque les gaullistes remplaceraient Allemands et Vichystes en déroute ; suggérer une orientation générale pour le nouveau régime ; dresser enfin une liste des personnes à nommer aux postes clés de la nouvelle nation.

François de Menthon, alors âgé de 42 ans et professeur d'économie politique, prit en main ce nouveau groupe d'études avec la bénédiction de « Rex », nom qu'utilisait alors Jean Moulin, émissaire gaulliste arrivé en France au début de l'année avec pour mission de coordonner les mouvements et les hommes en métropole même. Le comte de Menthon, héritier d'un château familial sur le lac d'Annecy, était un catholique respecté. Envoyé au front en 1940, il avait été blessé et fait prisonnier ; après s'être évadé, il s'était vu confier un poste universitaire par Vichy, avant d'être ultérieurement révoqué. Entre-temps, il avait, avec d'autres chrétiens démocrates, créé un mouvement clandestin baptisé Liberté, qui allait fusionner avec le groupe Vérité d'Henri Frenay, pour former Combat. L'intention de Menthon, en dirigeant le groupe d'études, était de mobiliser les connaissances de tous les grands courants politiques : lui-même représentait les chrétiens démocrates, l'ancien ministre Paul Bastid, 50 ans, les radicaux-socialistes ; Robert Lacoste, 44 ans, dirigeant d'un syndicat de fonctionnaires, les socialistes et les syndicats ; Alexandre Parodi, 41 ans, membre du Conseil d'État, devait exprimer le point de vue de l'administration.

La première réunion de ces experts eut lieu à Évian, en juillet 1942, chez le sénateur radical-socialiste Tony-Révillon ; la même année, d'autres entrevues prirent place à Lyon, suivies d'un retour à Paris au printemps suivant. Au départ, les experts n'avaient aucune liaison avec Londres où d'autres spécialistes, tels René Cassin, l'un des principaux membres du mouvement gaulliste en exil, qui faisait autorité en matière de droit français et international, et le professeur et député socialiste André Philip, se penchaient sur les mêmes problèmes. La tâche du CGE, cependant, était de déterminer ce que voulait la métropole[11]. Lors d'une réunion avec un Comité de coordination des Mouvements de Résistance, en novembre 1942, il avait été convenu que le CGE établirait des questionnaires et élaborerait des propositions à soumettre aux groupes de résistance ; les experts seraient alors chargés de faire la synthèse des rapports qui en résulteraient, pour les transmettre à la France libre à Londres. La création des commissaires régionaux de la République fut l'un des résultats de ce dialogue entre gaullistes en exil et Résistance sur le sol français[12].

Parmi les membres du Comité général d'Études figuraient d'autres éminents juristes et des hauts fonctionnaires : l'avocat Jacques Charpentier, alors bâtonnier ; le professeur de droit Pierre-Henri Teitgen ; et un brillant maître des requêtes au Conseil d'État, Michel Debré, alors âgé de 30 ans[13]. Il pouvait en outre faire appel, si besoin était, aux services de magistrats et autres juristes patriotes. Au début de 1943, le CGE entra en contact (par le truchement d'Émile Laffon, résistant remarquable, rarement mentionné dans les chroniques de cette époque, mais qui exerça néanmoins une des influences prépondérantes dans la remise sur pied de la France après la Libération) avec Maurice Rolland, substitut au procureur de la République de Paris : accepterait-il de préparer pour le Comité une étude sur les conséquences judiciaires de la Libération ?

Né en 1904 à Montauban, fils d'un président de la Cour de Cassation, Rolland avait d'abord été avocat. Sous l'occupation, tout en continuant à exercer devant les tribunaux parisiens, il était devenu agent de renseignements pour l'Armée secrète, ayant été recruté par l'Organisation Civile et Militaire (OCM), mais il fut assez vite contraint d'entrer dans la clandestinité. Lorsque Émile Laffon lui annonça qu'on avait besoin de lui à Alger pour aider à mettre la dernière main à la loi sur l'épuration, il tenta de quitter la France, ce qui n'alla pas sans mésaventures. Alors qu'il attendait sur une plage méditerranéenne qu'un sous-marin vînt le chercher, son groupe fut découvert par des sentinelles allemandes et il dut abandonner, dans la mêlée, une paire de souliers orthopédiques qu'une déformation de la hanche l'obligeait à porter ; à la suite de quoi les Allemands obligèrent systématiquement ceux qu'ils soupçonnaient de pouvoir être leur fugitif à se déchausser. Après avoir traversé la France en tous sens, Rolland réussit enfin à s'enfuir par avion, décollant d'une piste clandestine près de Compiègne ; il n'arriva à Alger qu'en avril 1944 et se joignit alors à l'équipe occupée à donner forme à la nouvelle législation. Nous le retrouverons à la Libération, chargé de procéder à l'épuration de la magistrature [14].

Laffon ayant demandé à Rolland de participer à l'élaboration de la loi sur l'épuration, celui-ci créa un groupe où figuraient Charles Zambeaux, alors substitut du procureur général, et Robert Vassart, procureur général. Ils se réunissaient chez un avocat dont la demeure était pourvue de trois entrées différentes, ce qui facilitait la discrétion des allées et venues [15]. Dans cette étude sur la législation de l'épuration d'après-guerre, Rolland et Zambeaux se penchèrent tout spécialement sur les questions de procédure. Ils n'entendaient pas définir de nouveaux crimes, ce qui eût obligé à juger les collaborateurs pour avoir enfreint des lois qui n'existaient pas à l'époque où ils avaient agi, alors que ce genre de justice rétroactive était l'une des caractéristiques du régime tant méprisé de Vichy. La collaboration, estimaient-ils, était une forme d'intelligence avec l'ennemi, crime déjà défini dans le Code pénal. Or, malgré l'armistice de juin 1940, l'Allemagne était bel et bien l'ennemi, un armistice n'ayant jamais constitué un traité de paix.

Toutefois, Rolland et ses collègues avaient conscience que certains actes de collaboration n'étaient pas des crimes passibles de sanctions aux termes du Code pénal. Il fallait donc trouver pour eux un châtiment moins sévère. Ils formulèrent le concept de peine d' « indignité nationale », qui consisterait en une privation des droits civiques. De cette façon, ceux qui n'avaient pas vraiment commis de crimes, mais qui avaient, par exemple, soutenu des mouvements de collaborateurs, pourraient échapper à l'accusation d'intelligence avec l'ennemi. L'idée était neuve, mais ce n'était pas vraiment une nouvelle loi, comme le soulignèrent ses créateurs. La peine étant moins sévère, on ne pouvait s'élever contre son effet rétroactif : selon un principe général du droit et la jurisprudence française, une rétroaction admissible est la remise de peine [16].

Quant aux collaborateurs avérés, comment les juger ? L'une des conclusions auxquelles parvint l'équipe Rolland fut qu'il faudrait créer une nouvelle cour. Impossible de se contenter des tribunaux militaires traditionnels, car trop d'officiers avaient versé dans la collaboration ; impossible aussi d'avoir recours aux chambres criminelles existantes, car trop de magistrats s'étaient mal conduits sous le régime de Vichy. Les tribunaux d'épuration seraient plus réduits : un magistrat au lieu des trois habituels, car dans une région donnée, il serait forcément plus facile de trouver un seul juge non collaborateur plutôt que trois ; les jurés seraient au nombre de six au lieu de douze (et, bien entendu, les collaborateurs notoires en seraient exclus). L'équipe Rolland avait également le sentiment que l'on gagnerait beaucoup de temps dès lors que l'inculpation serait prononcée par le procureur et non pas par le juge d'instruction. Quant à l'épuration du corps des magistrats eux-mêmes, Rolland et ses collègues mirent au point une méthode empirique : tous les hauts fonctionnaires de la justice qui ne pourraient apporter la preuve de leurs activités de résistants seraient évincés (car ils devaient servir d'exemple) ; les juges moins haut placés et les autres fonctionnaires seraient maintenus dans leurs fonctions, à moins d'être convaincus de collaboration[17]. En rédigeant ce projet des futures Cours de Justice de la Libération, Charles Zambeaux s'inspirait à la fois des cours d'assises et des tribunaux militaires ; l'article 75 et les sections suivantes du Code pénal, promulgués par décret en 1939 pour juger les cas de trahison, fondaient en droit ce projet[18].

Les recommandations Rolland-Zambeaux furent présentées au Comité général d'Études lors d'une réunion tenue vers la fin du printemps de 1943, dans une arrière-boutique de la rue Saint-Placide à Paris. Parodi, Bastid et Debré étaient présents, ainsi qu'Émile Laffon[19]. Il existe un rapport secret, intitulé « Mesures immédiates à prendre par le gouvernement provisoire », soumis au CGE en mai 1943. Il réclame la dissolution de la Légion française des Combattants créée par Vichy, sans toutefois nécessairement en sanctionner les membres dont certains avaient adhéré en toute bonne foi. En revanche, les membres de la Milice paramilitaire, de la Légion des Volontaires Français contre le bolchevisme, qui avaient revêtu l'uniforme allemand, du Parti populaire français et du Rassemblement national populaire, totalement nazifiés, devaient être immédiatement arrêtés, ainsi que les dirigeants du gouvernement de Vichy et autres collaborateurs notoires. Le document faisait valoir que les lois existantes étaient amplement suffisantes ; dans la mesure du possible, mieux valait éviter tous nouveaux textes. Contre les actes politiques de collaboration que ne couvrait pas le Code pénal, le rapport suggérait l'indignité nationale — le « délit politique » étant sanctionné par des « peines politiques », bannissement ou dégradation nationale ; de cette façon, la question de la rétroactivité ne se poserait même pas [20].

Durant l'été 1943, un émissaire du CGE entra en contact avec André Latrille, alors président de section au tribunal de la Seine, lui expliquant qu'un projet de législation avait été élaboré, qui devait prendre effet dès la Libération, mais que de Gaulle et le CGE n'étaient pas d'accord sur certains points. « Tristan » — tel était le nom de code de Pierre-Henri Teitgen — souhaitait un complément d'étude. Latrille alla trouver André Mornet, président honoraire de la cour de cassation, qui avait été procureur du gouvernement au Conseil de guerre durant la Première Guerre mondiale, chargé des cas de haute trahison. Mornet, qui avait alors 73 ans, lui déclara : « Je ne veux pas mourir sans avoir requis contre le maréchal Pétain. » (Ce qu'il allait faire durant l'été 1945.) Ayant pris l'appellation de Comité de Juristes de la Résistance, ces magistrats formèrent leur propre groupe d'études et leurs conclusions se reflètent dans les textes finalement soumis à l'Assemblée consultative d'Alger [21].

Pendant ce temps, le groupe Rolland mettait la dernière main à son projet, dont François de Menthon emporta une partie à Londres ; de Gaulle demanda à ce dernier de rester et il devint le commissaire à la Justice du CFLN, avant d'être nommé Garde des Sceaux dans le gouvernement de la Libération. Lorsque Rolland arriva à son tour à Alger, il apportait dans ses papiers le projet définitif que proposait son groupe [22]. Entre-temps, en l'absence de toute décision prise à Alger, le CGE avait, de sa propre initiative, adopté la résolution suivante : dans l'attente d'instructions définitives, les commissaires de la République mettraient à exécution les projets proposés par le CGE [23].

Celui-ci avait une autre tâche à accomplir. Il devait tout préparer pour l'arrivée au pouvoir des hommes chargés de superviser l'épuration et le retour au gouvernement républicain, c'est-à-dire les commissaires de la République au premier chef, puis les préfets qui, sous leur autorité, devraient prendre les rênes dans les départements libérés. Durant l'été 1943, Michel Debré multiplia les réunions clandestines avec Teitgen et d'autres membres du Comité, mais également avec des représentants des mouvements de résistance qui avaient leurs propres candidats à proposer. Au fur et à mesure qu'elles étaient remises, les propositions étaient dissimulées dans les archives de la Chambre des Députés, bien que

Debré eût pour elles une cachette encore plus sûre : son propre bureau au Conseil d'État où il était possible de se retrouver le soir ou le dimanche sans crainte d'être dérangé. (Il dissimulait ses fiches derrière un gros volume de jurisprudence du XIXe siècle ou bien dans un tiroir de sa table que personne n'avait ouvert depuis des années.) L'une des premières décisions du groupe fut de choisir des préfets en dehors du corps préfectoral. D'abord parce que la nation voulait voir de nouveaux visages : ensuite parce que les préfets traditionnels étaient habitués, de par leur formation, à éviter (théoriquement) de se mêler de politique, alors que la France libérée aurait besoin d'une espèce de dirigeants radicalement différente. On estimait aussi que les nouveaux préfets devaient, tout comme les commissaires régionaux de la République, être issus des rangs de la Résistance ou être acceptés par elle : autrement, ils n'auraient pas assez de poids et l'ancien détenteur du poste risquait de rester en place avec le soutien des Alliés.

D'ailleurs, aux yeux de Teitgen et Debré, la nomination et l'installation des commissaires et des préfets, dès avant la Libération, constituait une véritable « prise de pouvoir » qui empêcherait les États-Unis de mettre à la tête de la France libérée un fantoche tel que l'amiral Darlan.

Une fois complétée la liste des commissaires et des préfets, durant l'été 1943, les noms des candidats furent discutés avec les chefs de la Résistance des départements concernés (il y eut quelques changements). Par la suite, certaines arrestations, déportations ou même exécutions des hommes choisis obligèrent à leur trouver des remplaçants. Debré calcula plus tard que, parmi le premier groupe choisi pour diriger les départements, il y avait eu 25 arrestations et neuf décès[24]. Nous savons aujourd'hui que les premiers commissaires de la République furent nommés *avant* l'ordonnance de janvier 1944 qui institua officiellement ce corps. Plusieurs mois auparavant, les « planificateurs » de la métropole avaient appris qu'un débarquement allié était envisagé dès octobre 1943. Michel Debré prépara donc en toute hâte une ordonnance créant un « Comité d'Action » en France métropolitaine, habilité à nommer des commissaires. Un courrier emporta les projets de nomination à Alger et revint avec six textes signés et datés du début d'octobre ; chaque nomination portait la mention : « Le présent décret ne sera pas publié au *Journal Officiel* de la République française[25]. »

CHAPITRE IV

Alger

C'est d'une base londonienne que Charles de Gaulle avait lancé son appel aux partisans de la France libre. Cependant, une fois que les Alliés eurent pris l'Afrique du Nord, en novembre 1942, les gaullistes purent aller s'installer sur un petit coin de territoire français libéré. De Gaulle arriva à Alger le 30 mai 1943 et, le 3 juin, fut fondé le Comité Français de Libération Nationale (CFLN). Pendant cinq mois, l'officier rebelle dut partager le pouvoir avec un autre général français, Henri Giraud, qui, après s'être évadé d'un camp allemand et avoir rompu avec Vichy, était allé rejoindre les Alliés en Afrique du Nord. Après l'attentat contre l'amiral Darlan, Giraud allait devenir commandant en chef civil et militaire, puis coprésident du CFLN jusqu'en novembre 1943. À partir de cette date, de Gaulle en resta l'unique président et, le 3 juin 1944, le CFLN devint le Gouvernement provisoire de la République française (GPRF). Dès novembre 1943, une Assemblée consultative provisoire siégea à Alger pour participer à l'élaboration des ordonnances qui allaient devenir les premières lois de la République d'après-guerre. En réalité, seules comptaient les ordonnances signées par de Gaulle et ses ministres — qu'on appelait alors commissaires et qui représentaient la plupart des grandes familles politiques françaises. Dans l'idée du général, en effet, l'unité nationale était la clé de la victoire et tous les grands partis politiques devaient avoir leur place dans le gouvernement de la Libération, de même que la Résistance (dont certains chefs n'étaient affiliés à aucun parti). Aussi le gouvernement d'Alger contenait-il des radicaux comme Pierre Mendès France, des socialistes comme Adrien Tixier, des chrétiens démocrates comme François de Menthon. Le commissaire à l'Intérieur, Emmanuel d'Astier de la Vigerie, était issu des rangs de la Résistance [1].

À Alger, les gaullistes continuaient à préparer l'épuration qui devrait être entreprise dès la libération de la métropole. Certaines mesures pouvaient néanmoins être adoptées sans plus tarder, à l'endroit même où ils se trouvaient, en Afrique du Nord, qui avait évidemment été gouvernée par Vichy jusqu'en novembre 1942. Un certain nombre des hauts fonctionnaires du précédent régime étaient restés en place et certains vichystes étaient même venus de métropole dans l'espoir de s'enrôler dans les rangs de la France libre. L'un de ceux-ci était un curieux personnage, ex-ministre de l'Intérieur dans le gouvernement de Vichy, Pierre Pucheu. Né en Algérie 44 ans auparavant, fils d'ouvrier, autodidacte, il avait fait fortune dans l'industrie et c'était en qualité de technocrate qu'il s'était rallié au régime de Pétain (où il avait d'abord été secrétaire d'État à la Production industrielle), pour occuper la dangereuse position de ministre de l'Intérieur en août 1941. On ne sait trop pourquoi, Pucheu était convaincu qu'il avait un rôle à jouer en Afrique du Nord et, pendant quelque temps, le général Giraud parut d'accord. Cependant, peu après son arrivée au Maroc en mai 1943, Pucheu fut placé en résidence surveillée ; en août, en dépit de la véhémente opposition de Giraud, la majorité gaulliste du CFLN décida de l'arrêter et de le faire transférer à Alger pour y être jugé[2].

Ce n'était pas la première mesure d'épuration prise par les gaullistes en Afrique du Nord, mais c'était, à ce jour, la plus sensationnelle. Peu après, comme nous l'avons vu, le CFLN déclarait officiellement que Pétain et ses ministres étaient coupables de trahison aux termes de la loi française, et annonçait son intention de « les livrer à la Justice dès la libération du territoire », tout en avertissant les fonctionnaires qu'ils ne pourraient plus désormais justifier leurs actes en se retranchant derrière l'obéissance du gouvernement de Vichy[3].

Dès avant la fin de l'année, les gaullistes avaient mis au point un impressionnant arsenal de mesures qu'ils tenaient prêtes pour l'heure de la Libération. Le 6 juillet, une ordonnance visait un mouvement collaborationniste bien particulier : Le Parti populaire français de Jacques Doriot était dissous[4]. (À la même date, une autre ordonnance déclarait légitime tout acte accompli depuis le 10 juin 1940 « dans le but de servir la cause de la libération de la France », même s'il paraissait être en infraction avec la législation existante ; cette mesure était destinée à protéger les activistes de la Résistance[5].) En août, le CFLN institua une Commission d'épuration pour enquêter sur les autorités élues et sur les fonctionnaires à tous les niveaux, et ordonner les sanctions qui s'imposaient. Cette

Commission était aussi habilitée à agir contre les avocats, les médecins et les responsables de la presse ou de la radio qui avaient fait acte de censure ; les coupables pouvaient être transférés, dégradés, révoqués avec ou sans retraite, et faire en outre l'objet de poursuites judiciaires[6]. Le mois suivant, le décret qui donnait naissance à l'Assemblée consultative provisoire en excluait les ministres et fonctionnaires de Vichy, ainsi que les parlementaires d'avant-guerre qui avaient voté les pleins pouvoirs à Pétain en juillet 1940[7].

En octobre, le CFLN promulgua une ordonnance sur un autre domaine épineux qu'il allait falloir enfin aborder : celui d'une collaboration pas nécessairement politique ou militaire, mais dont l'ennemi et le coupable avaient tous deux tiré parti, en d'autres termes la collaboration économique. Les relations d'affaires avec les Allemands étaient susceptibles de sanctions, à moins que le citoyen français incriminé pût prouver qu'il avait été contraint de traiter avec les forces d'occupation sur ordre de Vichy et n'en avait pas pris lui-même l'initiative[8].

À un tout autre niveau, une ordonnance datée du 12 octobre interdit l'affichage public des effigies du maréchal Pétain ou des membres de son gouvernement dans tous les territoires libérés et toutes les parties de « l'Empire »[9].

Deux autres ordonnances importantes virent le jour avant la fin de l'année. Le 18 novembre, le CFLN adapta aux circonstances du moment les anciens règlements sur l'internement administratif. Les individus considérés comme dangereux « pour la défense nationale ou la sécurité publique » pouvaient être arrêtés sur simple décision d'un préfet ou d'une autre autorité, éloignés des lieux où ils résidaient, placés en résidence surveillée ou même internés ; une commission de contrôle entendrait le détenu en présence d'un avocat de son choix[10]. Le 21 décembre, les membres de groupes collaborationnistes de caractère militaire, paramilitaire et politique, furent déclarés « indignes d'occuper des emplois supérieurs dans les services publics » et révoqués — à moins qu'ils n'eussent aussi servi la Résistance[11].

Un certain nombre de ces premières mesures d'épuration pouvaient être appliquées sur-le-champ, car, nous l'avons noté, certains des hommes qui avaient travaillé pour Vichy étaient désormais à portée de main des gaullistes, en Afrique du Nord. Dès le 15 décembre 1943, 352 citoyens français et 233 indigènes avaient été internés par Alger pour collaboration ou actes criminels, et les préfets d'Algérie avaient ordonné l'internement de 203 membres d'organisations collaborationnistes (le 23 décembre,

François de Menthon, commissaire à la Justice, avertit les fonctionnaires de l'Intérieur que le but de cette mesure d'internement était la sécurité et non le châtiment mais, dès le mois suivant, il devait rectifier cette directive, car elle était *trop* strictement interprétée : « assurément, expliqua-t-il dans une nouvelle note de service datée du 28 janvier 1944, les actes et attitudes passés étaient des éléments importants lorsqu'il s'agissait d'apprécier quels individus pouvaient être considérés comme dangereux [12] ».)

Entre-temps, la Commission d'épuration, créée par l'ordonnance du mois d'août précédent et logée dans des bureaux du palais des Assemblées algériennes, rue de la Liberté, avait commencé à fonctionner. Elle se déclarait prête à recevoir les plaintes écrites et signées [13]. Dans le privé, cependant, certains de ses membres se plaignaient de ne pas avoir les moyens de mener à bien l'épuration qu'on attendait d'eux. Ils n'avaient ni le temps, ni le personnel nécessaires pour « partir chaque matin à la pêche dans cette " *confiture* " — pour reprendre le mot du Général de Gaulle — que constitue la masse des personnalités douteuses » sur lesquelles ils étaient chargés d'enquêter. En outre, la procédure choisie se prêtait à la pratique de la dénonciation, de la délation, du mouchardage, « trop connue en France sous les régimes de Vichy et de la Gestapo ». Les contestataires au sein de la Commission avaient le sentiment qu'il appartenait au gouvernement, « qui connaît les têtes coupables », de prendre des sanctions immédiates. Ils élevaient aussi des mises en garde contre certaine « solution de continuité » entre anciens dirigeants d'Afrique du Nord contrôlés par Vichy et hommes nommés par les gaullistes. Les représentants de la résistance métropolitaine au sein de la Commission d'épuration étaient les plus acharnés contre le maintien en place de survivants du régime de Vichy dans les territoires d'Afrique du Nord [14].

L'épuration administrative en Algérie française, après les débarquements alliés de novembre 1942, avait néanmoins été sévère. Les trois préfets avaient été remplacés ; sur les 18 sous-préfets, sept avaient été mobilisés ou invités à s'engager, deux avaient été suspendus et envoyés devant la Commission d'épuration, un autorisé à prendre sa retraite et les dix autres transférés. D'autres hauts fonctionnaires avaient été suspendus, envoyés devant la Commission ou autorisés à partir à la retraite ; quelques-uns avaient été internés. Dans les protectorats voisins du Maroc et de la Tunisie, on avait également procédé à une stricte épuration au plus haut niveau [15].

Parallèlement aux activités de la Commission d'épuration,

chaque commissariat du CFLN poursuivait sa propre épuration parmi les élus, les fonctionnaires, les employés des sociétés nationales, et ainsi que parmi les médecins, les avocats, la presse [16]. Ainsi, le commissariat à la Justice avait-il révoqué, déplacé, rétrogradé, envoyé à la retraite d'office ou obligé à démissionner des présidents et des procureurs, des juges de paix et des avocats dans toute l'Afrique du Nord [17]. Le CFLN lui-même, siégeant à Alger le 5 octobre 1943 sous la présidence de Charles de Gaulle, ratifia la révocation sans pension ni indemnités du procureur général près la cour d'appel d'Alger, qui avait été naguère procureur général de la cour martiale instituée par le régime de Vichy à Gannat ; le procureur général près la cour d'appel de Tunis fut suspendu en attendant l'examen de son dossier par la Commission d'épuration [18]. Au sein du commissariat à l'Intérieur d'Emmanuel d'Astier de la Vigerie, une commission d'épuration étudiait les cas des sous-préfets, mais aussi des chefs de bureau, des médecins, vétérinaires, employés des hôpitaux [19]. A la demande du commissaire de la Marine Louis Jacquinot, deux vice-amiraux furent mis à la retraite et, avec plusieurs autres officiers de marine soumis à des sanctions disciplinaires, ils furent interdits de séjour dans les grands ports maritimes [20].

Le gouverneur général d'Alger, le général gaulliste Georges Catroux, se lança dans une épuration encore plus drastique. Au début d'octobre 1943, il fit interner un cafetier d'Oran et placer en résidence surveillée une infirmière de Bône, pour s'être livrés à des agissements proallemands. Le préfet de Constantine envoya un directeur commercial en résidence forcée en raison de son « attitude collaborationniste [21] ». En décembre, à la demande du commissariat à l'Intérieur, le Gouverneur général fit interner deux généraux qui avaient été chefs de la Légion française des Combattants en Algérie et au Maroc, tandis qu'au cours de la même semaine, le commissaire à l'Intérieur ordonnait l'internement de quarante membres du PPF, du Service d'Ordre légionnaire et d'autres mouvements de collaborateurs. Plusieurs de ces hommes avaient été actifs en Corse, notamment un chef départemental de la Milice et le président de la Légion française des Combattants de Corse (l'île avait été libérée en octobre 1943 [22]).

Au Maroc, dès avant la fin de 1943, 181 dossiers avaient été examinés : 122 sanctions disciplinaires prises, 27 dossiers retenus pour complément d'enquête et 32 personnes innocentées. Parmi un groupe d'anciens membres du Service d'Ordre légionnaire, trois hommes furent révoqués, un suspendu, un rétrogradé, seize soumis à un déplacement d'office, trois retenus pour complément

d'enquête et treize blanchis [23]. De toute évidence, les partisans de
la France libre, privés pour le moment des moyens d'agir contre les
collaborateurs de métropole, profitaient au maximum de cette
possibilité d'effectuer un grand nettoyage dans les territoires
désormais en leur pouvoir. Que les hommes de Vichy observent et
en prennent de la graine !

Car, on s'en doute, le principal souci des « planificateurs » de la
France libre restait la métropole, dans le présent et à l'heure de la
Libération. François de Menthon, fondateur du Comité général
d'Études en métropole, désormais commissaire à la Justice,
poursuivait les projets dont il avait été l'instigateur en France. En
janvier 1944, il en était arrivé à la conclusion qu'il faudrait établir
deux lois bien distinctes, l'une pour châtier les actes de collaboration selon le Code pénal en vigueur avant l'armistice de juin 1940,
la seconde pour traiter les « faits de collaboration ne constituant
pas des infractions aux lois pénales » — en d'autres termes, il
faisait sien le concept d'indignité nationale. Comme le déclarait un
préambule secret à sa proposition, la double intention était de
« frapper impitoyablement les coupables les plus grands, et
d'éliminer du territoire métropolitain, ou même seulement de la
vie publique, ceux qui ont péché surtout par entraînement et
erreur. » En fait, l'amnistie serait possible pour ceux qui n'avaient
fait qu'obéir aux ordres. Le texte contenait encore un autre
avertissement : « Il est nécessaire que justice soit faite et que l'État
s'en charge si l'on désire éviter l'exaspération de la conscience
populaire et des mesures individuelles de sanction, voire de
vengeance, qui risqueraient de conduire à des troubles graves. » Et
le préambule de conclure : « Il est nécessaire aussi que la justice
soit faite dans le respect de la légalité et des droits de la défense,
avec équité et discernement [24]. »

L'ordonnance relative à la répression des faits de collaboration
devait être signée le 26 juin 1944 pour être rendue publique le
6 juillet. Un exposé des motifs, préparé par le commissariat à la
Justice, mais qui ne fut pas publié avec l'ordonnance, faisait valoir
que le gouvernement de Vichy n'étant pas légitime, ses ordres
n'excusaient pas les actes de collaboration. Néanmoins, les infractions réprimées seraient des actes déjà couverts par la législation
existante ; aucun nouveau délit ne serait créé. La seule rétroactivité
se ferait dans le sens de la « bienveillance » et de la « justice », car
les tribunaux auraient tout loisir d'atténuer les peines sans en être
empêchés par le Code pénal existant. Enfin, pour la bonne raison
qu'il n'y avait pas assez de tribunaux dans le pays pour toutes les
affaires à juger, on en créerait de nouvelles afin que la justice pût

suivre rapidement son cours, « pour que la nation puisse dans le calme réparer ses blessures et reconstruire[26] ».

Beaucoup plus tard, l'ex-commissaire et ministre François de Menthon, alors à la retraite, devait expliquer la justice gaulliste comme une affaire de « raison d'État ». Afin de permettre à la France de tenir sa place parmi les Alliés, le gouvernement du général de Gaulle devait être le seul légitime, et celui du maréchal Pétain un « pseudo-gouvernement » : y participer équivalait à trahir. Il admettait néanmoins qu'il était bien difficile d'appliquer ce jugement à la période antérieure à 1942, durant laquelle les États-Unis et même la Résistance métropolitaine reconnaissaient en Pétain le chef de l'État français. La « raison d'état » exigeait cependant que les gaullistes condamnassent le régime de Vichy « en bloc » à partir de 1943. La situation légale, quelque peu ambiguë, justifiait les lois d'épuration : « une législation particulière, des règles appropriées aux circonstances insolites[27]. »

Pour la France libre, la clé de l'épuration résidait donc dans la législation déjà existante. Il fallait se référer à une série de décrets-lois mis en vigueur sous le gouvernement Daladier, en juillet 1939, et qui constituaient les articles 75 à 83 du Code pénal. L'article 75 — principal texte utilisé dans les procès d'épuration — commence ainsi :

> « Sera coupable de trahison et puni de mort :
> 1° Tout Français qui portera les armes contre la France ;
> 2° Tout Français qui entretiendra des intelligences avec une puissance étrangère en vue de l'engager à entreprendre des hostilités còntre la France (...)
> 4° Tout Français qui, en temps de guerre, provoquera des militaires ou des marins à passer au service d'une puissance étrangère (...)
> 5° Tout Français qui, en temps de guerre, entretiendra des intelligences avec une puissance étrangère ou avec ses agents, en vue de favoriser les entreprises de cette puissance contre la France.

C'étaient ces clauses qui allaient se révéler les plus utiles à l'accusation. L'article 76 traite des secrets relatifs à la défense nationale, de la démoralisation de l'armée ou de la nation ; l'article 79, de quiconque « enrôlera des soldats pour le compte d'une puissance étrangère », « entretiendra (...) une correspondance ou des relations... », « fera (...) des actes de commerce avec les sujets ou les agents d'une puissance étrangère ». L'article 80 concerne les actes susceptibles de « porter atteinte à l'intégrité du territoire français » ou de « nuire à la situation militaire ou diplomate de la France ».

Alors que les articles 75 et 76 concernent la trahison en tant que telle, l'article 80 et les suivants portent sur les « atteintes (...) à la sûreté de l'État » qui, selon l'article 83, devaient être punies de « travaux forcés à temps » ; d'autres actes « sciemment accomplis, de nature à nuire à la défense nationale », pouvaient être punis d'emprisonnement, d'amendes et d'une privation des droits civiques de cinq à vingt ans[27].

En septembre 1943, le CFLN créa à Alger une Assemblée Consultative Provisoire (ACP), afin de colorer d'un brin de démocratie le gouvernement en exil, même si, pour l'heure, ses membres devaient être nommés et si une minorité d'entre eux seulement avaient été députés ou sénateurs élus sous la Troisième République, la grande majorité représentant la Résistance. De toute évidence, l'épuration, tant en Afrique du Nord qu'en métropole, allait être une des constantes préoccupations de cette nouvelle assemblée. L'ACP devint même un véritable forum où s'exprimaient ceux qui n'étaient pas satisfaits de l'efficacité de l'épuration, car il semblait qu'il y eût encore partout des vestiges de Vichy : certains fonctionnaires de la précédente administration avaient conservé leurs emplois en Afrique du Nord gaulliste ; ou bien l'on découvrait un portrait de Pétain dans le carré des officiers d'un bâtiment utilisé pour ramener des réfugiés d'Espagne[28]. En plusieurs occasions, l'épuration fit l'objet d'un débat général ; ainsi, lors d'une des premières séances, en novembre 1943, Jean Pierre-Bloch proposa d'adresser un message aux magistrats, à la police et aux gardiens de prison de métropole pour leur rappeler qu'en continuant à obéir à Vichy, ils tombaient sous le coup du Code pénal. Il exigea également que Pierre Pucheu fût jugé sans délai, et réclama une épuration locale plus énergique en Algérie. Cette demande reçut un soutien enthousiaste ; Charles Laurent, secrétaire de la Fédération des fonctionnaires et président de la Commission d'épuration du CFLN, déclara que l'épuration devait commencer au sommet et non par les sous-fifres[29].

Un débat officiel sur ce sujet brûlant fut prévu par l'Assemblée pour sa séance du 11 janvier 1944, à la veille de laquelle Emmanuel d'Astier de la Vigerie, commissaire à l'Intérieur, déclara aux députés : « Il faut bien qu'on sache que cette épuration est indispensable, qu'elle est voulue par tous les Français et qu'elle sera faite par tous les moyens avant même la Libération. Et il vaut mieux qu'il en soit ainsi, car les Français ne supporteraient pas de vivre avec des traîtres[30]. » Au cours des débats, le député socialiste

Albert Gazier, représentant la Confédération Générale du Travail (CGT), fit l'éloge du travail accompli par la Commission Laurent, mais la pressa cependant de « veiller à ne frapper que ceux qui, par leur attitude et l'importance de la situation qu'ils occupent, constituent un danger pour la sûreté de l'État. Le cas du facteur des postes qui a gardé dans sa poche une carte du PPF ne nous intéresse pas ». Une épuration administrative était en cours, ajouta-t-il, mais il ne fallait pas perdre de vue « l'épuration de la communauté nationale », laquelle nécessitait des sanctions pénales plutôt qu'administratives. Paul Viard, doyen de la Faculté de droit d'Alger, demanda que le commissariat à la Justice et la Commission d'épuration, dont il était membre, évitent de « condamner systématiquement tous ceux qui se sont laissé embarquer dans des formations par manque de sens critique, et même quelquefois par un patriotisme trompé ». Cette remarque souleva des « protestations ».

Les débats furent des plus animés. Le représentant communiste, Fernand Grenier, évoqua un exemple d'épuration réussie : l'exécution, en métropole, d'un procureur général, trois jours après qu'il eut envoyé des patriotes à la guillotine. François de Menthon, commissaire à la Justice, fit remarquer que le gouvernement gaulliste n'attendait pas la Libération pour commencer l'épuration ; chaque fois que possible, des « poursuites seraient exercées en Afrique du Nord, jusqu'à l'exécution de la condamnation. Agir autrement aurait été un signe de lâcheté, puisque les armes que nous possédons pour défendre nos camarades de la Résistance, il y a la justice contre les traîtres qui sont entre nos mains ». L'Assemblée vota néanmoins — à l'unanimité — une motion déplorant « les lenteurs de l'épuration administrative et les retards apportés au châtiment des traîtres et des collaborateurs ». Elle demandait au gouvernement d'instituer « des procédures spéciales » pour assurer « une justice rapide et totale [31] ».

Évoquant plus tard ces événements, Charles de Gaulle expliqua qu'il comprenait parfaitement les inquiétudes de « l'Assemblée de la Résistance », mais, ajouta-t-il, « je ne m'en tins pas moins à la ligne que je m'étais fixée : limiter les sanctions aux personnages qui avaient joué un rôle éminent dans la politique de Vichy et aux hommes qui s'étaient faits les complices directs de l'ennemi ». Il note aussi que l'état d'esprit révélé par ces débats lui fit clairement percevoir qu'il n'allait pas être facile, après la Libération de la métropole, de « contenir la vengeance et (...) laisser la seule justice se prononcer sur les châtiments [32] ».

Le 14 mars 1944, le gouvernement de la France libre signa une ordonnance régissant, durant les combats de la Libération, l'exercice de l'autorité par ses délégués, assistés de délégués militaires et de représentants des commissariats civils, sur chaque théâtre d'opérations[33]. Le 21 avril, une autre ordonnance prévoyait « l'organisation des pouvoirs publics en France après la Libération » : il s'agissait là d'un texte fondamental, auquel les ordonnances ultérieures allaient bientôt se référer.

Quelles étaient, à ce moment précis, les chances de victoire ? Les Alliés étaient maîtres d'une grande partie du sud de l'Italie ; l'Armée rouge repoussait les Allemands loin des centres stratégiques (le siège de Leningrad prit fin en février, Odessa fut libérée le 11 avril). L'opération Overlord — les débarquements alliés sur les plages de Normandie — n'était plus éloignée que de six semaines. L'ordonnance gaulliste promulguée en ce jour d'avril proclamait : « Le peuple français décidera souverainement de ses futures institutions. » Par conséquent, une Assemblée nationale constituante serait convoquée dès que la France libérée serait en mesure d'organiser des élections — soit un an au plus tard après sa libération ; à ce moment-là, les citoyens — et, pour la première fois, les citoyennes — français voteraient au scrutin secret pour élire leurs représentants. Entre-temps, les ordonnances pourvoyaient à l'organisation du pouvoir en France libérée jusqu'au niveau communal. Dans chaque commune, le maire et les conseillers municipaux élus en 1939 devaient être rétablis dans leurs fonctions. Les assemblées communales désignées par Vichy, « l'usurpateur », étaient destituées. Les fonctionnaires qui avaient agi en faveur du régime de Pétain ou des Allemands seraient révoqués. Lorsqu'il serait nécessaire d'atteindre un quorum, les préfets devraient nommer autant de conseillers municipaux qu'il en faudrait, choisis parmi les rangs de la Résistance.

Des règlements analogues furent établis pour les conseils généraux qui siégeaient dans chaque département, et le principe d'inéligibilité pour la fonction publique fut prononcé à l'encontre des anciens ministres de Vichy et d'autres collaborateurs, ainsi que des membres du parlement d'avant-guerre qui avaient voté les pleins pouvoirs à Pétain en juillet 1940 (cette inéligibilité serait levée pour les personnes à même d'apporter la preuve de leurs activités de résistants). Chaque département aurait son propre Comité Départemental de Libération (CDL), composé de représentants des mouvements de résistance, des syndicats et des partis affiliés au Conseil National de la Résistance ; ces CDL assisteraient les préfets et les représentants de la Résistance, et seraient obligatoirement consultés pour le remplacement des conseillers municipaux et généraux. Sitôt ces derniers élus, les CDL devaient se dissoudre.

En attendant, l'Assemblée consultative provisoire, siégeant à Alger, se transporterait en France où elle serait augmentée de représentants des mouvements de résistance métropolitains, jusqu'aux nouvelles législatives. Le CFLN devrait céder le pouvoir à l'assemblée élue, laquelle élirait à son tour un président du gouvernement provisoire. Ladite assemblée siégerait jusqu'à l'élection d'une Assemblée constituante [34].

Telles étaient les mesures élaborées en Afrique du Nord pour la France libérée. Elles furent publiées dans un *Journal Officiel de la République Française* de même format que le *Journal Officiel* d'avant-guerre et que celui de Vichy (d'où le mot « république » avait été banni). L'ordonnance du 21 avril comportait la clause suivante : « Dès son arrivée en France, l'Assemblée est consultée sur l'institution d'une Haute Cour de justice » — on voulait être prêt à faire passer aussitôt en jugement le chef de l'État et ses ministres : or, cette cour n'existait plus depuis la guerre, puisque sa fonction était alors dévolue au Sénat. En attendant, l'appareil judiciaire disponible à Alger était rudimentaire. Le 2 octobre 1943, un tribunal militaire d'armée fut institué pour juger les individus ayant commis des sévices ou des brimades contre des détenus dans les centres de détention ; il s'agissait à l'évidence d'une mesure de portée limitée, destinée à punir les gardiens de prison vichystes, entre autre menu fretin [35].

Il était déjà clair, cependant, qu'il faudrait trouver un moyen de juger les hauts fonctionnaires et officiers de l'armée qui se trouvaient d'ores et déjà dans les territoires contrôlés par la France libre — le ministre de l'Intérieur du gouvernement de Vichy, Pierre Pucheu, par exemple. Pucheu était en fait passé devant un tribunal militaire au Maroc [36], mais, dans un mémorandum confidentiel à de Gaulle en date du 18 octobre, François de Menthon s'était plaint que les instances compétentes se fissent tirer l'oreille : elles n'avaient pas même terminé l'instruction du procès Pucheu ni donné suite à la décision, prise le 3 septembre 1943 par le CFLN, de poursuivre les ministres de Vichy dont plusieurs se trouvaient à présent en Afrique du Nord (il citait les noms du général Jean Bergeret, ancien secrétaire d'État à l'aviation dans le gouvernement de Vichy, de Pierre-Étienne Flandin qui avait été un temps ministre des Affaires étrangères de Pétain, de Marcel Peyrouton, ministre de l'Intérieur en 1940, et de Jean-Louis Tixier-Vignancour, secrétaire adjoint à l'Information à Vichy). Pour le moment, déclarait de Menthon, en Algérie, en Tunisie et

au Maroc, sous le contrôle de la France libre, des membres du
SOL, du PPF et d'autres groupements antinationaux n'étaient
absolument pas poursuivis, ou, s'ils l'étaient, écopaient de peines
par trop bénignes. La trahison relevait des tribunaux militaires, ce
qui n'empêchait pas des gens d'imputer à de Menthon cet état de
choses. Il demandait donc à de Gaulle d'instituer un tribunal de
Salut public, ou bien de confier la responsabilité des procès au
tribunal militaire d'armée qui avait été créé un peu plus tôt ce
même mois.

De Gaulle lui griffonna une réponse. Il *ne* devait *pas* y avoir de
juridiction d'exception. De Menthon devait préparer une seconde
ordonnance autorisant le tribunal militaire d'armée à juger les
partisans de Vichy [37]. Ce qui fut fait le 21 octobre, une nouvelle
ordonnance étendant l'autorité de ce tribunal « aux crimes et délits
contre la sûreté intérieure ou extérieure de l'État, commis dans
l'exercice de leurs fonctions par les membres ou anciens membres
de l'organisme de fait se disant gouvernement de l'État français »,
auxquels s'ajoutaient les gouverneurs généraux et autres hauts
fonctionnaires et les membres de groupements collaborationnistes
et de formations paramilitaires [38].

CHAPITRE V

Les premiers procès

L'ancien ministre de l'Intérieur Pierre Pucheu avait été l'une des bêtes noires de la Résistance métropolitaine. Dès son arrestation durant l'été 1943, des pressions s'exercèrent pour qu'il passât en jugement et fût exécuté, bien que les éléments modérés de la France libre eussent alors le sentiment que les procès d'épuration devaient être différés jusqu'à la Libération, quand l'on pourrait mettre en place une nouvelle magistrature et une nouvelle législation. La majorité militante ne pouvait cependant accepter l'idée que Pucheu se trouvât aux mains de la France libre — ce Pucheu que l'on tenait pour responsable de la répression brutale perpétrée contre les résistants et les communistes — et qu'il ne se fût pas encore retrouvé devant un peloton d'exécution. Dès le 30 août 1943, le Conseil National de la Résistance annonça que Pucheu « a été trouvé coupable de complicité de meurtre et condamné à mort par le peuple de France [1] ». En Afrique du Nord, les pressions étaient tout aussi fortes. Pucheu avait été transféré du Maroc jusqu'à Alger où il était incarcéré à la prison militaire avec d'autres membres du gouvernement de Vichy [2].

Le général Jean Bergeret, qui avait été ministre de Pétain, fut arrêté sur décision du CFLN, prise lors de sa réunion du 21 octobre 1943 sous la présidence de De Gaulle ; il était accusé de « collaboration avec l'ennemi, trahison et atteinte à la sûreté de l'État ». La radio gaulliste précisa son rôle dans le soutien apporté par Vichy aux Allemands durant l'attaque victorieuse des Anglais et des éléments gaullistes contre la Syrie en juin 1941 : « Il fut le premier à donner son accord à ce qui fut à l'origine de toute l'affaire : la mise à la disposition des avions allemands en route pour l'Irak des terrains d'atterrissage de Syrie. » Bergeret s'était rendu personnellement en Syrie pour y porter les ordres de Pétain et de Darlan, et « exerça alors avec toute son autorité sur les officiers et équipages de l'aviation un odieux chantage moral à l'héroïsme et au sacrifice ». Il fut le premier haut fonctionnaire de Vichy accusé de trahison dès que la compétence du tribunal militaire eut été étendue à ce crime : en réalité, son arrestation avait été décidée le jour même de la signature de l'ordonnance[3].

Avant même que l'on ait su faire passer en jugement Pucheu ou Bergeret, de nouvelles arrestations — prêtant davantage à controverse — furent opérées. Marcel Peyrouton, contraint de quitter le gouvernement de Vichy en raison du rôle qu'il avait joué dans l'éviction de Pierre Laval, était parti pour Buenos Aires en qualité d'ambassadeur de Pétain en Argentine ; ayant appris par la radio que Laval avait repris sa place au gouvernement, il avait démissionné en signe de protestation. Lorsque les Alliés débarquèrent en Afrique du Nord et que l'amiral Darlan eut pris les rênes, Peyrouton proposa de se mettre à la disposition de ce dernier en qualité d'officier de réserve. Après la disparition de Darlan, Peyrouton réitéra son offre auprès du général Giraud, et l'attaché militaire américain à Buenos Aires lui annonça qu'il devait se rendre à Alger et se présenter au général Dwight D. Eisenhower. À son arrivée à Alger, Giraud le nomma gouverneur général de l'Algérie avec pour mission d'assurer ses arrières « pendant que je me battrai en Tunisie ; il ne faut pas que l'Algérie bouge... ». Dès l'arrivée de De Gaulle à Alger, cependant, Peyrouton démissionna ; le nouveau venu lui écrivit : « Je suis sûr que les Français apprécieront, comme moi-même, la valeur désintéressée de votre geste », et lui fit savoir qu'il allait être affecté au commandement syrien en qualité de capitaine d'infanterie[4]. Il partit en réalité pour le Maroc comme chef de bataillon[5].

Entre-temps, l'épuration commençait à battre son plein. En novembre 1943, Peyrouton fut convoqué à Alger devant la Commission d'épuration, interrogé sur son travail au gouvernement de Vichy, et placé en résidence surveillée à Laghouat, oasis du Sahara[6].

Le CFLN avait en effet décidé, lors de sa séance du 11 décembre, de procéder à l'arrestation et à l'inculpation des anciens ministres et hauts fonctionnaires du « pseudo-gouvernement de Vichy » se trouvant alors en Afrique du Nord. Il s'agissait non seulement de Peyrouton, mais de Flandin, de l'ex-gouverneur général Pierre Boisson, et de Tixier-Vignancour[7]. Maurice Schumann annonça aux auditeurs de Radio-Londres que l'article 75 du Code pénal relatif à « l'intelligence avec une puissance étrangère » en temps de guerre « s'applique comme un gant de fer à messieurs les membres tardivement repentis de l'organisme de fait qui se dit gouvernement de l'État français ». Prenant Flandin comme exemple, il accusa l'ex-ministre d'avoir déclaré à la presse, en novembre 1940, que « les forces occultes avides d'instaurer la domination judéo-maçonnique » portaient la responsabilité de la guerre ; Flandin aurait aussi, à ce qu'on disait, applaudi l'entrevue de Pétain et Laval avec Hitler, déclarant qu'elle permettrait à la France de « collaborer au Nouvel Ordre ». Comment le CFLN aurait-il pu épurer les petits fonctionnaires, demandait Schumann, s'il se montrait incapable de châtier « ceux qui furent les promoteurs de la trahison [8] ?... ».

Un communiqué du commissariat à l'Information à Alger annonça que, conformément au principe de séparation des pouvoirs, « le CFLN laissera en la matière une indépendance pleine et totale au pouvoir judiciaire ». En outre, le CFLN avait approuvé une nouvelle ordonnance modifiant le Code militaire : si l'accusation ou la défense avaient besoin d'instruments de preuve qui n'étaient disponibles qu'en métropole, et si le juge estimait que ces instruments étaient « indispensables à la manifestation de la vérité », le procès pouvait être différé jusqu'à la Libération [9].

Cette première et sensationnelle épuration, cependant, se poursuivait en temps de guerre, sur un des théâtres d'opérations, et visait des hommes qui intéressaient les Alliés de la France (du moins ceux-ci le pensaient-ils). Le 21 décembre, dès qu'il eut appris la nouvelle de l'arrestation de Boisson, Peyrouton et Flandin, Winston Churchill expédia à Franklin D. Roosevelt un câble dans lequel il se disait « scandalisé » : « Je me considère comme tenu par certaines obligations, étant donné que par le soutien que j'ai apporté à votre politique et à celle du général Eisenhower, à Alger, en février dernier, j'ai incontestablement encouragé ces hommes à rester fidèles à leur poste et à nous aider dans notre lutte pour Tunis, leur disant aussi, dans ce cas : " Comptez sur moi " », expliquait le Premier ministre britannique, ajoutant : « Il me semble que les obligations des Américains sont plus grandes encore car, de notre propre aveu, nous ne faisions que suivre votre politique globale. » Churchill priait donc Roosevelt de « bien faire comprendre au Comité français le manque de sagesse de sa présente action », et désirait savoir si Roosevelt avait l'intention d'offrir l'asile politique aux hommes qui venaient d'être arrêtés. Dans un message ultérieur, Churchill précisa ses « fortes » présomptions en faveur de ces protégés des Alliés : « Boisson nous a épargné en matériel et en hommes le coût d'une importante expédition contre Dakar. Peyrouton est revenu de son plein gré (...), Flandin (...) a empêché qu'une expédition fût envoyée de Dakar contre la France libre près du lac Tchad. » (Du point de vue gaulliste, Boisson avait été au contraire « le premier Français à ouvrir le feu sur ses compatriotes » en leur résistant au large de Dakar en 1940.)

Eisenhower, qui se trouvait alors à Tunis en qualité de commandant en chef des forces alliées sur le théâtre des opérations en Méditerranée, télégraphia aussitôt à Roosevelt : « Je suis profondément troublé, surtout dans le cas de Boisson qui, pendant un certain temps, a été pour moi un loyal subalterne. » Il mettait en garde le Président contre les « conséquences sérieuses » que pourrait avoir l'affaire. Roosevelt lui demanda d'informer les gaullistes de ce qu'il avait « reçu l'ordre de ne prendre pour le moment aucune mesure à l'encontre de ces personnalités [Boisson, Peyrouton et Flandin] ». Il modifia ultérieurement cette demande, s'adressant au CFLN en ces termes (par l'entremise d'Eisenhower) : « Si, au vu des accusations portées, il est nécessaire que ces personnes passent en jugement, leurs procès ne devraient pas avoir lieu avant la Libération de la France et l'instauration d'un gouvernement constitutionnel. » Entre-temps, le président des États-Unis déclarait à Churchill : « Il me semble que le moment est venu d'éliminer une bonne fois pour toutes le complexe de Jeanne d'Arc, et de revenir au réalisme. Je suis moi aussi scandalisé par ces arrogantes arrestations en un moment pareil. » Et il confia officieusement à l'amiral William D. Leahy qu'il pensait que le moment était venu de se débarrasser de Charles de Gaulle. Le 23 décembre 1943, Churchill envoya un nouveau câble à Roosevelt : « La France ne peut être libérée que par la force et le sang des Britanniques et des Américains. Admettre qu'une poignée d'émigrés doit être mise à même, derrière ce rempart tout-puissant, d'aller porter la guerre civile en France, c'est ruiner l'avenir de ce malheureux pays et interdire la volonté du peuple dans son ensemble de s'exprimer au plus tôt (...) »

Par la voix du commissaire aux Affaires étrangères René Massigli, les Français confirmèrent au représentant des États-Unis auprès du CFLN, Edwin C. Wilson, que l'on était occupé à rédiger une ordonnance qui permettrait de différer ces procès jusqu'à la Libération ; Massigli assura aux Alliés qu'en attendant, les trois inculpés seraient logés dans de bonnes conditions. Le 30 décembre, de Gaulle en personne renouvela cette promesse[10].

Vers la fin de janvier 1944, lors d'une réunion à Londres avec Winston Churchill et l'émissaire de Roosevelt Philip Reed, le commissaire à l'Intérieur, Emmanuel d'Astier, fit part de ses inquiétudes : si, en mai 1944, Pétain et Laval se trouvaient en mesure de sauver des vies américaines, les Alliés décideraient peut-être de les en récompenser en nommant le premier chef de l'État et le second président du Conseil. Il craignait en outre que les Alliés n'aient décidé de refuser des armes aux partisans de la France libre afin de pouvoir poser leurs conditions, dont la remise en liberté de Boisson et Peyrouton [11].

Ces deux derniers et Flandin furent assez rapidement transférés dans les meilleures cellules de la prison militaire d'Alger, avant d'être logés dans une villa privée à 18 kilomètres de la ville [12]. Ils devaient finalement être jugés dans la France libérée par la Haute Cour de justice.

Pierre Pucheu, enfermé lui aussi à la prison militaire, ne bénéficia pas de telles protections. Lorsqu'il apprit qu'il existait une ordonnance permettant de différer les procès d'épuration jusqu'à la libération, il émit la crainte que les inculpés comme lui n'allassent « se trouver condamnés en fait, pour un temps indéterminé, à la prison et au silence », mais son procès allait se dérouler sans délai. Dans le journal qu'il rédigea dans sa cellule, il a attribué le caractère précipité de l'instruction aux pressions exercées par l'Assemblée consultative où, durant les houleux débats sur l'épuration, les orateurs avaient réclamé que ces procès fussent accélérés au maximum. Pucheu avait également conscience de n'être pas soutenu par les Alliés au même titre que Peyrouton et d'autres anciens hommes de Vichy ; ce qui expliquait pourquoi son cas fait partie de ceux jetés en pâture aux « fauves déchaînés de l'Assemblée » par François de Menthon. Il découvrit enfin que certains des chefs de la Résistance, qui l'avaient condamné à mort de façon symbolique, jouissaient à présent d'une forte influence à Alger, notamment le commissaire à l'Intérieur Emmanuel d'Astier [13].

Il existe plusieurs récits du procès et de l'exécution de Pierre Pucheu — aucun n'étant officiel. Nous possédons le journal tenu en prison par l'accusé et la version de son avocat [14]. Une justification du procès, comportant de nombreux documents essentiels, a été publiée par l'un des juges, le général Gaston Schmitt [15]. Pucheu comprenait bien que tout conspirait à l'accabler, par exemple le fait que le juge d'instruction était un colonel de gendarmerie « mis à la retraite d'office par Vichy comme haut dignitaire maçonnique et bombardé depuis peu au grade supérieur pour faire partie du tribunal d'armée ». Ce juge était d'ailleurs président d'une association des victimes de Vichy et chef du mouvement Combat ; à l'Assemblée consultative, il avait voté la motion réclamant l'accélération des procès d'épuration. Quant au commissaire du gouvernement, le général Pierre Weiss, il était, selon Pucheu, « crispé, nerveux, agité, avec ce côté un tantinet hystérique qui trahit parfois les anormaux efféminés ». Weiss avait déclaré à l'un des avocats de la défense que Pétain était un traître et que Pucheu avait pris part à des activités criminelles [16].

Le 7 janvier 1944, la composition du tribunal militaire fut fixée par décret : il comportait trois officiers et deux magistrats civils, dont l'un présidait (il s'agissait de Léon Vérin, président de la cour d'appel de Tunis [17]). Le procès s'ouvrit le 4 mars à 9 heures dans la salle des assises du palais de justice d'Alger ; il devait durer douze séances, faisant l'objet de longs comptes rendus dans la presse nord-africaine et, via « Les Français parlent aux Français », en France métropolitaine. L'acte d'accusation, lu le premier matin, précisait que Pucheu avait fait partie du gouvernement de Vichy et participé à ses actes subversifs ; il l'accusait spécifiquement d'avoir favorisé le recrutement de volontaires français pour se battre sous l'uniforme allemand et d'avoir mis la police française au service de l'occupant. On donna ensuite la parole à l'accusé pour qu'il fasse une déclaration. Il protesta qu'il s'était rendu au Maroc avec l'accord du général Giraud, qu'il n'avait pas eu droit à une instruction impartiale, que d'importants témoins n'avaient pas été entendus et que des pièces essentielles n'étaient pas disponibles. Il devrait être jugé non par des juges temporaires, mais par le peuple français ou « ses représentants régulièrement mandatés ». Il avait cependant décidé de parler, car cela faisait trois années que le silence l'étouffait, « trois années d'occupation, d'exil, de prison [18] ».

Plus tard, pour justifier ce procès, le général Schmitt devait faire valoir que, contrairement à ce qu'avait prétendu Pucheu, il n'avait rien de politique. L'accusé avait ainsi défié ses juges : « Quelle que soit votre expérience, vous sentez-vous qualifiés pour juger dès maintenant la crise politique, sans doute la plus grave de l'Histoire, qui n'est même pas terminée, pour devancer le jugement de l'Histoire ? » À vrai dire, l'accusation détenait des preuves irrécusables. À Alger même, elle avait retrouvé le texte d'une circulaire signée par Pucheu le 31 décembre 1941, pour encourager le recrutement en faveur de la Légion des Volontaires Français contre le bolchevisme, contingent français au sein de l'armée allemande. Elle possédait aussi le texte d'une ordonnance de Vichy datée du 14 août 1941, instituant les Sections spéciales, cours habilitées à prononcer des arrêts de mort rétroactifs pour délits politiques, et d'une autre datée du 7 septembre 1941, créant un tribunal d'État qui pouvait prononcer contre les résistants des

condamnations à mort sans appel [19]. « Il me paraît assez extraordinaire, protesta Pucheu, que le principe du tribunal d'exception soit
discuté en cette salle. » Le président Vérin rétorqua : « Il faut
distinguer entre le tribunal d'exception et la procédure d'exception. » « Seul le peuple de France, riposta Pucheu, pourra se
prononcer sur le point de savoir si on rendait service alors à la
cause nationale en décourageant les attentats. » Et il ajouta : « En
tout cas, le maréchal était seul responsable de la politique suivie
(...) Tous les acteurs du drame devraient être rassemblés pour
qu'un jugement équitable pût être prononcé [20]. »

Il y avait un troisième chef d'accusation fort grave : en sa qualité
de ministre de l'Intérieur, Pucheu avait mis la police française au
service de l'ennemi. Sous sa direction, des résistants avaient été
traqués, taxés de communisme. « Tout ce qu'on a dit est faux,
protesta l'accusé. Je n'ai fait qu'appliquer le programme établi par
mon prédécesseur, l'amiral Darlan... » Il prétendait avoir résisté
aux Allemands sur tous les points. L'accusation lui répondit en
citant des textes signés de sa main, et des témoins appartenant à la
Résistance vinrent déposer sur la brutalité impitoyable des brigades antiterroristes de Pucheu. À huis clos, un général témoigna
qu'à l'époque où il était ministre de l'Intérieur, l'accusé avait
empêché l'armée française de constituer des stocks d'armes
clandestins [21].

Le réquisitoire du général Weiss, le 9 mars, insista sur les
« conditions de légalité absolue » dans lesquelles se déroulait le
procès : « C'est un procès de droit commun qui est en cours. On
n'a créé ni peine spéciale, ni procédure spéciale. Personne ne doit
donc douter que, comme l'a dit M. de Menthon, la République qui
renaît à Alger n'a rien de commun avec les méthodes de Vichy.
Cette République doit rester pure. » On avait cité comme preuves
les documents mêmes du gouvernement de Vichy. L'affaire
Pucheu « est un épisode dans une vaste entreprise d'asservissement et de nazification de la France, continua Weiss. Le chef de
cette conjuration est sans conteste le vieillard que, pour son
malheur, notre pays a trouvé sur sa route en 1940 ». Il faisait fi de
la thèse selon laquelle Pucheu avait joué double jeu avec les
Allemands pour gagner du temps. « Drôle de double jeu ! »
s'exclama le procureur, citant entre autres l'ordre de reddition
donné par Vichy à la flotte française à Bizerte, ses mesures
constitutionnelles, le feu ouvert sur des soldats alliés durant les
débarquements à Oran et Casablanca en novembre 1942, l'affaire
syrienne...

Les avocats de Pucheu s'élevèrent contre le climat d'hostilité créé par la presse algéroise à l'encontre de leur client ; ils soutinrent que les procès intentés aux membres du gouvernement Pétain devaient être différés jusqu'à ce qu'une Haute Cour fût constituée après la Libération. Le général Weiss fit remarquer que si Alger manquait de sérénité, on se demandait bien quelle atmosphère Pucheu trouverait en métropole où « il n'y a que souffrance, désespoir, ressentiments et vengeance prête à s'exercer ». Dans son ultime déclaration, Pucheu dit qu'il ne pensait pas que sa mort apaiserait « tant d'appétits aussi féroces. Je crois que le sang appelle le sang. Lorsqu'un gouvernement, qu'il soit de fait ou de droit, commence le massacre des Girondins, il s'engage sans retour sur cette route qui va inexorablement le conduire à Thermidor [22] ».

Le 11 mars, la Cour se réunit pour prononcer le verdict après avoir rejeté une demande de la défense réclamant l'ajournement des débats jusqu'à ce que l'accusé fût en mesure de produire tous ses témoins et documents, autrement dit jusqu'à la fin de la guerre. Le tribunal estima Pucheu coupable de sept chefs d'accusation sur quatorze, notamment en ce qui concernait le recrutement pour la Légion des Volontaires Français, la collaboration avec l'Allemagne et la subordination de la police française à l'occupant ; mais il rejetait les accusations plus larges impliquant Pucheu dans un complot général contre la République (évitant ainsi qu'on lui reprochât d'avoir prononcé une sentence politique). Les crimes de Pucheu — incitation de Français à servir dans une armée étrangère, intelligence avec une puissance étrangère — relevaient de l'article 75 du Code pénal et étaient passibles de la peine capitale.

À titre privé, deux des juges militaires rappelèrent au président Vérin que la justice militaire permettait de surseoir à l'exécution. Les autres membres de la Cour se rangèrent à cette solution, et Vérin transmit leurs souhaits à de Gaulle. Parallèlement, le général Giraud écrivit à son collègue pour le prier de faire preuve de clémence, car c'était lui-même qui avait autorisé Pucheu à venir en Afrique du Nord participer à la lutte contre l'ennemi ; si Pucheu n'était pas venu, il n'aurait comparu qu'après la guerre, pour être « jugé sur la somme totale de ses fautes et de ses mérites ». Giraud avertissait : « Si le sang d'un Français devait couler à la suite d'un procès qui a pris figure, qu'on le veuille ou non, de procès politique, de funestes excès seraient à redouter [23]. » De Gaulle lui répondit en lui rappelant qu'il avait, lui, Giraud, ratifié la décision du CFLN de juger les ministres de Vichy, et qu'il avait également approuvé l'incarcération de Pucheu ; sur le refus de commuer la peine de mort, de Gaulle ajoutait : « La décision a été prise d'après la raison d'État dont le gouvernement, responsable de l'État, est le seul juge qualifié[24]. »

Le 17 mars, le tribunal militaire de cassation rejeta le pourvoi de Pucheu. L'un des avocats de la défense, qui évoqua l'affaire avec de Gaulle, se rappelle que ce dernier avait reconnu que les intentions de Pucheu étaient bonnes, mais avait ajouté que les personnes ne comptaient plus : « la raison d'État » exigeait l'exécution du coupable. De Gaulle confia au général Schmitt : « Il m'était absolument impossible de conformer ma décision au vœu du tribunal ni d'accorder la grâce. C'eût été la consécration comme moyen de défense de l'excuse du double jeu, excuse qui sera sans nul doute invoquée par tous les futurs accusés[25]... » « Sa grâce aurait scandalisé et peut-être découragé bien des camarades de la Résistance, devait dire François de Menthon en évoquant cet épisode. Son exécution était un défi à Vichy qui menaçait directement nos familles restées en France[26]. »

Pucheu fut fusillé le 20 mars 1944 à l'aube. Annonçant le verdict sur Radio-Londres, Maurice Schumann rappela à ses auditeurs ce que Pucheu avait dit en août 1941, alors qu'il était ministre de l'Intérieur : « Nous serons impitoyables. » « Ce pari stupide et sanglant, il eût été gagnant si l'Allemagne avait gagné, commenta Schumann. Il est perdant, parce que l'Allemagne a perdu[27]. »

Cette fois-ci, les Alliés prirent bien soin de se tenir à l'écart. Depuis Washington, le secrétaire d'État Cordell Hull ordonna à son représentant auprès du CFLN, à l'époque Selden Chapin, d' « éviter scrupuleusement tout commentaire susceptible d'être interprété comme représentant l'opinion de notre gouvernement ou qui pourrait le moins du monde servir de prétexte à nous accuser d'ingérence[28] ».

En métropole, les militants de la Résistance tentèrent, en avril et mai 1944, une expérience unique de sondage d'opinion clandestin. Ils veillèrent cependant à ne pas interroger de collaborateurs notoires et reconnurent que leur échantillonnage penchait en faveur des classes moyennes et aisées qui se trouvaient aussi être les plus influentes. Il comportait 22 % de résistants, 56 % de sympathisants et 22 % de neutres. Sur les 432 personnes interrogées, 60 % approuvaient l'exécution de Pucheu, bien que 75 % fussent d'avis qu'il aurait mieux valu surseoir à toute autre exécution jusqu'à la Libération, afin d'éviter les représailles de l'ennemi contre les gaullistes et leurs familles restées en France. Parmi les partisans de l'exécution de Pucheu, les commentaires se répartissaient selon trois grands courants : « il l'a bien mérité, c'était un traître » ; « si réllement il était coupable, on a bien fait de l'exécuter » ; « Alger a voulu faire un exemple. Il l'a fait avec la personnalité la plus représentative qu'il avait sous la main. » Parmi les réactions négatives : « c'est après la guerre qu'il aurait fallu juger tous ces gens » ; « c'est sur le sol métropolitain... » ; « non, car contre les exécutions ».

À l'occasion d'un second sondage effectué en mai, une question fut posée à 384 personnes, aussi représentatives qu'elles pouvaient l'être dans un sondage clandestin d'où les collaborateurs étaient forcément exclus : « Après la Libération, la justice fera l'œuvre d'épuration tant attendue. Mais, les premiers jours, la vindicte populaire se déchaînera elle aussi. Faudra-t-il la laisser faire, la brider ou l'empêcher ? »

Les réponses furent les suivantes :

Laisser faire : 28 %
Brider : 28 %
Empêcher : 44 %

Les personnes qui se déclaraient en faveur du « laisser faire » commentèrent souvent leurs réponses, disant par exemple : « Les coupables étant très nombreux, la justice très lente, et les preuves le plus souvent impossibles à administrer, on se trouvera à un moment donné noyés dans des procès interminables qui mèneront finalement à l'oubli... »

Toujours en mai 1944, les sondeurs clandestins demandèrent à un groupe composé de 19 % de résistants, 60 % de sympathisants et 21 % de neutres : « Si vous étiez juré..., et si l'accusation réclamait la peine de mort, quelle serait votre décision[29] ? »

	Pétain	Laval
Oui (à la peine de mort)	30 %	65 %
Oui (avec circonstances atténuantes) . . .	26 %	16 %
	56 %	81 %
Non	36 %	15 %
Indécis	8 %	4 %

À partir de mars 1944, le tribunal militaire d'armée jugea des membres de formations militaires françaises ayant lutté aux côtés des Allemands en Afrique du Nord : à savoir la Phalange africaine et la Légion tricolore. Lors du premier procès de phalangistes (qui avaient combattu contre les Alliés en Tunisie), un des accusés fut condamné à mort et trois autres aux travaux forcés ou à la prison (le condamné à mort était français, les peines moins lourdes furent prononcées contre des musulmans[30]). Il y eut un second procès, à l'issue duquel deux personnes furent condamnées à mort, une aux travaux forcés à perpétuité, cinq autres à de moindres peines[31]. Peu après, le lieutenant-colonel Pierre Cristofini, premier commandant de la Phalange africaine, fut condamné à mort[32]. Des collaborateurs militaires de moindre envergure passèrent en jugement jusqu'au mois de juin.

La dernière affaire d'importance portée devant le tribunal militaire fut celle de l'amiral Edmond Derrien, accusé d'avoir mis la base navale de Bizerte à la disposition des Allemands durant la bataille de Tunisie, se rendant ainsi coupable de « crimes contre le devoir maritime et le devoir militaire[33]. » Dès son interrogatoire devant le juge d'instruction, sa défense consista à répéter qu'en permettant aux Allemands d'entrer en Tunisie et en résistant aux Alliés, il appliquait les ordres de Vichy. (Les dossiers indiquent que l'affaire fut instruite selon les règles, des témoignages étant recueillis auprès de divers échelons du commandement; le dossier contenait 56 documents différents[34].) Pour motifs de défense nationale, l'affaire fut entendue à huis clos, non sans que l'acte d'accusation eût été lu en pleine audience[35]. Dans son réquisitoire prononcé lui aussi à huis clos, le général Pierre Weiss, toujours commissaire du gouvernement, déclara : « Chaque fois qu'un crime de lèse-patrie est commis, le criminel principal apparaît en pleine lumière et c'est toujours et partout le Maréchal ! L'amiral Derrien ne serait pas au banc des accusés sans Pétain (...). Ceci ne suffit pas à excuser ses complices et ses instruments. » Puis il accusa l'amiral : « Le jour merveilleux où nos amis américains et britanniques débarquèrent en Afrique pour nous sauver, le jour où s'offrait à nous la seule occasion de renaître, l'amiral a continué d'obéir aux fossoyeurs. » Si cette faute avait été commise par une sentinelle, déclara le procureur, une prompte justice aurait déjà été faite. « La postérité s'étonnerait d'une justice affaiblie et l'imputerait à notre décadence[36]. »

En audience plénière, Derrien fut condamné, le 12 mai 1944, à la réclusion perpétuelle (pour les accusés de plus de 60 ans, les travaux forcés étaient automatiquement commués en réclusion), à la dégradation militaire et à la radiation de l'ordre de la Légion d'honneur. En fait, la Cour ne l'avait pas estimé coupable d'avoir livré Bizerte à l'ennemi, mais considéra qu'il lui avait en revanche remis des bâtiments de la marine française; il aurait dû être condamné à mort, mais on lui accorda les circonstances atténuantes[37].

François de Menthon révéla plus tard qu'un marché était venu se greffer sur cette affaire, et invoqua la raison d'État. Le 4 mai, en effet, par mesure de représailles contre l'exécution du colonel Cristofini, de la Phalange africaine, une cour martiale de Vichy avait jugé neuf résistants rescapés de l'attaque contre le plateau des Glières, en Haute-Savoie. Cinq de ces homme avaient été exécutés sur-le-champ ; le sort des quatre autres dépendait de la sentence d'Alger. La vie de Derrien fut donc ainsi épargnée, de même que celles des quatre résistants en métropole[38]. Le Parti communiste n'en demanda pas moins au Conseil National de la Résistance de protester contre l'indulgence de la Cour. Il en résulta un échange assez vif[39].

DEUXIÈME PARTIE

La Libération

La libération nationale ne peut être séparée de l'insurrection nationale.

Charles DE GAULLE, 1942, *Discours et Messages*, I.

CHAPITRE PREMIER

La prise de pouvoir

Les projets d'épuration pouvaient certes être élaborés et même mis à exécution avec la plus grande précision dans les territoires français d'Afrique du Nord, mais en ce qui concernait la France occupée, les contraintes du champ de bataille semblaient imposer des mesures beaucoup plus expéditives.

Il existe une description fort colorée de la prise de Guéret, dans la Creuse, par le maquis. On a l'impression d'une véritable libération : les gens s'embrassent dans les rues, chantent *La Marseillaise,* on efface les inscriptions en allemand, on hisse un drapeau tricolore au-dessus d'une des portes de la ville et on déploie même quelques drapeaux alliés. Les Allemands tentent de reprendre Guéret, mais sont repoussés ; de nombreux habitants vont s'installer dans les environs pour voir comment évolue la situation. On découvre un chef de la Milice qui s'est réfugié dans une chambre de bonne ; attaqué à coups de grenades, il se défend à la mitraillette. Finalement, on met le feu à la maison dans laquelle il se trouve et, alors qu'il tente de s'enfuir par les toits, il est abattu.

Après une autre fusillade, des résistants extraient de la prison six hommes accusés de collaboration et s'en servent comme otages, avertissant ceux qui continuent à tirer de la maison assiégée que les prisonniers vont être abattus si eux-mêmes ne se rendent pas. Les adversaires refusant de céder, trois des otages sont alignés devant le mur du palais de justice et fusillés après avoir reçu l'absolution d'un prêtre. On a su par la suite qu'il n'y avait plus de miliciens dans la maison assiégée, mais qu'il s'agissait simplement de l'explosion de cartouches ou de munitions sous l'effet de la chaleur dégagée par l'incendie [1].

Cette libération, survenant juste après le jour J, était toutefois prématurée ; les Allemands et la Milice n'allaient pas tarder à revenir se venger.

Grâce aux documents officiels, aux travaux des historiens, aux mémoires des acteurs, on sait que de nombreuses exécutions sommaires eurent lieu durant les semaines qui précédèrent immédiatement la Libération. En Ardèche, par exemple, où les opérations allemandes avaient été particulièrement brutales, on a estimé que 255 présumés collaborateurs furent exécutés de façon sommaire durant la lutte pour la libération. (Paradoxalement, les procès devant les tribunaux, lorsque leur tour fut venu, restèrent relativement peu nombreux : ils ne frappèrent qu'un habitant sur 1 600, alors que la moyenne nationale fut d'environ un pour 400 habitants ; il est permis de penser que l'action menée par la Résistance évita à la justice d'avoir à poursuivre bon nombre de collaborateurs [2].)

Bien souvent, ces exécutions sommaires furent l'aboutissement de décisions de cours martiales clandestines tenues par le maquis. Grâce à des registres soigneusement tenus, nous disposons de quelques détails sur certaines affaires. Par exemple, celle de deux hommes de 20 et 36 ans, ramassés par le maquis d'Ardèche et accusés de fournir de l'aide aux Allemands contre les résistants. Interrogés le 13 juillet 1944, ils furent fusillés le lendemain avant l'aube [3]. La même unité du maquis arrêta également un personnage peu reluisant et sa maîtresse ; l'homme reconnut avoir fait du marché noir avec les Allemands et s'être servi de sa maîtresse pour faciliter les transactions (après avoir bu quelques verres avec leurs interlocuteurs, elle se déshabillait et couchait avec eux) ; il avoua en outre avoir volé du vin et laissé croire que les maquisards étaient responsables du larcin. Sa maîtresse et lui-même avaient tous deux dénoncé des patriotes à l'occupant, encore que la femme, âgée de 23 ans, ne pût se remémorer qu'un seul cas. Après un interrogatoire prolongé, les deux captifs furent passés par les armes. Comme dans beaucoup d'affaires analogues, l'officier responsable du maquis — opérant sous le nom de guerre de lieutenant Yole — rédigea un procès-verbal déclarant, au nom du peuple français, les deux prévenus « coupables de vols, de trahison et d'intelligence avec l'ennemi boche en dénonçant les patriotes français ».

> « LA COUR MARTIALE,
> Statuant souverainement,
> condamne les deux accusés à la peine de mort (...) »

Le procès-verbal se réfère à la loi punissant les atteintes à la sûreté extérieure et intérieure de l'État et à l'article 75 du Code de justice militaire[4].

Dans le même département, le rapport d'un détachement des FTP est également disponible. L'objectif était de fouiller le village de Saint-Maurice-d'Ibie, à la recherche de « miliciens notoires ». Deux d'entre eux, capturés le 17 août, furent ramenés et interrogés par « le lieutenant Raymond », nom de guerre du commandant de la compagnie, et par d'autres officiers, en présence du maire du village. Les deux suspects étaient en possession d'armes de la Milice, ils avaient été des membres actifs de cette organisation et avouèrent même avoir dénoncé des jeunes gens aux Allemands. Le lieutenant Raymond les condamna à mort et la sentence fut immédiatement exécutée[5].

La justice était certes rapide, mais, selon les témoignages et preuves disponibles, elle fut rendue dans l'esprit de justice militaire qui prévalait à l'époque dans toutes les armées ; dans les cas pour lesquels des preuves écrites ont subsisté, on peut constater que les résistants se sont comportés avec un authentique sens de la discipline et des responsabilités. Étant donné l'absence de défenseurs et l'impossibilité de faire appel, on ne saura jamais si les accusés auraient été condamnés à mort par un tribunal en temps de paix, mais n'en va-t-il pas de même pour toutes les cours martiales dans le monde entier ? Des statistiques en provenance d'une région française — il s'agit des six départements regroupés pour former ce qu'on appelait la région de Toulouse — indiquent que si la majorité des exécutions sommaires eut lieu dans les semaines écoulées entre le débarquement du 6 juin et le 20 août 1944 (date à laquelle la région était presque entièrement libérée), il y en eut un nombre non négligeable avant le jour J — et après la Libération !

	avant le 6.6	du 6.6 au 20.8	après le 20.8	Total
Ariège	7 (5,47 %)	79 (61,72 %)	42 (32,81 %)	128
Gers	14 (10,07 %)	101 (72,66 %)	24 (17,27 %)	139
Hte-Garonne . .	39 (37,5 %)	49 (47,11 %)	16 (15,38 %)	104
Lot	43 (37,72 %)	47 (41,23 %)	24 (21,05 %)	114
Htes-Pyrénées.	15 (13,04 %)	76 (66,09 %)	24 (20,87 %)	115
Tarn	14 (25,92 %)	25 (46,30 %)	15 (27,78 %)	54

Le compilateur suggère que les chiffres élevés signalés avant le 6 juin dans la Haute-Garonne et le Lot pourraient s'expliquer par la formation précoce d'unités de maquisards dans ces départements, et par la présence de groupes d'épuration particulièrement efficaces. La plupart des exécutions survenues durant la période de la Libération entre le 6 juin et le 20 août — avaient été prononcées par des cours martiales clandestines[6].

La Résistance divisa la zone Sud en régions désignées par la lettre R suivie d'un chiffre ; nous possédons pour la R 4, dont Toulouse était le centre, une instruction émise par la Direction régionale, le 27 juillet 1944, instituant une cour martiale « par secteur ou du moins par département ». Le document explique : « Chaque fois qu'un maquis aura en charge des suspects notoires, des miliciens ou agents français de la Gestapo, cette cour martiale, avisée, s'y rendra sans délai et prendra les décisions nécessaires, exécutoires sur-le-champ. » En tout cas, il était « interdit d'une façon absolue » de remettre en liberté un suspect, quel qu'il fût[7].

Nous savons comment une unité de combat, le bataillon de guérilla de l'Armagnac, concevait son rôle. Son chef, Maurice Parisot, spécifia clairement, dans une instruction datée du 10 août 1944, qu'une formation militaire n'était pas habilitée à rendre justice ; les tribunaux se chargeraient de cette tâche après la Libération. Entre-temps, la justice de la Résistance devait « mettre hors d'état de nuire ou supprimer » ceux qui représentaient pour elle un danger, donnant du même coup un avertissement à ceux « dont les paroles constituent un acte d'hostilité à la Résistance[8]. » La cour martiale du bataillon de guérilla de l'Armagnac fonctionna du 8 juin au 23 août 1944, appliquant le Code de justice militaire en campagne qui prévoyait la peine de mort pour « intelligence avec l'ennemi », entre autres actes portant préjudice à l'action militaire. Avant son exécution, le condamné était autorisé à voir un prêtre et à rédiger une dernière lettre. Le peloton était composé de six hommes tirés au sort, dont l'un était armé d'une balle à blanc. Durant ses dix semaines d'activité, cette cour martiale jugea et condamna trois agents des Allemands, deux résistants qui avaient accepté de coopérer avec les Allemands après leur capture, et neuf miliciens convaincus d'avoir porté les armes contre des résistants. Une quarantaine de personnes, dont une dizaine de femmes, furent retenues pour être jugées après la Libération, date à laquelle elles furent remises entre les mains de la police d'Auch, chef-lieu du Gers ; à l'issue de leur procès, trois d'entre elles furent exécutées[9]. Grâce aux registres tenus par un des participants, nous pouvons aussi prendre connaissance du procès-verbal d'une cour martiale qui siégea le 17 août — c'est-à-dire juste avant la libération totale —, présidée par le commandant du bataillon assisté d'un capitaine, d'un lieutenant et d'un des hommes tiré au sort :

« Attendu qu'il résulte des débats

1. Que le nommé X..., voyageur de commerce demeurant à Eauze (Gers), est, de son aveu, chef cantonal de la Milice française du canton d'Eauze ;

2. Qu'à ce titre, il a participé à l'établissement d'une liste qui a provoqué l'arrestation de patriotes à Eauze le 17 mai 1944, ces faits étant établis par les déclarations mêmes de l'intéressé ;

3. Qu'à ce titre également, il a participé à des opérations contre les patriotes français en Haute-Savoie ;

Par ces motifs, prononce à l'unanimité la peine de mort et déclare le présent jugement immédiatement exécutoire. »

L'accusé était assisté d'un avocat choisi par le bataillon. Après l'exécution, on fit parvenir à sa famille ses effets personnels et sa dernière lettre [10].

Sur Radio-Londres, Jean Oberlé lut certaines des sentences prononcées par un tribunal militaire des FFI dans le département de l'Ain en juin 1944 : elles allaient de la peine de mort contre un agent de la Gestapo et un milicien à des emprisonnements pour « propos de nature à démoraliser la population », et à un sursis assorti d'amende pour un employé d'abattoir s'adonnant au marché noir. On ne précisait pas clairement si les personnes en cause avaient été effectivement arrêtées ; peut-être ces sentences étaient-elles purement symboliques, mais Oberlé concluait : « C'est l'histoire de Français héroïques qui, entourés de toutes parts par l'ennemi, l'attaquent et le narguent et lui imposent leur loi [11]. »

Nous en savons plus long sur un tribunal du peuple institué dans l'Isère en juillet 1944 par le Comité Départemental de Libération, avec la participation de représentants du MUR, du Front national et de la CGT. L'objectif était de punir les actes qui ne relevaient pas de la compétence des tribunaux militaires des FFI ; les décisions étaient « sans appel et immédiatement exécutables (sic) [12] ». En accord avec les FFI, le CDL installa dans la vallée du Vénéon, zone « semi-libérée » considérée comme inaccessible, un camp d'internement appelé la Bérarde. Il était possible d'y incarcérer les suspects, ce qui permettait d'éviter les cours martiales clandestines, parfois trop expéditives. Le 9 août, lorsque les Allemands déclenchèrent leur offensive contre la région voisine de l'Oisan, le tribunal du peuple siégeait à la Bérarde pour juger 63 internés. Cinq d'entre eux, dont une femme, furent condamnés à mort ; deux firent l'objet de sentences avec sursis « jusqu'à décision définitive du tribunal du peuple » ; 17 internements furent confirmés (dont huit pour des femmes). Par ailleurs, 24 personnes, parmi lesquelles douze femmes, furent remises en liberté; un homme et une femme se virent assigner des emplois bénévoles à la Bérarde. Quinze personnes enfin furent recrutées par la Résistance. D'autres tribunaux du peuple fonctionnaient dans le même département, par exemple à Allevard et dans la vallée du Grésivaudan [13].

Plus sensationnelle encore fut l'exécution du préfet de l'Isère et d'un directeur de journal après qu'ils eurent été condamnés à mort — symboliquement du moins — par le Comité départemental de Libération et les gaullistes. Il se trouve qu'on dispose d'un récit détaillé de cette action telle que l'a rapportée un des membres d'une équipe de la Résistance; il s'agit bien sûr, par la force des choses, d'un récit qui fut à l'époque confidentiel. Un conseil de guerre du CDL avait condamné à mort le préfet pour ses activités proallemandes et anti-résistance, ainsi que le secrétaire général du *Petit Dauphinois* que l'on estimait responsable de la ligne collaborationniste suivie par ce quotidien. Le 1er août, un commando de résistants — un « groupe franc », comme on disait — apprit que le préfet était en visite dans la villa du propriétaire du journal, dans la banlieue grenobloise; il reçut l'ordre d'exécuter les deux condamnés, mais d'épargner le propriétaire du quotidien. Sept hommes armés jusqu'aux dents s'entassèrent dans une 402, emportant de surcroît un fusil-mitrailleur afin de pouvoir faire face à l'éventualité d'un barrage routier. Arrivés sur les lieux, ils mirent leur fusil-mitrailleur en batterie pour couvrir l'opération et annoncèrent leur présence en tirant une rafale, blessant l'un des invités — un industriel local — que l'on savait innocent. À la question : « Lequel est le préfet ? », le secrétaire général du journal répondit : « C'est moi », mais le préfet intervint alors et se nomma. Les deux hommes furent aussitôt abattus et on avertit le propriétaire du *Petit Dauphinois* qu'il avait tout intérêt à changer la tonalité de son quotidien. Après avoir donné le coup de grâce, les résistants se retirèrent, utilisant pour se replier l'automobile du préfet en plus de la leur [14].

La libération de la France n'est pas un événement singulier, consommé en un seul jour; elle devint possible à partir du 6 juin 1944, grâce aux débarquements anglo-américains en Normandie, faisant suite à ceux qui avaient déjà eu lieu sur le littoral méditerranéen. Les Forces Françaises Libres y furent de plus en plus mêlées et la Résistance métropolitaine adopta progressivement la structure d'une véritable armée, ou, si l'on veut, d'une coalition assez lâche d'armées. En certaines régions, la Libération fut marquée par l'arrivée des chars alliés ; ailleurs, la retraite des Allemands fut rapidement suivie de la prise de la ville par les FFI ; ou bien les actions militaires des FFI, s'accélérant, provoquaient la retraite de l'ennemi, ce qui lui coûtait d'autant plus cher. D'où le fait que les villes et régions de France fêtent leur propre libération à des dates différentes. Sur le moment, cependant, la Libération fut souvent une période assez dangereuse : l'occupant était parti, mais pas toujours bien loin. Paris fut libéré le 25 août, la vallée du Rhône la semaine suivante, Lyon au début septembre, mais l'Alsace allait devoir attendre jusqu'en novembre, et certaines poches ennemies subsistèrent jusqu'à la fin de l'hiver. Les combats de rues, les tireurs postés sur les toits, l'incertitude planant sur les forces de l'ennemi et sur ses intentions, la présence, jusque dans les territoires libérés, d'auxiliaires armés des Allemands comme par exemple la Milice de Vichy, tout concourt à expliquer la fièvre de ces journées où la poursuite de l'ennemi et le châtiment de ses complices faisaient partie de la même guerre.

Ce châtiment, on n'avait certes aucune intention de le différer. Une seule question se posait : qui va s'en charger ? Parfois, cela dépendait, semble-t-il, de la façon dont une région était libérée et de qui se trouvait alors aux commandes. Dès la mi-juillet, soit un grand mois avant que l'insurrection n'éclatât à Paris, Maurice Schumann, qui accompagnait l'avance alliée en Normandie, transmit à ses compatriotes, via Radio-Londres, un message destiné à rassurer et, très certainement, à servir de leçon : « Depuis le 6 juin jusqu'à ce jour, je n'ai pas vu un seul cas — je répète : pas un seul cas — de vengeance individuelle ou de représailles particulières exercées par la population de la France libérée sur la personne d'un collaborateur réel ou supposé. » Il attribuait cette « discipline » et cette « maîtrise de soi » aussi bien à la Résistance qu'au gouvernement provisoire, citant en exemple la façon dont une unité des FFI avait, dans la ville de Bayeux, sauvé la vie d'un homme accusé d'avoir dénoncé 17 personnes à la Gestapo, et qu'une foule cherchait à lyncher. À Bayeux, précisa-t-il, depuis un mois que les FFL avaient pris les rênes de l'administration, 27 hommes et onze femmes avaient été internés à la suite d' « une enquête scrupuleuse » : « Justice a été ou sera faite [15]... » D'ailleurs, les meilleures statistiques dont on dispose pour le département du Calvados, dont Bayeux est une sous-préfecture, n'indiquent qu'une seule exécution sommaire pour 1943, quatre en 1944, avant le jour J, et sept seulement après cette date ; il n'y eut pas non plus de cours martiales ni de tribunaux militaires improvisés à la hâte par des résistants avant que les cours

de justice postérieures à la Libération ne fussent prêtes à fonctionner [16].

Il faut dire que la prise de pouvoir avait été minutieusement
préparée par le commissaire à la Justice et son équipe. Le
Gouvernement provisoire de Charles de Gaulle avait nommé des
délégations de chacun de ses ministères, qui devaient se tenir
prêtes à agir dans les territoires libérés dans le sillage de l'avance
alliée ; cette mesure avait évidemment l'avantage de garantir que la
France libérée serait gaulliste. Le commissariat à la Justice avait
créé trois délégations : une pour le nord, une pour le sud et une
pour le sud-ouest du pays (laquelle ne fut jamais utilisée) ; la
délégation de zone Nord fut en place en Normandie dès le mois de
juin [17]. Toutefois, sur place, ces délégations du gouvernement en
exil trouvèrent bien peu de hauts fonctionnaires de justice avec qui
dialoguer, ceux-ci étant presque tous absents de chez eux pour
cause de vacances ou de fuite. Le 30 juin, par arrêté secret, le
commissaire de la République pour la Normandie, François
Coulet, regroupa tout l'appareil judiciaire qu'il put trouver dans
les territoires libérés au sein d'un tribunal unique siégeant à
Cherbourg [18]. Avant de quitter Londres pour les plages de
Normandie, le colonel Jean Burnay qui, après avoir servi les
Forces Françaises libres en qualité de directeur des affaires
judiciaires et des grâces, s'apprêtait à devenir délégué du commissariat à la Justice en territoire libéré, reçut des instructions fort
claires de François de Menthon (toujours à Alger) :

> « Rappelons que faits de collaboration antérieurs à libération
> doivent être jugés par juridiction spéciale dénommée cour de
> justice. En conséquence faire ouvrir toutes informations utiles par
> parquets, mais surseoir à jugements [19]... »

Quelques jours plus tard, de Menthon envoya un autre message
codé au commissaire à l'Intérieur, Emmanuel d'Astier : « Constituer de suite Cour de Justice selon ordonnance 26 juin [*Journal*]
Officiel du 6 juillet [20]. » Il était manifestement fort alarmé par les
projets qui semblaient en train de s'élaborer en vue d'une justice *ad
hoc* dans les territoires libérés ; cette inquiétude ressort d'un autre
télégramme codé à son délégué, le colonel Burnay :

> « Suis surpris mauvaise rédaction arrêtés signés Coulet. Veuillez
> assurer dès que possible publication divers textes législatifs pris
> pour départements libérés. Insiste pour constitution rapide cour de
> justice à laquelle doit être réservé jugement traîtres et collabora-

teurs (...) Pouvoirs exceptionnels (...) ne doivent être utilisés qu'en l'absence textes législatifs adéquats. Compte sur vous pour ne pas laisser désordre législatif s'établir[21]... »

Impatienté par les instructions tatillonnes de François de Menthon, Georges Boris, qui représentait à Londres le commissariat à l'Intérieur, câbla à d'Astier : « Le ton de ce télégramme paraît indiquer que M. de Menthon ne se rend pas compte des délais de transmission. En fait, le [*Journal Officiel*] du 6 juillet n'est arrivé [à Londres] que le 25 juillet. Même sans tenir compte des délais de retransmission en Normandie, ceci explique suffisamment que le 25 juillet, [le] commissaire [à la] Justice ait pu croire que son ordonnance n'est pas encore appliquée en Normandie[22]. »

Ce qui tracassait François de Menthon, scrupuleux homme de loi, c'était sans doute l'arrêté de François Coulet instituant un tribunal militaire qualifié pour siéger en cour martiale. Cependant, si l'on en croit les souvenirs d'un des rares survivants de cet épisode, de Menthon n'avait pas de souci à se faire. La prise de pouvoir à Bayeux et dans les localités environnantes se fit dans le calme, et la principale préoccupation de Coulet et de ses collaborateurs était la sécurité des opérations militaires, non le châtiment en soi. Ainsi, le sous-préfet de Vichy à Bayeux, Pierre Rochat, fut-il mis en résidence surveillée (malgré les protestations des Alliés à qui il avait proposé ses services[23]). À leur arrivée à Bayeux, les gaullistes remirent à la police militaire alliée trois collaborateurs notoires ; il y eut des manifestations éparses contre les collaborateurs locaux, mais elles ne durèrent pas bien longtemps. Il fut même décidé que les policiers et gendarmes resteraient en place, car ils s'étaient conduits de façon satisfaisante sous l'occupation[24]. Des camps d'internement furent installés à Bayeux et Tourlaville (près de Cherbourg), sous la surveillance de l'armée. La police réduisit le nombre des arrestations au minimum, alors même qu'un rapport de police signale que dans une commune de 400 habitants, il y aurait eu lieu d'arrêter cinq ou six personnes, voire même dix fois ce nombre, sans outrepasser les limites de la modération[25]. Le nouveau sous-préfet installé à Bayeux par les gaullistes, Raymond Triboulet, présidait un Comité de Libération qui discutait de chaque arrestation et internement proposés en se fondant sur une enquête de la gendarmerie ; les dossiers étaient alors transmis à Coulet[26]. Chacun de ces internements faisait l'objet d'un arrêté numéroté, signé par le commissaire de la République, se référant aux ordonnances de novembre 1943 et janvier 1944 sur les internements ainsi que sur les pouvoirs du commissaire de la République ; chacun se référait en outre à un rapport de police sur la personne concernée. Quand un suspect arrêté était imposable, il devait rembourser le coût de son internement [27].

Chaque village, chaque ville garde gravée dans son histoire l'heure de sa libération. Une partie de cette histoire reste néanmoins orale : ainsi le récit de la libération de Marmande, sous-préfecture du Lot-et-Garonne. Les résistants entrent dans la ville, déjà évacuée par les troupes ennemies, dans l'après-midi du dimanche 20 août, alertent la fanfare municipale, dressent une hampe pour hisser un drapeau ; d'autres drapeaux surgissent d'ailleurs un peu partout. Trois automobiles remplies de maqui-sards s'avancent pour libérer symboliquement la ville, bien que les responsables de la résistance locale aient clairement précisé que leur tâche était de poursuivre les Allemands qui battaient en retraite. À l'annonce d'une contre-offensive ennemie, la place des Armes, bondée, se vide en un clin d'œil, mais c'est une fausse alerte. Des résistants pénètrent dans la gendarmerie, arrêtent le capitaine et son adjudant ; sur la place des Armes où la foule s'est à nouveau rassemblée, ils se tiennent au garde-à-vous tandis qu'on hisse un drapeau. Une statue de Marianne, la République, est posée sur un socle et entourée de guirlandes de fleurs. Les chefs de la Résistance prennent possession de la mairie, de la sous-préfecture. À 15 heures, les arrestations commencent ; une femme tondue est poursuivie par la foule. Pour la protéger, le chef de la Résistance ordonne de l'arrêter, puis il annonce par haut-parleur que le couvre-feu est maintenu et que quiconque sera surpris dans la rue après la nuit tombée sera abattu sans sommation. Il fait également savoir à la population que du pain et du vin sont en vente et qu'une ration de viande suivra très vite [28].

À Oullins, dans la banlieue sud de Lyon, nous disposons du récit de l'arrestation d'une femme accusée de « tendre collabora-tion avec l'occupant ». On vient la tirer de chez elle sous la menace de pistolets braqués contre sa poitrine et dans son dos ; des badauds applaudissent. On arrête aussi des collaborateurs plus dangereux. Un milicien étant absent de chez lui, ce sont ses parents qu'on incarcère (pour les relâcher peu après). Certains sont tentés de « visiter » la maison du milicien en fuite, mais un résistant s'oppose au pillage ; le même empêche un quidam de planter des coups de couteau dans les fesses d'une femme arrêtée. On accuse un cycliste qui passe d'être milicien ; le résistant le protège en l'emmenant aussitôt à bord de son automobile. De vrais miliciens sont arrêtés. Les FFI s'introduisent par effraction dans les locaux de la Légion Française des Combattants et font un feu de joie avec les fascicules de propagande, les affiches et les portraits de Pétain [29].

Les femmes tondues : il semble que ce fut presque partout le premier acte d'épuration. La tonte accompagnait les arrestations, les exécutions, les remplaçait parfois. Lorsqu'elle arrive à Montélimar sur les talons des libérateurs de la Résistance, Elsa Triolet, l'épouse de Louis Aragon, trouve une foule massée devant le palais de justice ; à l'intérieur, elle découvre un groupe de prisonniers qui attendent d'être interrogés. Tous les hommes ont des têtes de repris de justice et d'assassins, les femmes de prostituées. On leur rase le crâne ; les gardiens opèrent avec dégoût, « mais aussi avec un certain sens du devoir ». Elsa Triolet note que sur 200 suspects arrêtés, huit sont retenus pour être jugés, les autres sont remis entre les mains d'auxiliaires de la Résistance, la Milice patriotique ; 23 de ces individus sont envoyés en prison et 60 en résidence surveillée ; parmi la centaine qui reste, vingt femmes sont tondues. La foule les attend à leur sortie du palais de justice pour les siffler et les conspuer. Le lendemain, Elsa Triolet rencontre certaines de ces femmes dissimulant leur crâne rasé sous des turbans multicolores [30].

À la libération de Paris, Jean-Paul Sartre rencontre boulevard Saint-Michel, non loin de la Seine, un autre « triste cortège ». Il n'y a dans ce groupe qu'une seule femme tondue ; elle a une cinquantaine d'années et la tonte n'a pas été très bien faite. « Quelques mèches pendaient autour de son visage boursouflé ; elle était sans souliers, une jambe recouverte d'un bas, et l'autre nue ; elle marchait lentement, elle secouait la tête de droite et de gauche, en répétant très bas : " Non, non, non ! " Autour d'elle, quelques femmes jeunes et jolies chantaient et riaient très fort ; mais il m'a semblé que les visages des hommes qui l'escortaient étaient sans gaieté… » Sartre, quant à lui, se sentait mal à l'aise : « Eût-elle été criminelle, ce sadisme moyenâgeux n'en aurait pas moins mérité le dégoût. » Il ne pensait pas que la foule se rendait compte de la cruauté de ces tontes ; cette victime-là paraissait devenue folle, et il parle d'autres femmes tondues qui se sont suicidées [31].

Ce rasage de crâne était certes conçu comme une tentative d'adapter le châtiment au crime. Celles qui le subirent étaient généralement coupables d'avoir eu des relations sexuelles avec l'occupant. Sous l'occupation, des Françaises jeunes et moins jeunes s'étaient exhibées en compagnie de soldats allemands ; des jeunes femmes avaient pris part aux activités de la Milice. Des femmes, au même titre que les hommes, pouvaient dénoncer des résistants ou des réfractaires au travail obligatoire en Allemagne. Certaines paraissaient bien nourries, bien habillées, n'hésitaient pas à afficher leurs rapports avec des soldats ennemis ou des collaborateurs, quand elles ne s'en faisaient pas gloire. L'heure de la libération venue, la vengeance était inévitable.

Le bel esprit parisien Jean Galtier-Boissière cite (sans préciser l'endroit où il l'a entendue) une femme tondue à la libération de la capitale : « Mon cul est international, mais mon cœur est français [32] ! » Il devint impératif de régler leur compte aux femmes qui s'exprimaient ainsi. Un autre écrivain dépeint une scène survenue à Libourne, croulant sous les drapeaux français, tandis que retentissent à tous les coins de rue *La Marseillaise* ou le *Chant du départ*. À l'hôtel de ville se tient un tribunal sommaire devant lequel une prostituée nie avoir « fricoté » avec l'occupant. « On ne lui en rase pas moins les cheveux, on la met nue et on l'oblige à courir jusqu'au socle qui supportait la statue du premier duc Decazes, statue dont les Allemands s'étaient emparés pour en faire fondre le bronze. » On la hisse à la place du duc et toute la population assemblée se moque d'elle [33]. La prostituée de Libourne tient lieu d'offrande expiatoire et l'on peut en dire autant de bien des femmes tondues à la Libération. Ce n'était même pas une question d'innocence : les critiques des débordements de l'épuration eux-mêmes ne prétendent nullement que les victimes étaient sans reproche. Ainsi l'abbé Desgranges rapporte-t-il un incident concernant une femme qui s'était portée volontaire pour travailler en Allemagne ; à son retour au chef-lieu de son département, on veut la déshabiller et lui raser le crâne, mais un commissaire de police s'interpose, défiant le chef de la résistance locale, et envoie la coupable en prison dans une ville voisine [34].

Y avait-il une directive nationale recommandant de tondre les collaboratrices ? Il semble que non, et pourtant il y eut des crânes rasés aux quatre coins de la France. Il est certain que ce châtiment bien particulier fut porté à la connaissance de la nation entière, et présenté comme justifié, par « Les Français parlent aux Français ». Ainsi, le 20 août, alors que Paris et une grande partie du territoire français n'étaient pas encore libérés, un correspondant du *Sunday Express* décrivit sur les ondes de Radio-Londres ce qu'il avait vu à Nogent-le-Rotrou, près de Chartres, où il avait trouvé 3 000 personnes assemblées sur la place de la République pour voir seize femmes, entre vingt et soixante ans, se faire tondre aux ciseaux et à la tondeuse ; à chaque fois que l'une d'elles se levait du fauteuil du coiffeur, le crâne rasé, la foule s'esclaffait et la conspuait. « Il y avait de bonnes raisons à cela », précisait le journaliste : ces femmes avaient tenu les Allemands au courant des mouvements du maquis. Il rapportait pour conclure que ces femmes avaient ensuite été plongées dans un baquet d'eau avant d'être exhibées par les rues de la ville ; elles allaient bientôt être jugées : « Les plus coupables seront fusillées comme traîtres à leur patrie et pour venger les jeunes hommes torturés [35]. »

Si ces femmes tondues et dénudées faisaient office de victimes expiatoires, elles remplissaient aussi une autre fonction, peut-être plus utile dans l'immédiat : elles permettaient d'épancher une colère qui eût autrement conduit à des effusions de sang. Ce fut du moins ce que ressentit l'un des participants aux combats de la Libération, l'abbé Roger More, aumônier et membre des FTP en Savoie. Ayant appris que quelques jeunes femmes avaient été arrêtées et devaient être tondues, il dit à ses maquisards : « Laissez-les faire. » Il estimait que ce châtiment permettrait de « faire la part du feu » (la tonte elle-même servant de « coupe-feu »), car il canaliserait les débordements de ceux qui souhaitaient abattre d'autres collaborateurs. « Longtemps, devait-il se remémorer par la suite, des filles à turban ne me diront plus : " Bonjour, Monsieur le Curé. " Mais le sang n'a pas coulé [36]. » Les cicatrices, pourtant, ne s'estompaient pas toujours. Près de quarante ans après, en 1983, une femme vivait en recluse à Saint-Flour, refusant de se montrer en public depuis sa tonte à la Libération ; depuis trente ans, nul ne l'avait vue et elle avait peu à peu sombré dans la folie [37].

Même lorsqu'on les décrit plusieurs dizaines d'années après avec l'objectivité de l'historien, les événements de la Libération ne sont pas sans faire songer parfois à des scènes de cinéma. À Bordeaux, les va-et-vient désordonnés de camions et de voitures bourrés de maquisards laissèrent à la population une impression d'anarchie — peut-être parce que, depuis si longtemps, la circulation fort réduite s'était surtout bornée aux mouvements ordonnés des convois militaires. Les Bordelais furent soumis à d'incessants contrôles d'identité, à des arrestations arbitraires, à l'effrayante présence de maquisards en armes [38]. (À vrai dire, la population bordelaise n'en avait peut-être pas conscience, mais la guerre était encore toute proche, puisque les Allemands occupaient une poche dans l'estuaire de la Gironde ; Royan ne serait d'ailleurs libéré qu'en avril 1945, huit mois après les débarquements alliés dans le midi de la France.) Les rapports officiels indiquent bien à quel point il était difficile de contrôler des résistants armés que l'on avait formés à l'action terroriste. En décembre 1944, il y avait toujours des attaques à la bombe en plein Bordeaux; on en plaçait devant certains établissements commerciaux, sans doute pour se venger d'actes de collaboration réels ou présumés. On retrouvait les corps de notables abattus; des groupes armés, basés en Dordogne, faisaient de temps à autre des raids en Gironde pour y commettre des vols à main armée. La présence prolongée d'un maquis dans les Basses-Pyrénées continua d'inquiéter la population locale. On ne saurait cependant isoler cette tension, résultant de la pression continue qu'exerçait la Résistance, de l'état général des Français et Françaises libérés; à Bordeaux, à la fin de 1944, le ravitaillement, « plus angoissant que jamais », était au centre de toutes les préoccupations [39]. Durant les premières semaines de 1945, la pénurie alimentaire s'aggrava; si l'on n'agissait pas très vite, avertit le commissaire régional de la République, on risquait de très graves ennuis [40].

On peut penser que tous ces facteurs se combinèrent pour perpétuer le climat de crise qui sévissait dans la région bordelaise : les soldats allemands qui se battaient tout près, le manque de ravitaillement *et* l'épuration. En janvier, il y eut de nouveaux attentats à l'explosif à Arcachon et à Dax pour protester contre l'inertie des autorités de la Libération, incapables de confisquer les « fortunes scandaleuses acquises pendant l'occupation ». Entre-temps, la police avait arrêté des membres d'un « groupe de répression illégale » qui avait effectué des vols à main armée dans le Libournais, et des maquisards indisciplinés durent être repris en main dans le Lot-et-Garonne. Par ailleurs, une campagne de rumeurs, accompagnée de distributions de tract, avait commencé dans le Pays Basque en faveur du maréchal Pétain qui se trouvait alors en Allemagne; le commissaire de la République rapporta que dans les milieux traditionnellement « Action Française » de Bordeaux, on feignait d'accepter les nouvelles autorités, mais qu'en fait rien n'avait changé; en décembre, lorsque les Allemands contre-attaquèrent et percèrent les lignes alliées dans les Ardennes, on put observer chez les collaborateurs internés une joie évidente [41]. Bordeaux et la région avoisinante souffraient du douloureux passage de la défaite et de l'occupation à la libération et à l'indépendance recouvrée, comme le reste de la France.

CHAPITRE II

La consolidation du pouvoir

La Libération peut nous paraître comme une série de clichés isolés. Selon ses engagements antérieurs, chacun insistera qui sur le désordre, qui sur un retour sans encombre à l'ordre républicain ; l'épuration fera figure de juste rétribution ou de vengeance sanguinaire. Étant donné que l'événement concerne presque toutes les villes, tous les villages de France, sans oublier la campagne qui les entoure, une simple compilation de données brutes serait une tâche impossible : jamais on ne pourrait faire tout tenir en un livre et, à supposer qu'on y parvienne, quel lecteur irait l'ouvrir ? Il n'y avait pas de climat général, mais une infinité de climats. La situation variait d'un jour à l'autre. Une région réputée pour ses combats féroces entre résistants et collaborateurs, pour ses exécutions sommaires, pouvait fort bien, à l'heure de la Libération, se révéler un lieu modèle où régnaient la loi et l'ordre (et ce, parce que le plus gros de l'épuration avait déjà été fait).

Inutile de s'attarder sur les ouvrages à prétentions historiques abusives qui dépeignent la façon dont les collaborateurs furent poursuivis et traqués en les présentant comme les victimes de grandes purges à la stalinienne. Seulement, si l'on se met en quête d'une histoire de ces événements telle que la perçurent les chefs de la Résistance et les autorités gaullistes qui menèrent à bien cette épuration, on revient bredouille. Que reste-t-il alors ? Des clichés, rien que des clichés.

Qui souhaite obtenir un tableau de la France aux premiers mois de la Libération peut faire appel aux rapports confidentiels rédigés à l'intention du gouvernement par la gendarmerie nationale — elle-même régénérée après son épuration. Durant les premières semaines du Gouvernement provisoire, les gendarmeries locales enregistrèrent un peu partout une plainte généralisée : « il n'y a rien de changé », dans la mesure où certains fonctionnaires de Vichy étaient toujours en place. Peu importait que les fonctionnaires en question eussent été ou non accusés de fautes caractérisées ; pour certains, ils devaient disparaître quoi qu'il advînt, car ils perpétuaient « l'esprit et l'ambiance du régime Pétain. »

Il s'agissait là néanmoins d'une des réactions les moins virulentes. Un rapport de gendarmerie note : « Sous prétexte d'épuration, des milliers de gens du peuple déposent au bureau de renseignements du chef-lieu de canton (...) le papier accusateur qui n'est pas toujours signé. Des individus peu qualifiés pour s'ériger en justiciers ornent de croix gammées les immeubles de propriétaires qu'ils estiment compromis. » Cela créait « une atmosphère malsaine » et nuisait à « l'unité française ». Il y avait par ailleurs ceux qui déploraient que l'épuration se fît trop lentement, au même rythme que la justice en temps de paix. À Maubeuge, par exemple, « les masses populaires réclament des cours martiales. » (Quelque 5 000 manifestants avaient assiégé la mairie pour exiger que le préfet du Nord jugeât les collaborateurs arrêtés et internés au début du mois de septembre ; 8 000 ouvriers, membres de la CGT, avaient manifesté pour réclamer la nationalisation de certaines usines.)

Cela dit, à en croire les gendarmes, la majorité des Françaises et Français étaient respectueux de la légalité et estimaient qu'il appartenait à la gendarmerie et à la police d'arrêter les suspects. Le rapport d'un commandant régional de la gendarmerie note que la population était mécontente des « initiatives parfois fantaisistes des comités locaux de libération » ; on trouvait l'agitation de la résistance locale abusive, illégale. Les zones rurales étaient particulièrement perturbées par des « actes arbitraires, et parfois des crimes de droit commun commis par des bandes armées ». Parmi les incidents enregistrés, on relève plusieurs suspects abattus dans les arrondissements de Cosne et Nevers, l'extorsion d'amendes punitives auprès de commerçants de la région de Rochefort [1].

Au fil des semaines suivantes, selon les rapports de gendarmerie envoyés à Paris, l'épuration continua de « passionner » la nation ; les fonctionnaires en place sous Vichy, que l'on avait maintenus à leur poste, suscitaient toujours la méfiance. Dans toutes les régions, cependant, s'exprimaient des inquiétudes concernant une justice para-officielle. « Quelques bandes parcourent certaines régions et, sous prétexte de rechercher des collaborateurs, commettent des vols. » Nombre de ces méfaits furent perpétrés par des groupes revendiquant le titre d'unités FFI ou même de comités d'épuration ; certains de leurs membres portaient des uniformes et s'appropriaient des marchandises au nom de prétendues réquisitions. Parfois, ils arrêtaient des suspects, brûlaient une maison, plaçaient des explosifs[2]. De toute évidence, il n'allait pas être facile de convaincre certains maquisards, dont la survie sous l'occupation avait justement dépendu de pratiques illégales, d'en revenir aux méthodes du temps de paix. À la fin de 1944, l'épuration et la répression restaient, selon les gendarmes, « les deux questions irritantes autour desquelles gravitent toutes les discussions et toutes les critiques. » Les incidents se poursuivaient, créant « dans tous les milieux un malaise fait d'appréhension et d'inquiétude[3]. »

On peut illustrer ces synthèses de rapports de gendarmerie de faits bruts glanés çà et là, certains vérifiables, d'autres grossis, voire inventés par d'anciens collaborateurs vichystes ou leurs partisans. Ce qui leur fait défaut, en revanche, c'est le contexte. Il nous faudrait savoir, par exemple, si la répression exercée par les Allemands et Vichy dans une région donnée avait été très sévère. Par ailleurs, il nous faudrait savoir si les autorités mises en place par le Gouvernement provisoire n'étaient pas troublées, elles aussi, par ces désordres et ne cherchaient pas à les maîtriser dans la mesure du possible. Les proconsuls de la France libre, les commissaires régionaux de la République firent face de leur mieux à l'anarchie qui sévissait à la Libération, parfois avec autorité, plus souvent avec souplesse — car ces hommes avisés comprenaient bien que si les gens ne voyaient pas la justice suivre son cours, les plus militants d'entre eux, ceux qui avaient le plus souffert sous Vichy, se feraient justice eux-mêmes. De Gaulle lui-même aborda la question de front : « C'est à l'État, à la justice de l'État, à l'autorité de l'État, à la force de l'État, et seulement à sa force, à sa justice, à son autorité, qu'il appartient de s'imposer en France », déclara-t-il dans un discours prononcé en octobre 1944 à Rouen. « Tous empiètements d'autorité nuiraient à la guerre, à la position internationale de la France », ajouta-t-il quelques jours plus tard dans une allocution radiodiffusée[4]. Dans certaines régions, les commissaires de la République et leurs préfets purent rapidement contrôler la situation, généralement lorsqu'ils bénéficiaient du concours de la résistance locale représentée au sein des Comités départementaux de Libération. Dans les zones plus turbulentes, le plus souvent celles où le maquis avait été actif et la répression vichyste sévère, les CDL résistèrent au retour à une justice plus placide, même si celle-ci devait être plus juste. « Naturellement, il a pu se faire que, par la rupture de toutes communications entre le pouvoir central et ses agents, ou bien par la brusque apparition de ceux de la clandestinité qui reparaissaient tout à coup en plein jour, il a pu se faire qu'il se produisît par endroits quelques troubles, quelques désordres, quelques abus », reconnut de Gaulle dans son discours de Rouen [5].

L'Auvergne était un centre volcanique de la Résistance, ne fût-ce que sur le plan géographique. La retraite allemande, en août 1944, fut marquée par un harcèlement de la part des FFI. Dès le 10 août, le Cantal était libéré ; l'Allier ne devait être débarrassé de toute présence ennemie que le 7 septembre. Certaines parties montagneuses de l'Auvergne avaient cependant été libérées dès le mois de juin. Durant ces semaines de libération partielle, tandis que les fonctionnaires de Vichy restaient en place, une nouvelle autorité s'installait progressivement aux commandes, partageant souvent le pouvoir avec les survivants du régime pétainiste. Le fait que le commissaire de la République choisi pour gouverner l'Auvergne, Henry Ingrand, était déjà chef régional des Mouvements Unis de Résistance et membre de l'état-major régional des FFI, arrangea certainement bien des choses. Dans son rapport sur sa première année d'activité en tant que commissaire de la République, il souligne ce moment historique où l'un de ses officiers FFI se rendit dans le bureau du préfet régional nommé par Vichy, à la préfecture du Puy-de-Dôme. « Savez-vous, monsieur, que je devrais vous faire arrêter ? » fit aussitôt le préfet. Souriant, le visiteur lui répondit : « Je ne doute pas, monsieur le Préfet, que si cela était en votre pouvoir, vous le feriez. Seulement, je veux vous prévenir (...) que si je ne suis pas sorti de la préfecture dans une demi-heure, les mesures sont prises pour que vous ne sortiez pas vivant ce soir de votre bureau. — Je plaisantais, se hâta de préciser le haut fonctionnaire. — Moi aussi », répliqua son interlocuteur.

L'épuration qui devait intervenir en Auvergne après la Libération avait été planifiée. Certains membres de la Résistance avaient été chargés d'arrêter les collaborateurs, opérant en liaison avec les officiers de police auxquels on pensait pouvoir se fier ; une liste de suspects avait même été préparée. Ingrand institua une cour martiale dans chacun des quatre départements qu'il contrôlait : l'Allier, le Cantal, la Haute-Loire et le Puy-de-Dôme. Un an après la Libération, il était convaincu que ces cours provisoires avaient permis d'éviter les excès de la justice populaire. À Vichy même, des membres du corps diplomatique auprès de feu le gouvernement Pétain eurent tout loisir d'assister aux séances des cours martiales de la Libération et d'être témoins des efforts accomplis pour veiller à ce qu'une authentique justice fût garantie, en dépit du climat qui régnait à l'époque. Il y eut certes des exécutions sommaires, et à Thiers un tribunal populaire fonctionna même pendant 24 heures d'affilée, ce qui lui suffit pour prononcer quelques peines de mort promptement exécutées. Toutefois, des mesures énergiques furent prises pour éviter ce genre d'abus et pour y mettre fin lorsqu'ils étaient signalés. On créa une « commission de criblage » chargée d'examiner les dossiers des suspects interpellés. Un an après la Libération, sur 4 148 individus arrêtés, 1 802 avaient été relâchés ; les autres attendaient, soit en détention, soit en résidence surveillée, de passer en jugement.

Lorsqu'il le fallait, les autorités mises en place à la Libération pouvaient prendre d'autres mesures contre les collaborateurs. Le 1er septembre 1944, Henry Ingrand confisqua les biens de Pierre Laval — dont le château et les intérêts industriels se trouvaient tous en Auvergne —, ceux de la Milice et des miliciens[6].

Nous ne possédons le rapport du chef de la police qu'au niveau d'un seul département, le Gers. Les Allemands avaient occupé Auch, siège de la préfecture, dont ils se retirèrent le 19 août pour tomber, entre Gimont et l'Isle-Jourdain, sur les FFI qui les attendaient : 187 soldats ennemis furent faits prisonniers, et une soixantaine laissés pour morts. Les FFI firent leur entrée à Auch le jour même et prirent le contrôle des principaux services publics. Le président du Comité départemental de Libération consigna chez lui le préfet du précédent régime, l'envoyant plus tard, avec ses principaux adjoints, en résidence surveillée hors de la ville. Le 20 août, le CDL tint sa première séance officielle en présence du nouveau préfet nommé par le gouvernement. L'épuration des administrations et des services publics commença aussitôt ; sur avis du CDL, le préfet décida de dissoudre la Chambre de Commerce et diverses autres institutions mises en place par Vichy, de suspendre des hauts fonctionnaires tels que le trésorier-payeur général et le directeur des Services agricoles. Les fonctionnaires de moindre importance furent mis en congé ; il leur serait possible de demander leur réintégration par l'entremise de la Commission d'épuration du CDL. Le commissaire de police et un inspecteur furent arrêtés, d'autres policiers suspendus ou transférés ; à la gendarmerie, seul le chef d'escadron fut suspendu.

En concertation avec le nouveau préfet et le CDL, le Service des renseignements généraux de la police, secondé par la gendarmerie et les FFI, déclencha une campagne d'épuration dans toutes les professions, commerçants compris ; moins d'un mois après la Libération, 650 personnes avaient été incarcérées, soit en prison, soit dans un camp d'internement voisin. La plupart étaient des miliciens en provenance de tout le département, mais l'on s'aperçut que les membres les plus actifs de la Milice — les francs-gardes — avaient réussi à passer à travers les mailles du filet. Parmi ceux qui se trouvaient aux mains des autorités de la Libération, les plus coupables furent immédiatement interrogés et déférés au tribunal compétent. Les autres devaient passer devant la Commission d'épuration qui déciderait s'il convenait de les remettre en liberté, de les assigner à résidence ou les interner. Bien évidemment, le sort des miliciens serait réglé ultérieurement, de façon différente. Le 18 septembre, une cour martiale condamna trois personnes à mort et la sentence fut exécutée dès le lendemain matin[7].

Dans les Pyrénées-Orientales, nous savons par une excellente étude sur ce département qu'un millier de personnes furent arrêtées dans la quinzaine qui suivit le départ des troupes d'occupation, en dépit du fait que 300 noms seulement figuraient sur la liste de suspects dressée par les groupes de résistants (parmi lesquels le NAP, ou Noyautage des Administrations publiques, responsable des activités de résistance parmi les fonctionnaires). On a attribué ce nombre d'arrestations, bien supérieur au nombre de suspects connus, à l'action non autorisée de militants de la Résistance opérant en dehors du cadre du Comité départemental de Libération et de ses commissions d'épuration. En attendant, le CDL créa des commissions d'instruction composées chacune d'un inspecteur de police assisté de deux résistants, afin de décider quoi faire des 1 000 détenus ; il émit également un avertissement précisant que les groupes locaux de résistance n'avaient aucunement le droit d'ordonner des arrestations. Pourtant, les responsables du CDL semblent avoir eux-mêmes contribué à créer ce climat de tension, le président du Comité n'hésitant pas à déclarer : « Cette révolution est la nôtre et elle doit se faire dans le sang, le sang des traîtres et des collaborateurs. » On nous précise que, dans les Pyrénées-Orientales, la tâches des épurateurs fut facilitée par la saisie, au cours des combats pour la Libération, des archives de la Milice locale où figuraient des listes de collaborateurs. À Perpignan, on découvrit dans les dossiers de la police allemande des lettres de dénonciation[8].

Limoges et son département, la Haute-Vienne, passent souvent pour avoir été le théâtre d'une véritable hystérie ; on a prétendu que des résistants indisciplinés y avaient massacré un grand nombre de gens. Dans un rapport rédigé deux mois après la Libération, Maurice Rolland, alors en tournée en qualité d'inspecteur général de la magistrature, a expliqué le sentiment populaire en ces termes : « Cette région, qui était extrêmement résistante et occupée par des maquis nombreux, a subi à différentes reprises des répressions sanglantes : les pendaisons de Tulles, les massacres d'Oradour sont présents à toutes les mémoires... » Ces actes avaient bien sûr fait naître une haine intense contre l'ennemi et ses complices, notamment la Milice. De son côté, la Résistance n'avait pas toujours recruté « les meilleurs éléments » ; après les courageux combats de la Libération, ils « se sont laissé aller à des violences regrettables ». bien que « dans son ensemble », l'épuration des collaborateurs eût été justifiée, continuait Rolland, « des injustices ont été commises [9] ».

Un an après le jour de la Libération, dans un discours radiodiffusé adressé au département de la Haute-Vienne, le préfet Jean Chaintron reconnut que « dès le début de juin 1944, notre justice de la Résistance avait jugé et châtié les traîtres à la Patrie. Plus de 210 d'entre eux avaient été exécutés [10] ». Quant à Albert Chaudier, pasteur protestant et président du Comité départemental de Libération de la Haute-Vienne, il notait la différence entre le respect de l'ordre qui prévalait au chef-lieu, Limoges, où les nouvelles autorités s'étaient évidemment retrouvées aux commandes dès la première heure, et les 206 communes, petites et grandes, dans certaines desquelles de soi-disant « délégués » de la Résistance avaient brusquement surgi pour revendiquer l'autorité. « Certains de ces organismes irréguliers se confèrent à eux-mêmes des droits arbitraires, procédant à des arrestations, infligeant des amendes, allant parfois même jusqu'à la confiscation des biens individuels [11]. » Il faut remarquer que le pasteur ne parle pas d'exécutions arbitraires, car, contrairement à ce qu'affirme la légende, elles ne furent nullement l'une des questions brûlantes d'après la Libération. En la personne d'Albert Chaudier, Limoges possédait un chef hautement considéré. La surprise fut de voir le département doté d'un préfet communiste qui allait lui aussi forcer l'estime de ses concitoyens respectueux des lois. Chaudier lui-même a attribué à ce nouveau préfet — homme relativement jeune à l'époque (38 ans), de taille plutôt petite, aux cheveux prématurément gris, d'une intelligence et d'une compréhension rares — le caractère paisible du passage à l'ordre républicain à Limoges [12].

Le gouvernement de la Résistance y avait pris le pouvoir le 22 août. Ce jour-là, à la radio — baptisée Radio-Limoges libéré —, un officier anonyme de l'état-major départemental des FFI avait rassuré les auditeurs : « Le Comité de Libération, soutenu par toute la population, se substitue au pouvoir des lamentables pantins vichyssois. L'ordre se rétablit. Les honnêtes gens respirent, les patriotes sortent des prisons et la canaille y rentre. L'union de tous les Français se réalisent dans l'action libératrice. » Cet orateur non identifié n'était autre que Jean Chaintron. Membre du Comité central du parti communiste français, il avait — rappelons-le — connu la singulière expérience d'être condamné à mort pour ses activités politiques par l'une des sinistres Sections spéciales de Vichy en novembre 1941. Le cardinal de Lyon, Mgr Gerlier, était alors intervenu en sorte que Pétain avait commué sa peine en travaux forcés à perpétuité. Transféré dans une prison de Dordogne, Chaintron avait été délivré par le maquis en juin 1944. À la Libération, il possédait toute l'autorité d'un chef de la Résistance, doublée de celle d'un communiste condamné à mort par Vichy ; sur la justice arbitraire et sur la nécessité de ne pas lui lâcher la bride, il avait néanmoins retenu une inoubliable leçon [14].

Il fut nommé préfet de Haute-Vienne par le Gouvernement provisoire et prit les commandes le 12 septembre, après avoir rassuré ceux qui auraient pu s'inquiéter d'avoir pour préfet « un militant attaché au parti communiste par toutes les fibres de son être et qui n'a ni l'indignité, ni l'hypocrisie de le cacher ». Il promit au CDL qu'il ne serait pas « le préfet de tel clan ou de telle couche de la population, mais le préfet de tous les Limousins, à quelque classe, à quelque tendance qu'ils appartiennent, pourvu qu'ils œuvrent loyalement à la Libération, au relèvement et à la renaissance de la France dans l'ordre et la propreté [15] ».

C'était précisément en raison de ce souci qu'une cour provisoire fut instituée à Limoges. La justice devait être prompte et juger les collaborateurs avant que la foule ne s'en chargeât. On craignait aussi que les Allemands ne revinssent pour remettre les collaborateurs au pouvoir. La cour commença à siéger dès que les FFI eurent pris possession de la ville où Chaintron n'était pas encore « monsieur le Préfet », mais « le commandant Jean-François », adjoint du colonel des FFI Georges Guingouin, responsable (entre autres domaines) des questions judiciaires. Les juges étaient choisis parmi les plus posés des officiers de la Résistance, mais il faut bien dire qu'ils étaient habilités à prononcer des peines de mort sans appel et qu'aucun avocat n'était prévu pour la défense. Cependant, à la demande du pasteur Chaudier et du CDL, le bâtonnier du département fut chargé de nommer, près le tribunal, trois avocats commis d'office, et le 28 août, le CDL, étant donné le nombre d'affaires à entendre, décida de faire passer leur nombre à quinze [16]. À la fin août, cette cour avait déjà tenu six séances, au terme desquelles 111 sentences avaient été prononcées. 41 collabo-

rateurs avaient été condamnés à mort, 4 autres retenus pour
complément d'enquête avant de comparaître devant des tribunaux
réguliers ; 2 avaient été mis en liberté provisoire et 27 autres
acquittés. « Voilà qui répond à la 5ᵉ colonne encore en liberté,
déclara le quotidien du CDL. La population limousine peut être
assurée que la justice populaire est rendue dans les conditions les
plus équitables et les plus humaines ; mais tous sauront que nous
sommes impitoyables dans le châtiment des traîtres et mouchards
qui ont été au service des boches [17]. » Quatre jours plus tard, le
journal rapportait que le nombre d'agents de la Gestapo et de
miliciens condamnés à mort et exécutés à Limoges avait atteint
55 [18]. À ce qu'il semble, les coupables ne méritaient pas tous la
peine capitale : le pasteur Chaudier s'est plus tard rappelé avoir
sauvé le directeur départemental du Ravitaillement, qu'il estimait
innocent, après sa condamnation à mort par les jeunes juges des
FFI [19].

Entre-temps, la Haute-Vienne épura sa propre administration.
À la mi-septembre, le quotidien départemental titrait :

37 fonctionnaires de la police de Limoges sont suspendus ;

9 d'entre eux sont emprisonnés [20].

S'adressant à ses administrés à la radio départementale, Chaintron
promit que le grand nettoyage ne serait pas limité aux « lampistes ». « Il faut découvrir et frapper plus haut, déclara-t-il, les
agents de trusts, les gros requins qui ont pactisé avec l'ennemi et
ont collaboré avec lui au pillage de la France en s'enrichissant. Et
puis, il faut découvrir les tortionnaires de la milice, les agents de la
Gestapo, les complices de la répression allemande, et les frapper
sans pitié. » Il se disait surpris d'apprendre que certaines personnes se dressaient contre l'épuration par « sentimentalisme » ou
bien dans un « esprit de pardon ». Il y avait toujours eu de ces
« indulgents », notamment en 1793, sous la Convention. Que ces
âmes sensibles aillent donc « faire un pèlerinage salutaire à
Oradour-sur-Glane ». Il faisait fi des rumeurs d'arrestations arbitraires ou d'agissements dictatoriaux de la part du CDL ou des
FFI. S'il y avait eu des abus, ils étaient l'œuvre d' « agents
provocateurs, d'irresponsables, d'aventuriers politiques,
réprouvés par tous les partis de la Résistance [21]... ». Vers la fin
novembre 1944, Chaintron réclama derechef une justice plus
rapide, associant cette demande à un appel au respect de la
légalité ; il dénonçait dans le même souffle les « indulgents » et les
« actes inconsidérés de quelques enragés incontrôlables, plus
royalistes que le roi, frappant à tort et à travers et tendant à
discréditer, par des actes anarchistes, les Forces de la Libération

de la France aux yeux de l'étranger ». Il faisait remarquer que Robespierre, lui aussi, avait dû combattre à la fois « le modérantisme et l'excès [22] ».

Un an après la Libération, Chaintron fournit un bilan de l'épuration menée à ce jour dans son département. Le tribunal de libération avait entendu 350 cas et prononcé 75 condamnations à mort, qui avaient toutes été exécutées. La Cour de Justice qui l'avait remplacé avait prononcé 68 condamnations à mort, dont huit seulement avaient été exécutées, en sus de diverses condamnations aux travaux forcés et à des peines de prison. Il y avait eu 45 internements administratifs (dans un camp où Vichy logeait naguère ses opposants). Dans le cadre de l'épuration administrative, 79 fonctionnaires avaient été suspendus, 18 mis à la retraite d'office, 44 déplacés. Une Commission pour la saisie des profits illicites avait cité à comparaître 436 personnes, confisqué 33 millions de francs et infligé des amendes dont le montant total atteignait 46 millions de francs. Enfin, 57 collaborateurs avaient été condamnés par la Chambre civique à la dégradation nationale [23] *.

Au cours des premières semaines de reprise en main et de consolidation de l'autorité du Gouvernement provisoire, le pouvoir resta très localisé. La Haute-Vienne allait cependant recevoir ses ordres d'un envoyé gaulliste, Claude Serreulles, ancien adjoint de Jean Moulin, devenu délégué du Gouvernement provisoire, qui rencontra les préfets de la région et les Comités départementaux de Libération à Limoges à la fin d'août 1944. Il souligna le besoin d'unité ; c'était elle, ajouta-t-il, qui avait prouvé aux alliés anglo-américains que la France pouvait se gouverner toute seule (sinon, les Alliés y auraient instauré leur propre gouvernement militaire). Il demanda à la Résistance de soutenir l'action des commissaires de la République et de leurs préfets [24]. On était encore à une époque où lesdits commissaires étaient de véritables proconsuls, jouissant pratiquement des pleins pouvoirs. Le 26 septembre 1944, le commissaire de la région de Bordeaux, Gaston Cusin, rappelait à ses subordonnés que le commissaire de la République « détient, par délégation du Gouvernement provisoire, tous les pouvoirs des ministres actuellement en fonction ». Il n'y avait pas jusqu'aux instructions émanant de Paris qui ne dussent lui être soumises, et lui seul décidait si elles devaient être appliquées ou, au contraire, suspendues parce qu'inopportunes [25]. Très vite, le gouvernement

---

* A l'époque, on distinguait l'accusation — l'indignité nationale — de la peine — la dégradation nationale.

central à Paris modifia cet état de choses. À la mi-octobre 1944, les commissaires avaient été prévenus qu'ils devaient appliquer à la lettre les ordonnances et décrets du gouvernement central, et n'avaient plus le pouvoir de les suspendre[26].

Le commissaire de la région bordelaise, âgé de 41 ans à la Libération, avait été haut fonctionnaire sous la Troisième République, rétrogradé par Vichy et même emprisonné pendant un certain temps. À l'époque où il avait été nommé commissaire pour la région de Bordeaux, en octobre 1943, il jouait un rôle actif dans la Résistance[27]. Son domaine regroupait la Gironde, les Basses-Pyrénées et les Landes. La cérémonie au cours de laquelle Cusin prit les rênes, le 29 août, eut lieu en présence des chefs de la Résistance locale, dans la salle des fêtes du célèbre Hôtel Splendid à Bordeaux. « Après quatre ans de souffrance, déclara-t-il, Bordeaux se relève et la joie coule dans ses rues pavoisées. » Il avertit toutefois que la guerre n'était pas encore finie (les Allemands, nous l'avons vu, tenaient encore Royan et la pointe de Graves, plus au nord). Il fit clairement connaître sa conception de la justice de la Libération : « La Résistance va s'emparer du pouvoir, va faire régner la justice du peuple. Elle évitera de mêler dans une confusion tragique les innocents aux coupables et de frapper dans un aveugle règlement de comptes les patriotes de l'action clandestine[28]. »

Cela n'allait pas être si facile. Le maquis avait soudain conscience de sa puissance ; sa présence alarmait la population qui eut tôt fait d'y voir un soulèvement d'Espagnols antifascistes réfugiés en France après la guerre civile. Le 5 septembre, l'état d'urgence fut déclaré et le couvre-feu obligatoire ; le 17, Charles de Gaulle en personne arriva en tournée d'inspection[29]. Dans ses Mémoires, le général a évoqué cette visite : la guerre étant encore si proche, l'atmosphère était tendue et « divers groupes armés (...) refusaient d'obéir aux autorités officielles ». Il mit les chefs de la Résistance locale devant le choix suivant : « ou se soumettre aux ordres du colonel commandant la région, ou bien aller en prison ». D'après ce qu'il se rappelait, tous avaient opté pour la première solution. À son départ de Bordeaux, le président du Gouvernement provisoire eut l'impression que « le sol s'était raffermi[30] ».

En attendant, à travers toute la région, on rendait une justice expéditive. L'historien de cette période — qui estime à un peu plus d'une centaine le nombre d'exécutions sommaires de collaborateurs en Gironde sous l'occupation et aux premières heures de la Libération — note l'apparition en divers lieux de tribunaux d'épuration ad hoc; en tout, quelque 200 personnes furent arrêtées, dont cinq (trois hommes et deux femmes accusés d'avoir dénoncé le maquis) furent jugées et fusillées au camp de Brach, dans le Médoc. À la mi-septembre, l'épuration officielle se soldait par l'arrestation de 1 399 personnes, dont 50 miliciens avec leur chef local, une quinzaine de membres de la Légion des Volontaires Français, dont un général, 32 informateurs de la Gestapo et l'ancien maire de Bordeaux, Adrien Marquet, qui avait brièvement été ministre dans le gouvernement de Vichy. Très vite, une Commission des internements administratifs fut créée afin d'examiner les cas des internés. Peu après, les nouvelles cours étaient prêtes à se mettre à l'œuvre [31].

CHAPITRE III

Un prompt châtiment

Avant que les cours de justice de la Libération — telles que les avait définies, jusque dans leurs moindres détails législatifs, une ordonnance signée à Alger — ne fussent tout à fait prêtes à assumer leur tâche, une forme de justice plus expéditive régla le sort de nombreux individus soupçonnés de collaboration. Sous prétexte que le système judiciaire alors en vigueur avait collaboré avec Vichy, et profitant de ce que les tribunaux d'épuration conçus par le Gouvernement provisoire n'étaient pas encore en place, la France libérée se livra à l'improvisation. On vit surgir des cours martiales. En jugeant au plus vite les collaborateurs notoires, on espérait apaiser le courroux populaire.

Par la suite, nombreux furent ceux qui prétendirent que la création de ces cours martiales avait été spontanée, pour ne pas dire illicite. Dès qu'il fut fermement établi à Paris et en province, le gouvernement gaulliste fit de son mieux pour supprimer ces tribunaux improvisés et traduire les accusés devant les Cours de Justice prévues par son ordonnance, ce qui ne pouvait que renforcer l'idée que ces cours martiales avaient été ni plus ni moins qu'une parodie de justice. En réalité, elles étaient tout aussi légitimes que le Gouvernement provisoire et, à certains égards, étant composées d'officiers des FFI, elles représentaient une amélioration par rapport aux tribunaux populaires incontrôlables que l'on avait vus apparaître çà et là dans les régions libérées. Dès leur arrivée au pouvoir, les commissaires régionaux de la République se hâtaient le plus souvent de dissoudre ces tribunaux populaires, pour les remplacer par des cours martiales [1]. Ils en avaient le droit, en vertu des pouvoirs étendus que leur conférait l'ordonnance du 10 janvier 1944 définissant leurs fonctions. Ne les autorisait-elle pas à « prendre toutes mesures propres à assurer la sécurité des armées françaises et alliées », ainsi qu'à « ordonner toutes mesures nécessaires pour assurer le maintien de l'ordre[2] » ?

Davantage encore, le 29 juillet 1944, à la veille de la Libération, le Gouvernement provisoire d'Alger avait informé ses commissaires — qui, à cette date, n'étaient encore que des émissaires clandestins en France occupée — que d'après ses premières expériences de reconquête du territoire métropolitain sur Vichy et les Allemands, le besoin s'était fait sentir de créer des cours martiales pour juger les « traîtres notoires », tels que « miliciens pris les armes à la main, les espions, les pillards ». Cette lettre était accompagnée d'un projet d'arrêté qui se référait au Code de justice militaire d'avant-guerre. Ces cours martiales, expliquaient ces instructions confidentielles, devaient être composées d'officiers et de sous-officiers des FFI en uniforme. Quant aux tribunaux populaires et autres cours provisoires, il n'était pas question de les autoriser. Par ailleurs, seules les personnes dont les activités présentaient un danger immédiat devaient être jugées par les cours martiales ; tous les autres collaborateurs devaient simplement être arrêtés et détenus en vue de procès ultérieurs[3].

Si l'on veut un exemple des toutes premières cours martiales — qui précédèrent en fait les instructions confidentielles citées ci-dessus —, on peut prendre celles instituées dans le Vercors libéré, le 3 juillet 1944, par le Commissaire de la République Yves Farge, évoluant alors sous le pseudonyme de « Grégoire » ; dans ce territoire montagneux regorgeant de maquis, Farge créa des cours dont la composition était analogue à celle des tribunaux militaires de l'armée ou de la marine en temps de guerre, autorisés par le Code de justice militaire. Les accusés, déférés au tribunal par le commissaire de la République ou par le commandant militaire du Vercors, devaient être jugés en vertu des articles 75 à 86 du Code pénal. « Les arrêts de la cour martiale, signalait l'arrêté de Farge, sont sans recours et exécutoires dans les 24 heures[4]. » En fait, la « république du Vercors » allait durer fort peu de temps, car les Allemands attaquèrent le massif dès le 19 juillet ; leurs forces, six fois plus nombreuses que celles des résistants, eurent tôt fait de disperser le maquis, non sans faire 600 victimes.

Déjà, dans l'ordonnance émise le 26 juin 1944 par le Gouvernement provisoire du général de Gaulle à Alger, instituant les Cours de Justice de la Libération, l'article 5 précise :

« Jusqu'à l'établissement de la Cour de Justice, les juridictions militaires ou de droit commun sont normalement compétentes.

Elles se dessaisissent d'office au profit de la Cour de Justice dès son installation[5]. »

« Qu'étaient donc ces « juridictions militaires » à une époque où l'armée de la France libre n'était autre que les FFI ? C'étaient bien ces cours martiales dont le besoin « s'était fait sentir »...

Tant à Alger qu'en métropole, on insistait sur le fait que la justice devait suivre son cours dans l'ordre. Les instructions confidentielles transmises aux préfets de la Libération par le délégué général de la France libre Alexandre Parodi (qui représentait alors l'autorité suprême en métropole), soulignaient que la libération prochaine « imposera à la France, et notamment à la Résistance, des obligations précises ». Il ne suffirait pas, une fois l'ennemi chassé, de punir les traîtres et les collaborateurs ; « il est également indispensable qu'une situation normale soit rapidement rétablie », qu' « avec la liberté règnent à nouveau l'ordre et la sécurité ». Sinon, avertissait le délégué général, les Alliés anglo-américains seraient tentés « de porter atteinte à notre indépendance ». D'où la place prioritaire accordée au retour à l'ordre. Dès leur entrée en fonctions, les nouveaux préfets s'attacheraient à éliminer les vichystes, tandis que la Résistance se chargerait d'interpeller les traîtres. Il fallait toutefois éviter les « débordements de passion ». « Les souffrances endurées ne sauraient justifier des excès qui seraient ensuite regrettés. Les personnages arrêtés seront mis en sûreté et confiés à la justice de la République, qui n'est pas celle de Vichy[6]. »

« Montrez-vous dignes de la liberté reconquise ! » enjoignait la proclamation émise par les FFI dans l'Eure, alors sous l'autorité du commandant Marcel Baudot. « Une justice impartiale frappera tous ceux qui ont trafiqué avec l'ennemi, dénoncé des patriotes, abusé de la misère des populations affamées. Mais *seuls* les tribunaux régulièrement constitués sont qualifiés pour rendre cette justice ; vous n'exercerez aucune violence contre quiconque ; votre devoir sera de signaler aux autorités constituées tous les cas délictueux[7]. »

À l'évidence, la réalité dépendait du lieu et des gens en place. La justice provisoire de la Libération fut plus ou moins sévère selon la nature de l'occupation et l'activité des collaborateurs locaux. Un autre élément décisif était l'existence éventuelle d'un maquis. Ce qui nous offre une vaste gamme d'expériences : ici la terreur, là l'ordre. Naturellement, la perception de la justice dépendait aussi du point de vue de l'observateur, et une grande partie des textes imprimés parvenus jusqu'à nous exprime les griefs de victimes de l'épuration — collaborateurs véritables ou présumés, membres de leurs familles, sympathisants. Comme dans le cas des exécutions sommaires, ceux qui rendirent la justice dans le cadre des cours martiales ont répugné à faire connaître leur version des faits. Il n'existe donc pas d'histoire définitive des cours martiales de l'été 1944, et il semble que les archives gouvernementales ne contiennent même pas de rapport complet à leur sujet. La connaissance que nous en avons s'apparente ainsi à une laborieuse reconstitution.

De toute façon, un an plus tard, bien peu de Français eussent accepté la qualité de la justice rendue durant cet été 1944. Cela dit, d'autres questions se posent. Par exemple, les collaborateurs pour lesquels ces cours martiales se montrèrent si expéditives auraient-ils survécu, en leur absence, jusqu'à l'installation de juridictions plus sereines ? Ou bien l'opinion publique locale aurait-elle assouvi sa soif de justice et de vengeance sur un nombre encore plus élevé de personnes et de façon encore moins justifiée ? C'étaient des considérations de cet ordre qui occupaient l'esprit des commissaires et préfets de la Libération, et celui de la résistance locale. « Il importe en effet (...) d'éviter que la foule puisse faire justice elle-même en invoquant le retard de la justice légale », expliqua Henry Ingrand, Commissaire de la République à Clermont-Ferrand, pour justifier la mise en place d'une cour martiale à Vichy, le 5 septembre 1944, avant même que le chef-lieu du département, Moulins, n'eût été libéré[8].

« Ou bien, ce qui eût été le plus facile, attendre, laisser faire des représailles incontrôlées qui commençaient ici ou là et s'annonçaient ailleurs, ou bien s'efforcer de contrôler la répression et par conséquent la circonscrire » : tel était le dilemme pour le chef régional des FFI de la région R.3, Gilbert de Chambrun, siégeant à Montpellier. Il décida donc de créer une cour martiale dans chaque département, avec pour juges des officiers des FFI ayant participé à des actions contre l'ennemi. Les accusés étaient envoyés devant la Cour par la police régulière (épurée de ses éléments collaborationnistes). Tout autre châtiment des coupables était interdit et les cours des FFI furent dissoutes dès que le système judiciaire du Gouvernement provisoire fut prêt à fonctionner[9].

Ainsi, dans l'un des départements que contrôlaient Gilbert de Chambrun et le commissaire de la République Jacques Bounin, les Pyrénées-Orientales, une cour martiale fonctionna du 8 au 15 septembre et jugea 36 personnes, dont 28 miliciens accusés d'avoir détruit un village et attaqué le maquis. Seize prévenus furent condamnés à mort, douze aux travaux forcés, quatre à des peines de prison ; il y eut en outre deux renvois et deux acquittements. Dès le 22 septembre, une Cour de Justice était en place [10].

Dans la région voisine, R.4 dont Toulouse était le centre, le commissaire de la République Pierre Berteaux avança, pour justifier la création de cours martiales, l'urgente nécessité de mettre fin aux exécutions sommaires. Dans au moins un département de sa juridiction, le Tarn-et-Garonne, une cour provisoire instituée par arrêté du préfet de la Libération empêcha la création d'un tribunal du peuple ; après avoir prononcé cinq condamnations à mort, cette cour céda la place à une cour martiale, remplacée à son tour à la mi-septembre, sur instructions du ministère de la Guerre, par des tribunaux militaires départementaux. Dans les Hautes-Pyrénées, la cour martiale de la Libération tint une seule séance, durant laquelle elle envoya trois chefs miliciens devant le peloton d'exécution. Dans le Lot, il y eut une condamnation à mort, un à dix ans de travaux forcés, une autre à un an de prison, et enfin un acquittement ; le tribunal militaire qui remplaça cette cour martiale prononça deux peines capitales. Dans le Tarn, un tribunal militaire condamna sept personnes à mort (huit autres à la prison ou à la réclusion, et deux acquittements). En Haute-Garonne, à eux deux, la cour martiale et le tribunal militaire envoyèrent 19 personnes à la mort [11].

Même un homme aussi circonspect que Michel Debré, qui était non seulement un des gardiens de la justice, mais un des initiateurs de la législation gaulliste, put paraître tolérer cette justice expéditive et même l'encourager durant ses premières semaines au poste de commissaire de la République pour la région d'Angers. Lorsqu'une cour martiale improvisée condamna à mort un supplétif français de la Gestapo, Debré ordonna que la sentence fût momentanément suspendue, afin de faire clairement comprendre qu'il détenait le droit de grâce, puis, finalement, il autorisa l'exécution. En attendant l'institution de Cours de Justice, il mit sur pied, pour les affaires qui ne pouvaient être davantage différées, des tribunaux militaires. Il avertit Adrien Tixier, ministre de l'Intérieur, que les Cours de Justice étaient des instruments fort pesants, et qu'il prenait donc l'initiative de simplifier la procédure. Ses tribunaux militaires siégeaient en cour martiale « chaque fois que le caractère de l'affaire le permet [12] ».

Qu'étaient exactement ces cours martiales ? Assez curieusement, la meilleure façon de découvrir leur mode de fonctionnement et les résultats qu'elles obtenaient est de lire les journaux de l'époque. Il n'y avait en effet aucun compte rendu sténographique des débats et les procès-verbaux étaient réduits à leur plus simple expression (sans compter qu'ils ne figurent même pas toujours dans les archives départementales). Dans la presse, en revanche, dans ces journaux d'une seule page et de petit format des premières semaines qui suivirent la Libération, on est souvent mieux informé sur ces cours que par les documents officiels ; on trouve aussi, bien sûr, des renseignements sur l'atmosphère des procès, ce qui fait toujours défaut aux archives. (Quant aux récits personnels, ils sont toujours colorés par la tendance politique du narrateur.) Au Puy, chef-lieu de Haute-Loire, *L'Appel de la Haute-Loire*, organe du Comité départemental de Libération, fut le seul journal à paraître sitôt après la Libération. Il nous apprend la création d'une cour martiale conforme à l'arrêté promulgué le 21 août par le commissaire de la République Henry Ingrand. Les juges étaient des officiers FFI et le barreau local avait été prié de désigner des avocats commis d'office. On demandait à la population « de ne se livrer à aucune manifestation hostile à l'égard des accusés, afin que les débats se déroulassent dans le calme et avec la dignité qui sont en honneur dans la justice française[13]. » La première séance s'ouvrit au palais de justice du Puy, le 4 septembre à 9 heures du matin. Les prévenus qui comparaissaient devant la Cour avaient été capturés avec des soldats allemands, lors de combats les opposant aux FFI ; ils étaient par conséquent accusés d'avoir porté les armes contre la France et d'intelligence avec les agents de l'ennemi.

Comme dans n'importe quel tribunal, la séance commença par la lecture de l'acte d'accusation. Le bâtonnier prit alors la parole pour déclarer que « jamais la défense n'avait eu à plaider dans des circonstances aussi pénibles », mais il promit qu'elle « restera digne de sa mission et servira la justice. » Le président du tribunal, un colonel assisté de deux commandants, un lieutenant et un simple soldat, le remercia et s'engagea à respecter les droits de la défense. Commença alors l'interrogatoire des accusés. L'un après l'autre, chacun ou chacune chercha à expliquer sa présence parmi les Allemands, nia avoir tiré sur les résistants — alors même qu'ils étaient armés au moment de leur capture. L'un des prisonniers reconnut avoir été milicien, secrétaire départemental du Parti Populaire Français, et avoua même avoir écrit une lettre à l'ambassadeur du Reich à Paris, Otto Abetz, pour exprimer l'espoir que l'Allemagne allait gagner la guerre. Un autre, inspecteur des Eaux et Forêts, avait été en contact étroit avec l'occupant ; il était d'ailleurs marié à une Allemande pronazie. Un troisième accusé, milicien, avait été capturé dans un autocar où l'on avait découvert huit mitraillettes. Un autre encore était un milicien armé qui avait supplié qu'on le laissât rejoindre une unité de combat de la Résistance « pour mourir plus dignement qu'ici ». Après quoi une famille entière de miliciens — le père, la mère, un fils de 16 ans, une fille de 18 — comparut devant la Cour.

Après avoir interrogé les accusés, le commissaire du Gouvernement présenta son réquisitoire : « Combattre contre son père et combattre contre sa patrie, voilà deux actions criminelles qui révoltent au premier chef la conscience humaine, commença-t-il. Dans ces crimes, en effet, il y a un élément contre nature qui soulève le cœur et déroute la raison (...). Les accusés qui comparaissent aujourd'hui devant vous ont collaboré avec l'ennemi contre les Français patriotes (...). Je sais que vous penserez à nos camarades tombés en combattant pour la patrie ou morts dans les prisons de la Gestapo après avoir été odieusement torturés. Vous vous rappellerez que ceux qui sont devant vous ont collaboré avec leurs assassins et leurs tortionnaires (...) » Les quatre avocats de la défense plaidèrent les circonstances atténuantes, expliquant que les prévenus ne s'étaient pas joints à la retraite allemande pour se battre contre les FFI, mais pour se mettre à l'abri ; certains d'entre eux avaient rendu service à leurs concitoyens. Ils réclamèrent l'acquittement pour les femmes et pour les hommes qui n'avaient joué qu'un rôle secondaire, et un supplément d'enquête pour les autres.

La cour se retira pour délibérer. À 17 heures, les juges militaires regagnèrent la salle d'audience et le colonel-président lut le verdict, après avoir fait taire l'assistance houleuse et menacé de faire évacuer la salle. Cinq accusés étaient condamnés à mort : le chef du PPF qui avait écrit à Abetz, l'inspecteur dont la femme était allemande, le milicien aux huit mitraillettes, l'homme qui avait espéré s'enrôler dans la Résistance et le père de la famille de miliciens. Deux hommes et une femme étaient retenus pour complément d'information, deux hommes et une femme furent acquittés. Les exécutions eurent lieu dès le lendemain matin dans un camp voisin [14]. « Procédure d'urgence, procédure d'exception, reconnut l'organe du CDL dans son éditorial, mais nullement procédure d'étouffement. La séance est publique, la défense admise, tout se passe au grand jour. » Quelle différence, ajoutait-on, avec les « exécutions nocturnes dans les geôles vichyssoises et allemandes [15] ».

Le 15 septembre, la cour martiale se réunit à nouveau au Puy pour juger quinze personnes, dont le chef départemental de la

Milice, sa femme, un franc-garde de 17 ans entré dans la Milice cet été-là seulement, et le chef des services de sécurité de la Haute-Loire, dépeint comme un tortionnaire de la Milice (lorsqu'il nia avoir fait personnellement usage de sa mitraillette Thomson, la salle « manifesta bruyamment »). Le commissaire du Gouvernement, un capitaine des FFI, demanda que fût établie une distinction entre ceux qui avaient quitté la Milice en mars 1944, après que le chef de cette organisation, Joseph Darnand, eut demandé sa mobilisation, et ceux qui y étaient restés. Tous les accusés appartenaient à cette dernière catégorie. Il requit la peine de mort contre le chef départemental et le chef des services de sécurité, et concéda les circonstances atténuantes à leurs épouses ainsi qu'à une jeune fille qui avait été dactylo de la Milice (et collaboratrice convaincue). Pour les autres, il s'en remettait à la sagesse de la Cour. La défense prit la parole à 11 h 30 ; l'après-midi même, cinq personnes furent condamnées à mort et fusillées dès le lendemain [16].

Le 21 septembre, le tribunal siégea une troisième et dernière fois pour juger un milicien particulièrement actif, accusé d'avoir maltraité des suspects lors d'interrogatoires, et agi en étroite collaboration avec les Allemands ; neuf femmes furent également traduites devant la Cour. L'homme fut condamné à mort, ainsi que la maîtresse d'un officier allemand qui s'était fait payer par la Gestapo pour dénoncer le maquis, une serveuse d'un hôtel du Puy, maîtresse d'un feld-gendarme, accusée elle aussi d'avoir dénoncé des résistants. Une milicienne et la maîtresse d'un sous-officier allemand, qui avaient aidé la serveuse, écopèrent chacune de dix ans de travaux forcés ; une femme qui avait dénoncé deux jeunes gens parce que, disait-elle, ils « l'empêchaient de dormir », ainsi qu'une autre femme, mère de milicien, accusée d'avoir dénoncé le maquis, furent condamnées à cinq ans de travaux forcés. (Trois autres femmes, âgées de 16, 17 et 28 ans, furent acquittées.) Les exécutions eurent lieu le lendemain [17].

À Clermont-Ferrand, chef-lieu du Puy-de-Dôme, dans une région dont Henry Ingrand était le commissaire, une cour martiale siégea à quatre reprises et prononça 28 condamnations à mort, dont deux furent commuées en travaux forcés à perpétuité. Dans l'Allier, une cour martiale se réunit une seule fois et prononça trois condamnations à mort ; à Aurillac, il y eut trois autres peines capitales [18]. Ingrand dressa plus tard le bilan des cours martiales ayant fonctionné dans sa région de la façon que voici [19] :

	Mort	Travaux forcés à perpétuité	Travaux forcés à temps	Empri-sonne-ment	Renvoi	Supp^t d'infor-mation	Acquit-tement
Allier	14	3	6	2	1	1	3
Cantal. . .	6	2	4	4		13	3
Haute-Loire	13	2	9		10		8
Puy-de-Dôme.	32	4	10			6	4

Ces tribunaux des FFI paraîtront sans doute sévères, surtout par comparaison avec les cours qui allaient les remplacer dans les mois suivants. Il ne faut cependant pas oublier que la plupart des accusés jugés par ces cours martiales étaient soit des miliciens capturés les armes à la main ou en compagnie des Allemands, soit les collaborateurs les plus en vue de la région [20]. Quoi qu'il en ait été, la rigueur des verdicts a laissé des traces. Ainsi, dans *Les Crimes masqués du Résistantialisme,* l'abbé Desgranges a décrit le cas de deux frères — « deux nobles cœurs, tous deux jeunes pères de famille » — fusillés à Montauban à l'issue d'une séance de la cour martiale. Selon Desgranges, leur procès n'avait duré que vingt minutes, le procureur s'étant contenté de déclarer : « Ce sont des miliciens, je demande la peine de mort. » Or, ces deux hommes vivaient dans une région « où le maquis rouge sévissait » ; ils avaient donc estimé qu'ils seraient mieux protégés s'ils faisaient partie d'une organisation armée approuvée par le maréchal Pétain. Ces deux frères, ajoutait le prêtre, s'étaient opposés aux pires débordements de la Milice (alors qu'un autre milicien qui avait torturé des enfants de cinq et six ans pour leur faire dire où se cachait leur père n'était même pas passé en jugement). Desgranges prétend en outre qu'afin de les retrouver, la Résistance avait commencé par arrêter leur vieux père et par saccager et piller leurs demeures. À Guéret, il signale le cas d'un homme, agent d'assurances de son métier, condamné à mort par une cour martiale en septembre 1944 pour avoir assuré une propriété de la Milice [21].

Une autre source hostile aux cours de la Libération relate son expérience de témoin à charge contre de prétendus collaborateurs devant une cour martiale siégeant au palais de justice de Nîmes, sous la présidence du chef départemental des FFI, un jeune avocat communiste de Paris. « La salle des assises est pleine de monde à craquer. On fume, on mange, on crie, on s'interpelle dans le plus pur style 93... La salle est houleuse ; le vacarme ne diminue pas. » Ce désordre se prolonge après l'entrée des juges dans le prétoire. Le narrateur précise que les hommes des FFI sont des « officiers de fantaisie » appartenant aux FTP ; l'un d'eux a jadis commis un hold-up contre la Banque de France. Le commissaire du Gouvernement, ajoute-t-il, écrivait naguère dans un journal collaborationniste et, en 1942, s'était plaint à Pierre Laval de la « terreur juive » qui régnait à Nîmes. On nous affirme que les communistes étaient tout simplement occupés à juger leurs ennemis de classe et veillaient à condamner à mort au moins une personne à chaque audience, afin de se concilier l'opinion publique. Quant aux spectateurs, c'étaient « des aventuriers ou des sadiques ». L'auteur prétend avoir entendu les juges de la cour martiale déclarer : « On a les ordres du Parti. C'est la mort pour X, Y, Z » Et le procureur aurait annoncé : « L'accusé ne serait-il resté que cinq minutes dans la Milice, je demande la mort [22]. »

Dès la première affaire jugée par la cour martiale instituée à Grenoble au début septembre 1944, on n'eut aucune peine à voir de quel œil les partisans de Vichy d'une part, les résistants de l'autre, allaient considérer ces tribunaux. Plus tard, dans une plainte contre les excès de l'épuration portée auprès des Nations Unies par un mouvement s'intitulant « Union pour la Restauration et la Défense du Service Public », les dix jeunes accusés de ce procès du 2 septembre allaient être décrits comme « de bons petits Français ». Dans la salle d'audience, ainsi d'ailleurs qu'en ville, régnait une atmosphère tendue. Dès avant l'ouverture des débats, on annonça que les exécutions auraient lieu le soir même sur le cours Bériat ; il existe même un récit qui nous montre l'aumônier de la prison découvrant les six jeunes condamnés à mort « à genoux, priant ensemble [23] ». Pourtant, si l'on en croit un compte rendu de l'époque, la cour aurait pu se montrer plus sévère encore. « Quatre miliciens sur dix ont échappé au châtiment suprême, protestait le quotidien local, quatre sur dix — quand nous étions sur les bancs de l'école, ce n'était pas là une bonne note. » Et le journaliste de poursuivre : « Les morts, ceux qui gisent au fond de l'Isère, dans les charniers de tous nos départements, ceux qui tombent aujourd'hui encore dans la Maurienne mise à feu et à sang, dans la vallée du Rhône ravagée, les morts nous demandent, les morts exigent un devoir bien fait [24]. »

Ces protestations furent entendues, semble-t-il, puisqu'à la séance suivante, la cour martiale condamna à mort tous les accusés. Durant sa brève existence, sur les treize miliciens qu'elle eut à juger, la cour de Grenoble en condamna neuf à la peine capitale.

S'agissait-il d'un massacre ? Les meilleures recherches effectuées à ce jour précisent que, compte tenu du nombre total de collaborateurs sanctionnés d'une façon ou d'une autre durant tout le processus d'épuration, ces cours martiales, pour rapides et brutales qu'elles aient été, n'ont puni qu'un nombre d'individus relativement restreint. Alors qu'une épuration judiciaire plus officielle était en cours, le ministre de la Justice, François de Menthon, confia aux membres de l'Assemblée consultative, lors d'une réunion secrète de la Commission de la justice et de l'épuration en mai 1945, qu'en plus des 1 600 condamnations à mort prononcées jusque-là par les Cours de Justice, il y avait eu — « mais je ne peux pas le publier, surtout à cause de l'étranger — environ 1 000 personnes exécutées sommairement lors des combats de la Libération, et environ 1 000 autres condamnés à mort et exécutées à la suite de jugements prononcés par des tribunaux spéciaux, des cours martiales, des tribunaux de la Résistance, au cours des mois de septembre et octobre 1944 [26] ».

En 1951, cependant, en réponse à une question du député Jacques Isorni qui menait la lutte contre l'épuration et en faveur de l'amnistie, le ministère de la Justice fut en mesure de citer un chiffre plus précis, qui se révéla être inférieur. 766 condamnations à mort, rapidement exécutées, avaient été prononcées par les cours martiales de la Libération « instituées soit par les autorités civiles, soit par les autorités militaires [27] ».

CHAPITRE IV

Paris

Au fur et à mesure que les alliés progressaient depuis leurs bases normandes, les Allemands commencèrent à se retirer de Paris, harcelés par la résistance de la capitale qui, armée de fusils et de cocktails Molotov, s'attaquait aux bâtiments publics et à d'autres endroits clés. Cette insurrection prématurée faillit bien causer une rupture entre les communistes et les gaullistes représentés par leur délégué général Alexandre Parodi, car ces derniers avaient décidé de respecter une trêve avec l'occupant afin d'épargner Paris. Finalement, le 22 août, les attaques contre ce qui restait des forces d'occupation reprirent. Le 24, un détachement d'avant-garde de la 2e DB (division blindée) du général Leclerc fit son entrée dans la capitale, suivi le lendemain par Leclerc en personne. Le 26 août dans l'après-midi, Charles de Gaulle défilait sur les Champs-Élysées aux côtés de Leclerc et d'autres héros de la France libre.

La controverse sur l'importance du rôle de la résistance parisienne — dominée par les FTP, autrement dit par le parti communiste —, dans la libération de la capitale, n'a jamais vraiment cessé. Ce qu'il y a de certain, c'est que l'insurrection populaire permit aux Parisiens de nourrir l'impression qu'ils avaient vaincu l'ennemi et s'étaient libérés par leurs propres efforts. Dans ses déclarations publiques, de Gaulle entérina d'ailleurs cette version des faits. Des groupes de la résistance locale qui n'avaient pas eu, à l'instar des maquis de province, l'occasion de prendre part à de véritables combats, qui n'avaient pas pu non plus jouer un rôle de premier plan face à l'armée d'occupation, se retrouvaient à présent en mesure d'épancher leur combativité sur les collaborateurs — ceux du moins, qui n'avaient pas pris la fuite. Aux premières heures de la Libération, la tension fut exacerbée par l'action de tireurs clandestins, isolés et non identifiés, qui ouvrirent le feu, semble-t-il, sur la foule en liesse après l'arrivée de Charles de Gaulle. Le Conseil National de la Résistance, qui s'était réuni à l'Hôtel de Ville sous la présidence de Georges Bidault, réclama ce jour-là des « mesures plus énergiques » et avertit que tout collaborateur arrêté les armes à la main serait lui-même « passé par les armes ». Le CNR fit également savoir au Gouvernement provisoire, qui s'apprêtait à revêtir les insignes de l'autorité dans la capitale, que « l'ordre public ne doit être confié qu'à ceux des éléments incontestablement patriotes de la police, de la garde mobile et surtout aux formations éprouvées des Forces Françaises de l'Intérieur [1] ».

Or, c'est très précisément la participation des résistants à l'arrestation des collaborateurs — opérant parfois la main dans la main avec les forces de police, mais plus souvent de leur propre chef — qui allait créer cette atmosphère que l'on devait évoquer plus tard comme voisine de la Terreur durant laquelle Robespierre et le Comité de Salut public avaient expédié des centaines de gens devant le Tribunal révolutionnaire et, de là, à l'échafaud. Le rapprochement vint à l'esprit d'un observateur au moins, l'écrivain Paul Léautaud qui, avec ses amis, voyait dans la Résistance « dans son ensemble une bande d'apaches », comme il le nota dans son journal à la date du 24 août. « C'est la pourchasse, c'est la tuerie, c'est la partie de plaisir sanguinaire » (25 août) « J'envie les gens qui ont le courage de se tuer », remarque-t-il ailleurs. Il entend dire que la situation est « cent fois pire en province » où les communistes et les Juifs ont pris le pouvoir [2]. Par les souvenirs de l'avocat Jacques Isorni, nous apprenons à quel point ces arrestations de la Libération pouvaient être brutales. Ainsi, comme le journaliste et collaborateur Robert Brasillach se cachait, la police et des membres des FFI vinrent fouiller l'appartement de ses parents et les emmenèrent avec eux. Mme Brasillach devait raconter par la suite qu'elle avait été enfermée avec des détenues de droit commun, mais qu'ayant jugé ce traitement encore trop bon pour elle, on l'avait transférée dans une vaste cellule contenant une trentaine de femmes accusées de collaboration ; elle ne fut relâchée que lorsque son fils se fut constitué prisonnier [3].

Isorni s'est également rappelé avoir reçu, aux premiers temps de la Libération, de nombreux visiteurs implorants : « des gens affolés, inquiets, certains horrifiés ». Car, à l'en croire, « on arrêtait, on torturait, on tuait [4] ». Dans son compte rendu impressionniste de la libération de la ville, écrit sur le vif du point de vue d'un « promeneur », Jean-Paul Sartre nous livre deux gros plans sur les activités de la Résistance. Rue de Buci, tout près de l'hôtel où il loge, les FFI rassemblent une douzaine d'Orientaux (que Sartre identifie comme étant japonais); ce sont en fait des miliciens. Lorsqu'on les fait sortir dans la rue, la foule se jette sur eux, baisse leurs pantalons et les fesse énergiquement; les pantalons sur les genoux, les prisonniers se rendent par petits bonds jusqu'au fourgon cellulaire[5]. Le 26, alors qu'on vient de tirer sur la foule en liesse, Sartre assiste à une scène au cours de laquelle une femme accuse à tort un employé d'hôtel d'être mêlé à ces attentats. L'homme est aussitôt arrêté et risque même d'être fusillé sur-le-champ, mais le directeur de l'hôtel parvient à persuader un capitaine des FFI de différer l'exécution, promettant de lui faire entendre un témoin inattaquable qui prouvera l'innocence de son employé[6].

Combien y eut-il d'arrestations à Paris et — ce qui a son importance — par qui furent-elles opérées? Dès la fin du mois d'août, le ministère de la Justice jugea prudent de faire savoir à la presse que le nombre de personnes accusées de collaboration et emprisonnées était nettement moindre qu'on ne l'imaginait. On avait parlé de 20 000 arrestations, or le chiffre véritable était plus proche de 3 500. Des listes de suspects avaient été dressées par les ministères du Gouvernement provisoire et par les Comités de Libération et transmises à la Sûreté nationale, mais ce service était lui-même en cours d'épuration et ne pouvait se charger de la besogne; par conséquent, c'étaient les FFI qui appréhendaient les suspects en se fondant sur des dénonciations signées. Le ministère de la Justice se rendait bien compte que certains résistants avaient agi sans ordres, que de faux résistants effectuaient même des perquisitions arbitraires, mais il n'y avait eu que fort peu d'exemples de vengeances personnelles[7].

Officiellement, la responsabilité du rôle de la Résistance dans l'épuration incombait au Comité parisien de Libération (CPL) et aux Comités locaux de Libération dans chaque secteur. « Une mission essentielle du Comité local de Libération — déclare une instruction du CPL datée du 14 août, soit à la veille de l'insurrection — est d'assurer dans les plus brefs délais l'arrestation de tous les individus ayant collaboré ou trahi. Il vous appartient d'en dresser la liste. » Il devait y avoir deux catégories d'arrestations : la première concernait les miliciens, propagandistes de Vichy, membres du PPF et des cours martiales de Vichy; l'autre, les personnes dont l'attitude ou les discours avaient été « particulièrement scandaleux au cours des derniers mois ». L'instruction précisait clairement que le rôle des Comités locaux dans ces arrestations prendrait fin dès l'entrée en fonctions du préfet de la Libération. En attendant, leur tâche consistait à « mettre les coupables hors d'état de nuire et [à] préparer l'action de la justice en les remettant entre ses mains[8] ».

Dans un rapport au CPL daté du 4 septembre et rédigé par Georges Marrane, représentant communiste et délégué du CPL auprès de la police, on apprend que les Comités locaux de Libération, secondés par les FFI et les Milices patriotiques, ont mené à bien 4 000 arrestations au 1er septembre (ce chiffre n'est pas très éloigné de l'estimation de 3 500 avancée par le gouvernement). Marrane reconnaît que « l'arrestation en masse, par des patriotes appartenant à des organisations diverses et sans expérience policière et juridique, pose des problèmes urgents selon qu'il y a lieu d'ordonner l'emprisonnement, l'internement ou la mise en liberté provisoire ». Certains des suspects arrêtés n'avaient pas encore été transférés dans une véritable prison, tandis que d'autres étaient toujours en fuite, et « il est indéniable que des erreurs se sont glissées ».

Des commissions de triage fonctionnaient désormais sous la responsabilité du CPL, avec l'accord du préfet. C'était à elles de décider s'il convenait d'envoyer tel suspect en prison, de l'interner ou de le mettre en liberté provisoire. Marrane cite un communiqué de la préfecture de police déclarant : « Si un individu dangereux, notoirement au service de l'ennemi, ou poursuivi par la clameur publique, risque de s'enfuir, il est du devoir des citoyens de le maîtriser et de le conduire au poste de police le plus proche. » Cependant, mis à part ces circonstances exceptionnelles, « aucune arrestation ne doit être opérée autrement que par les agents de la force publique dans l'exercice de leurs fonctions ». On prit certaines mesures pour contrôler le port d'armes : le CPL comptait délivrer des permis individuels aux personnes recommandées par leurs unités de résistance respectives[9].

Le jour où éclata l'insurrection — le 19 août — Marcel Willard, avocat communiste et résistant, s'était rendu au ministère de la Justice, place Vendôme, afin d'y prendre ses fonctions de secrétaire général à la Justice, assisté d'un autre avocat communiste de la résistance, Joë Nordmann, qui allait devenir son directeur de cabinet. Willard rédigea un appel à la population : les arrestations devaient se faire dans l'ordre, à l'exclusion de toutes vengeances. Le Front national, dont les deux hommes étaient membres, entendait bien essayer de maintenir l'ordre tant que Paris serait en proie aux troubles ; les communistes ne tenteraient pas de prendre le pouvoir sous couvert de la Résistance. À mesure que les nouvelles des arrestations lui parvenaient, Nordmann mit en place, sous les ordres de l'avocat Roger Hild, autre fidèle du Front national, une équipe d'inspection, chargée de visiter les camps temporairement ouverts pour recevoir les suspects ; les inspecteurs étaient habilités à obtenir la remise en liberté des innocents. Pour autant que pût en juger ce ministère de la Justice sorti de la clandestinité, il n'y eut à Paris ni cours martiales ni exécutions sommaires. Il y a d'ailleurs une excellente raison de la croire : c'est qu'à aucun moment les collaborateurs et leurs partisans n'ont seulement tenté d'avancer que la libération de Paris avait donné lieu à un bain de sang [10].

La presse parisienne — limitée à l'époque à une seule feuille par quotidien — rendait compte de l'arrestation des hauts fonctionnaires collaborationnistes et d'autres personnalités connues ; dans Le Figaro paraissait chaque jour une colonne intitulée « Les Arrestations et l'Épuration ». Un de ces reportages décrivit une cérémonie solennelle au palais de justice, en l'honneur de tous ceux qui étaient morts au combat, à laquelle assistaient magistrats et avocats en robe. Quatre arrestations eurent lieu au milieu de la foule : trois des suspects étaient des avocats que l'on considérait comme des collaborateurs, le quatrième était le procureur après la cour de cassation [11]. Parmi les personnes arrêtées dès les premiers jours de la Libération figuraient le Chancelier de la Légion d'honneur, ami de Pétain ; le directeur du célèbre établissement Maxim's ; une cantatrice bien connue ; un prêtre accusé d'avoir travaillé pour la Gestapo ; un ancien président de la Confédération générale du Patronat français (tous furent arrêtés par la Sûreté nationale [12]). Le Figaro expliquait à ses lecteurs que la rédaction « s'est donné pour règle de ne publier que les seules listes d'arrestations communiquées par les ministères de l'Intérieur et de la Justice, ainsi que par les services de la préfecture de police [13] ».

Quelles que fussent les circonstances de leur arrestation, l'identité de ceux qui l'effectuaient, le lieu où ils passaient leurs premières heures de détention — postes de police, édifices publics ou privés momentanément transformés en prisons —, les suspects finissaient toujours par se retrouver au Dépôt. Il y a des choses qui ne changent jamais et le Dépôt, quai de l'Horloge, à côté de la Conciergerie, dans l'enceinte du palais de justice, semblait en faire partie. Si c'est au Temple qu'avait été enfermée la famille royale lors de la Révolution, en août 1944, d'éminentes personnalités des arts et lettres et des hauts fonctionnaires de l'occupation se retrouvèrent (pour reprendre les paroles de l'un d'entre eux) « dans cette prison de passage dont, depuis des siècles, des milliers et des milliers de criminels, de délinquants, de malchanceux ont connu la lourde oppression, devant ces murailles poisseuses, ces grilles qui défient le temps et la révolte, devant ces fenêtres masquées, couvertes de poussière, dans cette ambiance désespérée d'ombre, de menace obscure et d'inconnu ». Ces lignes sont de Pierre Taittinger, membre d'une grande dynastie industrielle et jusque-là président du Conseil municipal de Paris, faisant en somme fonction de maire de la capitale à une époque où le titre n'existait pas.

Évoquant son arrestation et sa détention, Taittinger décrit son escorte, « portant pour tout uniforme sur leur bras gauche un brassard marqué de la faucille et du marteau », les revolvers et mitraillettes « braqués sur nos poitrines » ; il parle aussi de « scènes affreuses » dont il fut le témoin à la préfecture de police, « d'actes de sauvagerie qui nous donnent une idée précise des haines déchaînées » ; après une incarcération temporaire à l'Assistance publique, puis dans une cellule des Renseignements généraux, il fut transféré, le 21 août, dans ce qu'on appelait le quartier des Sœurs, au Dépôt, habituellement réservé aux femmes. Il y fut enfermé dans la cellule qui avait jadis hébergé Georges Darboy, archevêque de Paris, arrêté par la Commune et fusillé en 1871 ; il devait cohabiter avec d'autres membres du Conseil municipal, tandis que le préfet de Paris et des membres de son cabinet partageaient un cachot voisin. Taittinger se rendit compte que ces cellules du rez-de-chaussée, quoique fort mal éclairées, étaient propres et que ses amis et lui faisaient partie des privilégiés dans cette geôle temporaire. « Autour de nous, battant notre refuge cellulaire, le tumulte est intense. Au-dehors, la fusillade crépite et, de l'intérieur même du Dépôt, des clameurs, des cris d'épouvante, entrecoupés de coups de feu et de rafales de mitraillettes, nous glacent d'effroi. »

Le lendemain, il découvre que parmi ces codétenus figurent le vénérable général Émile Herbillon (qui, selon la rumeur publique, avait été dénoncé par sa concierge pour avoir déploré les débarquements anglo-américains en Algérie) et l'auteur-acteur Sacha Guitry, en pyjama blanc et panama, pieds nus dans « des mules de cuir vert jade » ; Taittinger reconnaît aussi le journaliste Paul Chack (qui sera l'un des premiers à être convaincu de trahison par une Cour de Justice et fusillé), ainsi que des hauts fonctionnaires des ministères des Finances et de la Justice. Le directeur régional des prisons est incarcéré lui aussi ; bientôt, certains des gardiens seront arrêtés à leur tour ou encadrés et surveillés par « des hommes à brassards [14] ». Dans ses mémoires, Lucien Combelle, rédacteur en chef du journal collaborationniste *La Révolution Nationale,* nous présente un assemblage plus hétéroclite de compagnons d'infortune, puisqu'il est enfermé dans une cellule du Dépôt avec le comédien Pierre Fresnay et « Lafont » (ou « Laffont »), pseudonyme de Henri Chamberlain, l'un des auxiliaires de la Gestapo les plus redoutés de la capitale[15]. Le 25 septembre, un mois après la reddition de la garnison allemande, une circulaire de la police judiciaire demande aux commissaires de quartier et à la PJ d'envoyer tous les membres de mouvements collaborationnistes au Dépôt après leur interrogatoire. Le document cite 28 groupes concernés, dont la Milice, le PPF, la Légion des Volontaires Français, les Waffen SS, le Service d'Ordre Légionnaire, le Parti national breton et les Amis du Maréchal[16].

Plus tard, Sacha Guitry, dont la notoriété, en France et en Europe, était considérable, publia un récit de sa détention à partir de l'heure de son arrestation, le 23 août, par deux hommes armés qui avaient fait irruption chez lui pour le conduire à la mairie du VIIe arrondissement, et de là au Dépôt[17]. Un membre d'un groupe de juristes de la Résistance, chargés d'inspecter le Dépôt, l'entendit déclarer : « Dans toute vie d'homme célèbre, il faut quelques jours de prison. » Guitry expliqua à ses visiteurs, tout surpris de le trouver en pyjama, qu'il n'avait été que légèrement bousculé au cours de son arrestation. Robert Vassart, magistrat, se rappelle lui avoir dit alors : « Vous étiez un ami de Pétain et Pétain a serré la main d'Hitler. » À quoi Guitry répondit : « Pétain a levé le pouce durant cette poignée de main, ce qui voulait dire que pour lui, elle ne comptait pas vraiment. » Vassart allait devenir commissaire du Gouvernement, c'est-à-dire procureur près la Cour de Justice de la Seine, et il prit part à la décision de faire classer le dossier Guitry, ne le considérant pas comme un collaborateur sérieux[18].

Un autre visiteur, Claude Mauriac, qui allait bientôt devenir le secrétaire personnel de Charles de Gaulle, remarqua que si, dans le Dépôt bondé, les hommes étaient à dix par cellule, 209 femmes devaient dormir à même le sol humide ; parmi elles, des célébrités telles que la cantatrice Germaine Lubin[19]. L'actrice Mary Marquet, autre personnalité bien connue d'avant-guerre, quittant le Dépôt pour le camp de Drancy, s'est remémoré la foule qui attendait au-dehors pour voir les détenus monter dans les voitures cellulaires. « C'est pas à Drancy qu'il faut les mener, c'est au poteau ! hurla quelqu'un. Au poteau ! Au poteau[20] ! »

De l'Île de la Cité, les collaborateurs présumés passèrent au Vélodrome d'Hiver, cadre de la fameuse course cycliste des Six Jours. Sous l'occupation, l'endroit avait acquis une sinistre réputation, les Allemands et la police française s'en était servis pour parquer les détenus destinés aux camps de concentration en Allemagne et aux camps de travaux forcés dans l'est de la France. En juillet 1942, il était devenu le lieu d'internement provisoire de tous les Juifs arrêtés à Paris au cours des rafles historiques opérées par la police française sur ordre des Allemands. En cette fin d'année 1944, il fut remis en service pour accueillir cette fois les collaborateurs qui arrivaient du Dépôt ou des prisons provisoires de la Résistance, et servir de centre d'interrogatoire et de triage. Tout à fait à la fin août, 2 000 personnes environ y étaient enfermées et gardées par des gendarmes, les hommes séparés des femmes par une barrière. Ce jour-là, un reporter nota la présence de Sacha Guitry, toujours coiffé de son panama ; côté femmes, on reconnaissait plusieurs actrices. Le journaliste trouva les détenus bien traités, bien nourris ; ils étaient autorisés à recevoir des colis. « Quelle différence avec les geôles nazies ! » ajoutait-il [21]. Il existe bien sûr des témoignages contraires. L'ancien ministre de l'Éducation du gouvernement de Vichy, Jérôme Carcopino, ex-directeur de la prestigieuse École normale, avait été frappé à coups de matraque dès son entrée dans le stade ; grâce à l'intervention d'un autre détenu, Pierre Taittinger, il fut momentanément relâché [22].

Taittinger a relaté ses expériences au « camp de concentration » qu'était devenu le Vél' d'hiv'. Il y était arrivé dans un panier à salade où les suspects étaient entassés « dans ces cages de tôle minuscules et brûlantes dans lesquelles on ne peut se tenir ni debout ni assis... » Tandis que le fourgon attendait son tour pour décharger sa cargaison de prisonniers devant le stade, les « gardiens multiplient les provocations et les appels à la violence de la foule ». L'un d'eux se serait écrié : « Vous allez voir une bande de collaborateurs, de vendus aux boches, de traîtres. » À sa descente du véhicule, chaque suspect était insulté, notamment « le sale collaborateur Sacha Guitry » qui fut même frappé à la nuque et aux reins lorsqu'il sauta à bas du fourgon. C'est justement Guitry, semble-t-il, qui fut témoin des coups reçus par Carcopino et qui le reçut couvert de sang entre ses bras. Taittinger mentionne également la sévère correction infligée au même moment à un haut fonctionnaire, et dont la victime ne devait pas se remettre. Lui-même, faisant appel à des talents acquis sur les terrains de rugby, parvint à esquiver la plupart des coups qui lui étaient destinés, et même à en donner quelques-uns [23]. (Sans prétendre avoir assisté à la scène, un autre défenseur des victimes de l'épuration, l'abbé Jean Popot, a déclaré plus tard que, tandis que les détenus attendaient devant la grille du Vél' d'hiv', « une horde de femmes échevelées leur crachait au visage [24] ».)

Taittinger fut soulagé de constater que les gendarmes de service dans le vélodrome étaient disciplinés. Très vite, avec l'aide d'un juge d'instruction qui faisait aussi partie des détenus, il organisa un service d'assistance aux blessés et fit distribuer de l'eau. Il précise que huit prisonniers sur dix étaient blessés, certains « le crâne fendu, d'autres crachent leurs dents, d'autres ont des faces tuméfiées... » Tout à fait en fin de soirée, l'ancien président du Conseil municipal et ses amis parvinrent à se procurer et à distribuer des biscuits et de la confiture, puis à fermer les grandes verrières, car la température était tombée. Le lendemain, ils réussirent à persuader le capitaine de gendarmerie d'autoriser les détenus, jusque-là confinés sur les bancs de fer des gradins, à se répandre sur la piste et la pelouse.

À mesure que le nombre des suspects augmentait — atteignant à un certain moment les 3 000 —, le comité officieux de Taittinger devint un véritable poste de commandement en contact régulier avec le capitaine et ses trente gendarmes. Taittinger eut l'impression que la remise en liberté provisoire du malheureux Carcopino fut facilitée par l'arrivée d'un groupe de membres de la presse américaine, parmi lesquels une journaliste serra publiquement dans ses bras l'une des détenues « martyrisées », au crâne rasé, sous les hourras et les applaudissements des autres prisonniers. En vue de la prochaine étape, le transfert à Drancy, la police se livra alors à de brefs interrogatoires des détenus. Taittinger prétend que la plupart d'entre eux étaient victimes d'erreurs ou de vengeances et que d'authentiques collaborateurs — miliciens et auxiliaires de la Gestapo — furent relâchés ou parvinrent à filer entre les doigts de la police [25].

Drancy était une banlieue ouvrière et résidentielle plutôt banale au nord de Paris. En 1944, elle avait déjà derrière elle de tristes états de service, puisque c'était là qu'avaient été enfermés les Juifs en transit pour les camps de la mort. Le camp proprement dit consistait en un groupe d'immeubles de quatorze étages, conçu à l'origine comme HBM et utilisé après sa construction comme caserne des gardes mobiles [26]. Ces immeubles allaient à présent héberger les personnes soupçonnées de collaboration jusqu'à leur libération ou à leur transfert à Fresnes, en attendant de passer en jugement. Tout cela — pour une fois, résistants et collaborateurs sont bien d'accord — s'effectuait dans le plus complet désordre, le Gouvernement provisoire et ses auxiliaires de la Résistance n'étaient nullement préparés, aux premiers jours de la Libération, à rédiger des actes d'accusation convaincants contre les présumés collaborateurs, ni même à faire face aux dénonciations accompagnées de preuves insuffisantes ou aux arrestations fondées sur de simples présomptions.

Pour la Résistance militante, Drancy paraissait encore bien trop bon pour ceux qui y étaient incarcérés. « Drancy-Palace », comme devait dire *L'Humanité*, décrivant la vie des célébrités entassées dans l'ancienne caserne comme une sorte de perpétuelle réception « où l'on flirte, un salon où l'on cause ». L'article était illustré par un cliché de deux prisonniers en train de « flirter ». « On n'y sert pas le thé, mais on y fume du bon tabac, on y mange du poulet, des pommes rouges, extraits des nombreux colis que l'on reçoit, rapportait le journaliste du quotidien communiste. C'est avec l'argent volé en servant les Boches que l'on paie ! » Il assurait avoir vu « des faces hilares et des sourires goguenards » ; un détenu qu'il souhaitait questionner lui demanda d'abord de lui présenter ses papiers d'identité. Le reporter de *L'Humanité* trouvait le traitement de faveur réservé aux détenus de Drancy, qui « se promènent autour des pelouses ensoleillées », proprement scandaleux. Par-dessus le marché, quinze gendarmes pour surveiller 6 000 personnes, ce n'était vraiment pas suffisant[27]. On était alors à la fin septembre. Quinze jours plus tard, *L'Humanité* parlait toujours de « Drancy-Palace », où « les " collabos " vivent bien » grâce aux colis de vivres qu'ils recevaient, et paraissaient fort gais en criant « Hitler vaincra[28] ».

Vers la même époque, une lettre ouverte non signée, datée du 11 octobre, signalait aux « pouvoirs publics, à la presse, à l'élite de la France nouvelle » les conditions déplorables dans lesquelles vivaient les détenus de Drancy. S'inscrivant en faux contre les affirmations du Garde des Sceaux François de Menthon qui prétendait que des commissions composées notamment de magistrats et d'avocats avaient effectué un tri parmi les prisonniers, le document soutenait qu'aucun de ces deux corps n'était représenté dans les aréopages en question. Les internés avaient droit à un colis par semaine, mais, en raison des moyens insuffisants de la Croix-Rouge, la distribution tardait, si bien que le contenu de ces colis arrivait avarié. « Un thème favori des reporters est la comparaison du Drancy idyllique d'aujourd'hui avec le Drancy tragique des Juifs — poursuivait la lettre ouverte. Nous nous inclinons certes respectueusement devant le calvaire des Juifs arrêtés et déportés par la Gestapo... » Cependant, les Juifs avaient eu, pour chauffer leurs aliments, des réchauds qui étaient à présent interdits. Les Juifs avaient bénéficié d'un chauffage aujourd'hui absent. Et ils avaient été moins entassés. « Dans telle chambre que nous pourrions citer, là où étaient naguère quatre Juifs se trouvent aujourd'hui dix " collaborateurs ". » A cause de ce surnombre, on manquait de médicaments, de couvertures, de la plus élémentaire hygiène. Les enquêteurs n'avaient pas su remarquer, par ailleurs, les visages tatoués, les crânes rasés, les pieds brûlés, les membres contusionnés, et bien d'autres séquelles de brutalités. Pis encore, au bout de six semaines, bien des détenus ne savaient pas encore pourquoi ils avaient été internés, n'avaient aucun moyen de correspondre normalement ou de consulter des avocats ; ceux dont on avait recommandé la mise en liberté étaient toujours là, alors même que la presse réclamait davantage de preuves pour justifier les arrestations déjà opérées ; enfin, après avoir été relâchées, certaines personnes avaient été à nouveau arrêtées par les Milices patriotiques et ramenées à Drancy[29]. Plus tard, Alfred Fabre-Luce devait révéler qu'il était l'auteur de cette lettre ouverte[30]. Quant à l'avocat Jacques Isorni, il a publié une prière à « Notre-Dame de Drancy », écrite, paraît-il, par un détenu (le 19 septembre 1944) ; on y trouve le passage suivant :

« Notre-Dame des quatre cents femmes tondues, Notre-Dame des femmes tondues sans nul motif, Notre-Dame des poils brûlés au briquet, Notre-Dame des bougies dans le cul,
Mère des femmes promenées à poil,
Notre-Dame des seins mutilés, Notre-Dame du nerf de bœuf, Notre-Dame du passage à tabac (...)
Notre-Dame des femmes violées, Notre-Dame des femmes plusieurs fois violées, Notre-Dame de la fillette violée, Notre-Dame des femmes marquées au fer rouge[31]... »

— autant de faits qui n'ont jamais fait l'objet de plaintes officielles et qui n'ont donc jamais été élucidées par quelque enquête ou action des autorités compétentes.

L'une des internées de Drancy, l'actrice Mary Marquet, a laissé une description fort colorée du camp aux premiers jours de sa mise en service comme lieu de détention pour les personnes accusées de collaboration. Dans sa chambre, parmi les objets brisés et les meubles renversés, elle découvre par terre des taches jaunes, pareilles à des feuilles d'automne, et s'aperçoit qu'il s'agit d'étoiles jaunes — par dizaines — que les détenus juifs avaient sans doute arrachées de leurs vêtements à l'heure de la Libération. Elle trouve même le moyen de faire l'éloge de son logement : « Les murs sont blanchis à la chaux. Des poutres au plafond. Une immense baie découvre le camp dans toute son étendue. » Seuls les gardes armés et les trois clôtures de barbelés gâtent l'illusion. Mary Marquet reçoit la visite de Pierre Taittinger à qui elle dit : « Vous voyez, monsieur le Président, notre chambrée est déjà le plus plaisant des studios ! » Il lui annonce que Sacha voudrait la voir (Sacha Guitry, bien sûr) ; elle découvre « deux yeux immenses où se reflète le summum de la souffrance morale[32] ».

Le récit qu'a fait Pierre Taittinger de son arrivée à Drancy est moins plaisant. Il reçoit un coup de cravache au visage d'un officier des FTP, réplique par un coup de poing en pleine figure, mais avant que l'homme ne brandisse sa mitraillette, l'arrivée d'un autre véhicule bourré de prisonniers les sépare. On le loge dans une pièce où sont réunis presque tous les hauts fonctionnaires de la préfecture de la Seine. Il est salué par un officier juif des FFI qui lui serre la main, lui déclarant être au courant que Taittinger a aidé de nombreux Juifs ; l'homme promet de lui apporter toute l'aide dont il sera capable. Taittinger décrit ensuite le triste état des appartements de HLM transformés en cellules, et les efforts accomplis par lui-même et ses amis pour y rendre la vie un peu plus supportable. Les gardiens sont féroces, cependant ; ils infligent aux détenus de très durs exercices physiques, tirent dans les jambes de ceux ou celles (y compris les femmes enceintes) qui s'attardent sur la pelouse pour les renvoyer dans leurs cellules. On entend des cris en provenance de la cave de l'immeuble ; c'est là, paraît-il, que les résistants-geôliers tabassent des prisonniers enchaînés. Sans prétendre avoir été témoin de telles atrocités, Taittinger affirme que des femmes qui se trouvent depuis lors à l'infirmerie ont été torturées, brûlées, ou qu'elles ont la plante des pieds en sang ; certaines ont été marquées au fer rouge, d'autres ont eu le bout des seins coupés. Le bruit court qu'on aurait découvert des cadavres dans les caves ; il s'agirait de prisonniers qui se seraient pendus. Taittinger prétend en outre qu'à quatre-vingt-dix pour cent, les gardiens sont tous des Espagnols rescapés de la guerre civile, des communistes, voire des individus qui ont torturé les internés juifs à Drancy ; un des officiers, affirme-t-il, a été milicien et agent de la Gestapo. Certains des membres des FFI vendent des cigarettes, des vivres et du vin au marché noir.

Du fait que l'on arrête les suspects en plus grand nombre, la population de Drancy croît — passant de 3 000 à 4 000, puis à 6 000 — et le nombre de détenus par chambrée passe de 40 à 60. Les matelas disparaissent, les prisonniers dorment sur de la paille à même le sol. Taittinger entend dire qu'au total, les camps d'internement de la seule Région parisienne hébergent 60 000 personnes [33].

Quant aux récits détaillés de ce qui s'est passé à Paris en 1944, rédigés par des membres de la Résistance, voire par des observateurs neutres n'ayant d'attaches ni avec la Résistance ni avec la collaboration, il n'en existe tout simplement pas. On veut bien croire que les participants les plus actifs n'eurent pas le temps de consigner les événements par écrit au fur et à mesure qu'ils advenaient. Plus tard, ceux qui s'exprimaient sans doute avec le plus d'aisance allaient souvent occuper des postes de responsabilités qui monopolisaient tout leur temps. On peut aussi penser que certaines personnes qui auraient pu relater leurs expériences préférèrent ne pas rouvrir d'anciennes blessures. Quelles que soient les raisons de ce silence, force est de constater que pratiquement tous les témoignages publiés émanent des victimes de l'épuration.

Alors qu'une Simone de Beauvoir, regardant approcher l'heure de la Libération, le moment où les collaborateurs « allaient être expulsés de la presse, de la France, de l'avenir », se contente de noter des sentiments personnels [34], au fond de leurs cachots ou de leurs refuges, les gens accusés de collaboration ont eu, pour leur part, amplement le temps de méditer. La condition de collaborateur, comme celle de tout individu qui redoute d'être pris pour tel, nous est décrite dans le journal de Marcel Jouhandeau qui, avec son intempestive épouse Élise, va se réfugier chez différents amis durant les semaines qui suivent la libération de Paris. Poursuivis par la hantise de leur arrestation, les Jouhandeau passent de cachette en cachette, car ils savent que les FFI se livrent à des perquisitions méthodiques dans tout Paris. D'ailleurs, à leur arrivée chez des amis, ils apprennent que des résistants sont venus la veille fouiller l'appartement de fond en comble, « et ils ne sont pas sûrs de ne pas voir d'une minute à l'autre resurgir à leur porte une horde avinée de soudards qui les mettra en joue de nouveau, sous le moindre prétexte ». Jouhandeau finit par regagner son domicile, où il reçoit un coup de téléphone anonyme : il est sur une liste noire, lui annonce son interlocuteur ; des hommes armés ont juré d'avoir sa peau. « Pour l'amour de Dieu, partez, cachez-vous, épargnez-leur au moins ce crime inexpiable (...) Quittez votre maison, quittez Paris, quittez, s'il le faut, la France. » (Il n'existe en fait à Paris aucun exemple d'assassinat d'une personnalité soupçonnée de collaboration.) Le 3 septembre, Jouhandeau dîne avec sa femme dans un petit restaurant du quartier des Ternes et entend un des autres clients dire qu'il va « se payer le luxe »

d'arrêter quelqu'un ; à une autre table encore, « une jeune gouape »
pérore : « Je te dis que c'est moi qui l'a descendu », à quoi son
compagnon rétorque : « Peut-être, mais c'est moi qui lui a donné le
coup de grâce. »

Le 12 septembre, Jouhandeau, seul, se réfugie dans un grenier. Il
apprend qu'un ami chargé de cacher ses manuscrits a pris peur en
voyant son nom dans la presse et a brûlé tous ses papiers. Le
16 septembre, l'écrivain rend visite à son éditeur et ami Jean
Paulhan, et entend un autre visiteur décrire les brutalités que
subissent les internés de Drancy. Jouhandeau ne sera finalement
convoqué au Quai des Orfèvres qu'en mai 1945, pour y être
interrogé en compagnie d'Henry de Montherlant qui lui confie ses
propres craintes : « On nous étranglera dans nos prisons[35]. » En
fait, aucune violence particulière ne sera faite à l'un ni à l'autre.

Paris, cependant, bourdonnait de rumeurs sur la chasse aux
traîtres. Une des sources les plus fécondes en ce domaine est le
conteur et journaliste Jean Galtier-Boissière, qui compare une liste
des personnes arrêtées, publiée par Le Figaro (le 5 septembre), au
carnet mondain de ce journal : une comtesse, le chancelier de la
Légion d'honneur, une cantatrice, un prêtre, l'ancien dirigeant du
Patronat français (déjà cités plus haut). Galtier-Boissière cite le mot
de l'actrice Arletty qui venait d'être arrêtée pour avoir eu une liaison
avec un officier allemand : « Qu'est-ce que c'est ce gouvernement
qui s'occupe de nos affaires de cul ! » Tout en reconnaissant que la
plupart des vedettes françaises sont plus ou moins compromises, le
chroniqueur estime que la jalousie et l'ambition expliquent en partie
l'épuration des gens connus par d'autres moins importants. Il
remarque que « les gagne-petit du journalisme » jubilent quand on
arrête une célébrité telle que le boxeur Georges Carpentier. Il narre
l'anecdote d'une dame de la haute société que son maître d'hôtel
vient chercher à table lors d'un dîner qu'elle donne à diverses
personnalités dont le peintre Marie Laurencin et l'écrivain Paul
Léautaud ; la maîtresse de maison ne retournera pas auprès de ses
invités, car elle vient d'être arrêtée. « La presse de la libération n'a
que deux rubriques, note-t-il : glorification des fifis [FFI] et
mouchardage des collabos. » L'atmosphère qui règne à Paris est
parfaitement résumée par la vente à tous les coins de rue d'un
pamphlet intitulé La Voix des traîtres, qui présente une liste de
collaborateurs méritant d'être fusillés. Philippe Pétain y figure, et le
dernier nom cité est celui d'un restaurateur proche des Champs-
Élysées. Jean Cocteau déclare à Galtier-Boissière (le 1er décembre)
que les personnes attaquées dans la presse ont aussi peur de
protester que si l'on se trouvait encore sous l'occupation[36].

Les chroniqueurs ne devaient pas oublier les pires épisodes de cette époque. Au début, ils recouraient à des pseudonymes : on trouve par exemple celui de Jean-Pierre Abel sur un ouvrage intitulé *L'Âge de Caïn*, avec en sous-titre : « Premier témoignage sur les dessous de la libération de Paris. » « Abel » décrit sa propre arrestation et celle de sa femme par des jeunes gens des FTP, le 30 août 1944, et leur transfert à l'Institut dentaire transformé en prison par les FTP, où l'auteur prétend que la torture et même la mort attendaient les personnes accusées de collaboration. Lorsque la police voulut prendre possession de l'immeuble, les FTP — poussés selon « Abel » par la haine de classe — menacèrent de massacrer leurs prisonniers si les policiers ne se retiraient pas ; il fallut aux autorités un certain temps avant de pouvoir rétablir l'ordre [37]. Un écrivain répondit à cet ouvrage dans le mensuel de Jean-Paul Sartre, *Les Temps Modernes,* réfutant toutes ces allégations, car il avait lui aussi passé un certain temps à l'Institut dentaire. Il reconnaissait toutefois que, bien qu'il n'y eût pas eu de torture, certains des prisonniers, miliciens et même soldats allemands, avaient effectivement été fusillés contre un des murs extérieurs de l'établissement : « On ne pouvait tout de même pas demander aux FTP de confier le soin de venger leurs morts à ceux qui les avaient condamnés aux balles allemandes », commentait l'auteur, faisant allusion aux magistrats qui avaient servi Vichy et que l'on allait, selon toute apparence, maintenir en fonctions. Il remarquait aussi que les « Abel » n'avaient émis aucune protestation lorsque les forces d'occupation commettaient toutes leurs atrocités. Il expliquait qu'il avait personnellement participé à des pelotons d'exécution chargés de fusiller des SS et des membres de la Légion des Volontaires Français. Une telle justice semblait naturelle à des hommes qui n'étaient ni des sadiques ni des anormaux, mais qui avaient des compagnons à venger, des atrocités à punir. « Le temps nous fait lentement oublier ce qu'il nous a fallu supporter en silence — concluait l'auteur de l'article des *Temps Modernes,* évoquant ces souvenirs en 1948 —, ce qu'ont subi ceux qui ont été les plus faibles pendant des années avant d'avoir la possibilité de parler en étant les plus forts [38]. »

Nous citons ces lignes, car il s'agit là d'un rare aveu, d'une rare justification par un partisan de la Résistance, du châtiment extra-judiciaire de collaborateurs à l'heure de la victoire.

CHAPITRE V

La difficile restauration de l'État

Peu à peu, étape par étape, l'autorité centrale, désormais représentée par Charles de Gaulle et ses ministres, arriva d'Alger, dompta l'anarchie et la maîtrisa. L'éventualité d'une révolution à l'échelle nationale ou même d'insurrections locales s'évanouit.

Il n'y eut pas d'effusions de sang à Vichy. Robert Aron lui-même, généralement considéré comme très hostile aux épurateurs, a dû reconnaître que les conditions régnant dans le principal lieu de détention de la capitale de Pétain, l'hippodrome, n'étaient « pas dramatiques ». Pourtant, selon ses dires, plus de mille personnes y étaient enfermées, « une élite intellectuelle et sociale telle que rarement une geôle en a abrité d'aussi brillante » : anciens ministres, généraux et amiraux, écrivains et savants. Une cour martiale improvisée siégeait dans le salon de l'Hôtel du Parc qui avait naguère abrité le gouvernement Pétain et Laval. Aron note qu'elle prononça neuf condamnations à mort, promptement exécutées, l'une des victimes étant le chef de la Sûreté de Laval. Pourtant, dans un récit ultérieur encore plus sévère concernant cette période, Aron devait affirmer que le pire châtiment infligé aux détenus de Vichy fut d'ordre moral : les insultes de leurs gardiens [1]. Les miliciens faits prisonniers à Vichy furent enfermés au château des Brosses que la Milice elle-même avait transformé en prison [2]. Les chiffres officiels précisent que durant le premier mois qui suivit la Libération, 650 personnes furent arrêtées à Vichy, dont 114 furent aussitôt remises en liberté ; à Clermont-Ferrand où s'était établi le commissaire régional de la République, il y eut 1 106 interpellations et 180 remises en liberté ; dans les quatre départements qu'il contrôlait, les chiffres globaux indiquent 2 980 arrestations et 746 remises en liberté [3]. Vichy, qui était pourtant le siège du gouvernement de collaboration, ne se détache nullement parmi toutes ces statistiques.

L'internement n'était pas un simple expédient. Emprunté à des décrets promulgués dès avant le début de la Seconde Guerre mondiale afin de mettre hors d'état de nuire les individus susceptibles de représenter un danger pour la sécurité du pays, il apparut aux « planificateurs » de la France libre à Alger comme un excellent moyen de retenir provisoirement le grand nombre de suspects qui ne pouvaient manquer de tomber entre leurs mains dès la libération de la métropole et au cours des semaines suivantes. L'un de ceux qui s'en sont pris aux excès de la Libération, Jacques Charpentier, bâtonnier de Paris, devait noter que le décret d'avant-guerre sur l'internement avait été repris en premier lieu par Vichy, même si le régime pétainiste avait abrogé la clause prévoyant une commission de contrôle qui devait étudier le cas de chaque interné dans les quinze jours suivant son arrestation[4].

D'ailleurs, en publiant son ordonnance du 18 novembre 1943, le Comité Français de la Libération Nationale (CFLN) se référait tant au décret de Vichy qu'aux mesures prises en 1939 par le gouvernement Daladier concernant les centres de détention. L'ordonnance signée par de Gaulle prévoyait que les « individus dangereux pour la défense nationale ou la sécurité publique » pourraient être « éloignés des lieux où ils résident », envoyés dans des centres de détention spéciaux ou bien « internés administrativement », et ce jusqu'à la « cessation légale des hostilités ». Une commission de contrôle serait avertie dans les trois jours suivant un ordre d'internement et disposait alors de quinze jours pour interroger le suspect, en présence d'un avocat s'il le désirait ; l'avis de cette commission serait alors transmis au ministre de l'Intérieur qui devait prendre la décision finale sur le maintien en détention ou la remise en liberté du prévenu[5].

Après la Libération, le Gouvernement provisoire promulgua à Paris, le 4 octobre 1944, une seconde ordonnance qui prévoyait trois façons de traiter un suspect arrêté : l'éloignement, l'assignation à résidence dans un lieu donné, ou l'internement. Chaque commission de contrôle devait se composer d'un magistrat, d'un membre du Comité départemental de Libération et d'un fonctionnaire de la Sûreté nationale ; on devait lui signaler dans les huit jours l'arrestation d'un suspect et elle avait alors un mois pour prendre sa décision. L'avocat du prévenu devait présenter sa défense par écrit[6]. Plus tard, le Conseil d'État, cour d'appel suprême pour les affaires administratives, et protecteur tradition-

nel des droits civiques, devait entériner les principes et la
procédure de l'internement administratif, même pour la période
enfiévrée durant laquelle l'autorité de l'occupant s'était évaporée et
où les proconsuls gaullistes — les commissaires régionaux de la
République — avaient exercé le pouvoir par intérim pour un
gouvernement qui n'était pas encore installé. Ainsi, le 19 août
1944, le commissaire de la République pour la Bretagne, établi à
Rennes, avait ordonné l'internement d'un avocat local accusé
d'activités collaborationnistes ; le Conseil d'État allait confirmer
cette mesure, arguant des « pouvoirs exceptionnels » que l'ordonnance d'Alger avait conférés aux commissaires, allant même
jusqu'à déclarer que le commissaire avait le droit de retenir un
suspect au-delà de la période préconisée par la commission de
contrôle, car c'était lui qui détenait le pouvoir[7].

Au fur et à mesure que le territoire était libéré, les arrestations
commencèrent. « L'expérience prouve, écrivit le commissaire à
l'Intérieur Emmanuel d'Astier dans une instruction à ses commissaires de la République, que la répression doit être énergique et
rapide. » Une autre version de ce même document — peut-être
s'agit-il d'un simple brouillon, mais l'on ne peut jamais distinguer
avec certitude le brouillon de la version définitive à une époque où
de nombreuses instructions circulaient sous des formes plus ou
moins officielles — employait les termes : « brutale et rapide[8] ».
Les Français qui se trouvaient encore sous le contrôle des
occupants allemands et du régime de Vichy purent écouter le 26
août 1944, sur Radio-Londres, un correspondant suivre la progression alliée à travers la Normandie : « J'ai visité aujourd'hui le
premier camp d'internement administratif en France libérée. » Ce
camp se trouvait près de Cherbourg et devait recevoir tous ceux
contre qui avait été ouverte une instruction pour délit politique ou
qui faisaient l'objet d'un ordre d'internement du commissaire de la
République, François Coulet. Le journaliste expliquait qu'il avait
parcouru la liste des internés, ce qui lui avait permis de constater
qu'ils avaient été arrêtés pour avoir dénoncé des patriotes aux
Allemands, fait du commerce avec l'ennemi ou commis des actes
dangereux pour la sécurité nationale ; toutes les femmes, à
l'exception d'une seule, avaient été arrêtées pour dénonciation.
« Direction et gardes s'attachent à observer la correction la plus
scrupuleuse, la politesse la plus entière vis-à-vis des internés, et il
suffirait de voir arriver à toute allure le camion de ravitaillement
pour être certain que ces gens sont bien traités[9]. »

Au total, 126 020 personnes devaient être internées sous le
gouvernement de la Libération. Sur ce nombre, 36 377 furent

relâchées dès que la situation le permit, c'est-à-dire bien souvent dès que l'opinion publique eut cessé de constituer un danger pour l'interné lui-même. Car une des leçons qu'allaient apprendre les gaullistes, c'est qu'en arrêtant et en détenant une personne accusée de collaboration, on pouvait la sauver de la justice populaire, laquelle se traduisait par des brutalités ou même par la mort. Ce fut bien sûr durant les premières semaines qui suivirent la Libération que le courroux de la population fut à son comble et, par conséquent, qu'un nombre maximal de suspects furent enfermés dans les nouveaux camps de détention [10]. Prenons un exemple : l'arrestation et l'internement, à Limoges, du chef régional de la Légion Française des Combattants ; ordre fut donné par le Comité départemental de Libération de la Commission d'épuration de la Haute-Vienne d'interner cet homme, ardent collaborateur, dans un camp situé hors de la ville. Le président du CDL considérait cette mesure comme « mi-sanction, mi-protection », car la haine qu'avait suscitée le prévenu aurait pu provoquer son lynchage. Il passa plusieurs mois en détention, après quoi il fut relâché et put reprendre sans danger un modeste poste d'enseignant [11].

Dans 22 départements français, le nombre d'internements dépassa le millier ; en dix autres, il y en eut moins de 200 ; moins de 100 dans six autres ; moins de 50 en sept d'entre eux. Le département où l'on en compta le plus grand nombre fut bien entendu la Seine : 7 998 internements. Sur les 86 589 dossiers examinés, 34 270 donnèrent lieu à des remises en liberté, 36 852 au renvoi de l'affaire devant une Cour de Justice en vue d'éventuelles poursuites ; 9 862 suspects furent placés en liberté surveillée, 1 758 frappés d'interdictions de séjour, 2 442 déférés aux tribunaux militaires et 1 405 aux assises criminelles ordinaires [12].

Un historien cite des chiffres « extravagants » concernant le nombre d'internés : telle source prétend qu'il y en eut 300 000, telle autre monta carrément jusqu'au million [13]. Contre les accusations de violation des droits civiques (que nous avons déjà notées), il existe des rapports confidentiels rédigés sur le vif par ceux qui étaient chargés d'opérer arrestations et internements. Dans un résumé de la situation en Auvergne, le commissaire de la République Henry Ingrand reconnaissait que certains détenus n'étaient coupables que de délits mineurs. Tous, cependant, avaient été arrêtés dans les formes, et des mesures avaient été prises pour s'assurer que « le maximum de garanties soit donné à la liberté individuelle ». À la fin septembre 1944, chacune des 2 980 personnes arrêtées dans le sillage de la Libération avait été interrogée, et un millier avait déjà été remises en liberté ; par ailleurs, les quatre départements que contrôlait Ingrand avaient établi des « commissions de criblage » destinées à s'assurer que l'on ne détenait plus le moindre innocent[14].

« La période d'arrestations massives de suspects semble close », notait un rapport confidentiel de la gendarmerie couvrant la période du 15 septembre au 15 octobre 1944. À cette date, les internements se faisaient dans le respect des lois « et si des abus sont encore signalés, les erreurs parfois graves, mais inévitables, commises au cours de la période qui suivit la Libération ont tendance à disparaître ». Nous citons ces lignes parce que les critiques les plus virulents de l'épuration devaient plus tard mettre l'accent sur ces « erreurs parfois graves », sans prendre en considération les efforts accomplis par les autorités, à tous les niveaux, pour y remédier. (Reconnaissons aussi que tous les documents officiels étaient secrets.) Après avoir cité de nouveaux cas d'arrestations, ou des conditions d'internement qui n'étaient pas toujours optimales, la gendarmerie signalait que, dans l'ensemble, la situation témoignait d'un net retour à la légalité[15].

De fait, nous pouvons désormais constater — bien que, pour des raisons inexplicables, les dossiers de la police sur le sujet ne soient que rarement rendus disponibles, et toujours à contrecœur — que le gouvernement de la Libération désirait vivement que ses camps d'internement fussent au-dessus de tout reproche. On s'occupera sérieusement des conditions sanitaires, en tout cas dès octobre 1944, soit deux mois seulement après la Libération ; dès avant la fin de l'année, le ministre de l'Intérieur avait organisé, à l'Inspection générale des camps, une rencontre mensuelle entre représentants de son ministère, de la préfecture de la Seine, de la préfecture de police, des ministères du Ravitaillement, de la Santé publique, du Travail et du Secours social, des Quakers et de la Croix-Rouge. Cette mesure concernait la Région parisienne, mais ailleurs aussi, dans tout le pays, des réunions régulières devaient avoir lieu[16]. Le chef du Service d'Inspection sanitaire des camps d'internement fit une tournée des camps contrôlés soit par le ministère de l'Intérieur, soit par les FFI, et rédigea un rapport sur l'état de ces établissements à la fin de 1944. Quelques exemples :

« *Ain. Bourg.* (130 internés). Installation mauvaise, nourriture suffisante.

...

Alpes-Maritimes. Cannes. Hôtel Monfleury (250). Pas mal, hygiène bien.

Nice. Nouvelle prison, très mal.

La prison est un peu moins mal.
Saint-Laurent-du-Var. Bien.
...

Eure-et-Loir. Chartres (112). Prison très mal, hygiène déplorable, infirmerie très sale.
...

Haute-Loire. Le Puy. Maison d'arrêt (110), pas mal.
...

Hautes-Pyrénées. Ger. Camp (400), assez bien, installation bonne.

Les circulaires émises par le ministère de l'Intérieur à partir de décembre 1944 témoignent d'un effort pour respecter la stricte légalité tout en atténuant l'inconfort des prisonniers ; il existe par exemple une circulaire du 28 décembre recommandant d'examiner par priorité les dossiers des internés mineurs. Le 3 février 1945, une note de service attire l'attention sur le fait que les commissaires de la République et les préfets appliquent de façon erronée l'ordonnance du 4 octobre 1944 sur l'internement, en ce qu'ils utilisent cette mesure comme un châtiment. « Il y a à mon sens une confusion regrettable entre l'action administrative et l'action judiciaire », déclara Adrien Tixier, ministre de l'Intérieur. Il revenait aux tribunaux de châtier ; les suspects n'étaient internés que parce qu'ils représentaient un danger pour la défense nationale et la sécurité publique.

Un préfet, Georges Combes, fut nommé inspecteur général des camps. Il passa une grande partie de son temps à corriger des abus, comme semblerait l'indiquer la lettre suivante, datée du 21 février 1945 et adressée au préfet de Seine-Inférieure :

« Il m'a été signalé qu'un certain nombre d'internés administratifs se trouvant à la maison d'arrêt du Havre auraient été arrêtés arbitrairement et que, d'autre part, des sévices graves auraient été exercés sur eux.

Je vous serais obligé de bien vouloir me faire connaître si ces renseignements sont exacts. En tout état de cause, je vous prie de me préciser les raisons pour lesquelles ces internés n'ont pas été transférés dans un camp d'internement.

Par ailleurs, je vous rappelle qu'il y a lieu de m'adresser régulièrement les états mensuels... »

Le préfet de Seine-Inférieure répondit que ses 80 internés étaient détenus de façon parfaitement régulière et que, bien qu'ils fussent effectivement en surnombre dans les cellules, aucun n'avait été soumis à des sévices [17].

La question des abus et des brutalités est partout loin d'être close. L'un des critiques les plus zélés de la justice expéditive de la Libération n'était autre qu'un éminent avocat qui avait pris part, non sans risques, à l'élaboration clandestine de la législation d'après-guerre : il s'agissait du bâtonnier de Paris Jacques Charpentier. Il avait désormais repris son rôle de défenseur, intervenant auprès du ministère de la Justice et des tribunaux pour mettre fin aux arrestations et détentions injustifiées. Sous son égide, le Conseil de l'Ordre condamna « des errements dont le retentissement blesse le sentiment national autant que celui de la civilisation tout entière », et réclama un prompt retour aux procédures judiciaires normales, avec une défense garantie (10 octobre 1944) ; faisant remarquer que les cours de la Libération étaient soumises aux pressions locales, les avocats protestaient aussi contre les longues périodes de détention et demandaient que l'on fît plus amplement usage des mises en liberté provisoire (5 janvier 1945 [18]).

À dire vrai, la justice de la Libération était telle que la faisaient les autorités locales, c'est-à-dire la résistance de la région concernée. Lorsque le Gouvernement provisoire vint s'installer dans Paris enfin libérée, fin août-début septembre 1944, son autorité ne s'étendait guère au-delà des murs de la capitale proprement dite et d'un petit morceau de Seine-et-Oise. Le directeur de cabinet de François de Menthon avait pour sa part l'impression qu'une révolution était en cours et que Paris devait reconquérir le pays département après département. Ce fut en effet ce que Paris s'efforça de faire [19]. En diverses parties du pays, les arrestations étaient opérées par les forces de police déjà épurées de leurs éléments vichystes, ainsi que par les FFI et d'autres groupes de la Résistance, par les Comités départementaux de Libération ou leur Commission d'épuration. L'officier qui procédait à l'arrestation portait parfois un uniforme de la police ou de l'armée, mais c'était loin d'être toujours le cas. Pour un même département, en l'occurrence l'Ain, on trouve un ordre d'arrêter un homme suspecté de trahison, émis par un juge d'instruction près le tribunal militaire FFI de la région, et adressé « à tous agents de la force publique » (27 août 1944) ; un ordre de préfet de la Libération au procureur de la République du département pour réclamer l'arrestation et l'emprisonnement, en attendant de les passer en jugement, de tous les membres de la Milice, de la Légion des Volontaires Français, du PPF et autres groupes collaborationnistes ultras ; il ajoutait même qu' « étant donné l'urgence », des

officiers de sécurité des FFI pouvaient être chargés d'effectuer ces
arrestations, même si, « dans toute la mesure possible », il valait
mieux les confier à des gendarmes et à des agents de police
(5 septembre). Dans un troisième document envoyé le lendemain
par la Sécurité militaire des FFI au préfet et aux autres autorités de
l'Ain, on trouve une mise en garde contre les arrestations « par des
personnes isolées ou en groupe appartenant aux FFI et aux
mouvements de résistance ». Les FFI insistaient sur le fait que
quiconque possédait des preuves contre des suspects ne devait
surtout pas exercer sa justice lui-même, mais contacter le « Bureau
de surveillance militaire » à Bourg, qui était « particulièrement
chargé des fonctions d'épuration ». Ce bureau veillerait à ce que
l'arrestation fût opérée par qui de droit — à savoir la gendarmerie
et la Sûreté. Cela permettrait d'éviter « des arrestations inopportunes [20] ».

Ces documents, datant des semaines immédiatement postérieures à la Libération, montrent que du point de vue de la
Résistance, jamais il n'y eut le moindre doute sur la façon dont
devaient être menées les arrestations de suspects. Plus tard, les
adversaires de ce système allaient faire ressortir ses points faibles
qui, si l'on s'en remet à l'impression que donnent les preuves
disponibles, sont imputables à l'inexpérience et au manque
d'organisation des autorités de la Résistance. Le fait que le premier
venu pouvait, du moins pendant un certain temps, se considérer
comme un combattant de la Résistance et participer (entre autres)
à des actes d'épuration ne fit qu'ajouter à la confusion. Cela permit
parfois à des individus avides de vengeance personnelle d'agir au
nom de la Résistance ; si nous sommes disposés à croire au pire,
cela permit même parfois à des collaborateurs de se dissimuler
derrière le masque protecteur du résistant.

C'est ainsi que nous pouvons lire, dans les écrits des critiques de
l'épuration, que des résistants vrais ou faux se rendirent coupables
de vols, se livrèrent au trafic de drogue, trahirent d'autres
résistants et commirent même des meurtres par intérêt personnel.
On a raconté qu'un agent de la Gestapo s'était fait passer pour
résistant ; qu'une femme qui souhaitait se débarrasser de son mari
l'avait fait assassiner par un « maquisard », lequel était en fait un
ancien soldat des Waffen SS (il y a là deux crapuleries combinées).
D'autres résistants auraient violé des femmes, assassiné des
enfants [21]. Ces auteurs mentionnent souvent la présence envahissante de résistants armés jusqu'aux dents ; à Bordeaux, par
exemple : « Des automobiles sillonnent la ville, chargées de gars
casqués de fer, bottés, mitraillettes ou revolver au poing, portant le

brassard marqué d'un V chargé de la croix de Lorraine. » Tout ceci concourt bien sûr à un inévitable désordre : « Les états-majors se multiplient, s'ignorent et parfois se contrecarrent. Des groupes armés procèdent à des réquisitions abusives[22]. » Certains se plaindront plus tard que les crimes perpétrés par les résistants aient été amnistiés ou soumis à des juges d'instruction qui redoutaient de faire passer les coupables devant les tribunaux[23]. Un autre grief sera qu'une bonne part des pires excès auraient été perpétrés par des Espagnols réfugiés en France après la victoire du général Franco. « Leur absence totale de sens moral, leurs habitudes de cruauté, de sadisme, leurs mœurs très spéciales » étaient à l'origine de leur comportement inacceptable.

On lit même sous la plume d'un adversaire de l'épuration : « Les horreurs de la Gestapo sont largement dépassées par celles des FTP. » L'auteur de ces lignes cite en exemple le cas d'un commandeur de la Légion d'honneur que ses geôliers, membres de la Résistance, obligent à vider les lieux d'aisances à mains nues, ainsi que celui d'un homme âgé que l'on exhibe nu dans la cour de la caserne avant de le brutaliser, de le couvrir d'excréments et de le forcer à « exécuter des scènes excentriques ». Une autre victime aurait été obligée à vider toute une cruche d'eau sans respirer. Quant à ceux qui sont fusillés, nous apprend le même auteur, on leur tire dans le bas-ventre, afin de prolonger leur agonie[25].

Les histoires d'atrocités, les récits d'abus commis par des résistants ont été repris par des sources respectables. Dans son histoire de l'épuration, Robert Aron cite de nombreux exemples, mais sans même tenter de les étayer par des preuves écrites, si bien que ses dires demeurent aussi invérifiables que ceux que nous avons cités plus haut. Il fait cependant remarquer que c'est dans les régions où avait sévi la Milice de Vichy que les violences furent les plus déchaînées[26]. Parmi les éléments les plus modérés de la direction de la Résistance, on accusait les communistes (pour reprendre les termes d'Henri Frenay, fondateur de Combat) d'avoir accueilli à bras ouverts dans leur mouvement des volontaires de la dernière heure, ceux que l'on appelait « les résistants de septembre » (septembre 1944, bien sûr[27]). Jacques Charpentier devait plus tard déclarer qu'à son avis, les communistes et les opportunistes politiques avaient cherché, sous couvert de la Résistance, à prendre le pouvoir ou à s'emparer de positions influentes[28].

A l'évidence, les nouvelles autorités avaient conscience de tels abus, ou de la probabilité que des abus seraient commis, si bien qu'elles prirent très tôt des mesures destinées à les prévenir ou à les corriger. « Laissez à la justice de la République le soin de châtier les traîtres, conseillait le commissaire de la République de Normandie, Henri Bourdeau de Fontenay, dans une proclamation datée du 26 août 1944 (…) Personne ne doit se laisser entraîner aux représailles individuelles. Les dénonciateurs, ceux qui ont assassiné ou fait assassiner, torturer ou déporter vos pères, vos maris, vos fils, seront punis comme ils ont mérité de l'être [29]. » À Paris, à la fin du mois d'août, l'état-major des FFI avertissait que de faux résistants, portant le brassard et les insignes des FFI, attentaient à « la sécurité publique et à la propriété privée [30]. » Les FFI n'allaient d'ailleurs pas tarder à faire savoir qu'aucun de leurs officiers ne serait autorisé à effectuer des perquisitions sans être accompagné d'un officier de police judiciaire [31].

Les excès n'étaient nullement confinés aux régions montagneuses du centre de la France ou aux pinèdes du Sud-Ouest. Il existe un rapport très modéré et ultra-confidentiel du préfet des Côtes-du-Nord, adressé à son commissaire régional de la République établi à Rennes, dans lequel il annonce que, selon ses estimations, entre quarante et cinquante exécutions sommaires (qu'il considère comme des « assassinats purs et simples ») ont été perpétrés dans son département durant les premières semaines de la Libération. Il précise l'identité de plusieurs chefs de la résistance locale qui ont pris part à ces exécutions, et même à des viols et à des cambriolages. Dans la région de Saint-Brieuc, par exemple, il signale la terreur que fait régner un instituteur communiste agissant sous le pseudonyme de « Commandant Jean » ; cet individu, ivrogne notoire, avait arrêté des centaines de personnes, en avait tué plusieurs autres et en avait enfermé plus de 500 dans un camp d'internement. Il avait interpellé plusieurs de ses victimes en pleine nuit, les réveillant parfois à coups de grenades pour les emmener en vêtements de nuit, alors que lui-même était dans un état de complète ébriété. Le préfet avait aussi des démêlés avec le Comité départemental de Libération et avec le Front national, dominé par les communistes ; afin de faire face à ce qu'il appelait l' « anarchie militaire », il s'était arrangé avec le commandant militaire pour que les unités FFI et FTP dispersées à travers tout le département fussent regroupées. Dans un cas précis, il avait dû mobiliser la gendarmerie pour empêcher des arrestations en masse par les FFI, et il était intervenu pour obtenir la remise en liberté d'un certain nombre de personnes. Finalement, le « Commandant Jean » soi-même était venu le voir et avait menacé de reprendre le maquis avec ses 9 000 hommes « pour faire la révolution sociale » ; le préfet l'avait fait jeter dehors. « Je dois ajouter, cependant, que de pareils énergumènes sont assez exceptionnels, concluait-il, et que la discipline commence à régner dans les FFI[32]. »

Les communistes, pour leur part, ne cachaient nullement leur conviction que la justice populaire devait suppléer la justice officielle avec son « exaspérante lenteur », voire la supplanter s'il le fallait. Le vénérable dirigeant Marcel Cachin utilisa d'ailleurs cette expression dans un éditorial paru en première page de *L'Humanité* un mois après la libération de Paris. Il soulignait que les exécutions sommaires de collaborateurs, chaque fois qu'un village ou une ville étaient libérés, et la tonte « des misérables filles du ruisseau » constituaient « une préliminaire épuration qui répondait aux exigences de la conscience publique. » Ces agissements, expliquait-il, étaient « une *garantie d'ordre* dans la cité, qui n'aurait pu vivre au contact de ces membres pourris. » Et d'avertir que « les interminables procédures qui retardent le châtiment cent fois mérité de traîtres (…) soulèvent l'indignation légitime de toutes les consciences droites[33]. »

Cachin mettait là le doigt sur la principale cause des exécutions sommaires survenues dans les mois qui suivirent le rétablissement de l'ordre républicain : la crainte qu'un collaborateur abhorré n'échappât au châtiment ou ne fût pas suffisamment puni. Alors que l'épuration judiciaire se mettait en branle, des collaborateurs allaient être enlevés aux mains mêmes des autorités et assassinés, parfois après avoir été condamnés par un tribunal. Ce fut le cas d'un certain Gaston Vanucci, membre de la Milice et des Waffen SS, condamné à mort le 7 décembre 1944 par une des Cours de Justice de la Libération ; un commando de résistants fit irruption dans la prison de Rodez, le 3 janvier suivant, pour tenter sans succès de l'abattre, mais parvint en revanche à tuer trois autres détenus. Le lendemain, les hommes des FFI se rendirent à l'hôpital pour achever Vanucci, mais ils ne purent arriver à leurs fins[34].

En rapportant à Paris des incidents de ce genre, le commissaire de la République pour la région de Montpellier, Jacques Bounin, signalait qu'il était fort dangereux de commuer les peines capitales. Si certains condamnés étaient graciés dans le département du Gard, déclarait-il, il aurait beaucoup de mal à y maintenir l'ordre[35]. Pierre Berteaux, commissaire de la République dans une autre région chaude — Toulouse — se trouva confronté à un problème analogue : celui de l'indignation populaire que soulevaient des sentences jugées par trop clémentes, assortie de menaces de lynchage à l'encontre des collaborateurs. Dans ses souvenirs consacrés à cette période, il relate la façon dont ses hommes parvinrent à dissuader les résistants de se faire justice eux-mêmes[36].

Dans ses propres Mémoires, Charles de Gaulle a évoqué les pressions exercées localement sur les tribunaux d'épuration, les clameurs appelant aux condamnations à mort, et la vingtaine de cas où des personnes accusées de collaboration furent enlevées et abattues. De Gaulle demanda à ses ministres de sanctionner les fonctionnaires incapables de maintenir l'ordre, et de traduire en justice ceux qui se rendaient coupables de tels actes : « Dans le cas où le jugement de certains accusés, ou bien la commutation de leur peine capitale risquent de fournir des prétextes locaux d'excitation, il appartient naturellement au Garde des Sceaux et, au-dessous de lui, aux procureurs généraux, de prendre ou de provoquer les mesures préalables nécessaires pour que la détention, le procès et l'exécution de la peine aient lieu dans des conditions d'emplacement et de temps qui limitent au minimum les risques d'incident. » Ces lignes sont extraites d'une note à l'intention de ses ministres de la Justice, de l'Intérieur et de la Guerre, datée de l'avant-dernier jour de 1944[37].

Il y eut bien sûr des exemples notoires de justiciers trop zélés, punis à leur tour par les autorités. Ainsi, à Maubeuge, trois officiers FFI passèrent en jugement pour avoir assassiné deux personnes convaincues de trahison, dont une avait bénéficié d'une commutation de peine. Les résistants furent condamnés à des peines d'emprisonnement et à la dégradation militaire ; en réponse aux clameurs populaires exigeant leur remise en liberté, le gouvernement fit savoir que toute cette agitation ne pourrait que « retarder le moment où des mesures gracieuses pourraient être envisagées en leur faveur[38]. » La presse signalait régulièrement des exécutions sommaires, souvent sous un titre on ne peut plus explicite : « Les exécutions sommaires[39]. »

Durant les premiers mois de la Libération, les rapports de la gendarmerie font état de nombreux assassinats inexplicables : la victime n'avait été, pour autant qu'on le sût, ni résistant ni collaborateur ; la chose était parfois également vraie pour des attentats à l'explosif ou à la grenade. En d'autres cas, cependant, le mobile était suffisamment clair, par exemple lorsque furent découverts dans un bois les cadavres de trois personnes arrêtées un peu plus tôt par des résistants (Jura). Ou lorsqu'un milicien en fuite fut démasqué et abattu (Charentes), ou une jeune femme considérée comme une dénonciatrice à la solde de la Gestapo abattue dès sa sortie de résidence surveillée (Allier). La police elle-même sentait bien le besoin de procès plus rapides, d'une exécution plus prompte des sentences. « Sinon, note un rapport de gendarmerie régionale, il est vraisemblable qu'on reverra des actes individuels de représailles et le renouvellement de faits regrettables, du genre de celui qui s'est produit à Aix-en-Provence où un agent français de la Gestapo pendu au cours de la nuit est resté exposé toute la journée sur le cours Mirabeau et n'a pu être enlevé que vers 18 heures [40]. »

La situation ne s'améliora nullement avec la nouvelle année. Entre le 1er et le 15 janvier 1945, les gendarmeries de France signalèrent onze exécutions sommaires, 42 attentats ou vols à main armée, et 45 autres attentats à l'explosif liés aux événements de l'occupation [41]. Au cours de la quinzaine suivante, il y eut 42 exécutions sommaires, 122 attaques ou vols à main armée, et 151 attentats à l'explosif. Quelques exemples notables : le 4 février, à Gap, vingt hommes masqués et armés, en uniforme, enlevèrent douze détenus d'un camp d'internement, les tuèrent et jetèrent les corps dans la Durance. À la Garenne-Colombes, des inspecteurs de police et des membres du Comité de Libération local abattirent un lieutenant des Waffen SS, un Français que les Allemands avaient parachuté en France. Dans l'Oise, un homme et son épouse, soupçonnés de collaboration, furent tués par un commissaire et deux inspecteurs de la Sûreté nationale (les responsables furent arrêtés). Dans le Cher, une collaboratrice connue fut abattue à sa fenêtre par des assaillants non identifiés. En Dordogne, un garde-chasse récemment sorti d'un camp d'internement fut abattu chez lui. À Grenoble, un industriel fut abattu à son domicile (ses assassins furent arrêtés [42]). Dans le rapport mensuel suivant couvrant 14 exécutions sommaires, 121 attaques à main armée et 213 attentats à l'explosif, on trouve des cas analogues. À Dijon, un ex-commissaire de police fut enlevé dans sa prison par un groupe d'hommes et pendu ; à Pau, un prisonnier fut tué lors de son transfert de la Cour de Justice à la prison ; à l'intérieur d'un camp d'internement du Finistère, un ancien inspecteur de police fut tué par des hommes masqués ; un ex-officier de la garde mobile fut enlevé de sa cellule à Annecy et retrouvé au fond d'une rivière [43].

En mars 1945, le commissaire de la République installé à Limoges, Pierre Boursicot, reçut des rapports sur 24 incidents ayant eu lieu dans sa région, notamment des attaques à l'explosif contre des collaborateurs notoires ou des parents de collaborateurs, mais parfois aussi pour des raisons inconnues. À Limoges, un fabricant de chaussures et son épouse furent enlevés de chez eux et fusillés ; dans ce cas, l'homme avait figuré sur une liste de membres de la Milice autorisés à porter des armes, mais il avait nié toute participation aux activités paramilitaires de ce mouvement et prétendu même avoir aidé la Résistance. À Ladignac-le-Long, un jeune homme de 22 ans, accusé d'avoir dénoncé des patriotes, avait été arrêté ; relâché pour insuffisance de preuves, il se rendit à un bal où une jeune femme l'accusa d'avoir dénoncé son frère, ultérieurement abattu par les Allemands. Il quitta le bal « sous les huées » et fut abattu par un soldat FFI en permission (lequel alla ensuite se constituer prisonnier). Un cultivateur découvert dans un étang à Siorac (Dordogne) avait été membre d'un mouvement collaborationniste, mais était aussi en très mauvais termes avec sa femme : crime politique ou passionnel ?

Dans une autre commune, des bombes explosèrent chez deux hommes accusés de collaboration, un hôtelier et un teinturier qui avaient tous deux été arrêtés puis relâchés ; aucun d'eux n'avait regagné son domicile. Le même jour, au même endroit, un industriel fut la cible d'un attentat à l'explosif, mais l'opération fut découverte à temps et il fut sauvé. Il avait été officier de la Légion Française des Combattants et attendait de passer en jugement devant la Cour de Justice[44].

Les attaques contre des collaborateurs n'ayant pas reçu le châtiment mérité — voire pas de châtiment du tout — devaient se poursuivre tout au long de la première année qui suivit la Libération. Au début de juin 1945, à la prison de Cusset, près de Vichy, une foule estimée à trois ou quatre cents personnes fit irruption dans l'établissement pour s'emparer d'un agent français de la Gestapo, condamné à mort par contumace et qui était revenu d'Allemagne pour se constituer prisonnier. La victime fut pendue par les pieds à un poteau télégraphique ; on parvint enfin à le détacher et à le ramener dans sa cellule. La foule s'empara alors du chef français de la Gestapo de Vichy et le passa à tabac devant le sous-préfet impuissant (qui fut lui-même malmené en voulant protéger le prisonnier). Ensuite le commando de vengeurs se rendit à l'hôpital de Cusset, s'empara d'un chef bien connu de la Milice et le pendit par les pieds ; il était mort avant qu'on ne fût parvenu à le détacher. Les émeutiers regagnèrent alors la prison et s'emparèrent à nouveau de l'agent de la Gestapo. Henry Ingrand, le commissaire régional, s'était transporté sur les lieux. Il put constater que la police ne semblait pas disposée à intervenir contre la foule, mais son propre prestige de chef de la résistance locale lui permit de sauver la situation... et la victime. Ingrand fit cependant savoir au ministère de l'Intérieur que le retour d'Allemagne des déportés français et les épouvantables récits de leur calvaire avaient à nouveau enfiévré les esprits[45].

En effet, la libération du territoire, l'été précédent, avait été suivie d'une autre libération, celle des déportés : bien souvent, ces Françaises et ces Français avaient été arrêtés par les Allemands à la suite de dénonciations par d'autres Français, dont certains n'avaient jamais été punis. À présent, grâce à l'effondrement de l'Allemagne nazie au printemps de 1945, il allait être possible de retrouver les collaborateurs qui s'étaient enfuis en Allemagne en s'accrochant aux basques de l'armée d'occupation, et de mettre également la main sur les archives de l'ennemi qui permettraient d'identifier les auxiliaires français des nazis. Dans un éditorial écrit pour *Le Figaro*, François Mauriac regrettait que la « promesse d'apaisement » se fût envolée. Cela faisait déjà assez longtemps qu'il s'était fait l'avocat d'une épuration minimale dans l'intérêt de « l'unité française ». Il comprenait fort bien, cependant, pourquoi ces nouvelles tensions avaient surgi : « L'avance alliée en Allemagne est tout à coup devenue une descente aux Enfers. » Personne ne pouvait voir ni entendre sans frémir les témoins « du plus cruel et du plus vaste attentat qu'ait jamais subi la dignité de l'homme (...) Toutes les colères se sont réveillées ou exaspérées contre les Français qui avaient collaboré avec les auteurs et les complices de ces crimes, qui avaient souhaité leur victoire[46]. »

L'Humanité publia en première page une photographie de déportés émaciés à leur sortie du camp de concentration. « Voilà, proclamait la légende, ce que les Bazaine-Pétain ont fait des milliers de Français qu'ils envoyèrent dans les bagnes nazis et dont le martyre appelle le châtiment impitoyable des traîtres[47]. »

En pleine Assemblée consultative provisoire, le dirigeant communiste Auguste Gillot, alors président de la Commission de la justice et de l'épuration, présenta une résolution demandant que le témoignage de ceux qui rentraient de déportation soit retenu pour la poursuite de l'épuration. Certains déportés, fit-il valoir dans son exposé des motifs, retrouvaient dans leurs anciennes administrations ou professions des collaborateurs dont les victimes revenues des camps de la mort étaient les seules à connaître les forfaits. Gillot précisa qu'il avait déjà tout un dossier de plaintes portées par les survivants des camps : par exemple, trois jeunes gens arrêtés pour avoir imprimé des tracts hostiles à la collaboration étaient revenus de captivité pour découvrir que ceux qui les avaient dénoncés occupaient toujours des postes d'autorité. La résolution Gillot fut adoptée[48].

CHAPITRE VI

L'opinion publique

Durant les premières semaines de la Libération, un sondage effectué par l'Institut français d'Opinion publique établit que 42 % des Français approuvaient l'exécution à Alger, au mois de mars précédent, du ministre de Vichy Pierre Pucheu. 18 % pour cent étaient contre et 40 % n'avaient pas d'avis, parmi lesquels beaucoup avouèrent que c'était par manque d'information. « Faut-il infliger une peine au maréchal Pétain ? » demandait ensuite le sondage (Pétain était à l'époque entre les mains des Allemands au château de Sigmaringen). Oui, répondirent 32 % des personnes interrogées ; non, répondirent 58 %. Parmi les premières, 3 % seulement (de toutes les personnes interrogées) réclamaient la peine capitale, tandis que 9 % envisageaient plutôt une sanction morale. En revanche, à la question : « A-t-on bien fait d'arrêter Sacha Guitry ? », une majorité de 56 % trouvaient qu'il fallait emprisonner le dramaturge, 12 % étant d'avis contraire et 32 % assurant ne pas savoir[1].

Un mois plus tard, cependant, 65 % des personnes interrogées étaient favorables à la peine capitale pour Pierre Laval (qui se trouvait lui aussi à Sigmaringen), à rapporter aux 3 % qui avaient réclamé la mort pour Pétain. 15 % préféraient le bannissement, 7 % la confiscation de biens ; 7 % encore laissaient aux tribunaux le soin de décider, et 3 % prônaient la clémence. Pour Jacques Doriot, le grand ami des nazis, 75 % de l'échantillonnage souhaitaient la peine capitale, et 2 % seulement n'avaient pas d'opinion à ce sujet. Pour le ministre de Vichy Jean Bichelonne, lui aussi à Sigmaringen, 44 % demandaient la mort et 17 % un châtiment moins sévère, par exemple la déportation[2]. (Bichelonne devait mourir en Allemagne.)

On traite souvent l'opinion publique et la presse comme s'il s'agissait d'une seule et même chose. Dans le sillage de la Libération, la presse, comme nous le verrons, avait été entièrement renouvelée ; les journaux d'avant-guerre autorisés à survivre ou à renaître jugèrent plus prudent de se comporter comme s'ils étaient eux aussi issus de la Résistance. *Le Populaire,* organe du parti socialiste, semblait prêt à laisser au Gouvernement provisoire une chance de faire ses preuves. Après avoir signalé la campagne de presse lancée contre « les lenteurs de l'épuration parisienne » — pas plus tard que la veille, *Le Populaire* avait lui-même vanté l' « énergie » de l'épuration en province —, le quotidien socialiste expliquait que les choses ne pouvaient *forcément* qu'aller moins vite dans la capitale. « N'oublions pas que Paris fut en quelque sorte le grand quartier général et la pépinière de la trahison, déclarait un article anonyme paru à la fin d'octobre 1944. Autant dire que l'œuvre d'épuration se trouve matériellement démesurée [3]. »

Il est néanmoins certain que les anonymes de la Résistance, au nom de qui s'exprimaient bien souvent les Comités locaux d'épuration, voulaient voir la canaille châtiée au plus tôt. C'est en réponse à des camarades impatients qu'un des dirigeants d'un Comité départemental de Libération écrivit (dans les pages du journal local qui était alors l'organe du CDL) : « Que nous n'allions pas à l'allure record désirée par vous, cela se peut, mais tout de même, combien de miliciens, à votre connaissance, sont encore en liberté ? » Et il continuait : « Je sais bien qu'il y a encore des amis de Doriot et surtout des vautours qui sont restés impunis, mais patience ! patience ! leur tour viendra. » Il demandait à ses camarades de ne pas se borner à porter plainte. Il fallait apporter des preuves, et par lettre signée, « non par lettre anonyme, comme le faisaient les lâches sous le sinistre " État français "... [4] » Cela dit, c'est bien souvent le CDL lui-même qui faisait preuve d'impatience. En Avignon, en octobre 1944, les comités des quarante départements de la zone Sud de la France votèrent à l'unanimité une résolution réclamant « que soient châtiés comme ils le méritent tous les traîtres, collaborateurs et agents de l'ennemi, [et] que les gros trafiquants et les trusts soient mis à la raison ! » Pour que cette épuration fût « rapide et complète », déclaraient les CDL, l' « esprit de Vichy » devait disparaître de l'administration et des professions libérales, les hommes politiques qui avaient collaboré devaient être exclus des affaires du pays [5].

Dans une résolution soumise par le rapporteur communiste des questions d'épuration Auguste Gillot, et adoptée par l'assemblée nationale des Comités départementaux de la Libération qui se réunit à Paris à la mi-décembre sous le patronage du Conseil national de la Résistance, les résistants se déclarèrent :

> unanimes à se faire l'interprète de l'opinion populaire pour s'indigner du retard considérable et inadmissible de la justice militaire et civile dans le châtiment des traîtres...

La résolution demandait au Gouvernement provisoire de frapper « haut, vite et juste ». Non pas contre le petit paysan qui avait commis l'erreur de vendre une douzaine d'œufs aux Allemands, mais contre « les dirigeants des trusts (...), les chefs de l'armée et de la marine (...), les politiciens qui ont pactisé avec l'ennemi », ainsi que les professionnels de la politique, les personnalités de la presse, de la radio, du cinéma, de l'édition et de la littérature[6]. À Paris même, le Comité parisien de Libération décida d'envoyer un représentant à tous les procès d'épuration en qualité de témoin à charge[7].

Il n'y avait toutefois ni anarchie, ni soulèvement populaire. En dépit du nombre important d'incidents locaux, si l'on considère la foule de Français coupables ou accusés de collaboration dans tous les milieux, un pourcentage relativement faible d'entre eux fut victime d'actes de vengeance. L'épuration fut en majeure partie le fait des tribunaux et des commissions gouvernementales. Dès l'heure de la Libération, région après région, dès qu'elles étaient libérées, l'autorité gaulliste s'imposa. De Gaulle lui-même, soutenu non seulement par ses ministres, mais par tout un réseau de délégués tant civils que militaires qui accompagnaient les troupes de la Libération dans leur triomphale progression, avait bien l'intention de faire prévaloir l'autorité de son gouvernement[8]. « Au moment où j'arrivais à Paris, le 25 août 1944, m'était remise une communication d'un représentant du maréchal Pétain », devait révéler le général à l'Assemblée consultative en mars 1945. L'envoyé de Pétain souhaitait discuter « une solution de nature à éviter la guerre civile ». Et de Gaulle de conclure : « J'ai éconduit le représentant. Messieurs, où est la guerre civile[9] ? »

Quelques mois auparavant, en octobre 1944, à l'occasion d'une tournée en Normandie, de Gaulle avait lancé un appel à la clémence — dans l'intérêt de la victoire finale : « ... La France a besoin de tous ses enfants, même si parfois certains se sont trompés », avait-il déclaré[10]. Quelques jours plus tard, dans un discours radiodiffusé, il précisa son souci de voir respecter les formes de la justice, réclamant « que cessent absolument toutes improvisations d'autorité ». Il ajouta, faisant allusion aux agissements désordonnés des groupes de résistants des Milices patriotiques : « Le droit de commander quelque force armée que ce soit appartient uniquement aux chefs désignés par les ministres responsables », et « le pouvoir de rendre la justice revient exclusivement aux magistrats et aux juges commis pour le faire par l'État [11] ». Nous savons néanmoins que le Général acceptait le principe d'une justice administrée localement par l'entremise de cours martiales, telle que la chose était autorisée et même recommandée dans les instructions adressées aux commissaires régionaux de la République. Il déclara à son ministre de l'Intérieur, Emmanuel d'Astier, ainsi qu'aux commissaires lorsqu'il les rencontra : « Faites usage des cours martiales, mais arrangez-vous pour qu'elles ne punissent que d'authentiques collaborateurs [12]. »

Il existe des documents indiquant qu'au fur et à mesure que le Gouvernement provisoire instaurait son autorité dans les provinces les plus reculées, de Gaulle redoutait de plus en plus de voir s'accroître les abus d'autorité, et qu'il n'avait aucune intention de les tolérer. On dispose par exemple du témoignage qu'apporte le journal du secrétaire particulier du général, Claude Mauriac, fils de l'écrivain. Selon lui, à l'issue du procès d'un groupe de collaborateurs à Maubeuge au cours duquel les FFI avaient tenté d'influer sur la décision de De Gaulle pour empêcher une éventuelle commutation des peines capitales, le Général réagit à ces pressions en se déclarant en faveur de la commutation. Et lorsque deux des trois coupables qui venaient d'échapper à la peine de mort furent néanmoins victimes d'exécutions sommaires, de Gaulle décida — par mesure de représailles, déclare son secrétaire particulier — de dissoudre les Milices patriotiques, c'est-à-dire les forces de police auxiliaires de la Résistance. (Nous avons vu au précédent chapitre ce qu'il était advenu des résistants qui avaient tué les prisonniers de Maubeuge.)

Ces Milices patriotiques étaient de tendance communiste, mais de Gaulle avait imposé sa décision de s'en défaire en présence de ses deux ministres communistes ; à dater de ce moment, nous dit-on, ce fut le gouvernement et non la Résistance — pour méritoire et énergique qu'elle fût — qui prit les rênes. Claude Mauriac rapporte aussi que l'opinion publique — en tout cas ceux des citoyens qui jugèrent bon de faire connaître leur opinion au président du Gouvernement provisoire — était mécontente de la sévérité de l'épuration. Il cite un rapport adressé à de Gaulle, intitulé « Orientations de l'opinion publique d'après le courrier du général de Gaulle du 12 au 28 octobre », indiquant qu' « une

majorité écrasante de correspondants (...) réclame plus d'indulgence [13] ».

De Gaulle lui-même a mentionné une solution imaginée pour
régler le sort des jeunes Français qui s'étaient engagés dans la
Milice ou la Légion des Volontaires Français, trompés par la
propagande vichyste : ils eurent la possibilité de racheter leur
erreur en s'engageant dans le corps expéditionnaire d'Indochine [14].
Au début de 1945, on en arriva au point que l'Assemblée
consultative refusa de voter le budget du ministère de la Justice et
tenta même de suspendre le salaire du ministre, François de
Menthon, sous prétexte que l'épuration avait été « manquée ». Au
nom du Mouvement de Libération nationale, Pascal Copeau
demanda d'un ton ironique à l'Assemblée si François Mauriac,
l'apôtre de la clémence, était devenu le porte-parole du gouvernement. De Menthon rétorqua : « Lorsque, demain, on considérera
de quelle façon se sont faites en France la répression et l'épuration,
nous n'aurons pas à rougir [15]. »

Il est certain que de Gaulle et ses ministres de la Justice, d'abord
François de Menthon, puis Pierre-Henri Teitgen, semblaient être
sur la même longueur d'ondes. Le général avait confiance dans le
jugement de ces démocrates chrétiens peu rompus à la politique
des partis. À ce qu'il semble, il ne leur donnait aucune directive,
même lorsqu'ils lui demandaient son avis. « Vous êtes mon
ministre de la Justice et je me fie à votre jugement, disait-il. Faites
ce que vous avez à faire. » De Gaulle finit par être obligé de
remplacer à regret de Menthon par Teitgen, car le premier n'avait
pas su s'imposer à une Assemblée souvent turbulente sur la
question virtuellement explosive de l'épuration. Teitgen, qui avait
déjà reçu le baptême du feu en qualité de ministre de l'Information, fut donc choisi pour lui succéder. En son for intérieur, il se
considérait comme une copie conforme de celui qu'il remplaçait ;
cela faisait de nombreuses années qu'ils étaient fort proches. Ils
avaient eu des carrières presque identiques, avaient été professeurs
en même temps à Nancy où ils avaient fondé ensemble un bulletin
de droit ; ils avaient servi dans le même régiment au début de la
guerre, s'étaient évadés pratiquement en même temps de leur
camp de prisonniers, avaient créé ensemble le mouvement de
résistance Liberté et s'étaient trouvés une nouvelle fois réunis au
sein du Comité général d'Études. Et ils étaient bien sûr co-
fondateurs du Mouvement Républicain Populaire, parti catholique
de gauche [16].

Les Milices patriotiques avaient été créées par la Résistance des
centres urbains, dominée par les communistes, pour prêter main-

forte à l'insurrection. Leurs membres étaient armés tantôt d'armes de chasse, tantôt d'équipements pris aux forces paramilitaires de Vichy ; leur mission était d'aider la police régulière et les autorités militaires de la Résistance [17]. À Paris, à la fin d'octobre 1944, il fut décidé que les Milices patriotiques ne porteraient plus ce nom peu engageant, trop semblable à celui de la police auxiliaire de Vichy, et elles devinrent ainsi les Gardes patriotiques. À ce qu'on disait, leurs effectifs se montaient pour le seul département de la Seine à plus de 30 000 « soldats-citoyens » encadrés par des officiers et dont seul un petit nombre servaient à plein temps (quelqu'un proposa d'ailleurs de les envoyer travailler dans les usines qui produisaient du matériel de guerre [18]).

Dès le 28 octobre, cependant, le gouvernement gaulliste annonça que les groupements armés tels que les Gardes ou Milices patriotiques devaient être dissous. Ils avaient certes rendu service durant la période insurrectionnelle, mais celle-ci était révolue. La France s'inquiétait à présent du « maintien de groupes armés qui n'appartiennent ni à l'armée, ni à la police de l'État, et qui continuent à opérer parfois des perquisitions, des réquisitions et des arrestations illégales ». La législation en vigueur concernant le port d'armes serait appliquée ; les arrestations officieuses étaient illégales ; les membres des milices de la Résistance pouvaient, s'ils le désiraient, subir des périodes d'entraînement militaire [19].

Le CNR éleva des objections ; ses membres eurent une entrevue avec de Gaulle, qui se montra intraitable [20]. Les communistes protestèrent eux aussi. André Marty écrivit dans *L'Humanité* : « Alors que Paris n'est pas encore débarrassé des bandits hitlériens camouflés, des miliciens et de tous leurs suppôts, alors que l'assassinat et les provocations rôdent dans l'ombre, on veut supprimer ces citoyens-soldats, seule force efficace du maintien de l'ordre [21]. » Les rapports de gendarmerie indiquaient que la décision de supprimer les Milices patriotiques et de faire ramasser toutes les armes non autorisées avait créé « un malaise indéniable », et on redouta même à Paris que le camp d'internement de Drancy ne fût attaqué par des ultras de la Résistance, au point que des agents de la paix furent détachés pour assurer sa protection. En de nombreux autres lieux, cependant, cette décision fut bien accueillie ; on craignait même que le gouvernement ne fût pas en mesure d'imposer cette interdiction [22].

Cela dit, en réalité, le retour à ce que la plupart des gens considèrent comme le règne de la loi et de l'ordre, autrement dit des ordres venus d'en haut et respectés en bas, fut grandement favorisé par le parti communiste français. À la Libération, alors que ce parti avait un potentiel militaire et clandestin, on s'était demandé avec quelque inquiétude comment cette force très puissante allait se comporter. Les communistes allaient-ils profiter du vide créé par le départ des Allemands, l'effondrement de Vichy et le pouvoir encore fragile des gaullistes pour organiser leur propre insurrection, le coup d'État révolutionnaire qui était somme toute au cœur de la conception léniniste de l'Histoire ? Ils n'en firent rien ; nous savons que la stratégie communiste mondiale, telle que la définissait l'Union soviétique, ne nourrissait nullement de telles intentions. Au cours d'un épisode qui mériterait d'être plus amplement traité que nous ne pouvons le faire ici, Charles de Gaulle se rendit à Moscou pour s'entretenir avec Staline, et accepta le retour en France du dirigeant communiste Maurice Thorez ; tant que la guerre durerait, en tout cas, les communistes avaient décidé de tout miser sur une France gaulliste. De Gaulle, pour sa part — et ce, dès la période algéroise — avait accueilli des communistes dans son gouvernement, persuadé qu'il était en mesure de les contrôler[23].

Aussi, lors d'une réunion du Comité central de son parti en janvier 1945, Maurice Thorez s'opposa-t-il à ce que les communistes soutiennent plus longtemps les Milices ou Gardes patriotiques. Il précisa clairement que les Comités de Libération locaux devaient seconder le gouvernement, et non tenter d'agir en ses lieu et place[24]. Plus tard, François de Menthon devait reconnaître que si les communistes de la base apparaissaient parfois comme « les ultras de la répression », le parti lui-même avait joué un rôle non négligeable dans « le retour à la paix civile[25] ».

Ce changement d'attitude de la part des communistes fut particulièrement évident à Paris où, à l'heure du débarquement allié en Normandie, le Comité parisien de Libération avait ordonné à ses comités locaux de « supprimer les individus notoirement dangereux[26] ». Après la Libération, le CPL stipula que seule la préfecture de police avait le droit d'arrêter les gens ; quant au CPL, son rôle était d'aider la police[27]. Et Jean Chaintron, que nous avons déjà rencontré, cumulant les fonctions de membre du Comité central du parti communiste et de préfet de la Haute-Vienne, prouva quotidiennement, par ses actes et ses déclarations, qu'il était lui aussi du côté de l'ordre républicain : « Il ne s'agit pas, comme le voudraient certains aventuriers de la politique, de réaliser des transformations fondamentales ou d'appliquer des programmes de partis — déclara-t-il à son département par la voie des ondes, le 29 janvier 1945, une semaine après l'intervention de Thorez devant le Comité central —, mais de mettre en œuvre toutes les ressources de la nation pour écarter définitivement le principal danger qui a menacé et menace encore le monde : il s'agit d'anéantir le fascisme hitlérien. » Dans le même discours, il alla jusqu'à réclamer l'indulgence pour les petits collaborateurs — « le lampiste ou le garde-barrière » — à qui l'on pouvait demander de contribuer à l'effort de guerre. « Dans la République française reconquise, nul arbitraire ne peut régner, mais la justice dans la légalité[28]. » « C'est entre l'excès gauchiste et la réaction éculée que se trouve la voie du salut », déclara-t-il dans un autre discours radiodiffusé le mois suivant. Les ennemis de la France, dit-il, encourageaient les excès. « C'est pourquoi, tout en combattant les ennemis du progrès social, il faut se défier des aventuriers politiques et des velléitaires de la Révolution qui veulent tout et tout de suite[29]. » Presque un an après la Libération, ce communiste modéré dénonçait l'épuration abusive et « les auteurs des attentats qui, à travers la France, opèrent, sous le couvert d'épurations ou de quelques autres " bonnes raisons " (...) ». Ces hommes, déclara-t-il, n'étaient-ils que « des ennemis de la cause du peuple. Ils ternissent la mémoire de nos héros tombés dans le maquis et discréditent la Résistance. Ils sèment le trouble pour empêcher la renaissance de notre pays[30]... ».

Les mythes ont néanmoins la vie dure. Celui qui veut que le parti communiste ait été responsable de la plupart des excès et abus de l'épuration en témoigne. En fait, les communistes étaient les résistants les mieux organisés de tous, et les moins désireux ou capables de transgresser les directives de leurs chefs.

Il existe d'ailleurs de nombreuses preuves que certaines des institutions mises en place par le nouveau gouvernement gaulliste, à savoir les commissariats régionaux de la République et les Comités départementaux de Libération, lui donnaient au moins autant de fil à retordre. À la fin de 1944, Adrien Tixier, qui venait de remplacer Emmanuel d'Astier au ministère de l'Intérieur, fit éclater l'affaire au grand jour. L'autonomie des commissaires et des CDL vis-à-vis du gouvernement central représentait une situation anormale, susceptible de mener au fédéralisme des régions[31]. On a quelques raisons de penser que le gouvernement essuyait là l'effet en retour de la pompeuse phraséologie des ordonnances, instructions et notes rédigées par d'Astier, que ses options politiques situaient plutôt très à gauche, à une époque où le châtiment et la menace de châtiment avaient toute priorité. De Gaulle lui-même, contrairement à son ministre, aurait souhaité confiner les CDL dans un rôle consultatif ; en tant que chef de la Résistance, d'Astier souhaitait que les mouvements de la métropole eussent véritablement voix au chapitre. La conviction du général ne fit que s'affirmer lorsqu'il devint visible qu'un grand nombre de comités départementaux étaient truffés de communistes [32].

Dans une note confidentielle de janvier 1945, Tixier fit remarquer que l'ordonnance du 21 avril 1944, en créant les Comités départementaux de Libération, avait précisé qu'ils cesseraient toute activité lorsque les assemblées locales — c'est-à-dire les conseils généraux — seraient rétablis. La Résistance et son CNR n'en cherchaient pas moins à prolonger le rôle des CDL au-delà de la nouvelle entrée en fonctions des conseils généraux. Par ailleurs, alors que l'ordonnance d'avril 1944 avait limité le rôle des CDL à seconder les préfets, ne leur accordant qu'une fonction purement consultative, ils exerçaient en fait depuis la Libération un véritable pouvoir. Dans certaines régions, avant l'arrivée du préfet, les comités avaient détenu le pouvoir administratif et même judiciaire ; ils avaient nommé certains préfets et s'étaient opposés à d'autres, mandatés par le gouvernement central. Ils avaient institué des commissions spécialisées dans l'épuration, la police, le ravitaillement. On craignait que le rétablissement de conseils généraux renouvelées n'entraînât des conflits entre deux assemblées assumant les mêmes fonctions. Les CDL avaient néanmoins un rôle : dans l'idée de Tixier, ils existaient pour exprimer le point de vue de la Résistance [33].

Il était tout à fait vrai que, dans la France entière, les CDL se mêlaient de l'épuration et exerçaient aussi certains pouvoirs de police. C'était une tâche que leur avait confiée le CNR « pendant la période insurrectionnelle » et à laquelle certains répugnaient à renoncer [34].

C'est ainsi que le CDL des Alpes-Maritimes possédait non seulement une commission d'épuration, mais une police d'épuration composée d'hommes des FFI. La première se réunit presque tous les jours pendant cinq mois, sept heures par jour, examinant au total quelque 2 550 dossiers ; elle provoqua une assez vive controverse en réclamant l'arrestation de notables locaux et la confiscation d'entreprises privées. (Certains indices laissent néanmoins penser que les excès de la commission d'épuration et de la police d'épuration des Alpes-Maritimes furent contrés par le CDL dont elles étaient issues [35]).

Pour certains, l'épuration était trop lente, alors que d'autres estimaient qu'il était temps de mettre fin à l'ère du soupçon et de la vengeance : c'est en tout cas ce que rapportèrent les gendarmes du pays à leurs supérieurs au début de 1945 [36]. Les évêques de France

lancèrent un appel pour mettre un frein à l'esprit d'épuration :
« Chassons définitivement l'esprit de délation, de suspicion et de
vengeance ; il n'est pas de chez nous — pouvait-on lire dans leur
déclaration du 28 février 1945. Cessons les accusations exagérées
ou injustes contre nos frères... » (L'épiscopat français subissait lui-
même à l'époque une épuration discrète et négociée, comme nous
le verrons ultérieurement). En 1945, lors du dimanche des
Rameaux, un célèbre prédicateur, le RP Paul Panici, qui délivrait
le sermon de Carême à Notre-Dame de Paris depuis cinq ans,
s'éleva contre l'épuration qui perpétuait « des cruautés à l'allemande[37] ». Le poète Paul Éluard, qui avait appartenu à la
résistance des intellectuels, répondit à sa façon aux appels à
l'indulgence :

> Ceux qui ont oublié le mal au nom du bien
> Ceux qui n'ont pas de cœur nous prêchent le pardon
> Les criminels leur sont indispensables.
> Ils croient qu'il faut de tout pour faire un monde (...)
> Il n'y a pas de pierre plus précieuse
> Que le désir de venger l'innocent (...)
> Il n'y a pas de salut sur la terre
> Tant que l'on peut pardonner aux bourreaux[38].

TROISIÈME PARTIE

L'épuration d'une région

Une justice implacable, mais la Justice tout de même.
Yves FARGE,
Discours du 23 septembre 1944

CHAPITRE PREMIER

Lyon, capitale de la Résistance

Un guide d'avant-guerre fournit la description lapidaire que voici : « Lyon, 570 622 hab., chef-lieu du départ. du Rhône, siège d'un archevêché, d'un gouvernement militaire, d'une cour d'appel et d'une université renommée, importante cité industrielle[1]... » Lyon fut libéré après Paris. Les Américains et les Britanniques, ainsi que leurs alliés de la France libre avaient débarqué en Normandie le 6 juin ; dans le midi de la France, la tête de pont ne fut établie que le 15 août, date à laquelle les Allemands étaient déjà en pleine retraite. Les forces méditerranéennes eurent tôt fait de reconquérir les centres vitaux de la côte méridionale tels que Marseille et Toulon, pour atteindre la région lyonnaise au début de septembre. Toute cette zone du sud-est de la France était un fief de la Résistance ; avec des effectifs et une efficacité variables — mais avec un indéniable courage —, les hommes mal armés et médiocrement formés du maquis participèrent à la Libération tout comme ils avaient pris part au harcèlement des Allemands et de leurs auxiliaires français durant les mois qui avaient précédé les débarquements. Les troupes allemandes qui restaient encore dans le sud de la France n'étaient certes pas ce qu'Hitler avait de meilleur, mais encore fallait-il les tuer, les capturer ou les refouler ; la Résistance régionale joua dans ce domaine un rôle décisif.

Dans la zone Sud — que Vichy contrôlait nominalement durant les deux premières années de l'occupation allemande —, Lyon passait pour le centre de la Résistance, en tout cas jusqu'à ce que les Allemands vinssent s'y établir en force en novembre 1942[2]. Lyon était une métropole suffisamment vaste pour permettre le développement de groupes de résistants structurés et d'une presse clandestine ; on avait amplement la place pour s'y cacher. La ville n'était guère éloignée de zones accidentées, voire montagneuses, propices aux activités du maquis ; elle était la capitale de ce que la Résistance appelait la région R.1, le théâtre des opérations où figuraient les Alpes. Il existait un commandement central de la Résistance, mais, en fait, celle-ci se composait de nombreux groupes d'origines, de tendances politiques et d'obédiences très variées. Leur manque d'organisation, les fluctuations de la retraite allemande et les lignes de combat incertaines créèrent en certains lieux et à certains moments des conditions anarchiques qui allaient rester ancrées dans la mémoire collective[3].

Dans les archives du ministère de l'Intérieur, un rapport non signé décrit la situation à Lyon après la libération de la ville, le 3 septembre. Durant leur retraite, les Allemands avaient fait sauter tous les ponts sur la Saône et le Rhône. Une passerelle avait été édifiée à la hâte et le pont de la Guillotière avait été rouvert, mais, le 12 septembre, il fallait compter deux heures pour le traverser à pied, et trois en voiture. La presqu'île qui forme le centre ville n'avait plus ni gaz, ni téléphone, et les bureaux de l'administration qui s'y trouvaient avaient été déplacés sur la rive gauche du Rhône, afin de pouvoir entrer en communication avec le reste du département. Le rédacteur anonyme faisait état de conflits entre l'autorité centrale et des unités locales de la Résistance, notamment les Comités de Libération qui cherchaient à imposer leurs propres décisions. Les hommes des FFI étaient encore « nombreux dans la ville » et « certains éléments n'ont pas toujours la discipline nécessaire ». Dans certains cas, des perquisitions avaient été accompagnées de pillages et de vols purs et simples ; la plupart du temps, les coupables étaient de faux résistants qui arboraient les brassards des FFI sans autorisation, « pour satisfaire des vengeances personnelles ou se livrer à des actes de dépréda-tion[4] ». Des rapports confidentiels de la préfecture indiquent que Lyon continua à souffrir des effets de la guerre tout au long de l'hiver 1944-1945. Les préoccupations économiques dominaient : il n'y avait pas grand-chose à se mettre sous la dent, car la distribution de vivres était toujours ralentie par des communica-tions défaillantes. Au début, ces difficultés matérielles allaient distraire les Lyonnais des soucis politiques, voire même refroidir les passions concernant le châtiment des collaborateurs ; bientôt, cependant, des protestations organisées commencèrent à s'élever contre l'inertie gouvernementale[5].

À ce moment précis, le principal atout de Lyon et de toute la R.1 — la région Rhône-Alpes qui regroupait huit départements — n'était autre que leur extraordinaire commissaire de la République, Yves Farge. L'inspecteur anonyme du ministère de l'Intérieur le décrivait alors comme « un homme de premier ordre, ayant profondément le sens de l'État, organisateur remarquable et qui a la confiance complète de la classe ouvrière ; très bon orateur en outre, il peut prendre contact avec les masses populaires et leur faire admettre ses points de vue[6] ». Militant socialiste avant la guerre, Farge avait été journaliste au *Progrès de Lyon,* qui devint après 1940 un des grands centres de résistance. Il joua un rôle actif dans le développement de la résistance régionale, aida à mettre sur pied le maquis du Vercors, dirigea un Comité d'action contre la Déportation[7]. Dans les dossiers ministériels, une note précisait que Farge « grosse autorité dans la Résistance — tendance pro-communiste — a besoin d'être doublé d'un administrateur[8] ». Henri Frenay, le chef du mouvement Combat, ne devait d'ailleurs voir en Farge qu'un instrument des communistes[9]. De fait, au cours de la décennie qui suivit la guerre, l'ancien commissaire de la République devait jouer un rôle important dans des activités commanditées par le parti communiste, notamment une campagne mondiale pour la paix. Il mourut dans un accident en Union soviétique, en 1953, à l'âge de 53 ans[10].

Farge était un méridional, natif de Salon-de-Provence. L'un de ses contacts communistes dans la Résistance a parlé de lui comme d'un homme « très gai, aimant la fantaisie et les canulars (...), parfois imprudent (...), foncièrement loyal et honnête[11] ». « Derrière de grosses lunettes, ses yeux pétillaient de malice, a noté un de ses contemporains. Sa quarante-cinquième année argentait ses cheveux bruns. Sous sa moustache drue, une pipe quittait rarement ses dents[12]. » Un des organisateurs de la Résistance que l'on ne saurait taxer de sympathies envers la gauche, Michel Debré, devait plus tard rendre à Farge, « cet homme hors série », un singulier hommage ; il ratifia d'ailleurs avec empressement le choix qu'on avait fait de lui comme commissaire de la République pour la région Rhône-Alpes. Il avait entendu parler de son audace, se rappelait encore l'histoire de Farge sillonnant la France occupée avec de faux papiers au nom de « Lévy ». Bien que la « fougue romantique » de Farge fût à la fois pour séduire et inquiéter l'austère jeune juriste, son courage et sa générosité eurent raison de toutes les réticences qu'il pouvait éprouver[13].

À ce moment précis, le besoin d'un homme justement pourvu de telles qualités semblait s'imposer et, après la mort de Farge, de Gaulle devait évoquer ainsi son souvenir : « Imaginatif et ardent, il s'accommodait volontiers de ce que la situation avait de révolution-naire, mais se gardait des actes extrêmes[14]. » En septembre 1945, apprenant que Farge comptait se porter candidat à l'Assemblée constituante, le président du Gouvernement provisoire lui écrivit : « Je vous remercie de ce que vous avez fait de bien comme commissaire de la République à Lyon dans des circonstances magnifiques à certains égards, très difficiles à d'autres et, en tout cas, extraordinaires [15]. »

C'est en avril 1944, dans un café proche de la place du Trocadéro, dans Paris occupé, que Michel Debré avait remis à Farge la note l'informant qu'il était désormais commissaire de la République pour la région Rhône-Alpes ; à ce qu'il semble, il avait été nommé tant par le CNR que par le Front national [16]. Huit départements se trouvaient regroupés sous sa juridiction : le Rhône (1 000 000 d'habitants), la Loire (650 000), l'Isère (572 000 avec Grenoble), l'Ain (300 000), l'Ardèche (272 000), la Drôme (267 000), la Haute-Savoie (259 000) et la Savoie (239 000) [17]. Sa mission prenait effet non pas à partir de la Libération, mais immédiatement. Il devait en effet faire la navette entre Paris et Lyon afin d'organiser les préfectures à mettre en place après la Libération, fournir de l'aide au maquis, planifier l'organisation économique de la région ; il travaillerait avec et par le truchement des Comités départementaux de Libération [18].

Comme nous l'avons vu, jusqu'au débarquement allié, la notion même de commissaire de la République resta un secret connu des seuls gaullistes. Farge et son équipe établirent leur QG dans un petit appartement prêté par un des propriétaires du principal quotidien lyonnais, *Le Progrès*, l'ancien journal où avait travaillé Farge ; ce logement était situé au 137, rue Bugeaud, à quelques minutes à peine de la préfecture alors aux mains des partisans de Vichy [19]. Il devait passer une grande partie de son temps sur le terrain et, à partir du 6 juin, il fut en mesure de gouverner un petit morceau de territoire libéré au nom des FFL. (Au jour J, en effet, en présence de Farge, une partie de la Drôme fut déclarée libérée et il put aussitôt remplacer les fonctionnaires de Vichy à tous les niveaux, jusqu'à celui de juge de paix, et superviser le ravitaillement des villages.) Un des problèmes auxquels il se heurta alors était déjà l'action de « bandes échappant à tout contrôle et terrorisant la population », qui opéraient « entre les zones de combat où règne l'ordre des FFI et les zones où l'ombre de Vichy plane encore [20]... »

Farge se trouvait à Lyon lorsque la ville fut libérée ; il assista à la destruction des ponts par les Allemands, le 2 septembre, puis à l'arrivée des FFI, saluée par un déploiement de drapeaux sur les façades. Un de ceux qui l'accompagnèrent jusqu'à la préfecture se rappelle avoir insisté, avec un autre camarade de la Résistance, pour que Farge prît place entre eux deux dans l'automobile, afin d'être mieux protégé. Une fois à l'intérieur du bâtiment, ils en firent le tour pour dénicher le bureau du préfet, ouvrant les portes l'une après l'autre, personne ne connaissant les lieux ; lorsqu'ils l'eurent enfin localisé, Farge s'assit derrière la grande table : « Et maintenant, qu'est-ce que je fais ? demanda-t-il. — Vous pourriez commencer par me délivrer un laissez-passer », lui répondit un de ceux qui l'escortaient. Farge le signa de son nom de guerre, « Grégoire[21] ».

Le principal intéressé a lui-même décrit son arrivée sous les balles allemandes : « ... Les fenêtres volent en éclats. Des rafales de fusils-mitrailleurs prennent en enfilade le grand escalier. Nous nous plaquons contre les murs ; nous nous mettons à plat ventre[22]. » Une proclamation était prête (datée du 26 août). Affichée sur les murs de la ville et des communes des huit départements de la région Rhône-Alpes, elle contenait à la fois un avertissement et un appel à la prudence :

> « Votre devoir est d'agir de telle sorte que l'Histoire puisse enregistrer que le Droit et la Justice ont été, à cette heure de la délivrance, inséparables de la Liberté.
> Les tribunaux militaires vont juger les traîtres. Tous ceux qui ont servi l'ennemi, tous ceux qui ont assassiné, déporté, pillé le peuple de France ; tous ceux qui, par délation, ont contribué au martyre du pays, vont rendre des comptes.
> Mais gardons-nous des jugements prématurés et des égarements de la passion. N'oublions pas notamment que dans leur grande majorité, les fonctionnaires français ont fait leur devoir, et que souvent, ils ont dû travestir leur pensée pour servir.
> J'entends qu'aucune défaillance ne vienne entraver le cours de la Justice, mais aussi qu'aucun acte individuel ne vienne troubler sa sérénité[23]. »

Le témoin qui avait accompagné Farge à la préfecture de police en ce premier jour de la libération de Lyon a évoqué, pour dépeindre l'atmosphère, « la Russie de 1917 », ou mieux encore l'avènement de la Seconde République, dans le sillage de la révolution de 1848[24]. Durant ces premières heures où Farge, comme tous les commissaires entrant en fonctions dans les autres régions, n'était pourvu que d'instructions très générales, il signa en hâte 25 arrêtés. Le premier annonçait la création d'un *Journal Officiel du Commissariat de la République* dans lequel les arrêtés seraient publiés ; le second nommait un cabinet où figuraient des hauts fonctionnaires responsables de la justice civile, de la justice militaire et des « épurations » ; il s'agissait respectivement du Pr Pierre Garraud, doyen de la Faculté de droit de Lyon, du général Paul-André Doyen, officier de l'armée régulière et résistant, et d'un avocat de Paris, Me Paul Vienney[25]. Lors de sa première conférence de presse, Farge déclara qu'il comptait concentrer son attention sur l'épuration économique contre ceux « qui se sont enrichis scandaleusement en collaborant avec l'ennemi[26] ». Il annonça les arrestations de Charles Maurras, chef du mouvement Action française, de l'intendant de la police de Vichy, René Cussonac, et du fabricant de camions Marius Berliet ; le Pr Garraud, que Farge venait de nommer premier président de la cour d'appel, promit que « la légalité républicaine » serait respectée. Il expliqua que les affaires de trahison seraient portées devant les tribunaux militaires et annonça la dissolution de l'Ordre des avocats et de la Chambre de Commerce[27].

Cela ne signifiait nullement que le nouveau commissaire, malgré tout son dynamisme et la sympathie qu'il inspirait, contrôlait parfaitement la situation à Lyon et dans sa région. La Résistance, nous l'avons dit, n'était pas une force monolithique, pas plus dans la R.1 qu'ailleurs. L'inspecteur du ministère de l'Intérieur rapporta par exemple à Paris que le Comité départemental de Libération de la Savoie avait purement et simplement refusé d'accepter le préfet nommé par le Gouvernement provisoire, et que c'était le président du CDL qui occupait cette fonction. L'inspecteur résolut d'ailleurs le problème en demandant à Farge de nommer un autre préfet sans consulter le CDL, pour bien montrer que le choix des préfets « ne relève que de l'autorité supérieure[28] ».

Les choses se passaient nettement mieux dans la capitale de Farge où le nouveau préfet du département du Rhône, Henri Longchambon, entra en fonctions le jour même de la Libération ; très vite, tous les membres du cabinet du préfet de Vichy avaient été remplacés par des résistants. Certains fonctionnaires furent révoqués séance tenante et un tribunal d'honneur commença à entendre des affaires à la préfecture et dans toutes les administrations publiques du département du Rhône. Partout, les conditions revenaient à la normale, excepté dans les écoles, en raison de la destruction de divers édifices ou du besoin d'utiliser les bâtiments scolaires pour cantonner des troupes. Longchambon fut en mesure de faire savoir à Paris que le CDL du Rhône était composé d'anciens combattants de la Résistance fort respectables et que ses relations avec la préfecture étaient tout à fait satisfaisantes[29].

L'arrêté instituant les tribunaux d'honneur fut l'un des premiers signés par le nouveau commissaire ; un autre créa une cour martiale. Farge avait trouvé le moyen d'aller recruter le général Doyen chez lui, à Thônes, en Haute-Savoie, alors que les Allemands occupaient encore la région. Doyen avait été chef de la délégation française à la Commission d'armistice franco-allemande de Wiesbaden en 1940 ; après avoir servi auprès de Farge à Lyon, il devait partir commander le contingent français de l'armée des Alpes, en Italie. Le commissaire de la R.1 s'était également empressé de contacter les autres membres de son personnel d'épuration : il avait rencontré Paul Vienney au coin d'une rue de Lyon et était allé rendre visite au futur préfet, Longchambon, dans son laboratoire de la Faculté des sciences [30]. Par un autre arrêté daté du 6 septembre, Farge acceptait, sur les instances du CDL du Rhône, les Milices patriotiques « comme une force supplétive de police » assimilée à des gardiens de la paix auxiliaires [31].

Dans ses déclarations publiques, cependant, il se montrait très modéré, réclamant qu'on mît fin sur-le-champ aux formes de justice populaire et à l'anarchie de la Résistance. « Il y a un gouvernement, déclara-t-il à un envoyé du quotidien publié par le Mouvement de Libération nationale (MLN). Il gouverne par l'intermédiaire des commissaires de la République et des préfets. Il est fermement décidé à ne pas se laisser créer la moindre équivoque, le moindre semblant d'anarchie. » Et il ajouta cette avertissement : « Tous les actes d'indiscipline seront frappés à la tête. » Il avait d'ailleurs ordonné l'arrestation du chef des FFI pour le département de l'Ain, le colonel Henri Romans-Petit, qui avait bafoué son autorité, et il avait fermé les « centres d'épuration ». « C'est le gouvernement et non les CDL qui doit gouverner. Ceux-ci doivent demeurer des organismes consultatifs. » Et il concluait : « L'insurrection est terminée. La République commence [32]. »

Dans un discours prononcé le 23 septembre, Farge précisa clairement que seules les autorités étaient désormais habilitées à opérer des arrestations et les tribunaux régulièrement constitués à rendre la justice : « Une justice implacable, mais la justice tout de même. » « Il est devenu banal (...) de tuer un homme », déplorait-il, et il s'élevait contre la brutalité employée lors des interrogatoires. Parce qu'il était probable qu'un certain nombre d'innocents se trouvaient enfermés dans les prisons de Montluc et Saint-Paul, un magistrat fut affecté à la révision des dossiers. Nulle arrestation, nulle perquisition n'étaient possibles sans mandat. La police et les FFI furent priées de faire respecter les articles du Code pénal qui punissaient les abus de pouvoir. Farge lança un appel à tous « les gars du maquis », leur demandant de comprendre qu'ils devaient se comporter en armée disciplinée et éviter les excès qui creuseraient un fossé entre eux et le peuple dont ils étaient issus. Il conseilla à la population : « Si vous rencontrez un milicien, livrez-le aux autorités régulières. » « Plus de lettres anonymes ! » Il s'en prenait à ceux qui faisaient payer des amendes aux profiteurs mais omettaient de remettre les sommes ainsi prélevées au trésor public. « La justice est rendue par les juges[33]. »

Quinze jours plus tard, Farge reprit ce thème dans une autre allocution publique : « Je pense, et je l'ai dit, que le problème de l'épuration doit être résolu avec la plus grande promptitude et que, passé une date qui doit être proche, on ne doit plus faire peser sur une partie de la population les plus accablantes des accusations. » Il avait l'intention de poursuivre les gens haut placés, et non pas simplement des agents d'exécution. Il n'y avait nul besoin de « campagnes de délation ne reposant sur aucun fait précis », étant donné que « les archives de la trahison » étaient disponibles. Farge demandait que « tous ceux qui ont commandé la Milice, subventionné la Milice, armé la Milice, fourni un alibi à la Milice, soient implacablement châtiés ». Il annonça qu'il rentrait tout juste de Paris où il avait vu de Gaulle ; à présent que les communications avec la capitale étaient rétablies, le commissaire n'exerçait plus les pleins pouvoirs. « Dès aujourd'hui, le chef de l'État est maître de toutes les prérogatives qui sont celles du chef de l'État. Il est seul à détenir le droit de grâce. » Les commissaires de la République n'étaient plus dorénavant que « les exécutants du pouvoir central », ainsi que « les conseillers du pouvoir[34] ».

Le dimanche 15 octobre, s'adressant à une foule estimée à 20 000 personnes rassemblées sur la vaste place Bellecour, Farge assura les Lyonnais que leur commissaire contrôlait parfaitement l'épuration. « Dès les huit jours qui ont suivi la Libération, les cours martiales ont statué sur des dossiers solidement et copieusement établis, et les pelotons d'exécution ont fait leur office sans que l'opinion publique ait eu le temps de se passionner pour des affaires qui n'étaient du ressort que de la justice de la Résistance. » Il parla de la destitution et de l'arrestation d'importants magistrats, de la fermeture de journaux. En l'espace d'un mois, un millier de policiers avaient fait l'objet d'enquêtes, 400 avaient été révoqués, suspendus ou arrêtés. Les Groupes Mobiles de Réserve (GMR), force de police supplétive, avaient été dissous. Il insista sur le fait que les juges des cours martiales devaient opérer sous leur véritable nom ; si l'épuration devait suivre son cours sur la base de procès que nul ne pourrait contester, « il importe que chacun reprenne sa personnalité, redevienne citoyen de la République, porte un nom qui est le sien et ne se cache pas derrière un pseudonyme. Quand il demandait des têtes, Robespierre ne se faisaient pas appeler Arthur ».

Il s'éleva contre ceux qui auraient souhaité voir arrêter quiconque avait eu la moindre espèce de rapport avec Vichy, car « je me demande quel camp de concentration serait assez vaste pour abriter les quelque 1 200 000 imbéciles qui, en zone Sud, sont restés dans la Légion après Montoire ». (Farge faisait ici allusion à la rencontre d'octobre 1940 entre Pétain et Hitler.) L'important, c'était de punir les véritables traîtres, déclara-t-il, et entre les agents de la Gestapo, les Miliciens, les journalistes, les écrivains et les industriels, il y en avait bien assez sans aller encore ajouter des innocents. Il y avait trop de policiers auxiliaires en activité, qui ne faisaient que perturber les populations locales. Il raconta qu'en Haute-Savoie, il avait été interpellé six fois par des gens qui cherchaient quelqu'un d'autre, et une septième fois en revenant de Saint-Étienne. Il avait fait appel aux prévôtés des FFI pour démasquer les individus qui usaient abusivement des insignes et documents de la Résistance ; il demanda à la foule d'aider à mettre fin aux activités des RDS — les « résistants de septembre ». Enfin, il proposa à son auditoire « quelques principes d'honnêteté élémentaire » :

> « Le délit d'opinion n'est pas punissable...
> Un prévenu n'est pas nécessairement un coupable...
> L'épuration doit avoir des bornes, et dans le temps et dans sa notion même. Sinon, " un pur trouve toujours un plus pur qui l'épure [35] ". »

Une nouvelle fois, en décembre 1944, Farge s'adressa aux habitants de sa région, cette fois par l'entremise de la station lyonnaise de Radiodiffusion nationale. Il prêcha derechef la prudence. Il rappela que la guerre continuait et que la France avait un rôle actif à y jouer : « Je voudrais bien, à l'heure où le monde étonné regarde la France reprendre son rang, qu'aucun geste individuel, qu'aucune parole de provocation, qu'aucun bavardage inutile ne vienne altérer cette sérénité dont la volonté a toujours besoin lorsqu'elle tend ses muscles. » L'épuration suivait son cours, les trafiquants étaient poursuivis, mais « les Autorités entendent que la justice soit la justice et que la vengeance reste l'apanage des nazis et des fascistes ». Une fois qu'une sentence était rendue, une grâce accordée, le silence était nécessaire. « Trop d'imbéciles essaient de rabaisser jusqu'au niveau de nos petites querelles électorales d'autrefois un des plus grands et des plus nobles drames qui aient jamais déchiré la conscience française[36]. »

Il convient de préciser ici deux choses. D'abord, en prônant avec autant d'insistance une justice équitable, Yves Farge ne se livrait pas à des effets gratuits. À Lyon et dans toute la région, les hommes et femmes qui avaient dû subir les Allemands et Vichy avaient bien du mal à contenir leur impatience ; la justice populaire s'infiltrait dans les moindres interstices que n'avait pas comblés la justice officielle. Ensuite, Farge et ses hommes rendaient eux-mêmes ce qu'ils considéraient comme la justice officielle avec toute la force et le talent dont ils disposaient, avec peut-être une énergie et un sens de l'innovation plus manifestes qu'en bien d'autres endroits. Voyons à présent ce que cela signifiait.

En l'absence de policiers qualifiés (beaucoup d'entre eux avaient été compromis par leur activité au service de Vichy ou faisaient l'objet d'enquêtes pour actes de collaboration), les arrestations d'individus soupçonnés d'avoir collaboré étaient par la force des choses du ressort des résistants, plus ou moins bien formés, plus ou moins disciplinés. Il existe un mémorandum à en-tête des FFI, daté du 5 septembre 1944, soit deux jours après l'entrée en fonctions d'Yves Farge, sur les perquisitions qu'effectuaient alors les Groupes Francs — auxiliaires urbains de la résistance — aidés par les Milices patriotiques. « Pour le moment, nos Groupes Francs travaillent avec le Service Sécurité aux dépistages, arrestations, exécutions des Miliciens ou autres », annonçait un post-scriptum[37]. On n'a aucune peine à comprendre comment l'épuration lyonnaise acquit sa fâcheuse réputation. Voyons ce que Robert Aron en dit : sans préciser ses sources, il mentionne un tribunal populaire « qui siégeait la nuit à Lyon et où des officiers du maquis avinés, accompagnés de prostituées à qui ils offraient ainsi une distraction émoustillante, venaient dissiper les fumées de leur ivresse en prononçant des condamnations à mort, exécutables immédiatement[38] ». Nous qui écrivons quarante ans après cette prétendue orgie d'épuration, comment l'aborder ? Où chercher les témoins ou bien les traces de preuves écrites ? Nous n'avons certes aucun mal à croire que les jeunes volontaires de la Résistance ne brillaient pas par leur délicatesse. Un historien lyonnais a laissé la description suivante des arrestations de collaborateurs aux premières heures de la Libération : « À l'Hôtel de Ville, de petits ou grands coupables, il en arriva cinquante et plus par heure les lundi, mardi, mercredi, jeudi [4 au 7 septembre], souvent rossés, et ce fut un défilé de femmes tondues, d'hommes aux vêtements lacérés. On les dirigeait par camions complets sur la prison de Montluc et la prévôté des FFI se chargeait de l'insurrection[39]. »

Les policiers amateurs ne firent pas montre de plus de doigté dans le reste de la région Rhône-Alpes. Il existe un document remarquable qui n'est autre qu'une lettre au Comité d'épuration de la Loire, émanant d'un évêque auxiliaire de Lyon qui résidait alors à 60 kilomètres de là, à Saint-Étienne, préfecture de la Loire, libérée dès le 19 août. L'évêque commence par rappeler les efforts qu'il a déployés pour atténuer les souffrances des victimes de l'occupation, dont certaines étaient des Juifs. Mais à présent — écrit-il le 6 septembre — c'est une autre procession qui vient frapper à sa porte : « Ce sont d'autres gens désemparés, des pères, des mères, des filles, des épouses, des sœurs, des fiancées, des parents (...). Je ne puis pas croire qu'il y ait tant de traîtres qui méritent une arrestation immédiate et sans enquête un peu sérieuse (...). Une simple dénonciation, un simple soupçon, le fait d'avoir appartenu même seulement de nom à un groupement honni sont des motifs courants d'incarcération (...). On n'admet même plus qu'un honnête homme a pu se tromper ou être trompé dans une époque d'effroyable confusion (...). » Il craignait que l'on ne fût en train de dresser contre l'autre une moitié de la France. « L'épithète de " collaborateur " est une accusation si vague et si extensive au gré de celui qui en use que tout Français qui n'a pu, pas su ou pas voulu faire partie de la Résistance risque d'en être accablé et privé de sa liberté pour autant. Alors, devant la multitude des arrestations et leur facilité, une atmosphère de panique est en train de se créer (...). » Il redoutait l'apparition d'un nouveau maquis et une guerre civile[40].

Un historien lyonnais a rapporté certains témoignages concernant divers villages de sa région : « Une Oullinoise raconte qu'à Monsols des Miliciens, frappés au visage, la bouche ensanglantée, crachaient leurs dents sur la place publique. » D'autres Miliciens furent emmenés par la route jusqu'au col de la Luère. « Exténués sous les coups, ils sont mis en demeure de creuser leur tombe. Les forces leur manquent. Ils sont abattus et enterrés. » À Brussieu, une femme est « promenée à dos de vache ; son vêtement est déchiré. Elle doit traverser le village à genoux (...). Des femmes et des enfants lui crachent au visage ». À Lyon même, sur la rive gauche du Rhône, « en amont du confluent de la Mulatière, quelques hommes s'agitent autour d'un alignement d'hommes immobiles. Une rafale de mitraillette éclate[41] »...

Point n'est besoin d'avoir recours à des sources non documen-
tées, douteuses ou manifestement entachés de parti pris, pour
avoir la preuve des méfaits de la justice populaire, car les propres
rappels à l'ordre de Farge (déjà cités) montrent assez qu'ils avaient
eu lieu et qu'ils persistèrent même plusieurs semaines après la
Libération.

La meilleure preuve, c'est qu'il y eut 45 exécutions sommaires
entre le jour J et la Libération, le 3 septembre, et qu'on en compta
101 après cette date[42]. Ce chiffre ne tient pas compte des
personnes condamnées par les cours martiales, dont nous allons
étudier le cas au chapitre suivant.

CHAPITRE II

Des comptes à rendre

Responsable d'un vaste territoire, exerçant dès les premiers jours de la Libération, durant lesquels Lyon ne pouvait compter sur les directives de Paris, un pouvoir souverain de vie ou de mort, Yves Farge et son équipe improvisèrent chaque fois qu'il le fallut. La première semaine de la Libération fut principalement consacrée aux arrestations dont le nombre fut assez vite limité du fait qu'on ne savait plus où loger les détenus — et ce, malgré les locaux privés mis à la disposition des autorités par des auxiliaires officieux de la police. Farge s'efforça de garantir la légalité de ces arrestations et négocia dans la mesure du possible pour restreindre les activités de volontaires de la Résistance qui n'avaient reçu aucune formation en ce domaine. Entre le 3 septembre, où Lyon fut libéré, et la fin du même mois, quelque 2 000 personnes furent interpellées, dont un quart furent assez vite relâchées. (Ces chiffres ronds sont ceux qui figurent dans le rapport du préfet.) Une « Commission de criblage », composée de représentants de la police, des FFI et du Comité départemental de Libération, fut instituée; entre le 20 septembre et le 1er octobre, elle examina 105 dossiers : 23 personnes furent déférées devant la cour martiale, 24 remises à la justice militaire, 14 maintenues en détention jusqu'à l'ouverture de la Cour de Justice. Quatorze autres prévenus firent l'objet d'un internement administratif et 30 furent mis en liberté provisoire. Dès avant la fin du mois, une seconde « Commission de criblage » dut être créée pour aider à étudier tous les dossiers [1]. À la fin de l'année, une troisième Commission fonctionnait. À cette époque, le nombre total d'arrestations avait atteint 2 303 ; les commissions avaient envoyé 203 personnes devant la cour martiale ou la justice militaire, 901 autres devant la Cour de Justice (qui avait commencé à fonctionner le 26 octobre), et 53 devant le Parquet chargé d'instruire les affaires de droit commun. Ordre fut donné de procéder à l'internement administratif de 158 personnes, 81 hommes et 75 femmes ; les hommes étaient écroués au fort de la Duchère, à cinq kilomètres de la ville, les femmes au fort de Vancia, à treize kilomètres (en vue de leur éventuel transfert au centre d'internement de Montcorin). Deux personnes avaient reçu l'ordre de quitter la région par mesure d'éloignement, sept autres avaient été mises en liberté surveillée, et 962 avaient enfin été relâchées [2].

Pour examiner les cas susceptibles de donner lieu à poursuites judiciaires, le commissariat régional possédait son propre service de renseignements. Entre le 15 mars et le 15 avril 1945, par exemple, celui-ci étudia 155 affaires avec l'aide de la police et de la gendarmerie, et transmit 461 dossiers aux Cours de Justice. Il découvrit les noms de 2 072 anciens membres de groupes collaborationnistes, qu'il communiqua aux Chambres civiques. Entre-temps, toutes les listes de collaborateurs, présumés ou reconnus coupables, étaient utilisées pour l'épuration professionnelle, puisqu'elles faisaient automatiquement mention de la profession de quiconque y figurait. En effet, un Comité régional interprofessionnel avait désormais commencé à fonctionner, chargé d'enquêter sur les agissements collaborationnistes des industriels locaux. On s'attaqua par priorité au milieu du bâtiment et des travaux publics dont les membres avaient travaillé directement pour les Allemands ; dès le début du printemps 1945, 158 enquêtes avaient été ouvertes [3].

À la fin de novembre 1945 — date après laquelle il allait devenir impossible de soumettre une nouvelle affaire aux tribunaux — le nombre total de personnes arrêtées dans le Rhône était de 3 481 : 240 avaient été traduites devant le tribunal militaire, 948 devant la cour de Justice et 53 devant les assises criminelles. Il y avait eu 1 125 mises en liberté, tandis que 448 affaires avaient été transmises à d'autres régions ; 596 personnes étaient placées en résidence surveillée, 15 avaient été éloignées, 4 expulsées, 45 étaient détenues en vue de poursuites à la demande des autorités militaires, et 7 étaient décédées [4]. Tous ceux qui avaient été internés étaient libérés de façon progressive afin, expliqua Farge à Paris, d'éviter les réactions négatives qu'auraient risqué de susciter des libérations en masse. Il n'y avait pas eu d'incidents [5].

Le 12 août 1944, agissant encore dans la clandestinité, mais en utilisant son titre et même du papier à en-tête du Gouvernement provisoire de la République française, Yves Farge s'était adressé aux présidents des Comités de Libération des huit départements placés sous sa juridiction, afin de leur transmettre les instructions reçues du Conseil National de la Résistance et de ses officiers de liaison, attachés au commissariat à l'Intérieur. L'une de ces directives avait trait aux cours martiales. Partout où l'on avait créé des tribunaux du peuple ou d'autres cours de justice illégales, il fallait les supprimer au plus tôt, signalait Farge. Cependant, « il est absolument nécessaire que chaque département ait son tribunal militaire ou sa cour martiale », présidés si possible par un magistrat de carrière assisté de deux officiers des FFI ou d'autres unités de la Résistance. Il était aussi très important que chacun de ces tribunaux bénéficiât des services d'un ou deux juges d'instruction de métier[6].

Le 3 septembre, à peine assis à son bureau de la préfecture de Lyon, Farge signa un arrêté ouvrant la voie aux cours martiales : « Des cours martiales peuvent être instituées durant la période qui a commencé le jour de la Libération de la région », annonçait-il. La composition de ces cours serait conforme au Code de justice militaire, sauf qu'eu égard aux circonstances, le nombre des juges serait limité à trois et que tout le monde serait éligible à cette fonction. Ces cours martiales auraient à juger les crimes définis par les articles 75 à 86 du Code pénal, c'est-à-dire la trahison et l'intelligence avec l'ennemi. Seul le commissaire de la République était qualifié pour déférer un prévenu devant elles ; leurs décisions étaient sans recours et exécutoires. Si l'inculpé n'avait pas d'avocat, la cour avait le devoir d'en désigner un (sans le choisir nécessairement dans les rangs des officiers[7]). Un arrêté ultérieur institua une cour martiale pour le département du Rhône, sous la présidence du général Paul-André Doyen[8].

Dans ses propres mémoires sur cette époque troublée, Farge a évoqué la toute première cour martiale, réunie à Lyon le 10 septembre dans une petite pièce de la prison Saint-Paul. Le général Doyen avait, paraît-il, expressément demandé à présider. Farge était lui aussi présent pour inaugurer ce tribunal, mais il s'éclipsa avant l'ouverture des débats. Il eut toutefois le temps de constater que l'inculpé, Charles Dagostini, « n'avait plus figure humaine ; cette brute était marquée de coups ». Lors de son interrogatoire, Dagostini reconnut avoir appartenu à la Légion tricolore qui avait servi dans l'armée allemande ; il était ensuite devenu chef de la Milice et avait participé à une attaque contre la résistance de Haute-Savoie, sur le plateau des Glières. Lorsqu'il tenta d'expliquer sa conduite, le général Doyen répondit : « Le fait est là. Je suis de Thônes et je sais qu'il y a, au pied de la cascade Maurettes, un cimetière de soixante-dix Français. » Dagostini avoua avoir pris part à des actions contre d'autres groupes du maquis. Cependant, lorsqu'il fut accusé d'avoir « torturé des Français », il s'écria : « Je suis français ! — Vous ne pouvez pas vous dire Français, répliqua un des juges de la Résistance, puisque vous avez porté l'uniforme allemand. » Le ministère public requit la peine capitale et, après que l'avocat de la défense eut plaidé en faveur de son client, la Cour condamna celui-ci à mort « pour haute trahison ». Il fut exécuté le lendemain matin [9].

On n'a conservé aucune trace écrite de ces cours martiales. Si l'on devait en retrouver un jour, il est fort probable qu'elles ne fourniraient que le plus succinct des procès-verbaux. Cela étant, la meilleure source de renseignements reste donc le plus souvent, comme pour de très nombreux procès d'épuration, la presse quotidienne, qui est cependant loin d'être satisfaisante si l'on songe que les publications des mois immédiatement postérieurs à la Libération ne brillaient pas précisément par leur impartialité, et que les restrictions matérielles les réduisaient souvent à une seule feuille. Par ailleurs, les tensions, le manque d'installations dignes de ce nom, l'emploi de rédacteurs non professionnels par certains journaux issus de la Résistance donnèrent lieu à des reportages insuffisants et parfois inexacts.

Après sa première séance, la cour martiale de Lyon fut transférée de Saint-Paul au fort de Montluc. Le 15 septembre, alerté par la presse, le public vint remplir la salle d'audience trois heures avant l'ouverture des débats [10]. Nous possédons sur cette journée le témoignage de Me Jean Bernard, alors jeune avocat lyonnais sans expérience des affaires criminelles, que son bâtonnier avait commis d'office avec deux de ses collègues pour défendre les inculpés de la cour martiale. Après avoir obtenu un laissez-passer permettant de franchir le seul pont ouvert sur le Rhône — ce qui nous indique à quel point les conditions étaient encore difficiles — Bernard et ses deux collègues de la défense traversèrent toute la ville pour se rendre jusqu'au fort de Montluc où ils se présentèrent au président du tribunal ; celui-ci se révéla être un chef de la Résistance dépourvu de toute expérience préalable en matière judiciaire. Il leur fit savoir qu'ils n'étaient là que « pour la forme », car les inculpés seraient, quoi qu'il advînt, condamnés et exécutés : « Il y en a cinq qui passent, déclara le président à Bernard ; ce soir il y en aura cinq qui tomberont. » Les trois avocats protestèrent contre cette attitude et sollicitèrent la permission de s'entretenir avec leurs clients ; on leur accorda une demi-heure avec chacun. Dès leur entrée dans la prison, toute proche du tribunal militaire où la cour martiale devait juger, ils remarquèrent cinq cercueils et un groupe de gardes mobiles qui, à ce que crut deviner Bernard, devaient composer le peloton d'exécution. Il put aussi constater que, parmi les prisonniers qu'il lui fut donné de voir, un certain nombre avaient manifestement été victimes de brutalités.

Chaque dossier consacré à un inculpé ne comportait que deux ou trois pages dactylographiées et il n'y avait pas trace de preuves ou de témoignages à charge. Le jeune avocat découvrit qu'un des hommes dont on lui avait confié la défense avait été simple employé de la Milice, un planton effectuant un travail de pure routine. (Le quotidien du MLN devait décrire ainsi le travail du prévenu : « ... Planton au 2ᵉ service (renseignements et interrogatoires) (...) il assiste impassible aux tortures infligées par les miliciens. ») Le président du tribunal remarqua que « si l'on en croit les dépositions des inculpés, la Milice ne comptait guère que des plantons[11] ». L'autre client de Mᵉ Bernard était un vieux syndicaliste, devenu directeur départemental du Rassemblement National Populaire de Marcel Déat ; l'avocat fut en mesure de démontrer qu'il n'avait été collaborateur que de nom, et qu'il avait été de ceux qui avaient contribué à améliorer le sort de la classe ouvrière dans les années trente. Le planton fut condamné à mort sans circonstances atténuantes, mais le vieux syndicaliste n'écopa que de cinq ans de prison ; compte tenu du moment et du lieu, Bernard eut le sentiment d'avoir remporté une authentique victoire.

Au tribunal, l'atmosphère était fort orageuse. La salle était bondée et quelques spectateurs s'étaient même juchés sur la porte à tambour pour mieux voir. Certains, dans le public, gardaient leur chapeau sur la tête même après l'entrée des juges ; tout cela évoquait, dans l'esprit du jeune avocat, le tribunal révolutionnaire de 1793. Il remarqua aussi que le sténographe consignait toutes les paroles des avocats, comme s'il avait l'intention de s'en servir plus tard ; sur l'intervention du bâtonnier, cette pratique fut par la suite abandonnée. (Après le procès, un groupe de résistants se présenta chez Jean Bernard et voulut l'arrêter pour avoir défendu un milicien, mais il était absent de chez lui. Après cet incident, un syndicat dont il était l'avocat assura sa protection[12].) Sur les cinq affaires jugées ce jour-là, trois se soldèrent par une condamnation à mort. L'une frappait une femme déjà condamnée quatre fois par la justice, qui avait fréquenté les miliciens et les agents de la Gestapo ; elle était accusée d'avoir dénoncé une famille qu'elle soupçonnait de faire de la Résistance. Le troisième condamné à mort avait été chargé par la Milice d'interroger les suspects[13]. Rapportant l'interrogatoire de la femme précédemment citée, le quotidien du parti communiste nota : « La salle déjà houleuse clame son dégoût en dépit des menaces d'expulsion. La sentence suprême pour haute trahison est accueillie avec satisfaction [14]. »

Son client milicien ayant été condamné à mort, Bernard voulut interjeter appel et s'entendit répondre que seul Yves Farge était habilité à commuer une peine. L'avocat se fit donc conduire à la préfecture où, selon ses souvenirs, Farge lui déclara : « Je ne peux pas gracier votre client ; il faut du sang ; c'est le général de Gaulle qui l'a dit [15]. » Dans ses propres mémoires, le commissaire de la République a évoqué lui aussi le problème du recours en grâce, expliquant : « ... On était contraint de se prononcer dans la nuit, car fragile était la barrière qui protégeait notre embryon judiciaire. » Jamais il n'avait eu à affronter une responsabilité aussi écrasante. Après avoir recueilli l'avis de son équipe, il arpentait son bureau en méditant sur les dossiers qui attendaient sur sa table, interrompu parfois à l'aube par le coup de téléphone d'un avocat. Farge estimait pour sa part que ces cours martiales préservaient l'ordre et contribuaient à éviter les vengeances personnelles. « Nos sentences proclamées chaque soir armaient ceux qui entendaient à mes côtés restaurer l'idée de justice. » C'était en effet l'époque où chaque ville française découvrait des fosses communes pleines de victimes de l'occupation, où l'on commençait à apprendre les détails des nombreux cas de tortures et d'assassinats. Il fallait donc que l'on vît la justice faire son œuvre [16].

Me Jean Bernard n'eut donc pas d'autre solution que de regagner Montluc pour y entendre une messe aux côtés de son client, avant d'assister à son exécution et à celle des deux autres condamnés de la veille. Le jeune officier de la garde mobile recommanda à ses hommes : « Faites-le proprement », et il fut obéi.

Entre-temps, le Gouvernement provisoire prenait le pays en main. Par des dépêches datées des 19 et 21 septembre, le Garde des Sceaux, François de Menthon, ordonna la suspension immédiate des cours martiales. Le 25 septembre, cependant, Farge protesta auprès du ministre de l'Intérieur Emmanuel d'Astier, faisant valoir que ces cours jugeaient des criminels odieux, passibles des châtiments les plus sévères : des miliciens, des membres du PPF arrêtés les armes à la main, ou bien coupables d'attaques contre le maquis, de meurtres, de torture, de pillage, de dénonciations. Dans cette région si durement frappée par la répression des nazis et de la Milice, les cours martiales étaient la preuve tangible de la volonté gouvernementale de punir les crimes contre la Résistance.

Si elles étaient abrogées, avertissait Farge, on pouvait s'attendre non seulement à une réaction de l'opinion, mais à un retour aux exécutions sommaires, aux enlèvements dans les prisons, bref à tous les désordres que les cours martiales avaient contribué à supprimer. Il faisait remarquer que s'il existait effectivement un tribunal militaire permanent dans la région lyonnaise, il ne venait que tout récemment de mener à bien sa propre épuration et réorganisation, et avait un arriéré de 3 000 dossiers à éponger, cependant que le tribunal militaire de cassation existait à peine, en raison de la révocation de ses magistrats nommés par Vichy. Par ailleurs, les nouvelles cours de justice n'avaient pas encore commencé à fonctionner et, lorsqu'elles le feraient, elles seraient forcément ralenties par le système du jury [18].

Farge obtint le soutien immédiat des ultras de la Résistance ; le quotidien communiste renchérit dès le lendemain :

> « Les procédures et les tribunaux d'exception doivent être maintenus. Nous ne voulons plus assister à ce spectacle d'un accusé qui, de complicité en complicité, de pourvoi en pourvoi, d'appel en cassation, réussit pendant des années à échapper au châtiment (...)
>
> Pour venger la France et venger leurs martyrs, les patriotes (...) seront-ils contraints de faire, hors de cette légalité dont on parle, une épuration qui s'impose [19] ? »

Le 20 septembre, la cour martiale tint sa troisième séance à Montluc. La principale attraction du jour était la jeune nièce d'un ancien ministre de la Troisième République (qui, en tant que sénateur, avait voté contre les pleins pouvoirs à Pétain, en juillet 1940, et avait ensuite appartenu au mouvement Combat). Grande, mince, élégante (selon la presse), l'inculpée avait été la maîtresse de Charles Dagostini (jugé et fusillé, nous l'avons vu, lors de la première audience de la cour martiale de Lyon). Elle avait été en outre sa secrétaire et était accusée d'avoir pris part à des missions de la Milice ; lors du procès, pourtant, elle prétendit avoir exagéré les forces du maquis dans ses rapports, afin de faire peur aux miliciens. Son avocat, au cours de ce que le journal communiste décrivit comme une « brillante plaidoirie », fit valoir sa jeunesse (elle n'avait que 22 ans) et son « inconscience ». Le procureur rétorqua : « Si elle est inconsciente, tous les miliciens sont inconscients. » Elle fut condamnée à mort. On jugea ensuite deux Français qui avaient servi d'interprètes à la Gestapo. L'un d'eux, capturé en possession d'une somme d'argent et d'objets de valeur saisis à l'occasion de perquisitions, fut condamné à mort ; l'autre écopa de dix ans de prison. Un couple qui, par vengeance, avait fourni à la Gestapo un renseignement d'intérêt secondaire, se vit infliger des peines moins lourdes : cinq ans pour l'homme, un pour la femme. Farge rejeta tous les appels, si bien que la maîtresse de Dagostini et l'interprète de la Gestapo furent fusillés le lendemain matin au lever du jour[20].

La cour martiale se réunit à nouveau au début du mois d'octobre. Le 2, un ex-préfet du Jura, chef départemental de la Milice pour la Saône, qui avait été auparavant directeur de la police aux questions juives, se déclara anti-allemand et fut d'ailleurs en mesure de prouver, à sa décharge, que la Gestapo ne l'avait pas trouvé suffisamment ardent ; il avait même passé 48 heures à Fresnes. Il avait par contre été un des proches de Pierre Laval à Vichy, et ce jusqu'en août 1944, et la Cour insista sur ses liens avec la Milice. Il fut condamné à la peine capitale, en même temps que deux jeunes miliciens, un cafetier qui avait servi d'informateur à la Gestapo, et un gardien de prison accusé de plusieurs meurtres ; la femme du cafetier fut acquittée[21]. À l'issue d'autres procès, plusieurs miliciens et auxiliaires de la Gestapo furent envoyés devant le peloton d'exécution[22]. Au total, entre le 10 septembre et le 5 octobre, la cour martiale de Lyon rendit 44 sentences, dont 28 arrêt de mort (sur lesquels 26 furent exécutés et deux commués), 7 condamnations aux travaux forcés, 8 à la prison et un acquittement[23].

Dans un rapport adressé à Paris, Farge fournit des statistiques sur le travail accompli par les cours martiales dans tous les départements de sa région : Ain, 5 affaires ; Ardèche, zéro ; Drôme, 64 ; Isère, 52 ; Loire, 37 ; Rhône, 44 ; Savoie, 11 ; Haute-Savoie, 101[24]. (Nous étudierons de plus près le cas de la Haute-Savoie dans un autre chapitre.) Le préfet nommé par Farge dans le département de la Loire, Lucien Monjauvais, a rapporté ce qui s'était passé après que la cour martiale de Saint-Étienne eut condamné à mort huit miliciens armés. Farge lui téléphona : « Je trouve que c'est abusif. Qu'en penses-tu ? Oui, ce sont des miliciens, et c'est juste qu'ils passent en cour martiale. Mais elle devrait réserver sa plus grande rigueur aux principaux responsables, aux dirigeants. Ceux-là ne sont que des exécutants, des enfants presque. » Le préfet proposa de commuer trois des sentences prononcées ; Farge fit passer le nombre à cinq[25].

Cependant, si l'on supprimait les cours martiales, la Cour de Justice à laquelle les organisateurs de la Libération avaient prévu de confier la mission de châtier les coupables après la Libération n'était pas encore en état de fonctionner. Le 6 octobre 1944, c'est-à-dire au lendemain de la dernière audience tenue par la cour martiale de Lyon, le tribunal militaire de cette ville, siégeant en cour martiale, s'y substitua. Il devait siéger du 6 au 26 octobre, dans la même salle du fort de Montluc ; la procédure était quasiment la même, à cette seule différence près que le droit de grâce était désormais redevenu l'apanage du chef de l'État. Là encore, les prévenus étaient des miliciens et des agents de la Gestapo, accusés de torture et de meurtre. Lors de la séance inaugurale, le 6 octobre, deux des inculpés furent condamnés à mort. À propos d'une autre audience, le 13 octobre, un journaliste précisa : « Séance calme, devant un public restreint » ; ce jour-là, le tribunal se montra « clément » pour au moins deux des accusés[26]. Le 18, deux personnes furent condamnées à mort, un ancien de la Milice et une veuve de 21 ans qui avait travaillé pour les services de sécurité allemands[27]. Durant les trois semaines de battement entre la dernière cour martiale et l'entrée en fonction de la Cour de Justice, le tribunal militaire prononça cinq sentences de mort, dont deux ne furent pas exécutées, et six condamnations aux travaux forcés ou à la prison[28]. (Toutefois, un rapport du procureur général de Lyon au ministère de la Justice ne fait mention que de dix sentences en tout et pour tout[29].) Après que la Cour de Justice se fut mise au travail, le tribunal militaire continua à juger les crimes qui relevaient de sa compétence selon l'interprétation traditionnelle du Code de justice militaire ; à la fin de l'année, il avait rendu 159 sentences dans le département du Rhône[30].

Grâce aux comptes rendus des délibérations de son Comité départemental de Libération, il est possible de suivre le déroulement de l'épuration dans un département voisin, placé lui aussi sous la juridiction de Farge mais dont la Résistance était nettement plus militante, voire rebelle à l'occasion. Il s'agit de la Savoie où le président du CDL, Lucien Rose, s'était installé à la préfecture de Chambéry après avoir révoqué le préfet de Vichy. Le 25 août, le CDL apprit que l'on était en train de procéder à l'institution d'une cour martiale composée d'un juge civil (on avait demandé au premier président honoraire de la cour d'appel de Chambéry d'occuper cette fonction) et de deux juges militaires représentant l'Armée secrète et les FTP. On veillait à ce que les brassards et les armes ne fussent portés que par d'authentiques résistants. Les arrestations de suspects étaient en cours ; afin d'éviter les erreurs, elles devaient être opérées à Chambéry même par un inspecteur de la Sûreté accompagné de policiers en tenue, et dans les communes rurales par un inspecteur de la Sûreté accompagné de membres des

FFI dont l'un devait appartenir à l'Armée secrète et l'autre aux FTP. Seuls les mandats d'arrêt signés par le Comité d'épuration étaient valables. Après quoi, le 27 août, on dressa une première liste d'amendes infligées à des commerçants qui avaient profité de l'occupation allemande pour faire des profits illicites. C'est ainsi qu'une entreprise de transport écopa d'une amende de trois millions de francs, de même qu'une épicerie. Un buraliste dut verser un million de francs, et un cultivateur 300 000 francs. On fit clairement comprendre que tout défaut de paiement entraînerait la saisie de tous les biens du coupable et la perte de ses droits civiques.

Le 1er septembre, alors que de violents combats faisaient rage dans le département, les troupes allemandes ne l'ayant pas encore totalement évacué, le président de la Commission d'épuration de Savoie fit savoir au CDL que 217 personnes, dont 77 femmes, avaient été internées ; 11 autres avaient été relâchées. On s'inquiétait des conditions d'incarcération : les prisonnières, par exemple, étaient en surnombre dans les cellules. Au même moment, un homme accusé de collaboration cherchait à se faire interner pour sa propre sécurité. Le président du CDL, Lucien Rose, répondit qu'il était impossible de l'arrêter tant que l'on n'aurait pas instruit une affaire contre lui. Le 15 septembre, une « Commission de criblage » commença à fonctionner ; elle se proposait d'examiner les motifs de toute nouvelle arrestation dans les 48 heures. Le 16, le CDL reçut deux représentants du ministère de la Justice qui précisèrent que les cours martiales n'étaient « que des juridictions provisoires instituées pour ne pas retarder les condamnations nombreuses et sévères qui s'imposaient au jour de la Libération ». Les envoyés de Paris expliquèrent ensuite comment fonctionneraient les nouvelles Cours de Justice.

Un seul cas d'épuration survenu hors de toute légalité fut porté à l'attention du CDL de Savoie. Le 27 octobre, il fut question « des récentes exécutions qui ont lieu dans la rue ». Le CDL fut « unanime à désapprouver une telle manière de faire, mais regrette que prétexte soit donné à ces actes par une justice dont la lenteur est inadmissible [31] ». Un peu plus tôt, Rose avait rédigé une proclamation déplorant les exécutions sommaires signalées à Aix-les-Bains le 28 août et à Chambéry le lendemain. L'armée américaine s'apprêtait à faire elle-même la police afin d'y mettre fin, mais Rose précisait qu'il avait prié les Alliés de ne pas intervenir ; il prendrait lui-même les sanctions nécessaires pour faire cesser les exécutions [32].

Pour les autorités de la Libération, aucun citoyen n'eût songé à se faire lui-même justice si l'épuration avait été menée avec une efficacité manifeste. Pour cela, il fallait néanmoins qu'elle fût rapide, et la chose allait devenir de moins en moins possible à mesure que les tribunaux improvisés cédaient la place aux Cours de Justice plus orthodoxes. Déjà, durant les semaines où les cours martiales et les tribunaux militaires avaient fonctionné, il y avait eu une forte pression populaire en faveur de procès et d'exécutions plus expéditifs. Farge avait été alerté par ses préfets qui lui signalaient que des foules se rassemblaient devant les prisons locales, réclamant que justice fût faite[33]. C'est pour cette raison qu'il s'éleva contre l'abrogation des cours martiales, et protesta contre le désir exprimé par les autorités de limiter le rôle des tribunaux militaires aux affaires touchant exclusivement le personnel militaire. La Cour de Justice commença à siéger à Lyon le 26 octobre 1944 ; le 15 novembre, Farge nota avec inquiétude qu'elle avait 1 400 dossiers importants à examiner. Il redoutait que cet embouteillage n'eût de sérieuses conséquences[34]. Au 1er février suivant, la Cour de Justice du département du Rhône n'avait examiné que 42 affaires au cours d'un nombre égal d'audiences ; elle avait prononcé 4 condamnations à mort, dont une seule avait été exécutée[35].

Les graves incidents que redoutait Farge eurent effectivement lieu. La Cour de Justice de Lyon condamna à mort le préfet régional de Vichy, Alexandre Angeli, dont l'appel fut transmis à Paris ; entre-temps, un autre prisonnier bien connu, l'intendant de police René Cussonac, avait également été condamné à mort. C'est alors que la cour d'appel annula la sentence prononcée contre Angeli et le bruit courut que Cussonac, lui non plus, ne serait pas exécuté. Selon les souvenirs de Farge, les événements prirent alors le tour suivant : un tract circula à Lyon, annonçant une manifestation de sympathie en faveur d'Angeli, place Bellecour ; des contre-manifestants descendirent dans la rue, hurlant « Angeli au poteau ! » Une foule se massa devant la prison Saint-Paul, qu'elle finit par envahir pour s'emparer d'Angeli et de Cussonac. À leur arrivée, Farge et ses hommes trouvèrent l'ancien préfet régional le visage ensanglanté. Le commissaire de la République discuta pendant plus d'une heure avec les assaillants armés, tandis qu'un de ses hommes faisait à Cussonac un rempart de son propre corps, en clamant : « Il sera exécuté dans les formes exigées par la loi. » Dans la bagarre, un certain nombre de prévôts des FFI furent blessés ; avant peu, Farge se retrouva juché sur un lit où l'on avait allongé Angeli, tandis que ses adjoints haranguaient la foule. Les manifestants acceptèrent de se retirer pourvu qu'on leur remît un autre prisonnier, un agent de la Gestapo déjà condamné. Farge refusa. Il parvint finalement à imposer sa volonté et put retourner au dîner qu'il donnait en l'honneur du consul général britannique. Cussonac devait être exécuté quelques jours plus tard, dans les formes, tandis qu'Angeli était transféré à Paris pour un nouveau procès [36].

Dès lors, les commutations de peines capitales furent considérées comme de délicats secrets d'État. Lorsque le général de Gaulle commua la peine de mort d'un autre prisonnier lyonnais (la réduisant à vingt ans de travaux forcés), le ministre de l'Intérieur écrivit à Farge : « Je vous prie de prendre les mesures nécessaires pour éviter tout incident. » Le commissaire demanda donc au procureur général de Lyon d'assurer « la sécurité du bénéficiaire de la grâce », et ordonna que la commutation elle-même restât secrète tant que le nécessaire n'aurait pas été fait. Cette procédure fut officiellement adoptée dans toute la région Rhône-Alpes [37].

CHAPITRE III
Les profiteurs de l'occupation

Comme nous l'avons vu, dès la Libération, Farge saisit l'occasion de sa première conférence de presse pour lancer une attaque en règle contre les collaborateurs économiques, les Français qui avaient spéculé sur les pénuries engendrées par l'occupation. Il ordonna à ses préfets de saisir les archives des syndicats patronaux et d'autres groupes d'affaires. Sur les cinq premiers mandats d'arrêt qu'il signa, deux visaient d'importants industriels de la région [1]. Dès avant la Libération, le 26 juillet, le secrétariat général de Farge pour la police avait formellement demandé, sur papier à en-tête du commissariat régional de la République, que les Comités départementaux de Libération de la R.1 voulussent bien dresser des listes de « mauvais Français » ayant tiré profit de la « défaite provisoire » de la France. Il s'agissait des industriels et commerçants qui avaient fourni aux Allemands des biens ou des services, ou qui s'étaient livrés au marché noir [2].

C'était un domaine dans lequel les opinions sociales de Farge étaient le mieux à même de s'exprimer. Le lendemain de son entrée en fonctions à Lyon, il institua par décret, pour chacune des branches de la vie économique, un tribunal d'honneur professionnel chargé d'identifier ceux qui « se sont compromis d'une manière ou d'une autre avec l'ennemi, soit par collaboration, soit en exécutant servilement et dans un but de lucre les ordres ou instructions afférents à la collaboration, ou qui ont attenté au crédit du peuple français en poussant à la hausse injustifiée des prix, ou en profitant de cette hausse.... Le président de chaque tribunal serait nommé par le CDL ; les deux autres membres — dont un devait être salarié — par le préfet. Ils prendraient note de la déposition des inculpés, qui seraient tenus de fournir leurs livres de comptes [3]. Le 9 septembre, le système fut étendu aux fonctionnaires. Dans une circulaire envoyée par les services de Farge, les résistants étaient priés de signaler les cas à l'attention des nouveaux tribunaux, mais les dénonciations anonymes ne seraient pas acceptées, car « la France n'a que trop souffert de la délation et de l'anonymat ».

Ces tribunaux devaient s'occuper de deux sortes de délits : la trahison et la collaboration, à renvoyer devant les Cours de Justice, et les délits d'ordre économique. Ils pouvaient proposer le déplacement d'office, la rétrogradation, la mise à disposition ou en non-activité, la mise à la retraite, la suspension, l'interdiction provisoire ou définitive d'exercer la profession, la radiation des cadres, la révocation avec ou sans pension, et, bien sûr, transmettre aux Cours de Justice les dossiers qui justifiaient une telle mesure[4]. En février 1945, ils furent remplacés par le Comité régional interprofessionnel d'épuration[5] qui s'inscrivait dans le cadre d'un système national dont nous reparlerons.

Dès les premiers jours de son entrée en fonctions, Yves Farge se lança aux trousses du gros gibier, sans pour autant oublier le petit. Le 6 octobre, il signa un ordre plaçant sous administration-séquestre une grande entreprise de matériaux de construction de l'Ardèche, la Société des Chaux et Ciments Lafarge[6]. Vers la mi-novembre, un mandat d'arrêt fut lancé contre Pierre Neyron, des sous-vêtements Rasurel, tandis que les biens de Neyron & Cie et de Neyron lui-même étaient placés sous séquestre ; on annonça que le château de la famille Neyron deviendrait une maison d'enfants pour la CGT. La firme était accusée d'avoir fait des bénéfices illicites en fournissant des sous-vêtements à l'Afrika Korps d'Hitler[7]. Le *Journal Officiel* du commissariat de Farge publiait régulièrement des arrêtés instituant des commissions d'épuration dans diverses professions ou dans certaines usines. Dans le cadre de l'« épuration des entreprises », des arrêtés furent prononcés pour interdire les chefs d'entreprises accusés d'avoir coopéré avec l'ennemi ; ceux-ci pouvaient se voir refuser le droit de diriger non seulement leur propre firme, mais toute société appartenant à la même profession, et ce, pour une période de cinq à dix ans. (Parfois, la sanction se bornait à un simple blâme.) Il arrivait aussi qu'un employé qui avait épousé avec trop de zèle la cause de l'occupant fût congédié par arrêté[8].

En juin 1945, le Comité régional interprofessionnel d'épuration de la région Rhône-Alpes avait sur son rôle quelque 350 dossiers. Sur les 46 déjà étudiés, quelques-uns avaient donné lieu à des sanctions, notamment contre les entreprises de travaux publics ayant travaillé pour les Allemands. Farge fit savoir à ses supérieurs à Paris qu'il faudrait encore plusieurs mois de labeur assidu pour mener à bien toutes les enquêtes, et avertit que si les patrons et directeurs n'étaient pas punis, « un malaise très grave, générateur de grèves, ne tarderait pas à se développer (...) ». Au surplus, le retour d'Allemagne des travailleurs français — qui s'étaient portés volontaires — allait à son tour nécessiter des enquêtes, car en laissant tout simplement ces gens reprendre leurs anciens emplois, on s'exposait à des incidents fâcheux comme l'indiquaient déjà les protestations des syndicats[9].

On comprendra mieux comment l'épuration à Lyon s'insérait dans la politique nationale en prenant l'exemple d'une seule société anonyme, l'entreprise Chemin, spécialisée dans les travaux publics. En décembre 1944, Farge avait interdit à cette firme de travailler pour l'administration et tous les organismes s'y rattachant pour une période de trois ans, puis il avait interdit à son propriétaire de diriger une entreprise de travaux publics quelle qu'elle fût pendant 20 ans. L'affaire fut reprise par le Comité régional interprofessionnel d'épuration qui, en raison de la stature nationale de la firme, adressa le dossier à la Commission nationale interprofessionnelle à Paris ; cette dernière décida que les sanctions étaient injustifiées. Entre-temps, un tribunal d'honneur des entrepreneurs de travaux publics avait estimé la valeur du travail que Chemin avait fait pour les Allemands en se fondant sur les propres livres de la société. Quant à la Cour de Justice de Lyon, elle décida de classer l'affaire.

En juin 1947, le Conseil d'État, chambre d'appel pour les questions administratives, annula l'interdiction de Farge, taxée d'excès de pouvoir, en déclarant que la firme avait aidé les Allemands le moins possible, et que son propriétaire s'était montré bon citoyen[10].

Pour Farge, cependant, l'affaire la plus importante fut celle qu'il engagea contre Berliet ; après l'arrestation de l'industriel Louis Renault à Paris et la saisie de sa société, ce fut la plus sensationnelle de la Libération. Tout comme Louis Renault et l'Américain Henry Ford, Marius Berliet était parti de rien pour devenir un vigoureux vieillard qui dirigeait sa gigantesque entreprise en patriarche avec l'aide de ses quatre fils. Berliet avait déjà 75 ans en 1940 lorsque les Allemands envahirent la France. Selon un biographe bien disposé à son égard, la société Berliet était son « temple » et il n'était heureux que lorsqu'on y prononçait des « oraisons », autrement dit lorsqu'elle fonctionnait à plein rendement — même s'il fallait pour cela travailler pour les Allemands sur ordre de Vichy. Le vieil homme encouragea même deux de ses fils à se porter volontaires pour aller travailler en Allemagne[11].

Une fois Lyon libéré, l'une des premières décisions de Farge, en sa qualité de commissaire de la République, fut de lancer un mandat d'arrêt contre Berliet et de faire saisir son entreprise. Il ne s'agissait pas seulement de punir, car Farge décida également, comme il le dit lui-même, « de tenter la première expérience de démocratie ouvrière au sein d'une entreprise industrielle ». Sans le soutien d'aucune autre autorité, durant ces premiers jours tumultueux où il était privé de directives de la capitale, le commissaire de la République chargea un jeune ingénieur avec qui il avait travaillé dans la Résistance de prendre le contrôle de l'énorme entreprise Berliet. « Un commissaire de la République ne pouvait aller plus loin dans la décision, devait-il reconnaître par la suite. Il ne lui était pas permis d'anticiper sur les intentions gouvernementales en prononçant le mot " nationalisation ", mais l'intérêt public comme l'ordre public exigeaient qu'une telle décision fût prise. »

L'usine Berliet avait été partiellement détruite par les attaques aériennes des Alliés ; le directeur désigné par Farge et le conseil d'administration choisi avec l'assentiment des syndicats eurent pour tâche de la reconstruire, puis de relancer la production ; à chaque étape, ils consultèrent les 5 500 ouvriers de la firme dont les représentants agissaient au sein de commissions spéciales portant sur l'hygiène, la sécurité et même la culture et les loisirs ; la politique globale était ratifiée par une assemblée générale à laquelle participait l'ensemble du personnel. Le contrôle était exercé sous le régime de l'administration-séquestre (la décision finale concernant les biens de l'entreprise ne devait pas être prise sous le règne de Farge). En 1946, ce dernier écrivit que « la nationalisation de Berliet est inévitable, parce que l'expérience Berliet a fait ses preuves (...) ». Cette nationalisation traduisait la volonté du peuple, désireux « de voir éclater enfin les cadres de la vieille hiérarchie économique... » Avec la mise sous séquestre de Berliet et de Lafarge — le fabricant de chaux et de ciment dont il a été question plus haut —, Farge avait le sentiment que « nous avions jeté les bases d'une association pour la gestion de l'entreprise qui réservait un rôle d'animateur à la démocratie syndicale[12]. » Dans un article favorable à l'expérience Berliet, *Combat*, le quotidien d'Albert Camus dont la devise était « De la Résistance à la Révolution », concluait : « L'usine sans patron est maintenant lancée sur la pente heureuse[13]. »

Ce n'était là, toutefois, qu'une moitié du problème. La seconde moitié consistait à faire passer en jugement les Berliet. La biographie de Marius nous retrace un tableau déplaisant de son arrestation : « Perclus de rhumatismes, le souffle court, Marius avance péniblement. On le pousse à coups de crosse dans les reins. » Le cortège s'avance dans les rues de Lyon aux cris de « Marius au poteau ! Pendez-le ! Jetez-le au Rhône ! » — réaction née de cinquante années de « griefs inséparables de toute collaboration entre capital et travail », explique le biographe. On emmène le vieux Berliet à la prison de Montluc où il dormira sur la paille [14].

La justice, cependant, progresse bien lentement et Farge lui-même est impuissant à modifier cet état de choses. En mai 1945, une bonne huitaine de mois après l'arrestation de Berliet, les ouvriers de leur usine adressèrent une protestation au préfet du Rhône, le procès du vieil industriel n'ayant pas encore commencé (à cette époque, le patriarche avait été remis en liberté provisoire). « Cette situation paradoxale, déclarait le syndicat, est de nature à nuire au bon ordre, car elle laisse croire que la famille Berliet bénéficie encore d'influences occultes et de complaisances coupables. » Farge transmit le document au procureur près la Cour de Justice, Alexis Thomas, qui fit savoir que l'instruction se poursuivait [15]. Lorsque les ouvriers lyonnais descendirent manifester dans la rue pour réclamer une augmentation, certaines de leurs banderoles exigeaient « le procès des traîtres Berliet ». Une pancarte représentait même les Berliet le cou pris dans un nœud coulant, avec pour légende : « Pas de pitié pour les traîtres [16]. »

Lorsqu'il s'ouvrit enfin, le procès fut très long — très long en tout cas pour un procès d'épuration — puisqu'il dura du 3 au 8 juin 1946. Un journaliste expliqua que l'indifférence du public était due au fait que l'instruction s'était indûment prolongée ; il avait trouvé la salle d'audience à moitié vide. Les débats commencèrent par un incident de procédure, la défense arguant du fait qu'il n'était pas possible de convaincre une personne morale d'un crime, et que les dirigeants de la firme ne pouvaient rendre compte que de leurs propres actes. En réponse, le ministère public cita l'ordonnance du 29 mars 1945, qui couvrait précisément de tels actes commis par des sociétés. La Cour ajouta que les actes qu'il fallait punir relevaient bien de la responsabilité personnelle des accusés. La défense fit valoir que l'usine avait dû produire durant l'occupation un nombre minimal de camions afin d'assurer la subsistance de ses 5 000 ouvriers ; le long interrogatoire de Marius révéla un patriarche obstiné, disposé à endosser ses responsabilités, mais qui prétendait ne pas savoir ce qui se passait au jour le jour dans son usine. Il ignorait par exemple que la France libre avait suggéré que l'entreprise Berliet sabotât sa production afin d'éviter les attaques aériennes.

La trahison, déclara le procureur, n'était pas forcément une affaire de torture et de déportation. Elle « ne s'offre pas toujours avec un visage sanglant ». Le crime dont il s'agissait en l'occurrence était la « collaboration économique, c'est l'argent qui occupe le premier plan ». Il rappela au jury que la société placée sous séquestre était à présent le théâtre « d'une expérience sociale et économique » et que leur verdict « fixera donc, par une conséquence inéluctable, et le destin des accusés et celui de l'expérience Berliet ». Les deux questions, toutefois, étaient bien distinctes ; le gouvernement ne réclamait pas la condamnation de Berliet en vue de permettre la poursuite d'une expérience « si noble soit-elle ». L'important, c'était la conduite « antinationale » des propriétaires ; ce qui expliquait que Peugeot, qui avait en fait livré à l'ennemi davantage de matériel que Berliet, mais qui avait fait preuve de dignité face aux Allemands, n'eût pas été inculpé. Berliet, convint le procureur, n'était pas un traître, mais un grand industriel qui avait mis les intérêts de sa firme au-dessus de ceux du pays.

Le jury estima les prévenus coupables d'avoir « sciemment accompli un ou plusieurs actes de nature à nuire à la Défense nationale », mais refusa d'admettre qu'ils avaient « apporté à l'ennemi un appoint appréciable dans le domaine économique ». Marius fut condamné à deux ans de prison. Tous ses biens étaient en outre confisqués et il était frappé d'indignité nationale à vie. En revanche, la société Berliet n'était pas reconnue coupable et, dans l'immédiat, il n'y aurait pas de changement dans son système de gestion [17]. Le biographe de Berliet laisse entendre qu'il était impossible de condamner la société sans mettre en sérieuse difficulté toute l'industrie automobile française. L'entreprise ayant été blanchie, ses propriétaires auraient dû être eux aussi relaxés, mais cette solution, assure-t-il, eût été inacceptable, car il aurait alors fallu restituer leur usine aux Berliet [18].

Au lieu d'aller en prison, Marius Berliet fut assigné à résidence à Cannes où il publia une *Histoire de l'expérience soviétique chez Berliet* [19], entre autres opuscules où il plaidait sa propre cause, afin de les distribuer à la presse et à quiconque pouvait agir sur l'opinion. Il refusa l'offre du gouvernement qui proposait de lui racheter sa société, et en juillet 1949, le Conseil d'État annula la décision de la Cour de Justice et rendit son usine à la famille Berliet [20].

Dans la région Rhône-Alpes, les mesures d'épuration de la presse furent conformes à la politique du gouvernement en la matière. Dès les premières heures de la Libération, la presse de l'occupation fut interdite, à l'exception des périodiques restés exempts de toute propagande collaborationniste. Les propriétaires et directeurs des journaux interdits n'avaient plus le droit de participer à la direction de nouvelles entreprises de presse. Les journaux qui avaient volontairement suspendu leur publication après l'entrée des Allemands en zone Sud, en novembre 1942, étaient autorisés à reparaître, ainsi que la presse de la Résistance et les publications des organisations habilitées par le commissaire de la République. Les installations des journaux collaborationnistes pouvaient être réquisitionnées pour être louées à la presse de la Libération [21].

Très vite, on put voir dans les kiosques non seulement les journaux issus de la Résistance, par exemple *La Marseillaise de Lyon et du Sud-Est*, organe du MLN, *La Voix du Peuple*, d'obédience communiste, ou *La Liberté*, financée par les Équipes chrétiennes, mais aussi un revenant tel que *Le Progrès*, quotidien républicain traditionnel pour lequel Farge avait jadis travaillé, car il avait de lui-même fermé ses portes après l'arrivée des Allemands. Durant les mois postérieurs à la Libération, cependant, ce fut un organe de la Résistance de gauche, *Les Allobroges*, qui connut les plus gros tirages de la région Rhône-Alpes ; il était publié à Grenoble par le Front national, dans les locaux qui avaient hébergé avant guerre le principal quotidien de la région, *Le Petit Dauphinois* [22].

Dans les années à venir, les Cours de Justice devaient faire le procès de la presse de Vichy. Quelques-unes des affaires les plus importantes furent jugées à Lyon, car plusieurs des grands quotidiens parisiens d'avant-guerre, tels que *Le Temps* et *Paris-Soir*, sans parler de *L'Action Française*, relevaient de la juridiction lyonnaise. L'organe de Charles Maurras fut condamné à la dissolution et à la confiscation, et plus d'une douzaine d'autres journaux connurent un sort identique. Une autre douzaine, en revanche, bénéficièrent de non-lieux. Dans le cas du *Temps*, peut-être le plus prestigieux de tous les quotidiens à avoir paru sous la Troisième République — occupant une position assez comparable à celle du *Monde* par la suite —, le procureur Alexis Thomas justifia le non-lieu en faisant valoir que les 33 articles contestables relevés par les Services d'épuration de la presse ne représentaient pas un total très élevé pour les 30 mois qui s'étaient écoulés entre le 1er octobre 1940 et le 29 novembre 1942, et qu'ils comportaient des textes imposés au journal par la censure de Vichy. Au demeurant, poursuivit Thomas, la rédaction du *Temps* avait fait son possible pour minimiser les messages de Vichy. Il fit aussi remarquer :

« Que *Le Temps* s'est sabordé le 29 novembre 1942, dans des circonstances dramatiques où sa rédaction a pris une attitude des plus patriotiques.
        Que, par la suite, les dirigeants de ce journal ont composé une feuille clandestine[23]... »

Entre septembre 1944 et le 9 novembre 1945, date au-delà de laquelle les nouvelles affaires n'étaient plus recevables, Yves Farge renvoya 1 801 affaires devant les Cours de Justice de sa région et 2 548 autres devant les Chambres civiques[24].

CHAPITRE IV

Sur les rives du lac d'Annecy

L'un des départements qui dépendaient d'Yves Farge, la Haute-Savoie, pays de forêts et de montagnes voisin de la Suisse et de l'Italie, était sous l'occupation un endroit idéal pour quiconque avait besoin de se cacher. La présence d'un important maquis, aux rangs grossis par de nombreux jeunes gens désireux d'échapper au travail obligatoire en Allemagne, faisait de ce département un des terrains de chasse préférés de la Milice et des autres forces de police de l'occupant. Avant même que les débarquements alliés en Normandie n'eussent donné le signal d'un surcroît de combativité de la part de la Résistance, la Haute-Savoie était devenue un véritable champ de bataille. Pour reprendre les propos d'un écrivain peu favorable à la Résistance, qui avait ses racines dans cette région de France : « C'est vers le milieu de l'année 1943 et pendant toute l'année 1944 que le brigandage, le crime, le pillage ont sévi dans la Savoie, et spécialement dans le Chablais, partie de la Haute-Savoie voisine de la Suisse où les maquisards pouvaient s'enfuir par les cols, dans des proportions invraisemblables ; car il y eut dans le Chablais plus de trois cent cinquante assassinats [1]... »

Les rapports du préfet de Vichy débordaient de récits sur les actions du maquis : en l'espace d'un seul mois, il y avait souvent des dizaines d'incidents, des meurtres aux attentats à la bombe en passant par les enlèvements, les sabotages et les vols. Dans un rapport ultra-confidentiel destiné aux dirigeants de Vichy, le préfet précisait : « L'inquiétude qui se manifeste au sein de la population grandit sous l'influence des assassinats de plus en plus nombreux, des attentats et des sabotages de plus en plus importants... » L'inquiétude de la population était à l'évidence « aggravée » par les opérations allemandes, « entraînant presque toujours des destructions et des morts ». De ce fait, les habitants du département vivaient « dans un état perpétuel de surexcitation[2]... ».

À vrai dire, si l'on se réfère à une source officieuse qui consigna au jour le jour les incidents survenus en Haute-Savoie, on s'aperçoit que les victimes d'assassinats, d'enlèvements, d'attaques à la bombe et autres violences, étaient bien souvent des résistants et non des collaborateurs ; il y eut d'ailleurs beaucoup plus de meurtres et d'enlèvements perpétrés par la Milice et d'autres groupes collaborationnistes que dirigés contre eux[3]. Il n'était pas moins vrai, cependant, que la Résistance était prête à châtier ses ennemis lorsqu'elle parvenait à mettre la main dessus. Il existe un rapport d'un commandant des FTP sur le travail accompli en Haute-Savoie par une formation de militants durant les mois qui précédèrent la Libération. Au jour J, ce groupe était fort de 1 500 hommes, dont 200 membres du parti. Il se livrait à des attaques directes contre les soldats allemands ou les miliciens et se chargeait des exécutions isolées de collaborateurs ou de miliciens. Le 14 juillet 1944, par exemple, les FTP célébrèrent la fête nationale en se lançant aux trousses du plus grand nombre possible de collaborateurs dans le but de les supprimer. Un de leurs groupes totalisa à lui seul douze exécutions. Le tout sans cesser de lutter contre les Allemands, jusqu'au jour où les FTP se joignirent à l'Armée secrète pour occuper Annecy après la reddition de la garnison allemande (19 août). Après cette date, les FTP poursuivirent leur harcèlement des troupes allemandes qui battaient en retraite dans le département voisin de Savoie[4].

Combien d'exécutions sommaires doit-on imputer à la Résistance de Haute-Savoie ? Le chiffre le plus fiable semble être celui de 316 victimes, dont 63 femmes. Il y en eut 71 en 1943, 113 avant le 6 juin 1944, 95 entre cette date et le mois d'août où le département fut libéré, et 37 autres ultérieurement. Le nombre total de ces exécutions avant la Libération (279) a été comparé d'une part au nombre de victimes dans le camp ennemi — 237 Allemands et 4 Italiens — et, d'autre part, au nombre de résistants exécutés ou tués au combat dans le département, qui se monte à 433. Selon l'historien régional qui a établi ces statistiques, les victimes les plus notoires de la Résistance furent le chef de la Milice, les capitaines de gendarmerie commandant les sections d'Annecy et de Saint-Julien, quatre commissaires et treize inspecteurs de police[5].

Dans un rapport à « Alban » — nom de guerre d'Auguste Vitel, chef régional des FFI — au lendemain de la libération d'Annecy, le président du Comité départemental de Libération de la Haute-

Savoie brossa un tableau de l'insurrection qui avait eu lieu dans le département sur ordre du général Koenig, commandant national des FFI. Les 11 et 12 août, les grands axes routiers furent bloqués, les voies ferrées coupées. À partir du 13, les FFI se lancèrent à l'attaque des postes allemands de moindre importance ; le lendemain, « Nizier » (Joseph Lambroschini), chef des FFI pour le département, et « Ostier » (Georges Guidollet), président du CDL, ordonnèrent l'assaut général. Le but de l'opération était de venir en aide à la Savoie en détournant l'attention des Allemands. Le 17 août, de nouvelles attaques furent déclenchées contre Thonon, Évian, Le Fayet et Chamonix ; après de rudes combats, l'occupant se rendit dans chacune de ces villes. Cluses et Annemasse tombèrent le 18 ; Annecy était cernée et la garnison déposa les armes sans se battre, le 19 août.

Par l'entremise des FFI, le CDL prit alors le pouvoir et se chargea du maintien de l'ordre. « Quelques exactions sont commises — rapporte " Ostier " —, inévitables dans le déchaînement de l'exaltation populaire. » Au demeurant, le commandant des FFI prenait « toutes mesures de rigueur pour rétablir l'ordre[6] ». « La Gestapo et les Miliciens ont peur de se rendre aux FFI — signala Jean Oberlé à Radio-Londres dans l'émission " Les Français parlent aux Français ". Mais 600 hommes de la Gestapo et des SS ainsi que 200 Miliciens ont bien été obligés de se rendre à Annecy. À Annemasse, des collaborateurs ont été fusillés. » Et de conclure sur une note martiale, en harmonie avec une époque où il restait encore tant de territoires à reprendre à l'ennemi : « Le maquis veut montrer au monde déjà émerveillé qu'il peut faire mieux encore. Il prend des villes, il nettoie le terrain, il fait des prisonniers, il châtie les traîtres[7].... »

Ce département fut le premier de la région à se libérer. « Il fallait aux Glières une revanche pure, éclatante, sans attendre un problématique appui allié qui en eût diminué l'éclat », s'est rappelé « Alban » par la suite[8]. Les événements survenus l'hiver précédent aux Glières contribuent en effet à expliquer non seulement la violence des heurts hors de la Libération, mais aussi les rigueurs de la répression qui suivit. Sur le plateau des Glières, dans les hauteurs qui surplombent le lac d'Annecy visible depuis la ville, plusieurs centaines de maquisards s'étaient massés, imprudemment peut-être, mais avec l'assentiment et l'aide des autorités de la Résistance et des agents de liaison des forces alliées. En février, les GMR et la Milice, soutenus par des soldats et des avions allemands, prirent le plateau d'assaut pour liquider ce maquis. Elle reçut, pour l'attaque finale, l'aide d'une division alpine de la

Wehrmacht. Selon l'estimation d'un historien, sur les quelque 500 résistants installés aux Glières, 155 périrent au cours des combats, une trentaine furent portés disparus et 160 furent faits prisonniers, parmi lesquels certains furent exécutés sur-le-champ et d'autres incarcérés après avoir subi de graves sévices[9].

Lorsque Yves Farge apprit que les Allemands avaient massacré des détenus français à la prison de Montluc, il fit savoir au commandement allemand, par l'entremise de la Croix-Rouge, que les FFI détenaient 752 prisonniers allemands en Haute-Savoie et que ceux-ci seraient désormais considérés comme des otages. Dès qu'il sut que l'occupant était venu chercher 80 autres détenus dans la prison lyonnaise et les avait fusillés à Saint-Denis-Laval, Farge ordonna à « Ostier » et à « Nizier » de passer par les armes un nombre égal d'otages allemands, ce qui fut fait. Le 23 août, une proclamation signée d' « Ostier » et « Nizier » fut affichée dans Annecy libérée, annonçant les exécutions ; le jour même, le préfet du gouvernement de Vichy fit savoir que les clés de la prison de Montluc étaient à la disposition du commissaire de la République si ce dernier les voulait (alors que Lyon ne devait être libéré que dix jours plus tard[10]).

La reddition de la garnison allemande d'Annecy au commandant des FFI, « Nizier », fut le signal des déploiements de drapeaux, cependant que les troupes de la Résistance faisaient leur entrée dans le chef-lieu de la Haute-Savoie. L'une après l'autre, les places fortes de l'ennemi furent occupées, les Allemands et leurs auxiliaires vichystes faits prisonniers. Selon le plan établi, le Comité départemental de Libération prit possession de la préfecture après avoir arrêté le préfet nommé par Vichy, Charles Marion[11]. Les photographies de l'époque nous montrent les maquisards, coiffés de bérets ou de calots militaires, parfois tête nue, le col ouvert, ceinturés de cartouchières, défilant au milieu d'une foule en liesse : « Partout des chants, des rires, des chansons, des danses[12]. » On trouve aussi d'autres clichés, plus sinistres, de femmes tondues[13].

Ce n'était là qu'un symbole du châtiment à venir.

À leur entrée dans Annecy, dont la population comptait avant-guerre environ 25 000 âmes, les FFI obtinrent non seulement la reddition des forces allemandes, mais aussi celle d'une garnison de la Milice. Il s'agissait donc de Français membres de l'organisation paramilitaire si honnie, chargée de traquer les opposants et les résistants. Ils étaient réputés pour leur férocité. Les Miliciens faits prisonniers à Annecy allaient passer en jugement devant la cour martiale qui a sans doute fait couler le plus d'encre parmi toutes celles de la Libération, puis être fusillés en masse au cours de la plus lourde exécution dont on ait gardé trace.

Dans leurs écrits, les adversaires de l'épuration ont baptisé cet épisode de « massacre de la Saint-Barthélemy », ponctué par le dernier cri des jeunes Miliciens : « Vive la France ! », « Vive le Maréchal ! » et surtout « Vive le Christ-Roi ! » On a présenté les victimes comme étant des élèves de l'École des cadres de la Milice à Uriage, n'ayant encore jamais participé au moindre combat. Dans ces récits défavorables à l'épuration, on rapporte que la population du village où se réunit la cour martiale était terrorisée et « contenait à peine son indignation ». On a prétendu qu'avant d'être exécutés, les jeunes gens avaient été « sauvagement maltraités » ; par la suite, les communistes auraient fait « un feu de joie avec les croix de bois que leurs familles avaient placées sur leurs tombes [14] ».

Comme à l'habitude, tous les récits que nous possédons de ce triste événement sont dus à ceux qui prirent le parti des épurés (il faut toutefois noter qu'il n'y avait parmi eux aucun témoin direct). Les libérateurs impliqués dans l'affaire n'ont manifestement pas eu envie d'écrire à ce sujet, ni même de répondre aux accusations ; on n'en trouve nulle part de compte rendu impartial. Il devrait cependant être possible de récapituler tout ce que l'on sait des événements et de reconstituer pour une large part le climat de l'époque.

On possède, pour commencer, le témoignage de l'officier de la Résistance qui négocia la reddition de la Milice d'Annecy. Il était détenu au QG de la Milice, La Commanderie, dans le quartier des Marquisats ; il avait vu à plusieurs reprises les Miliciens partir en mission contre le maquis et revenir avec leurs morts. Ces hommes n'étaient donc nullement des stagiaires, comme on l'a prétendu, mais un contingent régulier de police auxiliaire en service actif. Lorsqu'il devint évident que la Libération était imminente, le résistant prisonnier servit d'intermédiaire afin de permettre aux Miliciens d'Annecy et à leurs familles d'évacuer la ville sains et saufs ; on leur assura qu'ils seraient jugés en toute légalité. Avec l'aide d'unités de la Résistance locale, l'officier en question organisa un convoi et les 109 membres de la Milice quittèrent Annecy dans les heures qui précédèrent la reddition de la garnison allemande. La caravane traversa plusieurs villages où l'on dut empêcher la population hostile de faire un mauvais sort aux prisonniers ; dans un cas au moins, les résistants qui protégeaient ces Miliciens durent tirer en l'air pour disperser la foule. Étant donné qu'aucune des localités traversées ne paraissait disposée à héberger les prisonniers, on les emmena dans la montagne, jusqu'au Grand-Bornand où on les logea dans la salle des fêtes, gardés par le contingent local de l'Armée secrète [15].

Il s'agissait à présent de juger ces hommes, avec tout le respect de la légalité compatible avec une cour martiale. Il se trouva qu'un magistrat de carrière était disponible : Jean Comet avait passé les années de l'occupation dans le bourg voisin de Saint-Julien-en-Genevois. Quoique nommé procureur de la République à Thonon-les-Bains, il avait préféré entrer dans la clandestinité lorsque les Allemands s'étaient mis à arrêter les magistrats dénoncés pour leur attitude hostile à la collaboration. Lorsqu'il avait fait des offres de service à la Résistance, on lui avait répondu : « Tenez-vous prêt. Lorsque le jour de la Libération sera venu, présentez-vous à la préfecture. À ce moment-là, nous aurons besoin de juges. » Il se le tint pour dit et, le 20 août, il alla trouver le président du CDL (et préfet par intérim) « Ostier », qui l'envoya voir « Nizier », le commandant des FFI. On mit aussitôt Comet au travail en lui demandant de rédiger un arrêté instituant une cour martiale. Il commença par prendre acte de l'absence de communications avec le gouvernement légal et exposa ensuite la procédure à suivre pour les audiences où serait exigée la présence d'avocats de la défense. Ce texte fut rendu public le 21 août [16]. Le lendemain, un second arrêté commençait en ces termes :

> « Nous, Nizier, Commandant des Forces de l'Intérieur du Département de la Haute-Savoie (...)
> Attendu qu'il résulte des procès-verbaux à nous transmis, charges suffisantes du crime de trahison, prévu par les articles 75 et suivants du Code pénal, contre les nommés : »
> *suivaient 97 noms*
> Ordonnons qu'ils seront traduits sans délai devant la cour martiale départementale pour y être jugés. »

Les prévenus n'étaient pas tous de très jeunes gens : 34 avaient plus de 30 ans, 19 plus de 40 [17].

Trois des juges étaient officiers dans la Résistance ; les deux autres appartenaient aux FTP. En vue d'apaiser l'opinion publique, Comet proposa de laisser présider un officier des FTP, le commandant « Grand » (André Augagneur [18]). (Les communistes étaient partisans de châtiments plus expéditifs et cette idée d'inclure leurs représentants — les officiers FTP — parmi les juges des cours martiales était un moyen de les associer à une forme d'épuration plus légale [19].) Comet assuma pour sa part les fonctions de greffier, tandis que Jean Massendès, commissaire de police, se chargeait de l'accusation en tant que commissaire du Gouvernement. Les avocats de la défense furent commis d'office. Comet assista aux interrogatoires des accusés et des témoins ; lorsqu'il demanda à un officier de police si des charges graves pesaient sur les prévenus, celui-ci répondit : « Contre les trois quarts d'entre eux. »

On décida que le procès aurait lieu au Grand-Bornand. Durant ces journées où les combats faisaient encore rage dans la région, la vallée de Thônes — chef-lieu de canton — était entre les mains de la Résistance ; le village du Grand-Bornand est situé à 12 km au-delà, dans les montagnes, à une altitude de mille mètres. Durant la nuit qui précéda la réunion de la cour martiale, Comet feuilleta les procès-verbaux d'interrogatoires de la veille et établit une échelle des faits par ordre de responsabilité croissante. Le moins grave des chefs d'accusation était d'avoir simplement appartenu à la Milice. Il était plus sérieux d'avoir pris part à des opérations militaires contre la Résistance sans toutefois avoir porté les armes contre ses membres — ce qui était le cas des cuisiniers, chauffeurs ou infirmiers. Il était plus grave encore d'avoir porté les armes, puis d'avoir participé à des exécutions, incendies, pillages et tortures ; enfin, les chefs étaient bien sûr les plus responsables. Comet fit clairement savoir aux juges de la Résistance que dans un procès pour trahison, les seuls verdicts possibles étaient « coupable » ou « non coupable », et que dans le premier cas, la sentence ne pouvait être que la peine capitale. Il prépara des bulletins de vote pour chaque inculpé à raison d'un bulletin par juge.

Comet commanda également 75 cercueils à une entreprise de menuiserie locale, en se fondant sur les déclarations de l'officier de police qui lui avait assuré que les trois quarts des accusés étaient gravement coupables, et il prit des dispositions pour faire creuser une fosse en dehors du village, dans la vallée du Bouchet [20].

Durant les interrogatoires officiels, il n'y avait eu aucune brutalité [21]. Certains prévenus avaient toutefois reçu des coups, non de leurs gardes, mais de personnes hostiles qui étaient parvenues à s'approcher d'eux [22]. En effet, sur les lieux mêmes du procès, l'atmosphère était surchauffée. Les débats étaient ouverts au public ; la presse suisse avait été invitée, bien que l'on eût demandé aux journalistes de ne pas mentionner le lieu où se tenait la cour martiale, afin d'éviter les bombardements de représailles.

Lorsque le procès s'ouvrit, le 23 août à 10 heures du matin, Comet, en tant que greffier, lut à voix haute les arrêtés instituant la cour martiale et énumérant les divers chefs d'accusation. À mesure que les prévenus étaient nommés, un policier résumait le contenu du procès-verbal d'interrogatoire, par exemple : « Vous avez fait... ; vous avez déclaré... ; maintenez-vous ce que vous avez déclaré à l'interrogatoire ? » Les Miliciens étaient introduits dans la salle des fêtes par groupes de vingt. Le tribunal provisoire était sévèrement gardé, car on savait que des familles de victimes de la Milice se trouvaient dans les parages et que certains de leurs membres auraient souhaité « faire la peau » aux Miliciens. (Comet estimait d'ailleurs qu'il était important non seulement de rendre rapidement la justice, mais d'annoncer les exécutions au plus tôt. Par la suite, il resta persuadé d'avoir eu raison, car il n'y eut que fort peu d'actes de vengeance individuelle dans la région ; le procès exemplaire du Grand-Bornand avait apaisé la vindicte populaire.)

Le prétoire était plein à craquer. Des résistants occupaient tout le premier rang, par mesure de précaution supplémentaire pour la sécurité des prévenus. Les deux avocats de la défense s'étaient réparti les affaires ; après chaque interrogatoire, l'un d'eux prenait la parole. Comet avait suggéré que chacune de ces interventions sur les faits fût limitée à cinq minutes, mais que les avocats eussent en revanche tout le temps nécessaire, au terme du procès, pour un plaidoyer d'ordre plus général. Il avait calculé que, même avec de telles restrictions, les débats dureraient tout le jour et toute la nuit, et il ne se trompait guère.

L'un des avocats avait été choisi par Comet parce qu'il était l'avocat de sa propre famille et avait une réputation de bon orateur. (Durant les vingt années qui s'écoulèrent entre le procès du Grand-Bornand et son propre décès, jamais cet avocat ne sembla avoir déploré l'atmosphère qui régnait dans la salle ce jour-là[23].) À l'évidence, les juges avaient néanmoins parfaitement conscience de l'hostilité de la population locale envers les accusés ; dans la salle même, des proches de certaines victimes de la Milice avaient pris place et exerçaient une forme de pression sur les juges qui les entendaient proférer des menaces telles que : « S'il y en a un seul qui s'en tire, on va vous zigouiller[24]. »

La défense avait choisi de plaider la jeunesse et l'enthousiasme fourvoyé des Miliciens — leur loyauté à l'égard de Pétain et Laval[25]. Le verdict était prononcé à la majorité, avec vote séparé pour chaque inculpé, après que les juges de la Résistance eurent délibéré entre eux. Ces derniers savaient qu'ils avaient à juger des Français alors même que la guerre était quasiment finie, mais ils savaient également que l'assistance tenait à ce que justice fût faite[26]. Ils estimèrent 76 des Miliciens coupables de crimes contre les patriotes, parfois en liaison avec les Allemands. Ils étaient donc coupables « d'avoir porté les armes contre la France » et « d'intelligence avec l'ennemi en temps de guerre ». Les deux crimes étaient punis par l'article 75 du Code pénal. On prit note du fait que « les circonstances militaires actuelles exigent que les crimes ci-dessus analysés soient réprimés avec une extrême énergie ». Vingt et un autres inculpés obtinrent la relaxe au bénéfice du doute[27]. Ils ne furent pas immédiatement libérés, certains devant être rejugés pour des délits mineurs. Le procès-verbal rédigé par le greffier, signé des noms de guerre des juges, se garda bien de faire état du lieu du jugement, afin de ne pas inciter aux représailles[28]. La même discrétion fut observée dans les comptes rendus succincts du procès que publia une semaine après la Libération le quotidien d'Annecy, organe du CDL[29].

Avant la réunion de la cour martiale, Comet avait pris contact avec le curé du Grand-Bornand pour qu'il vînt donner l'absolution aux condamnés. Il veilla aussi à ce que les noms de ces derniers fussent correctement orthographiés sur les actes de décès, et à ce que les cercueils fussent numérotés. Les condamnés furent autorisés à écrire une dernière lettre et à laisser tous leurs effets personnels à leur famille. Au Bouchet, on dressa cinq poteaux ; les Miliciens y furent conduits par ordre alphabétique, les yeux bandés ou non, selon leur volonté. Au moment de l'exécution, tous crièrent « Vive le Maréchal ! » ou « Vive la France ! » Les premiers coups de feu retentirent peu après l'aube, et les salves se succédèrent ensuite jusque vers 11 h 30. Comet qui, en tant que greffier, resta sur place du début à la fin avec le commissaire Massendès, resta convaincu que, malgré leur sévérité, ce verdict et ces exécutions épargnèrent à la région un véritable massacre des innocents où des familles entières auraient risqué de périr, ainsi qu'une prolifération de dénonciations. Il pensait que dans des conditions normales, entre 30 et 40 accusés auraient été jugés coupables de crimes passibles de la peine de mort. Pas un seul des Miliciens qui avaient réfuté les accusations portées contre eux ne fut condamné à mort au Grand-Bornand[30].

Il y eut encore deux autres cours martiales. Le 7 septembre, à Annemasse, conformément à l'arrêté original de « Nizier » en date du 21 août, 32 autres Miliciens passèrent en jugement, accusés de meurtres, de dénonciations et d'avoir commandé des groupes de la Milice. L'audience commença à 11 heures du matin et l'interrogatoire des inculpés se prolongea jusqu'à 18 heures. À un moment donné, le maire d'Annemasse qui, sous l'occupation, était intervenu auprès des Allemands en faveur de Français arrêtés par eux, se leva pour prier la Cour de châtier sévèrement les coupables, tout

en se montrant indulgente envers ceux qui avaient simplement été
« entraînés sur la fausse voie ». Les deux avocats de la défense
firent eux aussi appel à la clémence des juges pour ceux qui ne
portaient pas les armes ou qui avaient été abusés par la propagande. Dix-huit des accusés furent condamnés à la peine capitale et
fusillés deux heures plus tard, juste à côté du vieux cimetière
d'Annemasse ; les autres furent remis aux autorités militaires [31].

Le 5 octobre, à Annecy, huit personnes furent jugées. L'une
d'elles, un photographe, avait travaillé avec des groupes collaborationnistes et servi d'informateur aux services de renseignements
allemands ; un autre était un ancien soldat des Waffen SS et avait
lui aussi fourni des renseignements aux Allemands ; un troisième,
milicien, avait aidé à torturer et à assassiner un résistant. Sept
accusés furent jugés coupables et fusillés aussitôt ; le huitième,
accusé d'avoir dénoncé des résistants, fut maintenu en détention
pour complément d'enquête [32].

Le 9 septembre, signalait une note adressée au CDL, sur les 148
personnes arrêtées depuis la Libération, 102 étaient encore internées [33]. Lors d'une réunion ultérieure du Comité, le nouveau
préfet, Irénée Revillard, demanda que seuls les coupables restas-
sent en prison. Il fit remarquer que l'on avait arrêté aux premiers
jours de la Libération de nombreuses personnes qui « ne présentent aucun intérêt ». Il avait en revanche une tâche à confier au
CDL : il lui demanda de dresser une liste de jurés pour la nouvelle
Cour de Justice chargée de juger les crimes de collaboration. Le
Comité pourrait également constituer des dossiers contre les
collaborateurs, car il disposait des moyens nécessaires [34]. Quelques
jours plus tard, Revillard s'en revint pour réclamer une plus stricte
discipline : « Il faudrait faire le tour du département », exposa-t-il.
Il était urgent de faire savoir aux autorités locales qu'aucune
arrestation n'était valable sans mandat signé du procureur de la
République [35].

Là comme ailleurs, en effet, la Résistance connaissait certains
problèmes de discipline. Peu auparavant, les FFI avaient mis sur
pied une commission d'épuration chargée d'enquêter sur leurs
propres membres, « pour déceler les éléments troubles ou atten-
tistes qui ont pu se glisser dans les formations FFI armées à la
faveur de la libération du département [36] ». En d'autres termes, il
s'agissait de découvrir ceux qu'Yves Farge appelait « les résistants
de septembre ». On allait bientôt arrêter des jeunes gens en
uniforme des FFI, occupés à voler des bicyclettes [37]. Cependant,
après avoir écouté les gens se plaindre du comportement désinvolte
des FFI dans tout le département, des appropriations de biens, des

arrestations arbitraires, le chef de ces mêmes forces, « Nizier »,
prit la défense de ses hommes devant une réunion du CDL :
« C'est grâce à eux, messieurs, que vous êtes là, c'est grâce à eux
que vous pouvez travailler en toute tranquillité. C'est grâce à leur
action (...) que la libération du département s'est effectuée sans
trop de dégâts [38]... »

CHAPITRE V

En Haute-Savoie

Durant les premiers mois de la Libération, le CDL — Comité départemental de Libération — se substitua souvent aux autorités locales. Tels que les avaient conçus les têtes pensantes de la France Libre, les CDL devaient être les agents du commissaire de la République tout au long des derniers mois d'occupation; leurs présidents étaient les préfets virtuels du département avant l'installation de préfets gaullistes, même si le décret qui définissait leur fonction leur demandait simplement d' « assister le préfet [1] ».

Dès avant la libération d'Annecy, un groupe de dirigeants du CDL de Haute-Savoie se réunissait au moins une fois par semaine; chacun des cinq membres de ce comité restreint représentait un grand courant de la résistance. (Son président, « Ostier » (Georges Guidollet) était issu des Mouvements Unis de Résistance (MUR), qui regroupaient, rappelons-le, Combat, Libération et Franc-Tireur [2]). La première séance publique du CDL eut lieu le jour de la libération d'Annecy, le 19 août, à la préfecture. Le commandant « Nizier » (Joseph Lambroschini), des FFI, et d'autres chefs de la Résistance y assistaient et l'une des principales préoccupations était le maintien de l'ordre. A cette occasion l'affaire des miliciens qui s'étaient rendus fut évoquée.

Alors que le commandant des FTP estimait qu'il fallait les fusiller sans autre forme de procès, Nizier s'éleva en faveur d'une cour martiale et « Girard » (nom de guerre d'Irénée Revillard), représentant du Gouvernement provisoire et futur préfet, déclara à l'assemblée : « Il y a des lois, un Code pénal qui doit être respecté. Il le faut, afin que la population n'ait pas l'impression que les méthodes de la milice sont encore en vigueur dans notre IVᵉ République [3]. » Le lendemain, lors d'une réunion des Comités de Libération des quatre arrondissements du département, Revillard s'adressa aux délégués en ces termes : « Le principe est que personne ne doit être exécuté sans avoir été jugé. Qui que ce soit, même si vous arrêtez Darnand, je vous interdis de l'exécuter. » (Il faisait bien sûr allusion ici au chef national de la Milice, Joseph Darnand[4].)

Les procès-verbaux du Comité départemental de Libération d'Annecy montrent bien que même si celui-ci n'était pas le gouvernement, il partageait son principal souci : remettre la France sur pied. Ainsi, c'est le CDL qui s'occupait de l'approvisionnement en denrées alimentaires et autres, du rationnement de la viande, du vin, du charbon et du bois. Il se consacrait également aux problèmes des secours sociaux, de l'aide médicale et de la réouverture des écoles[5].

Sans oublier, bien sûr, l'épuration. Au demeurant, préoccupations matérielles et châtiment étaient associés au sein d'une même proposition, puisqu'on décida de lever des fonds pour le ravitaillement de la population en infligeant des amendes aux collaborateurs qui avaient amassé des « fortunes scandaleuses[6] ». Lors d'une réunion des Comités locaux de Libération, le 4 septembre à Annecy, il fut convenu que l'on punirait les trafiquants notoires de devises, ainsi que les grossistes, marchands de fromages et de vins, bijouteries, pâtisseries, ayant abusé de leur position sous l'occupation pour faire des profits excessifs ; dans les grands centres urbains tels qu'Annecy, Annemasse, Thonon et Évian, ces personnes devraient acquitter une amende d'un million de francs[7]. Lorsque le quotidien du CDL publia une première liste des profiteurs ainsi taxés, le général Doyen — qui venait tout juste d'aider Yves Farge à instituer la cour martiale de Lyon, quelques jours auparavant — prit la parole devant le CDL pour protester, car il avait relevé sur cette liste les noms d'honnêtes gens. On lui assura que chaque affaire serait réexaminée individuellement et que l'on ferait publiquement savoir que les personnes mentionnées sur cette première liste n'étaient pas toutes coupables de collaboration[8]. Le journal du CDL annonça effectivement que la liste des « millionnaires » — comme on avait surnommé ceux qui devaient acquitter la fameuse taxe d'un million de francs — était en cours de révision et que ceux qui y figuraient ne s'étaient pas tous livrés au marché noir, certain ayant même activement soutenu la résistance[9].

Le 19 septembre, lors d'une réunion du CDL, furent lus 50 noms ; chacun des individus visés devrait payer un million de francs, non déductibles de ses futurs impôts. Il s'agissait de ceux que l'on soupçonnait d'avoir acquis des « fortunes scandaleuses » grâce à des transactions au marché noir ou à d'autres magouilles facilitées par les règlemênts de Vichy. Sur ces 50 personnes, certaines avaient déjà payé la somme entière, d'autres avaient versé un acompte ; quelques-unes étaient en état d'arrestation. Au 26 septembre, on avait réuni par cette méthode 16 250 000 francs. (Un document d'archives laisse penser que les « millionnaires » s'acquittaient auprès de la Trésorerie générale, tandis que le produit des amendes moins élevées allait directement au CDL [10].)

Par la suite, Annecy devait modifier ce *modus operandi* pour se conformer aux règlements des Comités de confiscation des profits illicites. Un an après la Libération, le Comité des Profits illicites de Haute-Savoie avait 400 affaires inscrites à son rôle et avait déjà pris 86 décisions. Dix amendes dépassaient le million de francs, pour un montant total de 39 312 000 francs ; les 76 autres prélèvements se montaient à 12 477 000 francs [11].

Bientôt, conformément aux instructions d'Yves Farge, des tribunaux d'honneur commencèrent à fonctionner en Haute-Savoie. On peut consulter les archives de l'un d'eux, le tribunal d'honneur professionnel des médecins et pharmaciens, constitué par trois médecins de la région ; il se réunit cinq fois entre janvier et mars 1945. La première affaire fut celle d'un médecin accusé d'avoir appartenu au PPF et d'avoir nourri des sympathies germanophiles. Il fut toutefois établi qu'il avait démissionné du mouvement en question sans avoir pris part à ses activités et qu'il avait en outre soigné un chef de la Résistance, prêt à venir témoigner que cet homme lui avait sauvé la vie. Cela n'empêcha pas le tribunal d'honneur de préconiser cinq années d'inéligibilité. La deuxième affaire concernait un médecin accusé d'avoir prononcé un discours en faveur de l'occupant et incité les jeunes à partir travailler en Allemagne. Étant donné qu'il était maire de sa commune, ce qui ajoutait à son influence, on lui infligea un blâme sévère, assorti d'une proposition d'un an d'inéligibilité. Pour un autre praticien qui avait battu en retraite avec la Milice (dont il était capitaine), on suggéra une interdiction à vie. Un quatrième accusé, dénoncé pour propagande vichyste, reçut un blâme assorti lui aussi d'une proposition d'un an d'inéligibilité. Etc. [12].

Cependant, durant les premiers mois de la Libération, le principal instrument du châtiment fut la Commission d'épuration du CDL dont le premier président n'était autre que le commissaire Jean Massendès que nous avons déjà rencontré lors de la cour martiale du Grand-Bornand [13]. Cette commission faisait régulièrement son rapport au CDL.

Lors des premières réunions du Comité, le problème des

juridictions qui empiétaient les unes sur les autres fut évoqué à d'innombrables reprises : qui avait le droit d'opérer les arrestations ? qui avait celui de libérer les suspects [14] ? Il y avait des abus : ainsi, le général Doyen protesta contre la brutalité des réquisitions de la Résistance, citant le cas d'une veuve qui avait subi quatre réquisitions différentes par des hommes en armes. Il rappela à ses camarades qu'ils n'étaient pas en train de livrer une guerre en territoire ennemi [15]. Lors de la réunion du CDL du 8 septembre, Massendès, en sa qualité de Commissaire à l'Épuration, déclara qu'au niveau départemental, l'épuration était à présent maîtrisée ; le problème se situait au niveau des secteurs où n'importe qui se mêlait d'arrêter les suspects et où tout le monde commandait [16]. Une semaine plus tard, il revint se plaindre du fait que l'on manquait de gens compétents pour remplacer les fonctionnaires épurés, notamment à Annemasse. On proposa de donner aux membres des Milices patriotiques une formation d'inspecteurs de police. On évoqua la situation particulière de Megève, station favorite des classes fortunées. Massendès pensait qu'il serait nécessaire d'y monter une « grande rafle », en mobilisant pour ce faire les FFI et les Milices patriotiques [17].

En dépit des activités de la Commission d'épuration, le comité restreint du CDL continuait à faire office de commission d'instruction en même temps que d'assemblée : ses membres ordonnaient par exemple l'arrestation ou l'inculpation de tels ou tels individus [18]. À Annemasse, il fut décidé d'afficher à la mairie les décisions de la Commission d'épuration : « Cela permettra à tous les bons citoyens de se rendre compte que l'œuvre de salubrité publique se poursuit inlassablement dans l'esprit de la IVe République », expliqua l'organe du CDL [19]. Le 31 octobre, le président de la Commission d'épuration lança un nouvel appel à la population : la Commission, déclara-t-il, n'était rien sans « la compréhension intelligente et impartiale de tous les citoyens. L'épuration ne nécessite pas un travail de délation ; elle demande seulement à chacun de prendre ses responsabilités ». Au lieu de porter plainte, les citoyens devaient présenter les faits sur les éventuels crimes de collaboration soit au CDL et à ses comités locaux, soit aux commissions d'épuration des arrondissements. En attendant, on dressait le bilan des dix premières semaines d'épuration, uniquement pour les arrondissements d'Annecy et de Bonneville [20] :

Renvoi devant la cour martiale	2
Renvoi devant le tribunal militaire	71
Renvoi devant la Cour de Justice	75

Propositions d'internement.   30
Expulsions.   35
Poursuites correctionnelles.   13
Expulsions du département.   7
Assignations à résidence.   6
Aliénés   2
Bon Pasteur ★   4
Camp de travailleurs étrangers.   1
Libérations.   126
Complément d'enquête   150

Lors de la réunion suivante du CDL, une semaine après ce rapport, le préfet Irénée Revillard prit la parole pour signaler que l'épuration était la cible de critiques l'accusant d'être « trop » ou « pas assez ». Certes, elle n'était pas « trop », mais « il est juste de dire qu'elle se fait mal », convenait le préfet. Il y avait eu trop d'arrestations injustifiées ; il fallait libérer au plus tôt les personnes arrêtées sans motif et s'occuper d'instruire les affaires contre les autres. Ainsi, les trois quarts des membres du Service d'Ordre légionnaire qu'on avait arrêtés s'étaient enrôlés dans ce corps auxiliaire de la Légion Française des Combattants en s'imaginant à tort qu'il s'agissait d' « une sorte d'armée secrète ». Citant l'exemple d'un jeune homme qui ne s'était engagé dans la Milice que pour échapper au travail obligatoire en Allemagne, Revillard demanda à la Commission d'épuration « de joindre une petite note psychologique à chaque dossier ». Un membre du CDL observa que le temps du Comité était trop précieux pour le consacrer à des cas individuels [21].

On saisira mieux la puissance de la pression qui s'exerçait sur les épurateurs du département en prenant connaissance d'une mise en garde contre les dénonciations anonymes parue dans le quotidien du CDL. *La Libération :* « Laissons au régime défunt la basse délation, les lettres anonymes et la calomnie, pouvait-on lire. Notre Justice, pour être forte, doit être sûre dans ses jugements comme dans ses actes [22]. » Les Milices patriotiques elles-mêmes durent émettre une proclamation commençant par ces mots : « C'est un acte particulièrement odieux que de porter contre quelqu'un une accusation souvent grave sans avoir le courage de signer sa lettre. » On ne tiendrait nul compte de telles missives et les expéditeurs seraient punis si on venait à les démasquer [23].

Les procès-verbaux du CDL pour les dernières semaines de

★ Le Bon Pasteur était un couvent où l'on envoyait les femmes de mauvaise vie.

1944 permettent de constater que l'importance de l'épuration ne diminuait pas. La Commission d'épuration établit ses propres bureaux dans un appartement réquisitionné et se procura des automobiles; elle cherchait en outre à se constituer un corps d'inspecteurs de police (l'un de ses membres se plaignit d'ailleurs qu'elle s'occupait d'enquêter sur des dossiers alors qu'elle aurait simplement dû se charger du tri d'affaires déjà instruites [24]).

Dans le courant de 1945, le CDL lança publiquement sa campagne en faveur d'une épuration plus rigoureuse. Lors de l'assemblée générale d'un groupe d'anciens combattants de la Résistance qui s'intitulaient « Premiers de la Résistance », le président de la Commission d'épuration annonça que par les chiffres, la Haute-Savoie semblait être « à l'avant-garde de l'épuration », mais qu'en fait son travail était insuffisant et que l'on manquait de personnel pour l'effectuer convenablement. On vota une résolution pour exiger une sentence immédiate contre Philippe Pétain (qui attendait alors de passer en jugement) et une épuration des tribunaux, de la police et des hauts fonctionnaires, tant au niveau national qu'au niveau départemental [25]. En juillet, le CDL de Haute-Savoie, réuni en séance plénière, vota à l'unanimité une protestation contre le « sérieux ralentissement » de l'épuration, exigeant une sévérité accrue dans le domaine des grâces accordées aux condamnés, et la poursuite des activités de la Cour de Justice du département, ainsi, bien sûr, qu'un personnel suffisant pour cette Cour et les autres organes d'épuration [26]. Puis, à l'occasion d'une autre assemblée plénière réunie à la fin de l'année, le CDL écouta une nouvelle fois les doléances de ses épurateurs sur l'insuffisance des moyens mis à la disposition de ceux qui étaient chargés de châtier les collaborateurs [27].

Le mécontentement s'exprimait d'ailleurs d'une autre manière : par la persistance des exécutions sommaires. Lorsque le général Doyen s'éleva contre elles, le 14 novembre 1944, au cours d'une réunion du CDL, un chef des FTP lui répondit que tant que l'épuration avait suivi son cours, on n'avait pas noté d'actes de ce genre, mais que l'épuration avait désormais cessé. Doyen répliqua qu'on ne saurait séparer l'épuration de la justice : « Si nous ne réagissons pas contre cet état d'esprit, nous allons à une catastrophe. » Il estimait que les responsables de tels désordres auraient dû être fusillés. La plupart des membres du CDL semblaient convenir à la fois que l'épuration était plus lente qu'elle n'aurait dû être et que les règlements de comptes étaient impardonnables. On vota séance tenante une résolution condamnant « ces actes de terrorisme » et on demanda à la population de Haute-Savoie de s'en remettre à ses Comités de Libération[28].

Deux jours plus tard, le dernier préfet de Haute-Savoie nommé par Vichy, le général Charles Marion, fut enlevé de la prison d'Annecy par un groupe de jeunes gens armés, en même temps que le colonel Georges Lelong, préfet intendant de police, qui avait été responsable du maintien de l'ordre dans le département. Les deux hommes furent conduits dans une carrière toute proche où ils furent abattus. Marion allait passer en jugement devant la Cour de Justice, alors que Lelong avait déjà été condamné à mort par le tribunal militaire de Lyon siégeant à Annecy. Durant le procès, le commissaire du Gouvernement avait ainsi résumé les faits : « D'autres ont été condamnés à mort, qui avaient à se reprocher un ou deux ou trois crimes ; l'homme qui est devant vous est cause de la mort de près de 300 Français. Plus haute est la situation sociale, plus grand doit être le châtiment. » Dans sa propre déclaration, Lelong avait protesté qu'il avait toujours servi la France, même si c'était parfois « de façon maladroite », et il avait reconnu que son procès avait été impartial[29]. L'organe hebdomadaire des FFI de Haute-Savoie, commentant le verdict, avait écrit : « Dans le département de la Haute-Savoie, qui compte tant de morts, tant de suppliciés, tant de disparus, tant de déportés, tant de maisons brûlées et de ruines, on n'aurait pas compris qu'il en soit autrement. » Le journal faisait également état de protestations selon lesquelles Lelong aurait dû êtr jugé par une cour martiale dont la sentence aurait été immédiatement exécutoire ; en réponse, l'article précisait que la France était d'ores et déjà revenue à la légalité et qu'il était donc possible de commuer les peines capitales. « Patientez ! Ayez confiance ! La justice suit son cours[30]. »

Cependant, après la mort des deux hauts fonctionnaires vichystes, le même journal titra :

LELONG ET MARION PAYENT[31]

La semaine suivante, un éditorial déplorait ce double meurtre, mais notait qu'il était néanmoins compréhensible, étant donné que beaucoup de gens craignaient que l'épuration ne fût pas menée avec toute la fermeté voulue[32].

Un rapport de police confidentiel daté du jour de l'enlèvement de Marion et Lelong signala : « ... La population, sans donner ouvertement raison aux auteurs de l'enlèvement et de l'exécution

(...), estime que les pouvoirs publics, en n'apportant pas toute la célérité désirable à l'action de la justice, semblent encourager les gestes regrettables d'individus excités[33]. » Peu après, la même source notait que « l'opinion est unanime en ce qui concerne le châtiment infligé à l'intendant Lelong, mais peu de personnes sont enclines à déplorer le caractère odieux de l'enlèvement. Quant au préfet Marion, maintenant que les esprits reviennent peu à peu au calme, on s'accorde généralement à déclarer que l'on a eu tort d'une part de devancer le jugement de la Cour de Justice, et, d'autre part, d'exécuter un homme qui méritait tout au plus l'emprisonnement[34] ».

Cependant, le rédacteur du rapport ajoutait dans la foulée l'avertissement suivant : si les pouvoirs publics et les tribunaux « continuent à faire preuve d'une trop grande clémence, de nouvelles exécutions sommaires sont à craindre[35] ».

Le lendemain de l'exécution des deux hauts fonctionnaires, le CDL vota une résolution visant à condamner cet acte, tout en déplorant l'insuffisance des moyens mis à la disposition des épurateurs et la lenteur de la procédure d'appel. Les membres du CDL s'accordaient à estimer que l'affaire Lelong avait par trop traîné et que des incidents analogues pouvaient fort bien se reproduire. Le parti communiste d'Annecy signifia lui aussi sa désapprobation envers cette exécution sommaire, car « seuls les pouvoirs judiciaires sont habilités pour rendre la justice[36] »... Depuis Lyon, le commissaire régional, Yves Farge, fit une déclaration annonçant — entre autres mesures — le remplacement du directeur de la prison d'Annecy et du chef des autorités militaires locales ; il exprimait également son regret que des individus se réclamant faussement des FFI fussent en train de jeter le discrédit sur la Résistance[37].

Lors d'une réunion du CDL, en décembre, le général Doyen avait soulevé le problème des « exécutions clandestines » qui inquiétaient la population. De nombreux curés avaient été menacés de façon tout à fait injustifiée — l'un d'eux pour la seule raison que sa sœur était mariée à un Milicien. Il avait déjà été décidé, en accord avec l'évêque, que les ecclésiastiques compromis devaient être signalés au CDL et que ceux dont la collaboration serait avérée auraient à quitter leur paroisse. L'un des délégués objecta qu'à chaque fois qu'une plainte était adressée à l'évêché, le vicaire général disculpait le prêtre visé. Le général insista cependant : « Il y a une espèce de terreur qui commence à régner ; il faut dire les choses comme elles sont[38]. » Lors d'une autre réunion du CDL, à la mi-janvier 1945, les délégués — représentant du parti communiste compris — protestèrent à nouveau contre la persistance d'attentats attribués à des individus que l'on n'hésitait pas à traiter de « bandits ». Le commandant « Grand », en sa qualité de commandant d'armes, annonça que le couvre-feu allait être renforcé, que l'on délivrerait des laissez-passer et qu'il y aurait davantage de patrouilles[39]. Plus tard encore ce mois-là, des représentants des partis politiques, des mouvements de résistants et des syndicats de Haute-Savoie dénoncèrent « les attentats, exactions, actes de pillage et autres[40] ».

Des rapports de police confidentiels indiquent que des éléments incontrôlés de la Résistance étaient responsables de ces incidents et la Prévôté FFI du département fut dissoute dès la fin janvier. Le bruit avait couru que la majeure partie des récents attentats à la bombe lui était imputable[41]. Durant l'été, une autre personnalité vichyste fut victime d'une exécution sommaire : le comte Maurice Roussy de Sales, ancien maire de Thorens, accusé d'intelligence avec l'ennemi et arrêté. Il fut abattu dans un jardin public d'Annecy alors qu'il se rendait chez le juge d'instruction sous la garde de deux gendarmes ; les assassins prirent la fuite à bord d'une automobile[42].

QUATRIÈME PARTIE

La loi et l'ordre

Cette cour est un véritable conseil de guerre en veston qui doit rechercher si l'accusé a trahi et se montrer alors impitoyable.

Commissaire du Gouvernement,
Raymond LINDON

CHAPITRE PREMIER

« La justice avant les voies ferrées »

Pour punir les collaborateurs, le principal instrument devait être la Cour de Justice, nouvelle juridiction enfantée par les juristes de la Résistance métropolitaine au cours de réunions clandestines, et peaufinée par ceux de la France libre à Alger. Cette Cour, même si elle parut bien peu orthodoxe aux tenants de la tradition, même si elle devait s'attirer sur le moment et par la suite d'innombrables critiques — Dieu sait qu'il y avait matière ! — représentait, pour les organisateurs de la France libre, une nette amélioration par rapport à la justice sommaire et aux lynchages. Grâce à elle, les départements libérés seraient repris en main par une autorité centrale. « Peu à peu cessent les représailles où la Résistance risquait d'être déshonorée, écrit de Gaulle en évoquant cette époque. Il y aura encore quelques séquestrations, pillages ou assassinats, dont les auteurs subiront, d'ailleurs, la rigueur des lois. Mais ces derniers soubresauts seront très exceptionnels[1]. » Si l'on eut tendance à déplorer plus tard les traits les plus fâcheux des Cours de Justice, encore faut-il se remémorer ce qu'elles étaient venues remplacer.

Le professeur François de Menthon, par exemple, ne saurait être accusé d'avoir piétiné la légalité. Quittant Alger pour Paris au début de septembre 1944 afin d'y assumer les fonctions de Garde des Sceaux dans le gouvernement de Gaulle, il se rendit dès le 3 septembre au vieil hôtel de la place Vendôme, accompagné de Maurice Rolland. En haut de l'escalier, ils trouvèrent les deux gardiens provisoires du ministère, Marcel Willard et son directeur de cabinet Joë Nordmann, qui les attendaient. Willard leur exposa les premières mesures qui avaient été prises et présenta les nouveaux hauts fonctionnaires et chefs de service, notamment le procureur général, André Boissarie[2]. L'équipe du Front national qui occupait les lieux depuis le début de l'insurrection de Paris, le 19 août, avait déjà placé des hommes neufs à tous les grands postes judiciaires, à l'exception du plus haut de tous, celui de Premier Président de la cour de cassation ; ils préféraient laisser ce soin-là au nouveau ministre, car chacun se doutait bien que ce Premier Président dirigerait probablement le procès de Philippe Pétain. (Or, celui qu'ils auraient choisi pour ce poste, Léon Lyon-Caen, était juif et l'on estimait qu'il ne serait pas très judicieux de faire juger le chef du gouvernement de Vichy par un Juif[3].)

Il appartenait à présent à de Menthon de veiller à ce que les collaborateurs fussent punis selon la loi. Lui-même considérait les cours martiales de la Résistance comme une violation des intentions du Gouvernement provisoire et (bien qu'elles eussent été recommandées par le ministère de l'Intérieur aux commissaires de la République) à aucun moment il ne les accepta comme un fait accompli, ni ne ratifia leurs verdicts. Il fut très contrarié d'apprendre que toute la garnison de la Milice d'Annecy avait été passée en cour martiale au Grand-Bornand, d'autant plus que l'affaire avait eu lieu à quelques kilomètres seulement de sa demeure familiale sur le lac d'Annecy ; si, pour éviter les désordres, il était nécessaire d'avoir recours à des moyens expéditifs, il eût préféré des tribunaux militaires, présidés par d'authentiques juges militaires[4].

L'un des problèmes auxquels se trouvait confrontée la nouvelle équipe du ministère de la Justice était l'absence — ou, au mieux, l'insuffisance — de liaisons entre Paris et la province durant ces premières journées. Ce ne fut que durant la deuxième semaine de septembre que les communications furent rétablies entre la capitale et le propre département de François de Menthon, la Haute-Savoie (alors qu'Annecy, nous l'avons vu, avait été libérée le 19 août, et Paris le 25[5]).

Le Garde des Sceaux confia à Maurice Rolland le soin de désamorcer une situation qui risquait de devenir révolutionnaire, créant pour cet homme — qui venait de fêter ses 40 ans le 2 septembre — un nouveau poste, celui d'inspecteur général de la magistrature. Tout au long du mois de septembre, ses trois assistants et lui-même, après s'être réparti le territoire, sillonnèrent la France pour aller instituer les nouvelles cours dans toutes les grandes villes de province ; Rolland se chargea personnellement des cours d'appel de Lyon, Grenoble, Aix-en-Provence, Montpellier et Nîmes. Le premier objectif des inspecteurs était de s'assurer qu'une épuration était en cours dans les rangs mêmes de la magistrature, et que des candidats compétents étaient choisis pour remplacer les juges et procureurs épurés. Ils devaient également veiller à ce que les fonctionnaires révoqués par Vichy fussent rétablis dans leurs fonctions, et les prisonniers politiques libérés. Les inspecteurs expliquèrent aux magistrats locaux les ordonnances de la Libération ayant trait à la justice, notamment celle créant les Cours de Justice[6].

La préoccupation majeure de Rolland et de ses hommes était en effet de supprimer au plus vite les tribunaux *ad hoc* et de faire en sorte qu'il ne fût plus nécessaire d'avoir recours à de tels moyens de rendre la justice. Conformément à la ligne adoptée par de Menthon, ils acceptèrent les tribunaux militaires comme palliatif jusqu'à ce que les Cours de Justice fussent prêtes à fonctionner, car ceux-ci pouvaient dans la mesure du possible faire appel aux services d'officier de carrière, et respecter de surcroît le Code de justice militaire. Bien souvent, les inspecteurs du Ministère furent contraints de négocier avec les chefs de la Résistance locale, qui étaient dans certains cas de véritables chefs de bande, pour les persuader de renoncer aux cours martiales. Dans l'esprit de Rolland, le gouvernement de la Libération devait rétablir la justice avant les chemins de fer, autrement dit fournir des tribunaux en mesure de fonctionner avant même que le pays fût équipé de tous les services de première nécessité[7].

L'ordonnance définissant originellement les Cours de Justice avait été promulguée par le Gouvernement provisoire à Alger, le 26 juin 1944. Les cours devaient être instituées « au fur et à mesure de la libération du territoire métropolitain, au chef-lieu de chaque ressort de cour d'appel ». Elles auraient pour président un magistrat qui siégerait avec quatre jurés ; le procureur porterait le titre de commissaire du Gouvernement. Tout prévenu condamné aurait le droit d'interjeter appel — uniquement sur des points de procédure — et de solliciter un recours en grâce. Toute condamnation serait automatiquement assortie de la peine d'indignité nationale (que nous avons déjà évoquée) et pourrait également comporter la saisie de la totalité ou d'une partie des biens de celui qu'elle frappait[8].

Cependant, avant même que ces cours ne fussent prêtes à fonctionner, une seconde ordonnance, signée cette fois à Paris, le 14 octobre, apportait certains changements jugés essentiels pour faire face au grand nombre d'affaires qu'il allait falloir juger. Au lieu d'une Cour de Justice pour chaque ressort de cour d'appel, il y en aurait au moins une par département. Compte tenu des problèmes de communications, le choix du jury serait simplifié (des listes de jurés éventuels devraient être dressées par des magistrats et des représentants des Comités départementaux de

Libération[9]). En fait, le système de sélection des jurys en vigueur avant la guerre était lié à l'existence des conseils généraux et des conseils municipaux élus, lesquels n'étaient pas encore en mesure de fonctionner en France libérée. Autre différence avec la législation d'avant-guerre : c'est au commissaire du Gouvernement qu'appartenait la décision d'entamer des poursuites[10]. (C'est par crainte de voir les juges d'instruction professionnels négliger d'envoyer de nombreuses affaires devant les tribunaux que les juristes de la France libre décidèrent de confier cette responsabilité aux commissaires du Gouvernement nouvellement crées, souvent choisis hors de la hiérarchie établie[11].) « La Cour de Justice n'est pas une cour d'assises ordinaire qui doit examiner non seulement l'acte lui-même, mais se pencher sur l'individu — avertit un de ces commissaires, Raymond Lindon, dans son réquisitoire contre un officier de la tristement célèbre Légion des Volontaires Français contre le bolchevisme. Ici, rien de tel : cette cour est un véritable conseil de guerre en veston qui doit rechercher si l'accusé a trahi et se montrer alors impitoyable[12]. »

Il est désormais possible de consulter un remarquable ensemble de documents qui laissent deviner la précarité de l'autorité gaulliste sur les régions libérées les plus éloignées de la capitale. Ce sont les rapports du représentant du ministère de la Justice attaché aux forces de débarquement alliées sur le littoral méditerranéen. Il débarqua à Saint-Tropez le 29 août 1944 et, de là, se rendit à Marseille où devait s'établir la Mission de liaison administrative du Gouvernement provisoire avec les Forces armées. Dans le rapport qu'il adressa de Marseille à François de Menthon, il signala l'inexistence des tribunaux militaires, dont le personnel aurait dû arriver en ville avec l'armée de libération. En leurs lieu et place, des tribunaux populaires jugeaient les collaborateurs, les condamnaient à mort et procédaient directement à leur exécution. « Je suis intervenu pour que les FFI se contentent de détenir les individus dont il s'agit, assurant que les tribunaux militaires d'abord, les Cours de Justice ensuite, prendront très rapidement en main les poursuites selon la procédure régulière. »

À Cannes, le 2 septembre, les membres de cette Mission de justice découvrirent un tribunal populaire présidé par un juge de paix. Ils l'invitèrent à limiter son rôle à celui de juge d'instruction, en attendant la mise en place d'authentiques tribunaux. Deux jours plus tard, la Mission tomba sur une affaire fort délicate à Marseille même, où certains éléments des FFI avaient suggéré la création d'un tribunal du peuple habilité à condamner et exécuter les collaborateurs séance tenante. Pierre Tissier, conseiller d'État, qui remplaçait provisoirement le commissaire de la République Raymond Aubrac, persuada les FFI de renoncer à cette idée, contre la promesse d'instituer sur-le-champ une Cour de Justice. Cette mesure était, cependant, trop précipitée au goût du délégué de la Justice qui déclara que Paris souhaitait d'abord l'intervention momentanée des tribunaux militaires « pour permettre aux cours de justice de se constituer dans une atmosphère moins confuse et sans une hâte réellement excessive… » ; mais l'envoyé de François de Menthon ne put obtenir gain de cause. On lui répondit que d' « impérieuses » raisons politiques rendaient indispensable l'adoption immédiate de cette version marseillaise des Cours de Justice[13].

Raymond Aubrac, licencié en droit, ancien élève de Harvard University et du Massachusetts Institute of Technology, avait tout juste 30 ans, mais c'était un des héros légendaires de la clandestinité que l'on était parvenu à évacuer de France occupée par avion pour aller prêter main-forte à Alger au commissaire à l'Intérieur, Emmanuel d'Astier ; il avait également été, jusqu'à sa nomination au poste de commissaire de la République pour la région de Marseille, membre de l'Assemblée consultative siégeant à Alger[14]. À la différence de la plupart de ses collègues, il n'avait été nullement préparé à son nouveau rôle. Tout comme François Coulet en Normandie, il était arrivé dans son fief avec les forces de débarquement alliées, armé pour tout bagage d'une collection des numéros du *Journal Officiel* publiés à Alger par la France libre et du dernier conseil du général de Gaulle : « Méfiez-vous des Américains ! » — en d'autres termes : prenez très vite la situation en main, autrement les Américains chargeront leur gouvernement militaire de le faire à votre place ! Son autorité s'étendait sur les six départements de la région de Marseille : Bouches-du-Rhône, Var, Alpes-Maritimes, Vaucluse, Basses-Alpes et Hautes-Alpes.

Tel que l'envisageait Aubrac, son devoir de commissaire de la République était de « refaire le chemin de Louis XI à Louis XVI en quelques semaines ». Il avait pour assistants un conseiller d'État, Pierre Tissier, un sous-préfet, Paul Escande (qui allait devenir préfet des Alpes-Maritimes) et un commissaire de police. Il se rendait parfaitement compte que l'épuration serait l'une de ses tâches les plus ardues et il put très vite constater que les prisons de Marseille étaient bourrées à craquer. Il y avait des exécutions sommaires, on trouvait tous les matins des cadavres en pleine rue et les forces de police étaient tout sauf efficaces. Les points chauds étaient bien entendu les grandes agglomérations : Marseille, Toulon et Nice, car c'est là que les habitants avaient le plus souffert et continueraient de souffrir, avec le dur hiver qui s'annonçait et de dramatiques problèmes de ravitaillement compliqués par des communications défaillantes (entre autres, un pont détruit sur le Var).

Aubrac et ses hommes convinrent qu'il n'y avait qu'un seul moyen de couper court à la justice sommaire : mettre immédiatement sur pied un système de justice officielle. Le commissaire savait les méridionaux particulièrement sensibles aux formes de la légalité ; c'était un legs du vieux droit romain. Il n'avait aucun moyen de communiquer avec Alger et les instructions qu'il y avait reçues ne lui étaient d'aucune utilité pratique. (Contrairement à ce qu'on a laissé entendre, les commissaires de la République n'avaient reçu aucune instruction « définitive » ; tout était encore à l'état de brouillon. Aubrac était bien placé pour le savoir, puisqu'il fut peut-être le dernier commissaire à quitter le siège du gouvernement de la France libre ; il y avait travaillé en étroite collaboration avec Emmanuel d'Astier et avait eu connaissance des versions successives de chaque instruction.) L'ampleur que prit sa mission au fil des semaines est révélée par une remarque que lui fit de Gaulle à Paris, le 11 septembre, lorsque le jeune commissaire exprima sa crainte de ne pas parvenir à maintenir l'ordre dans sa région : « Vous m'affligez, Aubrac, vous représentez l'État. Vous vous devez de remplir votre mission[15]. »

Dès son arrivée à Marseille, Aubrac avait créé un service juridique dans lequel il avait enrôlé des magistrats de la cour d'appel régionale d'Aix-en-Provence. Le 5 septembre, son arrêté nº 46 institua une Cour de Justice, avec des sections à Aix et Arles et deux sections à Marseille ; les jurés seraient désignés par des magistrats et des représentants des Comités départementaux de Libération. L'arrêté limitait la période d'instruction à 8 jours, suspendait le pourvoi en cassation et accordait au commissaire de la République le droit de grâce[16]. Un second arrêté autorisa les procès non précédés d'instruction, suspendit tous les moyens dilatoires tolérés par l'ordonnance d'Alger et mentionna l'intervention de défenseurs commis d'office[17].

À l'évidence, une Cour de Justice se livrant à une application tatillonne de la loi n'était pas du tout ce à quoi aspiraient les éléments les plus militants de la Résistance. Lors d'une entrevue orageuse avec André Rosambert, professeur de droit d'Aix-en-Provence à qui Aubrac avait confié la responsabilité de l'épuration à Marseille, le Comité départemental de Libération — dont tous les membres étaient armés — insista pour que les collaborateurs fussent jugés par un tribunal révolutionnaire[18]. (Il s'agissait de ce tribunal du peuple mentionné par la mission de justice dans son rapport à Paris.) Lorsque la Cour de Justice l'eut enfin emporté sur ce tribunal indésirable, elle se révéla au moins aussi répressive qu'un tribunal de la Résistance. La première fois qu'Aubrac commua une peine de mort prononcée par la Cour de Justice de Marseille, son procureur lui envoya une lettre de démission que le commissaire s'empressa de déchirer. Il devait estimer par la suite qu'il avait gracié la moitié environ des condamnés à mort, et qu'il en aurait gracié davantage s'il n'avait redouté la réaction de ses administrés. Comme tous les autres commissaires, il considérait le droit de grâce comme la plus écrasante de toutes ses responsabilités [19].

Quelques semaines à peine après son entrée en fonctions, un autre événement allait rendre encore plus aiguë sa conscience du redoutable pouvoir qu'il détenait. Il eut lieu à Pertuis, petite localité du Vaucluse, à une vingtaine de kilomètres au nord d'Aix, qui comptait à l'époque quelque 5 500 habitants. Une mystérieuse explosion dans un château des environs, qui servait de caserne aux FFI, avait fait parmi les jeunes volontaires de la Résistance 30 morts et 40 blessés. La population de Pertuis y riposta en s'emparant de 37 otages, pris dans les rangs de ceux que l'on soupçonnait de collaboration, dont la plupart étaient des notables du cru. Pertuis annonça son intention d'exécuter ces otages durant le service funèbre des jeunes martyrs de la Résistance. Aubrac se trouvait alors à Paris pour une réunion des commissaires régionaux de la République, et ce fut là qu'il apprit la nouvelle ; il reçut l'ordre de partir aussitôt dénouer la crise. Ayant mis sur pied un groupe spécial d'intervention composé de membres des FFI et de policiers loyaux au nouveau régime, il fila sur Pertuis, posta son escorte dans les environs de la ville et se rendit tout seul jusqu'à l'hôtel de ville, qu'il n'atteignit qu'après avoir franchi un barrage surveillé par des femmes armées de mitraillettes. Les otages étaient détenus dans la cave de la mairie. Aubrac ouvrit avec les rebelles des négociations qui se prolongèrent toute la nuit, les conjurant d'épargner les otages. Il proposa pour finir de leur laisser juger un chef départemental de la Milice, qu'il promit de ne pas gracier s'il était condamné à mort. Ayant griffonné un arrêté proclamant l'état de siège, il téléphona au procureur d'Avignon pour lui demander d'amener au plus vite le chef de la Milice incarcéré dans cette ville. À Pertuis, on mit en place en toute hâte un tribunal provisoire par lequel l'accusé fut jugé et condamné, la sentence étant exécutée sur-le-champ. Plus tard, lorsque François de Menthon vint spéciale-ment de Paris pour faire la lumière sur cette affaire, Aubrac s'entendit déclarer : « Tu n'as pas pu faire autre chose [20]. »

Le jeune commissaire tria plus de fierté d'une autre de ses initiatives. Le 6 novembre, il ordonna à toutes les autorités civiles et militaires ayant opéré des arrestations de publier dans les huit jours une liste des personnes détenues ; ces listes devaient être placardées devant les préfectures et les mairies, aussi bien la mairie de la commune où l'arrestation avait eu lieu que celle de l'endroit où le suspect était incarcéré. Les plaintes — signées — contre les personnes figurant sur les listes devaient parvenir aux autorités dans les 15 jours, et le plaignant pouvait tomber sous le coup de la loi pour dénonciation calomnieuse. Passé ce délai, les autorités avaient quatre jours pour élargir le détenu. La même procédure était applicable aux personnes détenues en vertu des arrêtés sur l'internement administratif [21].

Les Cours de Justice de la région marseillaise furent peut-être les premières à siéger en France libérée, mais cela n'empêcha pas le commissaire de la République pour la région de Montpellier, Jacques Bounin, d'adopter leurs raccourcis de procédure pour les cours qu'il mit en place à Montpellier et Nîmes, après que le commandant des FFI pour cette région eut averti l'émissaire du ministre de la Justice que les cours martiales seraient prorogées jusqu'au jour où les Cours de Justice seraient prêtes à siéger.

À Toulouse et à Agen, il y eut des cours martiales et des exécutions sommaires. Ni l'ordonnance sur le rétablissement de la légalité républicaine, ni celle instituant les Cours de Justice n'y furent publiées pendant un certain temps. À Riom, il n'existait pas même d'exemplaire de l'ordonnance sur les Cours de Justice.

Dans toute cette région, le grand problème restait celui qui s'était posé dès la Libération : les officiers qui auraient dû accompagner les troupes alliées dans le midi de la France pour créer des tribunaux militaires n'étaient pas arrivés et il fallait donc pourvoir au sort des collaborateurs en attendant que la machine judiciaire, avec ses ravages relativement pesants, fut assemblée. « Quoi qu'il en soit, conclut l'envoyé du ministère de la Justice après avoir parcouru le Midi libéré, j'estime que pour donner satisfaction légitime à l'opinion publique, les cours martiales sont indispensables (...). Les patriotes qui avaient lutté et souffert ont vu châtier les traîtres. Il le fallait. Il n'est pas inutile de préciser que dans l'immense majorité des cas, les condamnations prononcées par les cours martiales s'appliquent à des faits avoués et patents et concernent surtout des Miliciens. » Des vétérans des FTP avaient d'ailleurs été jusqu'à supplier le délégué : « Et surtout, ne soyez pas impartiaux avec les collaborateurs [22]. »

Le département du Gard fut libéré les 24 et 25 août, dates

auxquelles la Résistance s'empara des principales villes. À Nîmes, une cour martiale jugea neuf miliciens à huis clos, sans leur fournir de défenseurs légaux ; les condamnés furent fusillés sur la place des Arènes où l'on abandonna leurs dépouilles. Très vite, une cour martiale plus orthodoxe fut mise en place, avec à sa tête le chef départemental des FFI ; elle se conforma aux procédures du Code de justice militaire. Cette cour ne prononça pas systématiquement des arrêts de mort, et elle acquitta même quelques accusés. Lorsque l'ordonnance du 26 juin 1944 sur les Cours de Justice fut promulguée dans le Gard, le procureur général de Nîmes demanda à Jacques Bounin d'en instituer une au plus tôt ; un arrêté parut le 19 septembre. Compte tenu des difficultés qu'il y avait à recruter des jurés, la liste de tirage au sort fut réduite à 50 noms.

Cependant, l'hostilité locale envers cette Cour de Justice, plus cérémoniale et surtout plus lente, n'était pas encore vaincue ; dans certains cas, ceux qui détenaient les dossiers de suspects refusaient de les remettre au ministère public ; certains prisonniers furent même enlevés dans leurs cellules et exécutés. Finalement, sur intervention du préfet du Gard et du président du Comité départemental de Libération, les opposants consentirent à laisser fonctionner la Cour de Justice, à condition que les anciens combattants de la Résistance furent inscrits sur la liste des jurés. La Résistance souhaitait aussi qu'un avoué qui avait rempli le rôle de procureur lors des récentes cours martiales fût nommé commissaire du Gouvernement. Bounin accepta afin d'éviter des incidents graves. De ce fait, dès le 5 octobre, la Cour de Justice de Nîmes était prête à tenir sa première audience. Une sous-section, établie à la sous-préfecture d'Alès, à 44 km de là, ouvrit ses portes le 10 octobre[23].

D'après une autre source, lorsqu'il devint évident qu'une Cour de Justice allait vraiment commencer à fonctionner, la cour martiale siégeant à Alès prononça 18 condamnations à mort dans la même journée, lesquelles furent toutes promptement exécutées. Les autorités locales s'inquiétaient à l'idée que l'on irait enlever les inculpés jusque dans les prisons si la Cour de Justice ne se montrait pas capable de régler rapidement le sort des collaborateurs ; certains peut-être n'arriveraient même pas jusqu'à la prison[24]. Au début de décembre 1944, en dix audiences, la Cour de Justice de Nîmes avait jugé 102 personnes et condamné 82 d'entre elles ; sur les 19 condamnés à mort, 6 avaient été exécutés. À Alès, en sept audiences, 51 personnes avaient été jugées et 46 condamnées ; sur les 9 condamnés à mort, 2 avaient été exécutés[25].

Voyons à présent de quelle façon l'inspecteur général désigné par François de Menthon aborda les régions où nous avons signalé ces divers points chauds et les personnalités d'exception qui en étaient responsables. Lorsque Maurice Rolland passa voir Yves Farge à Lyon à la mi-septembre pour lui demander de procéder à la mise en place d'une Cour de Justice, le commissaire de la République lui garantit qu'elle pourrait commencer à fonctionner dans les huit jours, le 1er octobre au plus tard. Néanmoins, Farge et le professeur Pierre Garraud demandèrent que la cour martiale fût autorisée à fonctionner jusque-là, afin d'apaiser l'opinion ; ils ajoutèrent que de Gaulle lui-même les avait encouragés dans cette voie lors de sa visite à Lyon. Farge aurait même souhaité que Charles Maurras fût jugé par la cour martiale, mais, dans ce cas précis, Rolland lui recommanda la plus grande prudence. Il avait le sentiment que le commissaire avait nommé des gens qui n'étaient pas à la hauteur de leur tâche, et il conseilla vivement au ministère de la Justice d'envoyer à la cour de Lyon les ordonnances sur le rétablissement de la légalité républicaine[26].

Rolland descendit ensuite à Marseille où la Cour de Justice d'Aubrac, ultra-simplifiée, travaillait à plein ; il ratifia l'argument du commissaire selon lequel « la suspension momentanée du pourvoi en cassation » était indispensable, compte tenu des difficultés de communications. Rolland, cependant, s'éleva contre la suppression du recours en grâce. « Mais, en raison des difficultés de communications, rapporta-t-il au Garde des Sceaux, j'ai proposé à M. Aubrac de déléguer le cas échéant ce droit aux préfets s'il y avait urgence[27]. »

L'inspecteur ne gagna Limoges qu'à la fin d'octobre. Il brossa au ministre qui l'attendait place Vendôme le tableau d'une région où d'un côté la Résistance restait active et où, de l'autre, la population était disposée au retour au calme et à la paix. Prise entre les deux, l'administration n'avait pas les moyens d'imposer sa volonté et se trouvait donc dans l'obligation de négocier. Rolland était néanmoins impressionné par l' « assez forte union sur le terrain moral » ; en effet, le préfet communiste, Jean Chaintron, parlait avec le plus grand respect de l'archevêque : « Il serait à souhaiter, notait-il, que cette union morale puisse se traduire sur le terrain pratique. »

Dans Limoges libérée, après une période au cours de laquelle une cour martiale avait rendu la justice, un tribunal militaire avait été mis en place. Ce dernier avait commencé par prononcer plusieurs condamnations à mort, mais il avait ensuite fait preuve d'une plus grande modération. Le ministère public venait tout juste de transférer tous ses dossiers à la Cour de Justice. Les trois départements qui tombaient sous la juridiction de la cour d'appel de Limoges, la Haute-Vienne, la Corrèze et la Creuse, avaient institué des Cours de Justice dès le début novembre, date à laquelle celle de Limoges siégeait déjà. Rolland mit la main à la pâte pour résoudre certains problèmes matériels : par exemple, où trouver des locaux pour le greffe de la Cour, ou comment obtenir la démobilisation des juges nécessaires. Il établit une liaison entre la préfecture, la Cour de Justice, le Comité départemental de Libération et la police, et insista auprès des magistrats sur la nécessité d'accomplir leur travail au plus vite [28].

En janvier 1945 encore, Charles Zambeaux, directeur de cabinet de François de Menthon, accompagna des inspecteurs de la magistrature en visite à Bordeaux. Ils s'arrêtèrent en chemin à Angoulême où on leur apprit que la Cour de Justice des Charentes n'avait pu commencer à fonctionner, pour la bonne raison que le tribunal militaire refusait de fermer ses portes. Zambeaux contacta le préfet et, avec l'aide de la gendarmerie, expulsa purement et simplement les officiers FFI pour installer la Cour à leur place [29].

Les Cours de Justice ne donnèrent satisfaction à personne. Pour les légalistes chatouilleux, le mode de sélection des jurés était scandaleux puisque ces derniers devaient être recommandés par les mouvements de Résistance, si bien qu'il s'agissait évidemment de résistants ayant parfois personnellement souffert aux mains des collaborateurs qu'ils étaient chargés de juger [30]. À cette objection, Pierre-Henri Teitgen, qui remplaça François de Menthon au ministère de la Justice, répondit que, de toute façon, la collaboration « ne laissait indifférent aucun d'entre nous (...) La passion que quelquefois les jurés ont apportée est certes regrettable, mais il serait injuste de dire qu'elle est incompréhensible [31] ».

D'aucuns estimaient que certaines des sentences rendues par les Cours de Justice étaient d'une sévérité injustifiée ; on critiqua vivement, par exemple, la peine d'indignité nationale infligée par les Chambres civiques à des gens dont le seul tort était parfois d'avoir adhéré à une organisation vichyste, alors que chacun savait pertinemment que les véritables profiteurs — les collaborateurs économiques — étaient bien rarement punis.

Pour les communistes, qui soulevèrent la question au sein de la Commission de la justice et de l'épuration de l'Assemblée consultative provisoire — parlement temporaire qui assura l'intérim du législatif entre la Libération et les premières élections —, l'insuffisance de l'épuration donnait lieu à « des scandales qui dépassent l'imagination. » Et même pour certains socialistes comme Édouard Depreux, non seulement la justice faisait traîner les choses, mais elle n'était pas même capable de châtier les principaux coupables. Le débat en question eut lieu au début de décembre 1944, et François de Menthon dut alors se retrancher derrière les difficultés rencontrées pour mettre en branle les Cours de Justice[33].

Elles devaient en effet juger une nouvelle espèce de crime à laquelle les magistrats n'étaient absolument pas préparés par leur expérience passée. Quant au nombre d'affaires à juger — plus de 300 000 avaient été déférées aux Cours de Justice et aux Chambres Civiques —, il était sans précédent. À elles seules, les cours de Justice devaient juger, au cours de leur existence, 57 000 affaires de collaboration, et la pénurie chronique de personnel compétent ne faisait rien pour arranger les choses. En fin de compte, il allait être impossible de réunir des preuves contre un grand nombre d'individus arrêtés, inculpés et envoyés devant les tribunaux[34].

On accusa aussi les Cours de Justice de n'avoir pas su protéger les droits de la défense. On assura que la presse locale et les populations de province avaient exercé des pressions intolérables sur les audiences. Teitgen devait répondre à ces accusations en faisant remarquer que l'on avait régulièrement pris la décision de renvoyer certaines affaires devant d'autres cours lorsqu'on craignait pour la sécurité des accusés. Quant au droit de faire appel, il n'avait jamais existé en cour d'assises où un nouveau procès n'était possible qu'en cas de vice de procédure[35].

Il ne fallut que quelques semaines d'activité pour s'apercevoir que les règlements qui avaient justement permis d'instituer les Cours de Justice les ralentissaient au-delà de ce qu'on pouvait imaginer. Et de façon dangereuse, car la procédure d'appel était fort pesante et créait des embouteillages au sommet, tandis qu'en province où les citoyens impatients exigeaient que justice fût faite, le commissaire de la République amendait tout bonnement l'ordonnance pour parer aux besoins immédiats. Une nouvelle ordonnance était donc nécessaire.

Vers la fin de novembre 1944, François de Menthon, qui était encore Garde des Sceaux, convoqua à l'Hôtel Matignon, siège du Gouvernement provisoire, son chef de cabinet, Charles Zambeaux, lequel était en train de travailler à la révision de l'ordonnance afin de tenir compte des difficultés soulevées par ses premières applications. On lui fit savoir qu'en raison de l'agitation qui persistait dans le midi de la France, il devait mener sa tâche à bien sans plus attendre, et notamment accélérer la procédure d'appel. La première ordonnance, amendée le 14 septembre, prévoyait un appel *via* la cour de cassation ; il faudrait désormais aiguiller l'affaire vers une section spéciale de chaque cour d'appel régionale, et fixer une date limite extrêmement stricte pour chaque étape de la procédure. L'appel ne serait possible qu'en cas de violation caractérisée des droits de la défense, mais il pouvait en revanche concerner le fond de l'affaire aussi bien que la procédure, rendant ainsi superflu un nouveau procès[36]. Zambeaux resta à Matignon jusqu'à une heure avancée, occupé à rédiger, avec l'aide du juriste René Cassin, la nouvelle ordonnance ; dès qu'ils en eurent terminé, de Menthon s'en alla réveiller Jules Jeanneney (qui assurait l'intérim en l'absence du général de Gaulle, en voyage en Union soviétique) pour lui faire signer le texte. L'ordonnance fut imprimée durant la nuit et à l'aube, des exemplaires acheminés en toute hâte à l'aérodrome militaire de Villacoublay s'envolaient aussitôt vers les « points chauds » du Midi[37].

À quelques rares exceptions près, les grands procès eurent lieu à Paris. D'abord parce que c'était là que beaucoup d'importants collaborateurs avaient sévi. Si Vichy était resté le siège du gouvernement, peut-être les procès y auraient-ils eu lieu, mais le courant principal de la vie publique était désormais remonté à Paris. Charles Maurras fut jugé à Lyon — dans son cas, Yves Farge eut gain de cause —, mais presque toutes les hautes personnalités de l'occupation furent déférées aux tribunaux parisiens, indépendamment du lieu où elles avaient perpétré les actes qui les amenaient devant leurs juges. Çà et là, en province, un tortionnaire notoire, un agent de la Gestapo, un chef de la Milice passèrent en jugement devant la Cour de Justice départementale, mais ce fut Paris qui rafla toutes les célébrités.

Les personnes accusées de collaboration et arrêtées durant les premières semaines de la Libération suivirent la filière que nous avons déjà décrite : du commissariat de quartier ou de tel autre poste de police au Dépôt, dans l'Île de la Cité ; de là peut-être au Vélodrome d'hiver ; puis, dans tous les cas, l'internement à Drancy et, enfin, une véritable prison, Fresnes. S'ils étaient arrêtés en province, les fonctionnaires ou les propagandistes de Vichy étaient assez vites transférés vers la Région parisienne.

Du fait que tant d'hommes et de femmes habitués à s'exprimer, et à bien s'exprimer (écrivains, journalistes, vedettes de la scène et de l'écran, hauts fonctionnaires) y séjournèrent momentanément en attendant leur procès, il existe sur Fresnes une littérature fournie. La prison a même été décrite de façon nettement plus détaillée que les prétoires, les collaborateurs y ayant passé beaucoup plus de temps. Notons d'ailleurs que certains des plus éminents pensionnaires de Fresnes ne passèrent jamais en jugement, leur affaire ayant été classée avant d'en arriver là.

Durant l'occupation, cet établissement, bâti pour servir de prison départementale à 7 km à peine au sud de Paris, avait acquis une sinistre réputation en raison des mauvais traitements que les forces d'occupation allemandes et leurs acolytes français infligeaient aux prisonniers. Il allait accueillir à présent une fraction considérable de l'élite sociale et politique du défunt régime pétainiste. « Nous ne sommes certes pas plus persécutés que les communistes ou les Juifs hier : nous avons pris leur place », notait sans ironie un détenu arrêté pour collaboration. Et d'ajouter : « Mais aussi les fifis [les gardiens, membres des FFI] tiennent bien celle des gestapaches[38]. »

On a cet autre tableau de Fresnes tracé par un de ses locataires d'après la guerre :

> « Cinq mille détenus, dont quelques centaines de femmes, sont entassés, quelquefois cinq par cinq (...) : provision de chair humaine que la haine prévoyante compte dépenser par petites doses pour rassasier l'opinion publique soigneusement ameutée.
>
> Atmosphère de massacre, d'injustice, de délation. Cloaque de misère et d'infamie[39]. »

Le président du Conseil municipal de Paris, Pierre Taittinger, dont nous avons déjà suivi l'itinéraire du Dépôt à Drancy, via le Vél' d'hiv', fut transféré à Fresnes en panier à salade, dans un minuscule compartiment prévu pour une personne mais où on les avait entassés à deux. Après la fouille habituelle, il reçut la gamelle et les couverts réservés aux détenus et se vit attribuer une cellule qu'il partageait avec deux autres prisonniers[40]. « Fresnes est bien construit, s'est rappelé un autre prisonnier. Elle comporte de vraies fenêtres. On pourrait la prendre pour un hôtel. On m'avait seulement donné par erreur, au lieu d'une chambre, une grotte aux murs ruisselants[41]. »

La prison de Fresnes consiste en trois grands bâtiments de quatre étages chacun, reliés entre eux par un corridor central. À l'intérieur de chaque bâtiment, que l'on appelle « division », quatre étages de cellules ouvrent sur une cour intérieure. Chaque cellule est conçue pour recevoir un seul détenu ; à la Libération, elles durent en héberger deux ou plus — dans le souvenir d'un prisonnier, certaines en contenaient jusqu'à quatre[42].

Ce fut surtout cette arrivée à Fresnes, dans le désordre qui régnait aux premiers jours de la Libération, qui semble avoir causé un véritable traumatisme. Plus tard, à mesure que les passions s'apaisaient et qu'un personnel compétent redevenait disponible, la routine n'allait plus y être très différente de celle de n'importe quelle prison départementale. Fresnes hébergeait en majeure partie des gens qui attendaient d'être jugés, des prévenus. Ils durent parfois attendre fort longtemps que quelqu'un eût le temps de s'occuper d'instruire leur affaire et que les tribunaux eussent de la place sur leur rôle. Après leur procès, les collaborateurs condamnés étaient transférés dans une centrale telle que Poissy, Clairvaux ou Fontevrault — ou bien, pour les détentions ordinaires, dans un camp ou un centre de détention insulaire.

Une des illustres détenues de Fresnes, même si elle n'y resta pas bien longtemps, fut la comédienne Mary Marquet. Elle fut arrêtée très tôt après la Libération et eut donc droit au traitement le plus rigoureux, que ne venait atténuer nulle pitié. Elle s'est rappelé qu'on l'avait logée dans une cellule de quatre mètres sur trois : « Au mur, un lit de fer est scellé par un anneau ; une paillasse est étalée sous la fenêtre. » Celle-ci était large, mais il lui manquait plusieurs carreaux et les « tampons en papier » ne parvenaient pas à empêcher le froid d'entrer. Elle devait balayer elle-même la pièce ; l'ordinaire consistait en un liquide tiède honoré du nom de Viandox, servi dans une gamelle rouillée[43].

Un détenu a décrit le menu quotidien dans le quartier des hommes : « Matin, jus de mauvais Viandox, simple rince-bouche, et demi-boule de pain pour la journée. Midi, une louche de soupe claire... Le soir, autre louche de soupe claire[44]... « Il faut avoir assisté à l'infirmerie à l'horrible défilé des malades décharnés, toussant, pour se rendre compte à quel point le ravitaillement était insuffisant », s'est remémoré Marcel Peyrouton, ancien ministre de l'Intérieur sous Pétain. Après avoir rendu hommage aux secours fournis par les quakers, la Croix Rouge et les associations philanthropiques américaines, il trace de la vie carcérale un tableau très sombre ; il se rappelle notamment avoir vu « dans une cellule, conçue pour un habitant, trois, quatre misérables allongés sur leur grabat, nus ou à peu près, sous une couverture en papier buvard, sans chauffage, par cinq, six degrés au-dessous de zéro en hiver, et qui recevaient pour toute pitance du pain souvent glaireux et une soupe aux inévitables choux, aux inéluctables pommes de terre[45]... »

Pourtant, une autre vie semblait réservée à l'élite de Fresnes. (Un détenu établit un distinguo entre « les économiques, les escrocs, les assassins, les militaires, les militants, les doctrinaires, les aventuriers, les techniciens, les ministres et les fourvoyés[46] ».) Lorsque Pierre Taittinger arriva à Fresnes, il retrouva dans son voisinage immédiat ses collègues de l'Hôtel de Ville et de la

Chambre des députés ; il reconnut l'industriel Louis Renault, Sacha Guitry, Tino Rossi ; les écrivains et journalistes André Thérive, Robert Brasillach et Paul Chack ; les ministres de Vichy Marcel Peyrouton, Pierre-Étienne Flandin, Jean Berthelot, Georges Ripert ; l'aide de camp de Pétain, le général Henri Bineau ; l'amiral Esteva et le général Dentz, et enfin l'ex-commissaire aux Questions juives, Xavier Vallat[47].

On a vu que la liste des éminentes personnalités incarcérées à Fresnes rappela à l'une d'elles, l'écrivain Henri Béraud, le « carnet mondain » du quotidien bourgeois par excellence, Le Figaro[48]. Cette élite de Fresnes ne pouvait manquer d'attirer l'attention des gens de l'extérieur mal disposés à son égard, et très vite les communistes multiplièrent les allusions à « Fresnes-Palace » et protestèrent contre le « traitement douillet » réservé aux célébrités vichystes[49]. De fait, à côté de certains autres lieux de détention, Fresnes n'était pas ce qu'il y avait de pire.

L'actrice Corinne Luchaire, fille d'un journaliste qui s'était fait l'apôtre de la collaboration, elle-même accusée d'accointances avec les Allemands, en garda une impression plutôt favorable ; Fresnes était bien mieux que la prison de Nice où son père et elle avaient été quelque temps incarcérés. Elle y avait une cellule pour elle toute seule, occupée précédemment par Mme Fernand de Brinon, épouse du délégué de Vichy à Paris, lequel allait être condamné et exécuté, et elle se découvrit pour voisine Mme Pierre Laval. Elle se retrouva assez vite à l'infirmerie des femmes, « séparée par un très joli jardin de l'infirmerie des hommes[50] ».

Un autre présumé collaborateur qui avait été arrêté et d'abord incarcéré à Bourg-en-Bresse, décida que Fresnes était « presque une promotion[51] ».

Un détenu anonyme nous propose d'autres instantanés pris à l'intérieur de « Fresnes-Palace » : « Le soir venu, après la distribution des colis à laquelle ils s'étaient affairés toute la journée, de quoi parlaient le marquis Melchior de Polignac, Amédée Bussière et Pierre Taittinger, dans la cellule de l'infirmerie qu'ils partageaient avec Xavier Vallat ? De Paris, où chacun avait joué un rôle. Melchior de Polignac, étendu sur son lit, la bouche prisonnière de sa barbe, aimable et courtois, écoutait distraitement ses compagnons en rêvant aux salons parisiens dont il fut si longtemps l'animateur ... Voici donc Amédée Bussière, l'ancien préfet de police, serrant la ceinture de sa robe de chambre, ajustant ses lunettes d'écaille qui le font ressembler à un homme d'affaires... »

Notre observateur tombe sur un groupe d'académiciens qui font leur promenade ; parmi eux, le nonagénaire Abel Hermant, le

savant Georges Claude. Il rencontre le caricaturiste Ralph Sou-
pault, l'acteur Robert Le Vigan, le médecin de Pétain, Bernard
Ménétrel, et d'autres membres de l'entourage du Maréchal[52].
Xavier Vallat s'est rappelé d'autres détenus côtoyés à l'infirmerie :
Henri Massis, de l'Action française, qui rédigeait les discours de
Pétain ; Pierre Benoit, de l'Académie française. Un grand nombre
de ces personnalités, quels que fussent leur âge ou leur état de
santé, durent attendre fort longtemps de passer enfin en jugement[53]. La colère qu'éprouvaient beaucoup de ces présumés
collaborateurs était exacerbée à chaque fois que l'un d'eux
bénéficiait d'un non-lieu, car cette libération, preuve d'innocence,
faisait paraître d'autant plus inique la période de détention
préventive.

Vinrent enfin les procès. À chaque fois qu'un collaborateur était
condamné à la peine capitale, on le mettait aux fers. Un prisonnier
de Fresnes qui fit office d'infirmier dans le quartier des condamnés
à mort devait relever une inscription dans une de ces cellules :

« Lucien Rebatet, condamné à mort le 23 novembre 1946, gracié
le 12 avril 1947 après 141 jours de chaînes...
Au successeur éventuel : Courage, confiance[54]. »

Rebatet lui-même a fait la description de sa cellule de condamné
à mort, au rez-de-chaussée du bâtiment connu sous le nom de
« première division ». Il était bel et bien enchaîné par les chevilles
à un gros anneau central. Il avait auparavant passé treize mois dans
une des cellules ordinaires de Fresnes : « couchette de fer avec une
paillasse, planchette scellée au mur pour écrire, escabeau dans un
coin, cabinet à chasse d'eau (...), haute fenêtre qu'il est permis
d'ouvrir » ; de telles cellules, reconnaissait-il, pouvaient passer
pour « des chambrettes d'étudiants très pauvres ». Mais, brusquement, il se trouva précipité dans le quartier des condamnés à mort,
avec ses cachots qui avaient l'air « de caves fétides, rongées
d'humidité » ; le sien était éclairé nuit et jour par une ampoule nue.
Le guichet de la porte restait constamment ouvert pour permettre
une surveillance de tous les instants. Sa promenade quotidienne
s'effectuait en compagnie d'autres condamnés à mort, « dans ce
bruit de ferraille et de galoches que tous les Fresnois de la
1re division ont dans l'oreille pour la vie ». Ailleurs, il a noté : « Je
m'étais attendu à tout, sauf à cet enfer grotesque, dissimulé dans
les profondeurs de Fresnes, la prison civilisée des ministres, des
amiraux, des écrivains studieux, des " économiques " en fastueuse
robe de chambre. » Rebatet put néanmoins terminer le roman qu'il

avait commencé durant les longs mois où il attendait de passer en jugement[55].

Durant la détention de Robert Brasillach, la nouvelle de la contre-offensive allemande dans les Ardennes, en décembre 1944, vint remonter le moral des prisonniers de Fresnes : assurément, un retour des Allemands eût sonné pour eux l'heure de la Libération. Pendant quelque temps, nombreux furent les prisonniers qui vécurent ainsi d'espoir[56].

CHAPITRE II

Les procès parisiens

La Cour de Justice de la Seine ne fut peut-être pas la première à siéger, mais elle capta aussitôt tous les regards : comme nous l'avons déjà laissé entendre, c'est devant elle que comparurent les collaborateurs dont les activités avaient connu une portée nationale. Parmi les premiers accusés introduits dans ce prétoire, beaucoup étaient des journalistes dont la France entière connaissait les noms. Ils furent les premiers non seulement parce qu'ils symbolisaient cette collaboration qu'ils avaient ouvertement prônée dans leurs éditoriaux, mais aussi pour une raison plus prosaïque : c'est qu'il avait été on ne peut plus facile de réunir des preuves contre eux ; les articles qu'ils avaient publiés étaient autant d'actes d'accusation par lesquels ils se condamnaient eux-mêmes [1].

Au cours de ces procès d'hommes et de femmes qu'un éminent avocat de la défense devait appeler « les propagandistes de la collaboration », les jurés à qui on présentait les témoignages et preuves réunis contre le prévenu tenaient compte de sa notoriété — plus il était célèbre, plus il avait fait de mal —, de sa bonne foi — les germanophiles de la première heure, d'avant la guerre, étaient parfois moins sévèrement traités, car ils n'avaient pas agi par opportunisme — et de ce qu'il avait gagné en exerçant son métier de journaliste [2]. Par la suite, les adversaires de l'épuration soulignèrent le paradoxe qu'il y avait à punir des collaborateurs avec une telle rigueur pour de simples écrits [3] ; en un sens, pourtant, c'était un hommage rendu à leur influence : aux yeux des épurateurs, la propagande était une affaire très grave.

Il convient d'ajouter une précision concernant la Cour de Justice de Paris. Elle put être mise en branle sans la phase intermédiaire des cours martiales ou des tribunaux militaires provisoires : la capitale se trouvant placée d'emblée sous le regard vigilant du général de Gaulle et de ses ministres, aucune aberration n'y avait été possible.

Au début d'octobre, un bref entrefilet parut dans la presse sous le titre : « Pour la recherche des traîtres. » On y annonçait que la Cour de Justice avait ouvert un bureau au 11, *bis* rue Boissy d'Anglas, où l'on recevrait tous renseignements sur les actes de collaboration : « Le ministère de la Justice est certain que tous ceux qui possèdent des informations précises concernant les faits de collaboration se feront un devoir impérieux de faciliter la tâche de la Cour de justice pour permettre une répression aussi rapide que possible[4]. » Robert Vassart, qui avait été procureur à Troyes et avait participé aux activités clandestines du Front national judiciaire, avait été nommé commissaire du Gouvernement près de la Cour de Justice par Marcel Willard durant son bref intérim au ministère de la Justice avant l'arrivée de François de Menthon. Pour faire bonne mesure, Willard avait également nommé Vassart procureur de la République, car il pressentait que ses autres fonctions de commissaire du Gouvernement ne dureraient pas très longtemps[5].

La première affaire inscrite au rôle, jugée en l'espace d'une seule journée — le 23 octobre 1944 —, fut celle du « ministère public contre M. Georges Suarez ». Dépeint à la cour comme « homme de lettres et journaliste », Suarez — qui était à deux semaines de fêter son 54ᵉ anniversaire — avait été avant-guerre un historien bien connu, surtout remarqué pour ses biographies de Clemenceau et de Briand. Mais il avait aussi été membre du Parti Populaire Français de Jacques Doriot. Lors de son arrestation chez une « ancienne maîtresse » (pour reprendre ses propres termes), trois semaines avant son procès, il avait déclaré aux policiers qu'il se savait recherché, mais que, sur les conseils de son avocat, il avait préféré attendre avant de se constituer prisonnier, conscient que des « exactions » étaient « toujours possibles lors d'un changement de régime[6] ».

L'exposé des faits reprochés à Suarez précisait qu'il avait été directeur politique du quotidien *Aujourd'hui*, publié à Paris sous l'occupation, et prétendait qu'il devait ce poste à l'influence de l'ambassadeur du Reich Otto Abetz. L'avocat de Suarez, Max Boiteau, se leva pour protester contre cette allégation, avançant que la France avait signé un armistice avec l'Allemagne en juin 1940 et qu'il n'y avait donc jamais eu d' « ennemi » avec qui Suarez aurait pu être d'intelligence, ce qui était le principal chef d'accusation retenu contre lui conformément à l'article 75 du Code pénal. Les juges se retirèrent pour examiner cette objection ; à leur retour, ils déclarèrent que « l'armistice est une convention par laquelle deux puissances belligérantes conviennent seulement de la suspension et non de la cessation des hostilités ». On interrogea Suarez sur sa carrière, ce qui lui permit de nier qu'il avait été promu directeur politique d'*Aujourd'hui* grâce à la protection d'Abetz. Le ministère public pouvait présenter son réquisitoire :

> « M. le Président (...), la Cour de Justice aborde avec vous, aujourd'hui, la série — longue hélas ! trop longue ! — des écrivains et des journalistes qui sont accusés d'avoir pactisé avec l'ennemi et d'avoir aidé à la propagande de doctrines qui n'avaient d'autre but que l'asservissement de la France. »

Le dossier consistait en 103 articles rédigés par le prévenu : « Je les ai lus avec beaucoup de tristesse, infiniment de tristesse, assura le magistrat, parce que je pensais, en les lisant, qu'ils avaient été écrits par un Français, alors que tant d'autres Français luttaient, mouraient héroïquement... » Suarez l'interrompit : « La politique de Montoire a bien été faite par un Français ! » La Cour — poursuivant son dialogue avec l'accusé — procéda à la lecture des articles dans lesquels Suarez faisait l'apologie de la collaboration et l'éloge de la générosité d'Hitler. Après les débarquements alliés en Normandie, il avait écrit : « C'est l'Allemand qui défend notre sol. » Il avait loué l'habitude allemande de choisir les otages à fusiller parmi les Juifs et les communistes, et avait même suggéré que l'occupant prît comme otages, contre les bombardements britanniques et les « provocateurs gaullistes », des Juifs ou des citoyens américains et britanniques résidant en France. Il avait approuvé les dénonciations, la chasse aux résistants et leur exécution. Il avait signé, avec d'autres collaborateurs, une déclaration très dure accusant le gouvernement de Vichy de ne pas se montrer suffisamment proallemand [7].

Pour sa décharge, Suarez fit venir des témoins qui certifièrent qu'il était intervenu auprès des Allemands pour sauver des personnes arrêtées pour délit d'opinion. Le réquisitoire mit l'accent sur la tactique allemande consistant à se servir d'un gouvernement français collaborationniste et de propagandistes français. Quels que fussent les services rendus par Suarez à ceux qui étaient venus témoigner en sa faveur, « ces services ne sauraient atténuer la gravité des crimes dont il s'est rendu coupable ». L'avocat de la défense cita son client qui avait lui-même emprunté la formule à Talleyrand : « La trahison est une question de dates », et s'efforça de le dépeindre comme un

Français fourvoyé peut-être, mais bien intentionné, ayant derrière lui une solide carrière littéraire. Suarez, fit-il remarquer, avait suivi la politique de collaboration prônée par Pétain sans savoir où elle mènerait. N'était-il pas plutôt « une pitoyable victime » ? Le ministère public, ajouta-t-il, réclamait la peine de mort, peut-être parce que Suarez était le premier à passer en jugement et qu'il fallait un exemple. Pourtant, il n'avait commis aucun crime, tout au plus une erreur. Le jury n'en décida pas moins que le prévenu était coupable d'intelligence avec l'ennemi, ainsi que de « l'intention de favoriser les entreprises de toutes natures de l'Allemagne ». Suarez fut condamné à mort, à la confiscation de ses biens et à la dégradation pour cause d'indignité nationale [8]. Son appel fut rejeté et il fut exécuté au Fort de Montrouge le 9 novembre au matin [9].

L' « indignité nationale », qui devait accompagner tous les verdicts de la Cour de Justice, était une notion dont la paternité revenait aux juristes et organisateurs de la France libre, à Paris et à Alger. En soi, l'indignité était la sanction infligée par les Chambres civiques à ceux dont les délits étaient relativement mineurs, ceux qui ne passaient pas en jugement pour trahison mais qui avait été néanmoins tentés par la collaboration. La signification exacte de cette expression était définie par deux ordonnances promulguées les 26 août et 26 décembre 1944.

Les rédacteurs de l'ordonnance — le Garde des Sceaux, François de Menthon, et ses conseillers juridiques —, précisaient clairement, dans un long exposé des motifs, pourquoi une nouvelle sanction était nécessaire. La conduite criminelle des collaborateurs n'avait pas toujours pris la forme d'actes spécifiques couverts par le Code pénal. Cependant, « tout Français qui, même sans enfreindre une règle pénale existante, s'est rendu coupable d'une activité antinationale caractérisée, s'est déclassé ; il est un citoyen indigne dont les droits doivent être restreints dans la mesure où il a méconnu ses devoirs ». Ceux qui avaient fourni une aide directe ou indirecte à l'ennemi et porté « atteinte à l'unité de la nation, ou à la liberté et à l'égalité des Français », étaient « coupables du crime d'indignité nationale ». Entre autres actes qui constituaient ce nouveau crime : avoir appartenu au gouvernement de Vichy, avoir occupé un poste à responsabilités dans un service de propagande vichyste ou au commissariat aux Questions juives, avoir été membre d'un mouvement collaborationniste tel que la Milice. L'indignité nationale valait privation du droit de vote et de celui d'occuper une charge officielle, exclusion des rangs de la fonction publique, de l'armée, des ordres des avocats et des notaires, de l'enseignement, des activités syndicales, de la presse ou de tout autre moyen de communication, et même interdiction de diriger une entreprise privée ou de participer à sa direction[10]. Les amendements de décembre 1944 stipulèrent que l'indignité nationale pouvait être prononcée soit par la Haute Cour (qui devait juger Pétain et ses ministres), soit par les Cours de Justice, soit par des tribunaux spéciaux portant le nom de Chambres civiques que ce document est d'ailleurs le premier à mentionner officiellement. Il était également précisé que l'indignité nationale — le crime — était puni par la dégradation nationale, châtiment qui englobait toutes les sanctions exposées dans la première ordonnance[11].

Cette innovation fut très controversée. Le bâtonnier Jacques Charpentier, à la fois résistant et épris de tradition, exprima l'inquiétude que lui inspirait l'idée d'un crime sans preuve d'intention délictueuse[12]. Un autre avocat, Me Maurice Garçon, devait cependant la justifier dans un éditorial du *Figaro* : « Nombreux sont les exemples qu'on pourrait trouver de compromissions entre Français et ennemis, qui, pour échapper à la répression des lois existantes, n'en méritent pas moins qu'on inflige une flétrissure à leurs auteurs. » Il avait relevé des précédents dans les droits grec et romain, et même dans la vieille notion française de dégradation civique ; il déplorait néanmoins que les nouveaux tribunaux fussent aussi habilités à confisquer les biens des individus frappés d'indignité[13].

Dans son quotidien *Combat,* l'un des guides moraux de la génération d'après la Libération, Albert Camus se prononça au nom de la Résistance : « ... Il est juste qu'un homme qui n'a pas su prendre le souci de son pays soit exclu des débats qui décident de l'avenir de ce pays. Il n'est pas moins juste que ses biens, soit qu'ils résultent de la trahison, soit qu'ils l'aggravent dans la mesure où ils auraient dû s'accompagner d'un sens proportionnel du devoir, reviennent à la nation qui a été lésée[14]. »

Une semaine après le procès de Georges Suarez, Stéphane Lauzanne, journaliste septuagénaire, se retrouva dans le même prétoire pour y répondre des éditoriaux proallemands qu'il avait signés dans un autre quotidien de l'occupation, *Le Matin*. Il fit valoir pour sa défense qu'il n'avait jamais été directement payé par les Allemands, qu'il n'avait eu aucune intelligence avec l'ennemi et ne pouvait par conséquent être coupable de trahison. Dans sa déclaration finale, Lauzanne exprima le regret que lui inspiraient ses erreurs, tout en soutenant qu'elles lui avaient été dictées par « un sentiment passionnément français ». Il fut jugé coupable, condamné à vingt ans de réclusion, à la confiscation de ses biens et à la dégradation nationale[15].

Il fallut attendre ensuite la fin décembre pour retrouver au banc des accusés un écrivain de renom : Henri Béraud, alors âgé de 59 ans, passa en jugement pour les éditoriaux qu'il avait publiés dans l'hebdomadaire *Gringoire*. Tous les aspects de cette affaire contribuaient à en faire la plus sensationnelle du moment : la célébrité du prévenu, romancier fort coté de l'entre-deux-guerres (ancien Prix Goncourt), journaliste et polémiste ; une conviction assez largement répandue que ses articles parus avant-guerre dans *Gringoire*, où il harcelait le ministre socialiste Roger Salengro, avaient contribué au suicide de ce dernier ; Béraud était également à l'origine de la légende selon laquelle Léon Blum s'appelait en réalité Karfunkelstein [16]. Il faut enfin noter la ferveur avec laquelle les amis de l'accusé prirent alors sa défense.

À l'occasion de ce procès, on vit apparaître un nouveau commissaire du Gouvernement, Raymond Lindon, l'homme pour qui la Cour de Justice était « un conseil de guerre en veston ». Membre du barreau de Paris avant la guerre, Lindon avait proposés ses services au procureur général André Boissarie, en quête d'avocats de talent qui ne fussent ni compromis par la collaboration, ni déjà au service du gouvernement. En désignant Lindon, Boissarie lui précisa que l'affaire Béraud était inscrite au rôle et que le commissaire adjoint du Gouvernement, qui aurait dû s'en charger, avait refusé de requérir la peine de mort en raison de ses convictions protestantes. Lindon, qui se rappelait les articles incendiaires de l'accusé dans la presse collaborationniste, assura qu'il n'aurait aucun scrupule à réclamer le châtiment suprême. (En Cour de Justice, les affaires étaient jugées conformément à l'article 75 du Code pénal, qui entraînait automatiquement la peine capitale en l'absence de circonstances atténuantes [17].)

Dans ses propres souvenirs, Béraud a décrit son arrestation le 24 août 1944 — veille de la libération totale de la capitale — par une escouade de résistants dont faisait partie un costaud qui « sort tout fumant d'un documentaire sur l'Espagne rouge ». Lorsque l'écrivain demanda à voir un mandat, cet homme rétorqua, en tapotant la crosse de son revolver : « Le mandat, le v'là. » Béraud fut conduit dans une prison provisoire, l'hôtel particulier du couturier Lucien Lelong, au coin de l'avenue de Wagram et de la rue Alphonse de Neuville, grouillant de « maquisards (...) tous en chemise et en blouson, calot sur l'œil, brassards tricolores (...). Partout des groupes hérissés de baïonnettes... ». On lui octroya néanmoins un salon particulier, des cigares et des rafraîchissements pour sa première nuit de détention. On lui permit même de rentrer chez lui le lendemain, mais le 2 septembre il fut de nouveau arrêté cette fois-là définitivement, enfermé dans un sous-sol de l'Hôtel de Ville, puis dans une école de la rue de Jouy et enfin à Fresnes [18].

Devant la Cour de Justice, le 29 décembre, Béraud fut accusé d'avoir régulièrement écrit dans *Gringoire*, de 1940 à 1943, et d'y avoir attaqué la démocratie, les Juifs, les francs-maçons, la Grande-Bretagne, l'Armée rouge, jetant même le doute sur la victoire soviétique. Lors du premier interrogatoire du prévenu, le ministère public s'empêtra dans une série d'erreurs factuelles concernant sa carrière — les noms des journaux où il avait travaillé, ses prix littéraires et jusqu'aux titres de ses ouvrages [19]. (Lorsqu'il avait accepté de reprendre l'affaire à la place du commissaire adjoint, Lindon n'avait eu que trois jours pour préparer l'accusation [20].) Béraud, prétendit-on, avait vécu dans le luxe et avait eu besoin de beaucoup d'argent pour maintenir son train de vie.

Pour sa défense, l'écrivain évoqua Pétain : « Qu'était le maréchal Pétain en novembre 1940 ? Il était investi officiellement et constitutionnellement des pouvoirs de chef de l'État. Tous les fonctionnaires français, depuis le Conseil d'État jusqu'aux plus humbles secrétaires de mairie, lui avaient prêté serment. Les villes se disputaient l'honneur de donner son nom à leurs plus belles avenues. Il n'avait qu'à paraître dans les rues pour être acclamé. Les archevêques le recevaient solennellement dans leurs cathédrales. Le maréchal Pétain était indiscuté... »

Le ministère public lut au jury quelques-un des éditoriaux de Béraud : « Il faut être antisémite, avec des nuances, avec d'honorables exceptions, mais il faut l'être (...) parce que le salut de la France est à ce prix », avait-il écrit. La Grande-Bretagne était pour lui « ce faux allié » ; de Gaulle, un nom « que vomira l'Histoire ». Dans son réquisitoire, Lindon déclara :

> « Pendant que la France gémissait sous la croix gammée d'Hitler et sous la francisque de Pétain, lui divisait le pays (...). N'oubliez pas, messieurs, dans quel moment vous allez délibérer. Les péripéties de la bataille ont rapproché la ligne des combats. Déjà, comme dit Mauriac dans un récent article, déjà de hideuses espérances soulèvent le masque ; déjà il y a des gens qui se reprennent à prendre courage parce que momentanément l'Allemand a repris l'avantage. »

(Lindon faisait allusion à la contre-offensive allemande, apparemment réussie, dans les Ardennes où des parachutistes ennemis avaient été lâchés loin derrière les lignes, en direction de Paris.)

« Songez au mal que Béraud a fait et au mal qu'il pourrait faire encore[21]. »

« Séance pénible et même douloureuse entre toutes, put-on lire dans le compte rendu du *Figaro*, où l'accusation tirait ses arguments les plus forts du talent même de l'accusé, du retentissement de ses campagnes (...). Procès où le principe même de la responsabilté de l'écrivain prenait une valeur tragique. » *Le Figaro* évoquait la déposition de l'amiral Émile Muselier, qui avait pris Saint-Pierre-et-Miquelon pour le compte de la France libre. « Vous avez sali ma famille et moi-même, avait lancé le témoin à Béraud, vous avez insulté mes marins (...). C'est dans notre sang que nous avons lavé la honte de votre trahison. » L'un des avocats de la défense, Me Albert Naud, demanda si l'amiral s'exprimait comme aurait dû le faire un témoin, c'est-à-dire sans haine. « Je parle au nom (...) de tous ceux qui ont souffert de la propagande de Béraud et des autres, répliqua Muselier, et j'adjure la Cour de se montrer d'une sévérité exemplaire[22]. »

Sévère, la sentence le fut : l'accusé était condamné à être fusillé, à la confiscation de ses biens et à la dégradation nationale (il était en outre radié de l'ordre de la Légion d'honneur). « Sentence que le public accueille d'un murmure désapprobateur, car il se souvient du jugement de Stéphane Lauzanne : 20 ans seulement de travaux forcés, et, tout récemment, de celui de [Georges] Albertini, secrétaire général du RNP : 5 ans de la même peine[23]. » « Le verdict de mort tombe dans une atmosphère de stupeur, nota un autre spectateur. Tous les correspondants de presse sont ahuris, même les plus durs, telle Madeleine Jacob[24]. »

En première page du *Figaro*, François Mauriac, armé du poids moral de ses sympathies envers la Résistance, mais chez qui se dessinait déjà le redoutable critique des rigueurs de l'épuration, s'exprima avec une brutale franchise :

« Qu'il soit puni pour cette erreur d'aiguillage, qu'il paie cher, et très cher, c'est dans l'ordre, c'est dans la logique de ces jours terribles où nous savons que chaque geste compte (...). Mais qu'on déshonore et qu'on exécute comme traître un écrivain français qui n'a pas trahi, qu'on le dénonce comme ami des Allemands, alors que jamais il n'y eut entre eux le moindre contact, et qu'il les haïssait ouvertement, c'est une injustice contre laquelle aucune puissance au monde ne me défendra de protester[25].

Béraud devait dire plus tard que l'article de Mauriac lui avait sauvé la vie.

Dans son journal intime, le journaliste Jean Galtier-Boissière a exprimé une pensée fort semblable :

> « Me dire que ce vieil homme aux cheveux blancs qui a écrit au moins un chef-d'œuvre, *La Gerbe d'Or,* qui s'est trompé, certes, qui s'est renié même, qui a failli, mais qui n'a pas trahi son pays, sera peut-être réveillé demain au petit jour, et partira menottes aux mains, vers le peloton d'exécution, comme un assassin ou comme un traître, cette idée me fait mal au cœur[27]... »

Il était manifestement bien difficile d'imposer l'idée que des mots pouvaient trahir.

Son pourvoi ayant été rejeté, Béraud fut transféré au quartier des condamnés à mort et mis aux fers[28], mais de Gaulle commua sa peine en travaux forcés à perpétuité. Deux ans plus tard, elle fut réduite à 20 ans, puis, en décembre 1949, à 10 ans, alors qu'il se trouvait au bagne de Saint-Martin-de-Ré. Cette réduction de peine lui permettait d'espérer la liberté conditionnelle[29].

Bien entendu, dès qu'il est question de journalistes et de collaboration, le procès qui a laissé le plus vif souvenir, celui que l'on évoque tout naturellement dès qu'il s'agit de cette période, est celui de Robert Brasillach. Le 19 janvier 1945, cet homme qui n'avait pas tout à fait 36 ans fut dépeint à la Cour, dans l'exposé des faits, comme un « essayiste et critique littéraire d'une grande autorité », et l'énorme retentissement que connut son procès s'explique en partie par tout ce que promettait l'écrivain (promesses qui, dans une large mesure, ne s'étaient guère concrétisées, même si sa réputation littéraire se trouva ensuite magnifiée par son martyre). L'affaire Brasillach contribua en outre à lancer un talentueux jeune avocat, Jacques Isorni, qui devait ensuite participer à la défense de Philippe Pétain.

Brasillach était accusé d'avoir servi la propagande allemande après avoir été libéré d'un camp de prisonniers de guerre. Il l'avait servie par ses écrits, ses voyages en Allemagne, ses contacts avec des organisations allemandes, y compris la librairie qui fonctionna à Paris au service du Reich tout au long de l'occupation sous le nom de « Rive Gauche ». Dans ses éditoriaux, il avait préconisé l'envoi en Allemagne de travailleurs français ; il avait attaqué les Juifs, dénigré les Alliés, fait l'éloge des soldats français qui se battaient aux côtés des Allemands et réclamé le châtiment de Charles de Gaulle et des résistants[30]. Mᵉ Isorni commença par déposer des conclusions, arguant que le gouvernement Pétain avait été légitime et que son client s'était borné à suivre sa ligne politique ; il souhaitait donc que l'affaire Brasillach fût reportée jusqu'à ce que Pétain et ses ministres fussent passés en jugement. Le commissaire du Gouvernement, Marcel Reboul, répondit que le procès de l'écrivain, conformément à l'article 75 du Code pénal, était strictment indépendant de toute autre affaire et la Cour se rangea à ce point de vue. Au cours de l'interrogatoire qui suivit, Brasillach expliqua qu'il avait démissionné du journal collaborationniste *Je Suis Partout* en juillet 1943, parce qu'il n'était pas d'accord avec ses « ultras », partisans d'un soutien inconditionnel à l'Allemagne ; il était pour sa part en faveur de la collaboration plus modérée de Vichy [31].

« Quand on entre, on se sent vraiment taureau sortant du toril », devait confier Brasillach, dans une lettre écrite le lendemain de son procès à son beau-frère Maurice Bardèche, détenu lui aussi, en lui décrivant le prétoire. « C'est grand, avec ces lambris de chêne, et en face de soi la presse jacassante sur des estrades, des jeunes gens en canadienne, la Madeleine Jacob [elle couvrait à l'époque les procès d'épuration pour le quotidien de la résistance, *Franc-Tireur*], laide à faire peur, maigre et noire, l'œil intelligent, les dessinateurs (...) Et, au fond, sur les côtés, partout, les " debout ", les amis, les frères, les inconnus, pas mal d'étudiants et d'étudiantes. Ceux que la presse appelle " la cinquième colonne ". Ceux qui ont crié à la fin " Assassins " et " À mort, les jurés " (...) [32]. »

Comme dans tous les procès français, avant, pendant et après l'épuration, l'interrogatoire fut en fait une conversation, une occasion pour l'accusé de dialoguer avec son accusateur. Brasillach en profita pour comparer ses rapports avec les Allemands à ceux d'écrivains célèbres tels que Georges Duhamel et Jean Giraudoux, ou de l'éditeur Gaston Gallimard [33]. « Je me précipite toujours dans l'interstice d'une phrase pour parler tant que je peux, expliqua-t-il dans sa lettre à son beau-frère. C'est ce qui a dû dégoûter le pauvre président qui a tout d'un coup boudé l'interrogatoire. » L'écrivain reconnut cependant que le magistrat s'était montré « assez impartial [34] ».

Dans son réquisitoire, Reboul dépeignit l'accusé comme « fasciste (...) avec passion », « anti-républicain avec frénésie » ; il mit l'accent sur son soutien à la cause allemande, sur ses appels au châtiment des dirigeants de la Troisième République : ne voulait-il pas qu'on fusillât les députés communistes et les hommes qu'il estimait responsables de la guerre, notamment Georges Mandel et Paul Reynaud ? Le commissaire du Gouvernement cita les propres termes de Brasillach : « Ce que nous voulons, ce n'est pas la collaboration, c'est l'alliance[35]. » On disait aussi que Brasillach avait applaudi à l'invasion de la zone Sud par les forces d'occupation en novembre 1942, parce qu'elle allait protéger la France des Anglo-Américains. En guise de conclusion, Reboul attira l'attention sur une affaire jugée peu auparavant, au cours de laquelle un milicien de 20 ans avait échappé à la peine capitale parce que son avocat avait demandé au jury : « Que ferez-vous lorsque les responsables intellectuels de son crime seront là ? » Eh bien, Brasillach était un de ces responsables[36]. Reboul « m'a beaucoup ennuyé », confia Brasillach à Bardèche. « Plein de mauvaise foi et d'ignorance (...) Les jurés sont en bois. On ne peut *rien* lire sur leur physionomie[37]. »

Le défenseur de l'accusé insista sur la valeur littéraire de son client, citant Mauriac qui voyait en lui « l'un des esprits les plus brillants de sa génération ». Mauriac ajoutait, dans une lettre confiée à la défense, que l'exécution de Brasillach serait « une perte pour les lettres françaises ». « La Révolution française se grandit-elle au souvenir d'André Chénier ? » demandait-il, invoquant les mânes du poète guillotiné pour avoir protesté contre la Terreur. Isorni déclara que les accusations portées contre son client étaient bien légères et qu'il s'agissait en fait d'un « procès d'opinion » ; puis il chercha à démontrer la relativité de la notion de trahison. La collaboration de Brasillach avait pour but de préserver les intérêts français, ce qui expliquait qu'elle eût été si intense. L'avocat fit remarquer que le procureur lui-même avait été collaborateur, pour sauver ce qu'il y avait à sauver[38]. (Brasillach trouva sa plaidoirie « très belle, mais je crois que c'était fait d'avance[39] ».) L'accusé fut jugé coupable d'intelligence avec l'ennemi et condamné à mort. Un membre de l'assistance ayant protesté : « C'est une honte ! », on entendit Brasillach répondre : « C'est un honneur[40] ! »

Il fut mis aux fers, affublé d'un pantalon sans ceinture « qui se découd sur les côtés » (afin qu'il pût le retirer sans quitter ses chaînes). Le lendemain, il eut l'occasion de lire la presse. Pas trop méchante, décida-t-il. « La Jacob elle-même n'est pas déchaînée (...) *Combat,* qui fait le compte rendu le plus fidèle, signé d'un Juif, [Alexandre] Astruc, déclare que " pour la première fois une impression de dignité s'est établie dans la salle autour d'un accusé ". » Brasillach écrivit à Bardèche qu'il ne se faisait pas d'illusions ; il ne pensait pas que l'on se bousculerait pour voler à sa défense. « Il n'y a que ce pauvre Mauriac, qui finit par être démonétisé à force de faire le " Saint François des Assises ", et puis il ne se remuera peut-être pas trop pour moi, il n'a guère de raisons de le faire[41]. »

Il se trompait sur le compte de Mauriac qui, du haut de son forum à la une du *Figaro,* était en passe de devenir le plus éminent adversaire d'une épuration par trop rigoureuse : Mauriac se remua énormément. Avec son confrère Thierry Maulnier, il fit campagne parmi les gens de lettres et les artistes, ce qui déboucha sur une pétition adressée à de Gaulle, réclamant la commutation de la peine de mort. Parmi les signatures figuraient celles de Paul Valéry, Paul Claudel, Jacques Copeau, Jean Schlumberger, Jean-Louis Barrault, Jean Cocteau, Colette. Certains des signataires allaient eux-mêmes connaître quelques ennuis avant la fin de l'épuration. Y figuraient aussi, cependant, des personnalités bien connues pour leurs activités de résistants : Camus, Jean Paulhan. En gage de reconnaissance pour tous les efforts déployés par Mauriac en sa faveur, Brasillach demanda que tout ce qu'il avait écrit contre lui fût supprimé des futures éditions de son œuvre[42].

Albert Camus avait beaucoup hésité avant de signer cette pétition de soutien à Brasillach, et il avait pris soin de préciser qu'il le faisait à titre personnel, non en tant que rédacteur en chef de *Combat;* il méprisait l'écrivain et l'homme qui avait encouragé les sévices infligés à ses amis et qui, pour sa part, n'avait jamais réclamé pareille clémence en faveur des écrivains de la Résistance ; s'il s'opposait à son exécution, c'était uniquement parce qu'il était contre la peine de mort[43]. Bien que Jean-Paul Sartre n'eût pas signé, on connaît à peu près la position des sartriens dans cette affaire. Simone de Beauvoir assista au procès Brasillach et fut impressionnée par la dignité avec laquelle il faisait face à ses accusateurs. « Nous désirions la mort du rédacteur de *Je Suis Partout,* devait-elle se rappeler l'année suivante, non celle de cet homme tout appliqué à bien mourir (...) Plus le procès revêt l'aspect d'un cérémonial, plus il semble scandaleux qu'il puisse aboutir à une véritable effusion de sang[44]. »

Aujourd'hui, on en sait plus long sur la campagne des écrivains en faveur d'une des brebis galeuses de leur troupeau. Grâce aux mémoires sans fard de Claude Mauriac, on sait non seulement combien François Mauriac prenait toute cette affaire à cœur, mais aussi à quel point son fils était d'accord avec lui — alors même qu'il était le secrétaire personnel du général de Gaulle, dont le droit régalien lui permettait de décider si Brasillach allait vivre ou mourir. « Décapiter une tête pensante, cette idée est insoutenable », déclara François à son fils, et, le soir même, Claude rédigea une pétition où figuraient ces mots : « Il est terrible de faire tomber une tête pensante, même si elle pense mal. » Il rencontra Thierry Maulnier « dans un endroit (...) discret » afin de lui remettre le document, et Maulnier le fit parvenir à Isorni. Dans *Le Figaro*, Mauriac père évoqua l'affaire, utilisant la phrase qui avait inspiré son fils et rajoutant la contribution de ce dernier : « Même si elle pense mal. »

En attendant, Isorni préparait une pétition plus brève pour ceux qui n'auraient pas eu envie de cosigner celle de Claude Mauriac ; à l'Académie française, François Mauriac utilisa la version longue pour convaincre ses confrères de signer la plus courte. Quant à Claude, s'il chercha à influencer de Gaulle en insistant sur le nombre de lettres réclamant la grâce du condamné, il ne lui révéla pas, non plus d'ailleurs qu'à son officier d'ordonnance, que c'était lui-même qui avait rédigé la pétition.

Le 3 février, Mauriac père rendit visite au général qui n'avait pas encore arrêté sa décision ; il n'avait toujours pas lu le dossier. Plus tard, deux bonnes années après, de Gaulle devait confier à Claude Mauriac qu'il avait laissé Brasillach marcher au peloton d'exécution justement parce qu'il était si important : « À grand honneur, grande peine[45]. »

Brasillach fut fusillé au Fort de Montrouge le 6 février 1945. Ses défenseurs devaient ensuite prétendre que le jury, de même que de Gaulle lorsqu'il avait examiné le dossier, avait pris à tort une photographie de Jacques Doriot en uniforme de SS pour un cliché de Brasillach — qui se trouvait en fait à côté de Doriot, mais en civil[46]. Il n'y a cependant pas la moindre preuve que de Gaulle ait été influencé par un tel document, ni qu'il ait confondu deux hommes photographiés ensemble ; ses remarques ultérieures à Claude Mauriac et à d'autres — notamment à Pierre de Boisdeffre — indiquent qu'aux yeux du chef du gouvernement, le châtiment exemplaire de ceux qui symbolisaient la collaboration était une mesure prioritaire pour le bien de la nation. Il déclara en effet à de Boisdeffre : « La justice n'exigeait peut-être pas sa mort, mais le salut de l'État l'exigeait[47]. » L'avocat de Brasillach, Me Isorni, a depuis lors reconnu que de Gaulle ne s'était nullement mépris en regardant une quelconque photographie. Il laissa mourir Brasillach uniquement pour bien montrer sa volonté d'épurer à fond le pays[48].

De Gaulle n'eut en revanche aucune violence à se faire pour laisser Paul Chack terminer sa vie devant un peloton d'exécution. Cet ancien officier de marine et historien bien connu avait mis sa réputation au service de l'ennemi dans le cadre de meetings publics et d'éditoriaux en première page. Jugé par la Cour de Justice le 18 décembre 1945, il fut condamné à mort. Le secrétaire du général de Gaulle eut l'impression que celui-ci fut notamment influencé par un ordre donné aux membres d'un Comité d'action antibolchevique leur enjoignant de s'enrôler dans la Milice : il était signé du capitaine de corvette Paul Chack[49]. Paul Ferdonnet, qui avait travaillé à Berlin pendant la guerre et était accusé d'avoir rédigé des textes de propagande pour la radio allemande, fut jugé en juillet 1945 et fusillé au mois d'août[50]. En septembre, Jean Hérold (qui se faisait appeler Hérold-Paquis), l'un des principaux commentateurs de Radio-Paris sous l'occupation, qui avait suivi les Allemands dans leur retraite pour diffuser des messages de propagande depuis le sol ennemi, fut condamné à mort et exécuté. Dans son réquisitoire, le procureur général André Boissarie insista sur le fait que Hérold-Paquis avait commis plus qu' « un délit d'opinion », car il avait été complice de crimes de guerre ; il « a été, avec frénésie, [le] porte-voix de l'ennemi[51] ».

Jean Luchaire avait été le vivant symbole de la collaboration de la presse en sa qualité d'éditeur d'un quotidien du Paris occupé, *Nouveaux Temps*, et de président du groupement corporatif de la presse, ce qui faisait de lui le mentor de tous les journalistes collaborationnistes. En tant qu'ami de l'ambassadeur d'Allemagne Otto Abetz, il avait été l'une des personnalités les plus en vue et les plus influentes de l'occupation. C'est Raymond Lindon qui requit contre lui au nom du ministère public en janvier 1946. Il commença son réquisitoire en ces termes :

> « Chez ceux qui ont trahi par la plume, la trahison a été souvent inspirée par le fascisme ; chez Luchaire, elle fut inspirée par la vénalité et la pourriture. Il y a un peu plus d'un an, à cette même place, je requérais contre Béraud, et j'étais animé alors par une colère de Français et d'homme libre qui fut bâillonné pendant quatre ans et qui, pendant quatre ans, vit sa patrie déshonorée. C'est le même sentiment qui m'anime aujourd'hui : mais il s'y ajoute le dégoût. »

Car Luchaire avait été « successivement ou tout à la fois un traître, un vendu et un ennemi ». René Floriot, qui défendait l'accusé, tenta de tracer le portrait d'un homme de gauche s'inquiétant du sort de la classe ouvrière, favorable avant la guerre et sous l'occupation à « la réconciliation ». L'argument tomba à plat. Le jury estima Luchaire coupable d'intelligence avec l'ennemi, de « démoralisation de la Nation ayant pour objet de nuire à la défense nationale ». Verdict : la mort, la confiscation, la dégradation nationale[52].

Il y eut encore un autre procès à sensation contre les faiseurs d'opinion. En novembre 1946, les collaborateurs de Brasillach à *Je Suis Partout*, Pierre-Antoine Cousteau, Claude Jeantet et Lucien Rebatet, comparurent devant la Cour de Justice de Paris. Le cinquième membre du groupe, Alain Laubreaux, était en fuite. (Il fut par la suite condamné à mort par contumace ; on le retrouva en Espagne, mais les Espagnols, l'estimant coupable d'un délit politique, refusèrent de l'extrader.) Le procès de *Je Suis Partout* fut dominé par la personnalité de l'enfant terrible qu'était Rebatet, auteur d'un livre qui avait choqué jusqu'aux dirigeants de Vichy, *Les Décombres* (il y déclarait préférer l'occupation allemande au régime de Vichy, parce que ce dernier n'était pas suffisamment antisémite et antidémocratique à son goût). Les témoignages apportés au cours des débats allaient au-delà des questions d'opinion : un témoin déposa par exemple qu'un article de Rebatet dans *Je Suis Partout*, s'intitulant « Marseille la Juive », avait réclamé l'arrestation dudit témoin, lequel avait effectivement été arrêté en même temps que 43 autres personnes, dont certaines avaient disparu en déportation. Le dossier comportait aussi une lettre de Rebatet au ministère de l'Éducation à Vichy, dénonçant un directeur d'école comme gaulliste et judéophile et avertissant que si cet homme n'était pas renvoyé, Brasillach et Rebatet l'attaqueraient publiquement dans leur journal. Rebatet et Cousteau furent condamnés à mort, à la confiscation, à la dégradation nationale ; Jeantet aux travaux forcés à perpétuité, à la confiscation, à la dégradation nationale [53].

Encore une fois, des voix s'élevèrent en faveur de Rebatet sur le seul critère de son talent, dont il se trouvait pourtant avoir fourni la preuve la plus éclatante dans un ouvrage notoirement pronazi. Lorsque l'épouse de Rebatet alla solliciter l'aide du rédacteur en chef iconoclaste du *Crapouillot*, Jean Galtier-Boissière, pour obtenir la grâce de son mari, le journaliste remarqua que la plupart des signataires de la pétition en faveur de Rebatet étaient eux-mêmes compromis dans des histoires de collaboration et il se chargea d'obtenir un autre genre de soutien ; il gagna à sa cause Georges Bernanos, deux propagandistes de la France libre, Pierre Bourdan et Jean Oberlé, et enfin Henri Jeanson (qui avait été arrêté après avoir été dénoncé dans le journal de Rebatet). Pierre Bourdan écrivit à de Gaulle :

> « Sans trouver aucune excuse à la conduite criminelle de L. Rebatet, je considère pourtant, avec beaucoup de Français, que la justice en use avec une partialité flagrante dans son traitement des faits de collaboration. Écrivains et journalistes qui ont accepté,

par leur signature, la responsabilité de leurs actes, sont frappés avec toute la rigueur de la loi. En revanche, une remarquable clémence, et parfois l'immunité complète s'appliquent à toutes les autres formes de collaboration quand même ces dernières ont été les plus graves, les plus viles ou les plus efficaces : avocats qui dénoncèrent des Français aux coups de l'ennemi et qui plaident devant la Cour, généraux et amiraux responsables de la mort de centaines de soldats français et alliés, industriels qui renforcèrent la machine de guerre allemande et qui purgent confortablement une peine vénielle ; enfin et surtout, directeurs de journaux qui inspiraient la collaboration dans la presse et la finançaient, mais sans mettre au bas de leurs colonnes un nom cependant connu de tous [54]. »

Camus, qui avait réclamé la grâce de Brasillach, ne pouvait faire moins pour Rebatet [55]. Dans ses mémoires, le principal protagoniste de l'affaire a précisé que parmi ceux qui avaient signé la pétition en sa faveur figuraient le général de Lattre de Tassigny, qu'il avait férocement attaqué en 1942 (l'année où de Lattre avait été arrêté par Vichy pour avoir refusé de garder un commandement après que les Allemands eurent envahi la zone libre), ainsi que le cardinal Saliège, Colette, Mauriac, Paulhan et Paul Claudel. Il attribuait cependant son salut — « hélas ! » — à l'exécution de Brasillach [56]. De fait, en avril 1947, les peines de mort de Rebatet et Cousteau furent commuées en travaux forcés à perpétuité par le président de la République, le socialiste Vincent Auriol.

CHAPITRE III

La justice et la charité

Après la légitime explosion de colère des premières heures de la Libération, le reflux ne se fit pas attendre. Trop de personnalités en vue étaient disposées à plaider la cause de l'indulgence pour que cette idée ne finisse par s'enraciner dans l'esprit du public ; la chose se comprend d'ailleurs aisément si l'on songe qu'une écrasante majorité de Français n'avaient joué aucun rôle sous l'occupation et ne s'étaient mêlés ni de collaborer, ni de résister.

La première vigoureuse contestation émana cependant d'un homme inattaquable, François Mauriac, l'un des très rares membres de l'Académie française à avoir réellement pris des risques durant l'occupation. Il avait appartenu au Comité national des écrivains, mouvement clandestin, et avait même écrit un livre imprimé clandestinement par les Éditions de Minuit. À la Libération, il bénéficia d'une tribune privilégiée en première page du *Figaro* que sa parution en zone libre jusqu'en novembre 1942 n'avait pas empêché de refaire surface dans les kiosques sous le gouvernement de la Libération. Dès le 8 septembre 1944, soit quinze jours après la libération de Paris, Mauriac mettait le pays en garde contre une justice boiteuse. Il recevait des lettres et des coups de téléphone le suppliant d'intervenir, expliquait-il à ses lecteurs du *Figaro*, car « plusieurs personnes arrêtées seraient victimes de méprises ». L'écrivain assurait qu'il n'avait nulle intention de plaider la cause des coupables, « mais de rappeler seulement que ces hommes, ces femmes sont des accusés, des prévenus, qu'aucun tribunal ne les a encore convaincus du délit ou du crime dont on les charge ». Il ne cherchait pas de prétexte, ne voulait nullement faire obstacle à une justice rigoureuse. Comment l'aurait-il pu, lui qui avait vu « les enfants juifs pressés comme de pauvres agneaux dans des wagons de marchandises [1] » ?

Le Figaro était une vénérable institution française. *Combat,* en revanche, était un nouveau quotidien parisien, réincarnation de la feuille clandestine distribuée sous l'occupation par un mouvement de Résistance du même nom et publiée par un groupe de journalistes rebelles dont le plus connu était Albert Camus. Dans un éditorial non signé à la « une » de *Combat,* Camus réclama une justice rapide et totale. « Disons d'abord que l'épuration est nécessaire. Cela n'est pas si évident qu'il y paraît. Quelques Français désireraient qu'on en restât là (...) » Il s'en prenait même à de Gaulle qui avait prôné l'indulgence pour ceux qui « se sont trompés ». Camus, quant à lui, estimait que dans certaines situations, l'erreur était possible, mais qu'en d'autres « elle n'est qu'un crime [2] ». Le lendemain, Mauriac appelait à la « concorde », à la « réconciliation nationale [3] ».

« Nous ne sommes pas d'accord avec M. François Mauriac » : dès le lendemain, la réponse non signée de Camus commençait par ces mots. Il convenait qu'une justice sommaire était inacceptable, mais le châtiment était néanmoins nécessaire, en dépit de toutes les appréhensions qu'on pouvait éprouver : « Notre conviction est qu'il y a des temps où il faut savoir parler contre soi-même et renoncer du même coup à la paix du cœur [4]. »

Le débat était lancé, débat que beaucoup de Français allaient suivre. Dans *Le Figaro* (daté du 22-23 octobre), Mauriac répondit à « l'éditorialiste de *Combat* » : « Et comme j'ai lieu de croire que l'auteur de l'article est un de mes cadets pour qui j'ai le plus d'admiration et de sympathie (...), me voilà dans un embarras... » Mauriac avait été touché au vif par la remarque de Camus sur « la paix du cœur ». Fallait-il donc avoir un cœur de pierre [5] ? Camus devait déclarer qu'il avait hésité à répondre, mais que des lettres de ses lecteurs l'avaient convaincu que le sujet préoccupait beaucoup de gens. À ses yeux, donc, il fallait « faire taire la miséricorde dont parle M. Mauriac lorsque la vérité de tous est en jeu ». Lui non plus n'aimait pas tuer, mais à présent qu'une première condamnation à mort avait été prononcée à Paris — contre Georges Suarez, le 23 octobre —, il se sentait tenu de prendre position. Peut-être un chrétien pouvait-il croire que la justice humaine est toujours suppléée par la justice divine, et que l'indulgence est donc préférable. Seulement, il y avait tous les non-chrétiens. « Nous avons choisi d'assumer la justice humaine avec ses terribles imperfections, soucieux seulement de la corriger par une honnêteté désespérément maintenue. » Il voulait que la France eût les mains pures, mais cela exigeait « une justice prompte et limitée dans le temps [6] ».

Nous savons, par ce qu'en a révélé son fils, à quel point Mauriac était affecté par les appels à l'aide qu'il recevait. « Mais comme l'envie me prend quelquefois de fermer les yeux (...) Le vertige me saisit à voir mon importance — celle qu'on me suppose[7]... » Quelques jours plus tard, il se prononça, en faveur de jeunes Miliciens, « des adolescents victimes de Darnand et de Henriot » ; n'était-il donc pas possible de les envoyer servir aux colonies, sous des officiers dignes de confiance ? « Nous ne sommes pas, dans tous les cas, contre la peine de mort, mais en ce qui concerne la jeunesse, nous sommes, dans tous les cas, contre la peine de désespoir[8]. » Il était vrai que les Français qui avaient livré leurs compatriotes aux Allemands méritaient d'être fusillés, que ceux qui avaient servi l'ennemi et s'étaient enrichis en le faisant méritaient d'être punis. « Il est vrai et très vrai que le sang des fusillés crie non pas vengeance, mais justice... » Il n'en déplorait pas moins les abus de l'épuration, par exemple la détention de personnes qui n'avaient été inculpées d'aucun crime ; mieux valait, ajoutait-il ironique, ne pas être innocent, car il n'existait aucun dossier contre les innocents, si bien qu'ils avaient le plus grand mal à obtenir leur mise en liberté provisoire[9]. Dans un éditorial ayant pour titre « La loterie », il protestait contre l'inégalité des sentences que rendaient les Cours de Justice, où « tout n'est que hasard et arbitraire[10] ». Suivit alors son plaidoyer en faveur d'Henri Béraud, dont nous avons parlé au chapitre précédent.

Albert Camus poursuivit la polémique tout en reconnaissant que les Cours de Justice faisaient alterner les « condamnations absurdes » et les « indulgences saugrenues » ; il avança que l'épuration aurait pu être menée de façon plus efficace avec un surcroît de législation[11]. « Quel dommage, répliqua Mauriac, que notre jeune maître, qui a des clartés sur tout, n'ait daigné nous en fournir aucune sur cette loi... » Et de s'en prendre à Camus pour oser émettre des jugements « de très haut, du haut, j'imagine, de son œuvre future » : cette attaque fut la plus vive qui devait résulter de cet échange d'opinions. Dans le même éditorial, Mauriac comparait l'épuration à la répression exercée sous l'occupation allemande, « dans la mesure où, nous aussi, nous avons perdu la charité[12] ». « M. Mauriac vient de publier sur le " mépris de la charité " un article que je ne trouve ni juste ni charitable », répliqua Camus dans un article signé, cette fois, qui s'achevait ainsi : « Nous refuserons jusqu'au dernier moment une charité divine qui frustrerait les hommes de leur justice[13]. »

Arrivé là, le débat allait s'élargir. Le Canard Enchaîné attaqua Mauriac, qu'il surnommait « Saint-François-des-Assises[14] », calembour qui, comme nous l'avons vu, parvint jusqu'à Brasillach au fond de sa prison. Résumant le duel Mauriac-Camus, Georges Izard, à la fois catholique et résistant, déclara : « Chacun de nous, si sa foi le lui ordonne, peut pardonner à son geôlier ou à son tortionnaire. Aucun d'entre nous ne peut absoudre les crimes commis contre la France [15]. »

Tout au long de cette première année de la Libération, Mauriac poursuivit sa croisade, plaidant en faveur de l'indulgence et de la réconciliation. Durant le procès Pétain, il devait souligner que le maréchal n'avait pas été le seul à choisir la voie où il s'était engagé (mais il ne contesta pourtant pas le verdict [16]). Camus, pour sa part, à l'occasion d'une conférence dans un couvent dominicain en 1948, concéda que « malgré quelques excès de langage venus de François Mauriac, je n'ai jamais cessé de méditer ce qu'il disait ». Et il avait à présent le sentiment que « M. François Mauriac avait raison contre moi [17] ».

Cependant, ces quotidiens de la Libération, sans cesse à court de papier, ne consacrèrent que bien peu de place à la critique de l'épuration. Mauriac lui-même s'était plaint que, « pour autant que nous ayons de journaux, il n'en existe qu'un seul, celui de la Résistance [18] ». Peu après la condamnation d'Henri Béraud, un sondage d'opinion révéla que 49 % des Français approuvaient la sentence, 30 % y étaient opposés et 21 % étaient sans opinion ; lorsque de Gaulle le gracia, 34 % se déclarèrent en faveur de ce geste et 42 % lui étaient hostiles. Quant à la condamnation à mort de Robert Brasillach, il s'avéra, durant la quinzaine précédant le rejet de son pourvoi et son exécution, que 52 % étaient satisfaits de la sentence, contre 18 % de mécontents [19].

Il ne s'agissait pas simplement d'un débat entre catholiques et non catholiques, comme le prouve l'attitude du groupe responsable de la publication *Esprit*, le mensuel d'Emmanuel Mounier. Dans l'article ouvrant le numéro de juin 1945, Roger Secrétain, rédacteur en chef de *La République du Centre*, plaidant la cause d'une révolution socialiste et réformiste paisible, inspirée par la Résistance, fit valoir que l'épuration n'avait pas été poussée assez loin. En raison des abus qu'elle avait entraînés, on avait répugné à poursuivre les véritables coupables. « Nous sommes alors déchirés par cette contradiction : supporter cette sans-culotterie sans grandeur, ou absoudre contre elle des coupables dont la vie — la survie — même de la France exige qu'ils soient châtiés. » Il reconnaissait volontiers que si l'on devait « épurer vraiment, profondément, complètement », un quart de la population française devrait passer en jugement. Moyennant quoi, l'esprit d'indul-

gence arrangeait bien les affaires de nombre de personnes réellement coupables. Il faisait allusion au « frisson de scrupules »
lorsque Brasillach et Chack « expient pour leur compte et pour
d'autres », le « soulagement féminin » après que Béraud eut été
gracié, tandis que Maurras, « par une entourloupette, échappe au
châtiment de quarante années d'excitation de la France contre la
République ». Il citait enfin la mise en garde de Charles Péguy :
« Les régimes qui ne commencent pas par massacrer les mauvais
bergers finissent toujours par massacrer le troupeau même[20]. »

Un peu plus tard, un numéro complet d'*Esprit* allait être
consacré au problème de la justice ; un bref éditorial rappelait la
pique de Mauriac contre « ces maniaques de la pureté » dont *Esprit*
avouait faire partie. Jean-Marie Domenach, alors secrétaire de
rédaction de la revue, justifiait l'épuration : même si elle avait été
rapide et n'avait pas su tenir compte des divers degrés de
responsabilité, elle avait satisfait au besoin d'apaiser une population qui attendait sa vengeance depuis quatre ans, une foule prête à
aller prendre les prisons d'assaut. Domenach estimait que les lois
réglementant les procès avaient été insuffisantes : comment régler
le compte d'un Maurras qui n'avait pas collaboré directement avec
les Allemands mais dont le crime était de nature politique ?
L'affaire s'était soldée, de ce fait, par une demi-mesure : non pas la
mort, mais la détention à perpétuité. On avait vu un préfet
condamné à cinq ans de prison, alors qu'un de ses adjoints,
directement impliqué dans les crimes, était exécuté. La grande
faute avait été « la volonté de ramener les crimes de collaboration
aux normes du droit pénal... ». Une justice répressive aurait dû
frapper vite et fort ; elle avait dégénéré à force d'être ralentie dans
ce qu'on croyait être son propre intérêt.

Dans un autre article, Emmanuel Mounier lui-même attaquait
« cette molle clémence que l'on prêche partout et où l'on mêle
grossièrement la charité chrétienne ». De façon qu'il n'y eût
aucune méprise, il citait nommément Mauriac, qu'il blâmait pour
avoir condamné en bloc l'épuration. À force de rechercher la
justice pour l'individu, expliquait-il, on arrivait à l'injustice pour le
bien commun. La justice politique était dérivée d'une exigence
profonde de justice, et un chrétien pouvait fort bien l'accepter sans
renier sa foi[21].

Après avoir laissé aux lecteurs le temps de digérer ce dossier
réuni par *Esprit* sur la justice, l'équipe de Mounier reprit
l'offensive. L'épuration avait été sabotée non seulement par les
apologistes de la collaboration, mais par les catholiques et autres
gens bien intentionnés : « Il se peut que la charité chrétienne et la

mauvaise conscience soient des vertus, le salut public exige en tout cas d'autres vertus plus païennes [22]... »

Il fallait donc se contenter de ce que Camus appelait « la justice humaine avec ses terribles imperfections ». Les écrivains et les journalistes n'étaient cependant pas les seuls à passer en jugement. Le 25 octobre 1944, soit deux jours après que la Cour de Justice de Paris eut clos sa première affaire (contre Suarez), eut lieu une « grande audience », pour reprendre la formule du *Figaro*. Les inculpés étaient des miliciens accusés de l'un des forfaits les plus notoires imputés à cette organisation : l'assassinat de l'ancien ministre Georges Mandel. Les Allemands avaient interné ce dernier en France, puis l'avaient remis aux mains des autorités françaises ; la Milice était alors allée le tirer de sa prison, sous prétexte de le transférer dans un château, et l'avait abattu en forêt de Fontainebleau. L'homme qui avait appuyé sur la gâchette n'était pas au banc des accusés, ayant lui-même péri, à ce qu'il semblait, durant la libération de Paris ; mais ses complices avaient été pris. « Derrière ces trois Miliciens, déclara le commissaire du Gouvernement Robert Vassart, je vois les choses les plus horribles de quatre ans d'occupation, et c'est au nom des victimes : déportés, torturés, fusillés, que je vous demande justice, c'est-à-dire le châtiment suprême. » Deux des accusés furent condamnés à mort, le troisième (qui, selon ses dires, avait tout ignoré du but de cet « balade ») à vingt ans de travaux forcés [23].

Le 6 novembre, l'un des as de l'aviation de la Première Guerre mondiale, le général de brigade aérienne Armand Pinsard, comparut devant ses juges, accusé d'avoir soutenu (en sa qualité de membre du Comité central de cette organisation) la Légion des Volontaires Français qui fournissait des troupes françaises à l'armée allemande. « En qualité de soldat, fit valoir le prévenu, je ne pouvais pas repousser l'offre qui m'était faite par le général Bridoux au nom du maréchal Pétain. D'ailleurs, je ne cherchais qu'une chose : employer mon activité. — Oui, à raison de 12 000 francs par mois !... » Après avoir déploré qu'un héros de la Grande Guerre eût choisi d'auréoler du prestige de son nom la Légion abhorrée, le procureur requit la peine capitale, mais le jury préféra tenir compte de la carrière militaire de l'accusé et lui accorda les circonstances atténuantes ; il fut condamné aux travaux forcés à perpétuité et radié de l'ordre de la Légion d'honneur [24].

Autre procès qui souleva un intérêt considérable : celui de Georges Albertini, adjoint de Marcel Déat au Rassemblement National Populaire, soutenu par les Allemands pendant l'occupation ; une grande part de cet intérêt, cependant, résulta de la sentence relativement légère prononcée contre Albertini après qu'il eut été reconnu coupable d'intelligence avec l'ennemi et de démoralisation de l'armée et de la nation : cinq ans seulement de travaux forcés, cinq ans d'interdiction de séjour, confiscation des biens, dégradation nationale. Albert Camus estima injuste de laisser cet homme s'en tirer à si bon compte, et il ne fut pas le seul[25]. Certaines personnalités influentes — ainsi, semblait-il, que le jury — s'étaient émues des circonstances qui avaient entouré l'arrestation d'Albertini. À la Libération, celui-ci s'était caché sous un faux nom. « Comment pourriez-vous lui en faire grief, demanda un de ses avocats au jury, dans un moment où la justice n'était pas en état d'assurer la protection des justiciables ? » L'avocat, Me Maurice Paz, décrivit alors de quelle façon la jeune femme de l'accusé avait été enlevée et séquestrée, « non pas par la police, non pas sur réquisition de la magistrature, mais enlevée avec son bébé par des partisans... » Elle avait été rouée de coups et torturée, brûlée avec des cigarettes, précisa le défenseur d'Albertini. Le bébé, âgé de 17 mois, avait été confié à l'Assistance publique et s'y trouvait toujours à l'heure du procès ; quant à sa mère, elle était elle aussi détenue, bien que Me Paz sût où elle se trouvait et en eût informé la Cour. Les parents d'Albertini eux-mêmes avaient été arrêtés ; sa mère avait été relâchée au bout de trois mois, son père était toujours interné. (L'enfant devait mourir ultérieurement, alors qu'il était encore sous la garde de l'Assistance publique.) Sur le fond de l'affaire, Me Paz fit enfin valoir l'argument suivant : « Lorsqu'on voit le maréchal Pétain cautionné, on peut le dire, par le monde entier, comment résister ? Et j'ajoute : nous avons été bien peu[26]... »

L'affaire Lafont-Bony ne soulevait pas de tels problèmes. Henri Lafont (né Chamberlain) et Pierre Bony étaient les chefs d'une bande de voyous qui, depuis leur sinistre QG de la rue Lauriston, avaient arrêté, torturé et pillé, en qualité d'auxiliaires des services de sécurité allemands ; ils n'étaient en fait ni plus ni moins que des mercenaires, grassement payés d'ailleurs, souvent du butin de leurs propres pillages. Lafont, Bony et sept de leurs complices furent condamnés à mort, deux autres membres du gang se virent infliger les travaux forcés à perpétuité. Une des peines de mort fut commuée, le condamné ayant entre-temps été arrêté par les Allemands et ayant pris part à la résistance ; les deux meneurs et leurs six hommes furent exécutés le 27 décembre 1944[27].

Sur un tout autre registre, cinq magistrats — trois étaient présidents de chambre à la cour de Paris, le quatrième vice-président du tribunal de la Seine, et le cinquième, avocat général à la cour de Paris — passèrent en jugement pour avoir pris part aux Sections spéciales, tribunaux institués à la demande des Allemands pour condamner à mort les prisonniers politiques ; les magistrats en question étaient accusés d'avoir condamné à mort trois communistes en 1941. Après avoir entendu le réquisitoire, décrit comme modéré, de Raymond Lindon, commissaire du Gouvernement, le jury ne prononça aucune condamnation à mort. Il y en eut une aux travaux forcés à perpétuité, une autre à dix ans de réclusion, accompagnées l'une et l'autre de confiscation et de dégradation nationale. Un troisième accusé se vit infliger quatre ans de prison, un quatrième deux ans, et le dernier fut acquitté [28]. (À cette époque, Lindon était chargé des crimes de collaboration économique, mais comme aucun magistrat de carrière ne souhaitait poursuivre ses confrères, on lui avait demandé de s'occuper également des Sections spéciales. Il aurait pu obtenir des têtes s'il en avait réclamé au jury, mais il était lui-même convaincu que les accusés avaient été victimes de chantage : s'ils n'avaient pas condamné quelques hommes à mort, les Allemands auraient fusillé un certain nombre de magistrats. Plus tard, Lindon en vint à penser que ce prétendu chantage allemand n'était en fait qu'une pure invention du ministre de l'Intérieur du gouvernement de Vichy, Pierre Pucheu [29].)

Plus de deux années allaient s'écouler avant que la Cour de Justice ne fût en mesure de juger les fonctionnaires du Service des sociétés secrètes de Vichy, curieux service responsable de la campagne contre les francs-maçons. L'accusation ne parvint à réunir son dossier qu'après une enquête très poussée, et le procès lui-même dura près de deux semaines, ce qui était inhabituellement long pour cette juridiction. Bernard Faÿ, que Vichy avait aussi nommé directeur de la Bibliothèque nationale, et quatre autres accusés furent reconnus coupables, mais bénéficièrent de circonstances atténuantes. Faÿ fut condamné aux travaux forcés à perpétuité, mais en 1951 il s'évada de l'hôpital où on le soignait pour une maladie de cœur. Deux des propagandistes antimaçonniques les plus fameux étaient en fuite ; l'un d'eux fut plus tard condamné par contumace pour avoir travaillé avec les services de renseignements allemands contre la Résistance [30].

La collaboration économique donna beaucoup plus de fil à retordre. Les dossiers établis contre les grosses entreprises et leurs dirigeants nécessitaient un examen très poussé des archives financières, afin de déterminer si certains revenus et bénéfices provenaient d'affaires ordinaires ou du zèle avec lequel l'ennemi avait été servi. Comme devait l'expliquer Pierre-Henri Teitgen, le

Garde des Sceaux, les collaborateurs politiques étaient relativement faciles à poursuivre : « La preuve de leur trahison, ils l'avaient écrite et signée. » Un dossier contre eux pouvait être réuni « en quelques heures ». La collaboration économique, en revanche, avait généralement été perpétrée dans le plus grand secret. « Il faut en examiner la comptabilité et toute la correspondance de l'entreprise accusée ; les marchés qu'elle a passés avec l'ennemi l'ont en général été par personnes interposées ; il y a toute une série d'opérations bancaires et comptables à examiner, à expertiser (...). C'est la raison pour laquelle les affaires de collaboration économique ont été jugées en dernier lieu[31]. »

La Cour de Justice de Paris était subdivisée en deux sections, politique et économique. Au début de 1945, le procureur général André Boissarie convoqua Raymond Lindon, qui s'était forgé une réputation d'accusateur énergique, pour l'informer que la section économique faisait traîner les choses ; il avait donc besoin que Lindon prît l'affaire en main. Sous sa direction et en l'absence de toute jurisprudence, la section économique mit sa propre doctrine en application : pour être reconnu coupable, il fallait que l'accusé eût délibérément aidé l'ennemi ; étaient également prises en considération les contraintes auxquelles il avait pu être soumis. Lindon ne tarda pas à se rendre compte que la sanction la plus efficace était de nature fiscale : lorsque les dirigeants d'une entreprise étaient poursuivis, la condamnation prenait la forme d'amendes, ce qui permettait à la société de continuer à fonctionner et préservait les emplois des travailleurs[32]. On aura une meilleure idée de la mesure dans laquelle le rétablissement économique de la France primait dans l'esprit des épurateurs si l'on sait que le directeur de cabinet du Garde des Sceaux décida de ne pas transmettre à la Cour de Justice certaines preuves contre des industriels français qui avaient collaboré, trouvées dans les archives allemandes saisies par l'armée américaine[33].

Il y eut d'ailleurs bien peu de « grosses » affaires dans le domaine économique, bien peu de P-DG emprisonnés ; les peines se limitèrent d'ordinaire à la confiscation des biens, et l'opinion publique ne se passionna guère pour ce genre de procès[34].

Prenons le cas typique du président d'une société qui fabriquait des accessoires pour automobiles. Le comité d'épuration de cette entreprise avait exigé une enquête sur ses activités pendant l'occupation : la majeure partie de la production était alors allée directement ou indirectement aux Allemands. Le président prétendit avoir refusé de fabriquer du matériel de guerre, et avoir volontairement réduit la production ; il fut néanmoins accusé d'avoir fait passer les intérêts de son entreprise avant ceux du pays. Cependant, dès avant la fin du procès qui dura deux jours, le commissaire du Gouvernement avait reconnu que la production avait été moins importante qu'on ne le pensait, et que le propriétaire de la firme n'avait pas fait de profits personnels ni trahi son pays : s'il l'avait voulu, il aurait pu tripler sa production. Il s'était montré anti-allemand, et le ministère public ne pouvait requérir de condamnation contre un homme qui avait déjà passé plus d'un an en détention préventive. L'accusé fut acquitté [35].

Une autre affaire économique allait faire la une des journaux sans aboutir pourtant devant la Cour. Sainrapt et Brice, importante entreprise de travaux publics, était accusée d'avoir fait d'énormes bénéfices en construisant des installations militaires pour les Allemands : on prétendait que 40 % de sa production avaient été destinés à l'ennemi. Lorsque ses supérieurs décidèrent néanmoins de classer l'affaire, Raymond Lindon demanda à être muté dans un autre service, puisqu'on ne tenait aucun compte de ses recommandations concernant un grand nombre d'affaires économiques. Le Garde des Sceaux de l'époque (mai 1948), André Marie, avait très explicitement réclamé le classement, et Boissarie avait obtempéré ; Marie estimait que dans une entreprise aussi vaste, il était quasiment impossible de déterminer les responsabilités. Il y eut des fuites dans la presse, qui provoquèrent un débat à la Chambre. La majorité parlementaire eut raison d'une offensive des gaullistes et des communistes en février 1949. Le rapport de Boissarie, publié en première page du *Monde*, déclarait que Sainrapt & Brice avait subi une certaine contrainte pour l'obliger à travailler pour les Allemands, et soutenait que l'ingérence du ministère de la Justice avait été minime.

Sur les 22 000 affaires déjà réglées à cette date par les Cours de Justice de la Seine, 3 500 avaient été du ressort de la section économique et, selon le ministère, une « immense majorité » n'avait pas même été soumise à sa considération [36].

Peu après ce débat, le procureur général André Boissarie présenta lui aussi sa démission ; le principal motif de sa décision, écrivit-il au ministre, était une divergence de vues sur l'épuration. Il estimait que le ministère de la Justice avait sapé le travail des Cours de Justice en désavouant à de multiples reprises le ministère public. Dans sa réponse, le Garde des Sceaux attribua ce conflit à une divergence d'opinions touchant un type d'épuration bien particulier — l'épuration économique [37].

Il y avait encore des affaires de moindre importance. Un ébéniste en proie à un chagrin d'amour s'était engagé dans la

Légion des Volontaires Français ; il fut condamné à cinq ans de travaux forcés [38]. Une jeune femme avait dénoncé un ouvrier qui l'avait insultée parce qu'elle fréquentait des Allemands, et cet homme avait été expédié en Allemagne : cinq ans de travaux forcés pour la dénonciatrice [38]. Un acteur de cinéma au chômage, dont l'épouse était malade, avait accepté un emploi de commentateur des nouvelles économiques et scientifiques à Radio-Paris : cinq ans d'indignité nationale [39]. Un commis chez un marchand de poisson, jaloux d'un autre commis récemment engagé, l'avait dénoncé : 15 ans de travaux forcés pour cette dénonciation [40]. Un tourneur avait été membre de trois mouvements fascistes et avait fait de la propagande proallemande dans son usine : trois ans de prison, indignité nationale [41]. Une femme travaillant pour une installation aérienne allemande à Orly avait, sur instructions d'un collaborateur, accepté un emploi chez un professeur de médecine qu'elle avait ensuite fait déporter pour ses activités de résistant. La victime, revenue de camp de concentration en juin 1945, fut en mesure de témoigner contre sa dénonciatrice, laquelle fut condamnée à mort [42]. Une danseuse de night-club, qui avait été la maîtresse de Jacques Doriot, fut condamnée à un an de prison et à la dégradation nationale [43].

Les meilleures statistiques disponibles, compilées longtemps après les événements à partir de ce que l'on a pu retrouver des archives des Cours de Justice, donnent le chiffre de 6 053 condamnations prononcées par la Cour de Justice de la Seine. Sur les crimes que l'on est parvenu à identifier, 1 862 verdicts concernaient la collaboration militaire, 2 741 la collaboration politique, 1 110 la collaboration économique. Il y eut 372 condamnations à mort prononcées à Paris, 110 condamnés furent exécutés (parmi les autres figurent aussi bien les condamnations par contumace que les commutations de peine). Il y eut en outre 2 032 condamnations aux travaux forcés ou à la réclusion, 2 906 à des peines de prison, 284 confiscations de biens avec amendes, et 87 dégradations nationales. (Ce dernier chiffre ne concerne que les affaires pour lesquelles la Cour de Justice infligea la dégradation nationale comme peine principale, mais il ne tient pas compte des décisions des Chambres civiques.) Sur les 1 110 personnes convaincues de collaboration économique, trois furent condamnées à mort mais ne furent pas exécutées, 159 aux travaux forcés ou à la réclusion, 606 à la prison, 255 à la confiscation avec amende, et 87 à la dégradation nationale [44].

Au cours d'une seule journée en France, prise au hasard dans le courant du mois de janvier 1945, la presse rapporta que les Cours de Justice en activité sur tout le territoire avaient prononcé six condamnations à mort, quatre aux travaux forcés à perpétuité, 20 aux travaux forcés à temps et 50 à la prison [45].

Une des victimes de l'épuration a décrit un procès dans une vieille ville de province de l'ouest de la France, dans une atmosphère marquée par les manifestations populaires, les attaques par voie de presse contre l'accusé, les graffiti proclamant : « À mort le traître ! » Le prévenu avait passé 17 mois en prison dans l'attente de son procès, en proie à « la faim, la maladie, les matons, les poux, les rats, les témoins, les juges ». Atteint de fièvre, le médecin avait refusé de l'envoyer à l'infirmerie et il n'avait pas même eu droit à une couverture supplémentaire ; le surveillant-chef avait d'ailleurs lancé : « Il peut crever, ça lui évitera d'être fusillé. » Le dossier réuni contre lui consistait en 132 articles signés de son nom ; le ministère public y voyait de la propagande proallemande, mais, pour l'auteur, ils ne faisaient que plaider la cause de la « réconciliation européenne » dans l'esprit de Pétain. À la veille du procès, son gardien lui dit : « Bonne nuit, salaud ! Demain soir, les chaînes. »

Le prétoire, qui n'était autre que la grand-salle de la cour d'assises ordinaire, était plein à craquer, le commissaire du Gouvernement et le président du Comité départemental de Libération ayant distribué force invitations. Parmi les jurés, les communistes faisaient la loi (telle fut du moins la conviction du narrateur). Dehors, une manifestation démarra au moment de l'ouverture d'audience, avec musique militaire et chants révolutionnaires diffusés par haut-parleur. Lorsque l'accusé fut introduit dans la salle, des cris s'élevèrent : « À mort ! » Des épouses et mères de déportés vinrent témoigner contre lui sans avoir la moindre connaissance directe de son affaire ; la défense renonça à faire comparaître ses témoins, car elle craignait pour leur sécurité. Le jury rendit son verdict au bout de dix minutes de délibération : la mort. Le condamné devait rester longtemps dans les chaînes avant l'exécution de la sentence [46].

Ce qui nous manque ici, c'est un récit du même procès — ou d'un procès analogue — du point de vue de la Résistance, ou de celui du ministère public et des jurés qui prononcèrent la sentence. Presque tous les récits sur l'épuration émanent du même camp.

Un autre auteur hostile à l'épuration — lui-même avait été haut fonctionnaire de Vichy, arrêté à la Libération — a décrit le procès de Marcel Bernard, ancien procureur de la République au Puy de 1937 à 1944. D'après cet auteur, Bernard était un patriote qui n'avait pas trouvé judicieux de discuter les ordres qu'il recevait du ministre de la Justice du gouvernement de Vichy ; il avait traité les résistants comme des criminels parce que c'était ce que désirait Vichy et parce qu'il estimait personnellement que l'armistice signé par les délégués de Pétain en juin 1940 impliquait le respect des forces d'occupation. Cette attitude lui avait valu d'être accusé de trahison sur les ondes de Radio-Londres et de recevoir un cercueil miniature par la poste en guise d'avertissement. En juillet 1944, un maquisard était venu chez lui ; se croyant menacé, Bernard avait tué le visiteur indésirable avec l'aide de sa femme et de ses deux fils. À la Libération, Mme Bernard et ses enfants furent arrêtés en l'absence du chef de famille et lorsque ce dernier se présenta à la préfecture de police de Vichy pour réclamer leur élargissement, il fut emprisonné à son tour. Sa famille et lui furent transférés au Puy où les deux fils aînés restèrent en détention durant l'instruction ouverte contre leur père. Bernard fut jugé en toute hâte, le 21 avril 1945, « dans une atmosphère houleuse où les cris de mort couvrent la voix de la défense. » Il n'y avait pas de témoin à décharge, car la plupart étaient eux-mêmes en prison, internés ou en cours d'épuration. L'assassinat du maquisard valut à Bernard la peine capitale ; le condamné fut alors transféré à Clermont-Ferrand pour le mettre à l'abri des « représailles d'une populace hurlante qui entend faire justice tout de suite... » Le 12 mai, son pourvoi en cassation fut rejeté ; contre l'avis du procureur général et malgré l'intervention d'amis influents du procureur de Vichy, de Gaulle rejeta le recours en grâce. Bernard fut exécuté le 12 juin [47]. En fait, durant ses neuf mois d'activité, la Cour de Justice de la Haute-Loire ne devait prononcer que 9 condamnations à mort, 8 aux travaux forcés à perpétuité, 15 aux travaux forcés à temps, 70 à la prison ; on peut comparer ces chiffres aux 13 condamnations à mort prononcées par la cour martiale du même département, immédiatement après la Libération [48].

On apprend beaucoup de choses en parcourant la presse régionale parue durant les années d'épuration ; les comptes rendus nous en révèlent bien plus que les archives officielles sur l'atmosphère qui régnait à l'intérieur et à l'extérieur des tribunaux. Les procès-verbaux, quand on parvient à mettre la main dessus, sont on ne peut plus succincts ; il n'y a que pour les collaborateurs vedettes que l'on dispose d'une sténographie complète des débats. Les rapports des commissaires de la République et des préfets se limitent à des statistiques dans toute leur nudité. Les rares fois où il leur arrive d'entrer dans le détail, ils ne confirment guère les allégations des victimes de l'épuration sur la lourde atmosphère pesant sur les procès. Le public « se passionne peu », note le commissaire de la région de Bordeaux dans un rapport sur l'état de l'épuration judiciaire dans sa région, au début du printemps de 1945[49]. À l'heure actuelle, des chercheurs ont commencé à dépouiller les archives judiciaires et autres sources locales pour présenter une image de la justice de l'épuration plus objective que celle dont on disposait jusqu'à présent. L'un de ces chercheurs a démonté la thèse selon laquelle il avait fallu plusieurs mois pour rétablir le cours normal de la justice dans les départements méridionaux après la Libération. Dans les Pyrénées-Orientales, la Cour de Justice ouvrit ses portes le 22 septembre 1944 et siégea jusqu'au 9 août 1945. Au cours de 72 audiences, elle jugea 319 personnes accusées de collaboration, prononça 310 condamnations, dont 12 à la peine capitale qui furent exécutées ultérieurement ; il y eut 104 autres condamnations à mort qui ne furent pas exécutées, dont 77 prononcées par contumace. On compte par ailleurs 101 condamnations aux travaux forcés, 82 à la réclusion ou à la prison, 13 à la dégradation nationale et une amende ; neuf affaires se soldèrent par un acquittement.

Les juges étaient considérés comme favorables à la Résistance, mais, en dépit des pressions locales de la presse et des mouvements politiques), les peines ne tardèrent pas à être proportionnées aux crimes ; ainsi, les condamnés exécutés étaient des miliciens ayant participé à des combats et des agents des Allemands, tous explicitement accusés de meurtre. La Chambre civique du département, qui commença à fonctionner à partir du 5 décembre 1944, entendit 1 303 affaires avant sa dernière audience, le 25 juillet de l'année suivante. Elle prononça 1 144 sanctions (réduites à 956 après la procédure d'appel) ; 802 prévenus furent frappés de dégradation nationale à vie ou à temps ; 145 autres condamnés, mais immédiatement « relevés » — comme on disait à l'époque — en raison de leurs activités de résistants. En tout, un tiers seulement des condamnés furent frappés de dégradation à vie ou pour une période de dix ans ou plus. Les lettres de dénonciation furent traitées avec la plus grande circonspection ; si les preuves n'étaient pas convaincantes, le prévenu était acquitté. Contrairement à ce qu'on a prétendu, il n'y eut dans cette région aucune manifestation d'hostilité de classe. La plupart des accusés n'appartenaient pas du tout à la haute bourgeoisie, mais aux rangs des artisans, commerçants, petits propriétaires, employés, ouvriers et petits fonctionnaires.

À mesure que le temps passait, la sévérité des cours s'atténua : la chose est on ne peut plus manifeste. À partir de mars 1945, ce fut bien souvent la clémence qui l'emporta. Dans le département qui nous intéresse, 2,6 % seulement de tous les accusés — y compris, soulignons-le, ceux jugés par la cour martiale antérieure à la Cour de Justice — furent exécutés, ce qui, comme le note notre chercheur, ne saurait passer pour un bain de sang. Il faut bien se rendre à l'évidence : il n'y eut pas de « justice populaire anarchique et déchaînée » dans les Pyrénées-Orientales [50]. Dans une autre région réputée comme un grand centre d'agitation, celle de Toulouse, les Cours de Justice des cinq départements concernés prononcèrent 405 condamnations à mort, dont 28 seulement furent exécutées, ce qui représente un taux de 1,74 pour 100 000 habitants, inférieur à la moyenne nationale de 1,89. Pour les Chambres civiques, le taux d'acquittement fut de 33,72 % (alors que la moyenne nationale était de 29,1 % [51]).

Dans une étude sur la Cour de Justice d'Orléans, l'une des villes où le nombre de poursuites judiciaires par habitant fut le plus élevé (Orléans venait en troisième position derrière Colmar — lourdement colonisée par les Allemands sous l'occupation — et Poitiers), un autre chercheur a découvert que 5 % seulement des procès qui s'y déroulèrent en l'espace d'un an concernaient la collaboration économique ; il l'explique par le fait qu'on s'intéressait davantage aux crimes de dénonciation ou de nature politique, et qu'il était nettement plus ardu de faire la lumière sur les crimes économiques. Parmi les affaires appartenant à cette catégorie figuraient celle d'un épicier qui avait fourni du sucre aux Allemands, celle d'un voyageur de commerce accusé de s'être livré au marché noir pour le compte de la Milice, celle d'un cultivateur qui avait dénoncé quelqu'un pour avoir volé du blé aux Allemands ; deux affaires seulement étaient de plus d'importance [52].

Un peu partout, ce furent, semble-t-il, les petits, les obscurs qui finirent devant les tribunaux. Ce phénomène s'explique assez aisément. Un procureur a signalé par exemple que les chefs de la Milice, mieux informés que leurs hommes de la façon dont évoluait la guerre, étaient parvenus à prendre la fuite avant d'être capturés. Ils furent donc jugés par contumace, alors que le tout-venant des Miliciens resta sur place pour être traîné devant les magistrats [53]. Dès que l'on s'emparait d'une célébrité, les gros titres étaient assurés. Pour le procès du préfet nommé par Vichy dans le Gard, Angelo Chiappe — frère de l'ancien préfet de Paris du temps des émeutes du 6 février 1934, Jean Chiappe —, plus de 4 000 personnes sollicitèrent des cartons d'entrée pour un prétoire qui ne pouvait en contenir plus de 200, et l'on signala que certains laissez-passer s'étaient vendus au marché noir [54].

CHAPITRE IV

Les procès de Lyon

À Lyon, la justice était au diapason de l'ardeur qui animait les épurateurs de la région Rhône-Alpes. Contrôlée par le commissaire de la République Yves Farge, elle eut plus que sa part de procès à sensation, d'abord en raison de la férocité de la répression qui s'était exercée sous l'occupation, puis de l'omniprésence de la Résistance.

La première grande affaire déférée à la Cour de Justice de Lyon fut le procès pour trahison d'Alexandre Angeli, le plus haut fonctionnaire de la région sous Vichy, puisqu'il avait été préfet régional, responsable de dix départements ; l'acte d'accusation précisait que pour les quatre millions d'habitants dont il avait la charge, il disposait de 10 000 policiers, gendarmes et éléments de corps spécialisés comme la garde mobile. Il était accusé d'avoir servi Vichy avec zèle, d'avoir gardé en prison l'ancien maire de Lyon, Édouard Herriot, et d'avoir forcé les autorités catholiques à lui révéler où elles avaient caché 100 petits enfants juifs (en juin 1942, 400 Juifs non français avaient été arrêtés pour être remis aux Allemands). Angeli passa en jugement le 29 novembre 1944 ; son inculpation ne datait que du 11 octobre, et il protesta contre la clôture trop rapide de l'instruction.

Au cours de son premier interrogatoire, Angeli fit remarquer qu'il avait été préfet à Quimper jusqu'à ce que les Allemands l'y eussent jugé indésirable (il demanda que fût retrouvée la demande de transfert des Allemands le concernant). « Étant donné que les instructions devant la Cour de Justice doivent être rapidement menées, répondit le magistrat qui présidait, il est impossible de suivre toutes les règles ordinaires des instructions, parce qu'il y a un intérêt supérieur à ce qu'on aille vite. Il faut donc, à l'audience, s'efforcer de rechercher la vérité. » La Cour disposait d'ailleurs de quelques éléments favorables à l'accusé, par exemple une attaque décochée contre lui dans la scandaleuse feuille de chou collaborationniste parisienne *Au Pilori* qui, le 10 février 1944, l'avait déclaré responsable du terrorisme qui faisait rage dans la région lyonnaise, parce qu'il se refusait à sévir contre les Juifs et les francs-maçons. Il y avait aussi une plainte formulée par l'ambassade d'Allemagne, Angeli ayant refusé de s'entretenir avec ses représentants ; l'occupant réclamait derechef son remplacement. Concernant la chasse aux enfants juifs, une déposition signée par le cardinal de Lyon, Mgr Gerlier, certifiait qu'Angeli n'avait absolument pas insisté pour qu'on lui révélât où ils se trouvaient, et qu'il n'avait pris qu'une sanction bénigne contre l'Église pour avoir refusé de le faire [1].

Dans son réquisitoire, le commissaire du Gouvernement, Alexis Thomas, reconnut qu'Angeli avait été tout au long du procès un « rude adversaire », et qu'il avait des explications plausibles à avancer pour chacun des chefs d'accusation relevés contre lui. Il fit cependant valoir que l'ex-préfet avait été le principal agent d'exécution de Vichy et de son ministre de l'Intérieur, jouissant des pleins pouvoirs. Il était l'un de ceux qui avaient suivi la politique de soutien à l'effort de guerre allemand prônée par Laval. « Par conséquent, vous n'avez pas devant vous un fonctionnaire modeste (...) ; vous avez — et je ne crains pas de le dire — un représentant de Vichy ; c'est le gouvernement de Vichy lui-même que vous avez à juger. » Certes, Angeli avait fait montre de patriotisme, il avait défendu certains Français, mais un patriote pouvait fort bien devenir un traître : le maréchal Pétain, qui faisait à présent l'objet d'un mandat d'arrêt comme collaborateur, n'avait-il pas été le héros de Verdun ? « Les responsables ne sont pas très nombreux en France, fit valoir Thomas, ils sont tous déférés à la Cour de Justice (...) Vichy était représenté par qui ? Par des ministres et des préfets régionaux. Ils ne sont pas plus de 50, et vous diriez qu'ils ne méritent aucune condamnation ? Il faut frapper à la tête ! » Angeli avait envoyé des Juifs en Allemagne, il avait encouragé le départ de travailleurs français pour les usines du Reich où ils devaient contribuer à l'effort de guerre allemand. « Pensez à tous ces morts ! »

L'avocat de la défense attira d'abord l'attention sur les hésitations qui émaillaient le réquisitoire : « Je le dis à votre honneur, M. l'Avocat général. » Il brossa ensuite le portrait d'un patriote qui avait tenté d'atténuer la répression. Puis ce fut au tour d'Angeli de parler : il reconnut qu'il avait servi Pétain et Laval, parce qu'il avait le sentiment qu'ils s'efforçaient d'éviter le pire. Tous les préfets pensaient ainsi, déclara-t-il, puisque pas un seul d'entre eux n'avait démissionné. En l'absence de tout parlement, ils étaient devenus les représentants du peuple auprès du pouvoir central, préservant la souveraineté nationale, contribuant à atténuer les rigueurs de l'occupation[2].

Angeli fut condamné à mort et à la dégradation nationale. « Assassins ! Vive Angeli ! » s'écrièrent certains membres de l'assistance[3]. Le très sérieux *Progrès* — l'ancien journal de Farge, qui avait été autorisé à reparaître — commença ainsi son compte rendu en première page : « La condamnation à mort de M. Angeli heurtera les consciences. » Les preuves indiquaient, soulignait l'article, que le préfet régional « s'était employé tenacement, habilement, à limiter les conséquences et les répercussions des directives politiques qui lui étaient adressées par Vichy. » La sentence aurait donc dû être « nuancée », et non se réduire à « un jugement totalitaire frappant symboliquement une fonction ». *Le Progrès* espérait qu'elle serait cassée en appel[4]. Un autre quotidien local déclara : « On ne condamne pas à mort pour des fautes secondaires[5]... » À Paris, Wladimir d'Ormesson écrivit à la une du *Figaro* qu'il s'agissait d'un verdict « inique » ; Angeli n'avait certes pas été populaire, mais le procès avait créé un mouvement en sa faveur. D'Ormesson révéla d'ailleurs que l'année précédente, l'ex-préfet l'avait averti, ainsi que Pierre Brisson, directeur du *Figaro*, qu'eux-mêmes figuraient parmi les « traîtres » condamnés à mort par la Milice[6].

Très vite, l'arrêt de mort fut cassé pour cause d'instruction insuffisante de l'affaire et d'absence de témoins importants ; en juillet 1945 fut ordonnée l'ouverture d'un nouveau procès[7]. Entre-temps, on se souvient qu'après le premier procès, des papillons avaient été apposés un peu partout, annonçant un meeting d'étudiants en faveur d'Angeli ; une contre-manifestation eut lieu devant les locaux des journaux lyonnais qui s'étaient prononcés en faveur de l'accusé[8]. Le Comité départemental de Libération du Rhône vota une résolution déplorant que le procès n'eût pas servi à faire ressortir les « graves responsabilités » d'Angeli. « Le vrai sens du débat n'ayant pas été nettement mis en lumière, le verdict a pu provoquer, chez quelques esprits de bonne foi, une surprise que des éléments troubles ont exploitée[9]. »

C'est alors qu'une foule en colère défila à travers les rues de Lyon en scandant les mots : « Angeli au poteau ! », forçant la grille de la prison Saint-Paul pour tenter de lyncher l'ancien préfet et l'intendant de police René Cussonac ; nous avons décrit plus haut l'intervention de Farge, à laquelle les deux hommes durent leur salut. « Il fut difficile de juger Angeli », constata Jean-Marie Domenach en résumant la situation pour ses lecteurs d'*Esprit*. Il expliqua que le procès était passé à côté du problème, parce qu'on y avait considéré Angeli en tant qu'individu, non comme « l'un des principaux exécuteurs d'une politique qui dominait infiniment les histoires locales sur lesquelles portèrent les débats ». Il avait néanmoins l'impression qu'à la fin, le jury « a choisi la définition la plus large et conjointement la plus humaine de la responsabilité (...), et si l'on acquittait Angeli, pourquoi pas Laval ? Lui aussi exécutait des ordres et personnellement n'a mis à mort aucun Français (je suis même convaincu qu'il a dû en sauver plusieurs »)... Domenach concluait qu'en dépit d'un procès bien mal organisé, « le jury populaire d'instinct a retrouvé la voie de la justice [10] »...

Angeli allait donc repasser en jugement, mais pas à Lyon. Les violences commises jusque dans sa prison exigeaient que l'affaire fût renvoyée devant une autre cour, « tant pour cause de suspicion légitime que de sûreté publique » ; la demande émanait non pas de l'inculpé, mais du procureur général de Lyon. En octobre 1945, la cour de cassation ordonna que l'affaire fût entendue à Paris [11]. Le nouveau procès ne devait cependant s'ouvrir qu'en mai 1946, et la Cour de Justice de la Seine déclara Angeli non coupable d'intelligence avec l'ennemi, mais coupable en revanche (conformément à l'article 83 du Code pénal) d' « actes de nature à nuire à la défense nationale » dans le but de « favoriser les entreprises (...) de l'Allemagne, puissance ennemie ». Ce crime était passible d'une peine moins grave que la peine capitale, et Angeli fut condamné à quatre ans de réclusion, à une amende de 1 200 francs et à la dégradation nationale [12].

À Annecy, une coalition des mouvements de Résistance de Haute-Savoie, après une réunion de protestation, émit une résolution affirmant que ce second procès avait été « sciemment saboté » et que le verdict « ne correspond pas aux crimes dont [Angeli] s'est rendu coupable dans la région. » « À travers Angeli, c'est Vichy tout entier qu'on absout », déclara le principal orateur [13].

Bien qu'Yves Farge eût été en mesure d'annoncer l'arrestation de Charles Maurras dès sa première conférence de presse, il n'était pas du tout sûr que cette personnalité historique serait jugée ailleurs qu'à Paris. Un témoin direct de la scène a rapporté que lorsque de Gaulle s'était rendu compte que Maurras était en passe d'être jugé loin de la capitale, il avait téléphoné au Garde des Sceaux, François de Menthon : « Il importerait qu'il ne fût pas jugé dans un coin : le pays ne le comprendrait pas (...) Lyon n'existe pas ! » De Gaulle s'inquiétait aussi, semble-t-il, à l'idée que loin de Paris, Maurras risquait d'être condamné puis exécuté avant qu'une grâce ne pût parvenir jusqu'à lui ; ce fut du moins ce que lui souffla son secrétaire Claude Mauriac [14].

Farge, pourtant, se cramponna à son prisonnier, lui épargnant toutefois la cour martiale ; l'affaire fut confiée à un des magistrats instructeurs de la Cour de Justice. L'instruction traîna quatre longs mois, ralentie par la nécessité de compulser tous les articles de Maurras dans *L'Action Française* — et Maurras était un écrivain prolifique ! — ainsi que celle d'établir un lien entre les dénonciations publiques de Juifs et d'adversaires politiques, dont Maurras avait été coutumier, et les arrestations effectives de ceux qu'il avait attaqués. Ensuite, l'affaire fut inscrite au rôle, si soudainement que la Cour et le commissaire du Gouvernement n'eurent pas même droit à une semaine pour ingurgiter le dossier et préparer leur exposé des faits ; celui-ci ne fut prêt que le 22 janvier 1945, pour un procès qui devait s'ouvrir le 24. Expédié à Lyon afin d'y suivre les débats pour le compte du ministre, l'inspecteur général Maurice Rolland précisa bien au juge et au procureur que le procès ne devait en aucun cas se transformer en attaque contre les doctrines d'Action française, d'autant que « les faits reprochés à Charles Maurras (...) suffisaient à eux seuls à justifier parfaitement l'accusation ». Le gouvernement estimait que l'opinion internationale ne devait pas avoir l'impression qu'il s'agissait d'un procès d'opinion. Il y avait bien assez de preuves réunies contre l'inculpé, souligna Rolland. La seule circonstance atténuante tenait aux sentiments anti-allemands que Maurras avait eu coutume d'exprimer dans le privé [15].

Par rapport à la moyenne de l'époque, le procès Maurras fut long, puisqu'il dura quatre jours entiers. Après la première audience, *Le Progrès* consacra la moitié de sa première page à l'affaire, et titrait :

> *Charles Maurras,*
> *agressif et fastidieux, comparaît devant ses juges*

Le journal précisait que tous les sièges du prétoire étaient occupés et qu'un service d'ordre renforcé avait été placé tout autour du palais de justice. Il notait une touche « pittoresque » : en raison de la surdité de l'accusé, un « interprète » lui transmettait les questions par écrit ou bien les lui criait « front contre front [16] ». « Dès l'entrée de Charles Maurras, perdu dans son pardessus mastic, rapporta Rolland à Paris, on aperçoit, lorsqu'il s'en dépouille, un petit homme barbu, nerveux, agité et comme déséquilibré avec des gestes un peu automatiques de polichinelle [17]... » Maurras, qui était à trois mois de son 77e anniversaire, était jugé en compagnie de son principal adjoint, Maurice Pujo, lui-même âgé de 73 ans.

On n'allait pas s'ennuyer. Maurras commença par refuser de répondre à des questions particulières si on ne lui permettait pas d'abord d'exposer sa politique dans son ensemble ; il eut finalement gain de cause et dans un long discours, il traita Alexis Thomas, commissaire du Gouvernement, de « fumiste », et le procès tout entier d' « immonde fumisterie ». Dans son exposé des faits, Thomas avait dépeint l'accusé comme un écrivain de grand talent, dont le prestige était considérable en raison de son attitude patriotique lors de la Première Guerre mondiale. Grâce à cette influence, il avait été en mesure de promouvoir la politique de Vichy, tandis que son antisémitisme fanatique, fait sur mesure pour favoriser les desseins nazis, combiné à des tirades hostiles aux Alliés et aux gaullistes, avait servi la cause allemande.

Les témoins à charge tentèrent d'établir un lien entre Maurras et certaines attaques spécifiques contre des personnes qui avaient ensuite été les cibles de la police de Vichy ou des Allemands. Dans une déposition écrite, Paul Claudel accusait Maurras de l'avoir dénoncé pour activités de résistance, ce qui avait entraîné une tentative d'arrestation de la part de la Gestapo. Cette intervention valut à l'assistance une longue digression idéologique du prévenu, car les deux écrivains étaient depuis toujours de farouches adversaires politiques. Plus efficaces furent les citations directes empruntées au écrits mêmes de Maurras dans L'Action française, par exemple celle-ci, extraite du numéro du 15 janvier 1942 : « La pire de nos défaites a eu le bon résultat de nous débarrasser de nos démocrates » ; ou encore ses appels à un durcissement de l'action contre les Juifs. Loin d'être constamment anti-allemand, Maurras (comme Alexis Thomas était en mesure de le prouver) avait été favorable à l'envoi de travailleurs français en Allemagne, acceptant pour argent comptant la promesse allemande de relâcher, en échange, un certain nombre de prisonniers de guerre français. Il avait même applaudi à l'attaque lancée contre le maquis du plateau des Glières, au-dessus d'Annecy.

Thomas passa alors à son réquisitoire : Maurras était âgé, bien sûr, mais il était lucide ; sa responsabilité était entière. Il avait du talent, certes, « mais la responsabilité se mesure également au talent et au génie ». Et puis, quand un vieillard « fait tuer des jeunes gens, il ne mérite aucune pitié ».

Quand la parole lui fut donnée, Maurras appela son accusateur
« Monsieur l'avocat de la femme sans tête », allusion moqueuse à
la République. L'avocat de la défense déclara que le réquisitoire de
son adversaire était « abominable » et qu'il était incapable de
comprendre pourquoi le patriotisme, le courage et l'âge de
Maurras ne lui donnaient pas droit aux circonstances atténuantes.
Si l'on invoquait les articles 75 et 76 contre son client, de quels
crimes irait-on accuser un véritable espion ? Était-ce donc la même
chose de s'être rempli les poches en faisant de la propagande pour
les Allemands et d'être aussi démuni que Maurras l'était ? L'avocat
retraça les circonstances de l'arrestation et de la détention du vieil
homme, tandis que Paris et Lyon se disputaient l'honneur de le
juger. Il ne pensait d'ailleurs pas qu'un tribunal parisien aurait
montré plus d'indulgence : « Je trouve, moi, que les écrivains
tombent comme des mouches dans notre capitale. »

Le jury reconnut l'accusé coupable d'intelligence avec une
puissance ennemie, mais lui accorda les circonstances atténuantes :
il fut condamné à la réclusion à perpétuité, assortie de dégradation
nationale. Son assistant, Pujo, coupable d'actes nuisibles à la
défense nationale, fut condamné à cinq ans de prison, à une
amende et à la dégradation nationale [18]. Après ce verdict, Maurice
Rolland confia à de Menthon que tout le monde avait été surpris,
car on s'attendait à une condamnation à mort. Les jurés avaient
estimé, semblait-il, qu'ils ne devaient pas se montrer impitoyables
envers un illustre écrivain qui était aussi un vieux fou pour qui la
mort eût été une peine disproportionnée. Ils avaient aussi évité
d'en faire un martyr. « C'est la revanche de Dreyfus ! » ne s'en
écria pas moins Maurras après la lecture du verdict, et l'un des
spectateurs du procès eut l'impression que cette phrase résumait
parfaitement son état d'esprit, car l'affaire Dreyfus était restée
pour cet homme « l'élément essentiel et encore vivant de la
politique française. Enfermé dans sa surdité et ses syllogismes
depuis plus de 50 ans, sûr d'avoir trouvé la vérité, il s'est éloigné
petit à petit de la vie (...) sans se rendre compte qu'il n'était plus,
même pour les plus respectueux de ses fidèles, qu'une idole creuse
qu'on admire sans se soucier de ses aphorismes, épouvantant ses
défenseurs par ses déclarations... »

Dès que le verdict fut tombé, on conduisit les deux vieillards à la
prison dans une voiture cellulaire, afin d'éviter les manifestations,
voire une tentative d'enlèvement [19]. Maurras n'était pas devenu un
martyr, mais son affaire n'en allait pas moins servir de cri de
ralliement. Un rapport signale qu'une sténographie des débats
circulait encore sous le manteau deux bonnes années après le

procès[20]. En 1949, le prisonnier — détenu à Clairvaux, ancien monastère dans le département de l'Aube — présenta une demande en révision sous la forme d'un livre de 200 pages[21]. Il la fit suivre d'une lettre ouverte à la Cour dans laquelle il affirmait que des témoignages en sa faveur avaient été sciemment dissimulés par le ministère public[22]. Une autre lettre ouverte, adressée cette fois au président de la République Vincent Auriol, fut envoyée en avril 1952, juste après que Maurras eut été libéré par mesure de grâce médicale à condition de résider dans une clinique de Tours où il devait mourir peu après. Dans cette seconde épître, Maurras reprenait tous les vieux thèmes qui lui étaient chers et réclamait l'exécution de l'ancien Garde des Sceaux, François de Menthon, responsable des lois d'épuration et de la « Terreur de 1944-1945, qui a coûté à la France 105 000 têtes[23] ». (Ce chiffre allait souvent réémerger au fil des années suivantes, comme nous le verrons.) Les allégations de Maurras firent l'objet d'un débat à l'Assemblée nationale qui répondit par une « protestation solennelle » contre l'écrivain et tous ceux qui cherchaient à jeter le discrédit sur la Résistance[24].

Lyon eut quelques affaires importantes à juger, mais parut avoir du mal à y faire face. Le commissaire du Gouvernement, Alexis Thomas, était pris entre deux feux. Avant la Libération, il avait été substitut général (et non avocat général, comme on le disait à tort). Et comme il devait sa nomination à Yves Farge plutôt qu'au Gouvernement provisoire, il fut traité en brebis galeuse et ne reçut plus ensuite le moindre avancement. Sous l'occupation, il avait fait de la résistance et s'était arrangé pour épargner des poursuites aux résistants arrêtés, à tel point que Darnand, chef de la Milice et secrétaire au Maintien de l'Ordre à Vichy, l'avait dénoncé comme « agent de propagande gaulliste ». Son fils, résistant lui aussi, avait été tué au combat durant les derniers jours de l'occupation.

Thomas avait pleinement conscience de l'atmosphère inhabituelle qui régnait dans Lyon libéré. Sans être l'objet de pressions particulières de la part de Farge et de la Résistance, il savait que seules de promptes inculpations de la part de ses services pouvaient empêcher les Lyonnais de prendre eux-mêmes les choses en main. D'un côté, les collaborateurs et leurs sympathisants ne tardèrent pas à baptiser Thomas « le Fouquier-Tinville du pauvre[25] » ; de l'autre, il était bel et bien soumis à certaines contraintes ; ainsi, le 24 novembre 1944, soit tout juste trois semaines après la première audience de la Cour de Justice, il dut aller expliquer au Comité départemental de Libération que la bénignité des derniers verdicts était imputable au talent des avocats de la défense[26]. Il avait des entrevues régulières avec les Comités d'épuration de la région Rhône-Alpes, devant lesquels il devait justifier ses actes ; de l'avis d'observateurs parisiens, Thomas était constamment mis sur la sellette par les mouvements de Résistance [27].

De l'avis d'un des avocats de la défense, la Cour de Justice constituait un immense progrès par rapport aux cours martiales ; elle n'infligeait par exemple que cinq ans de prison si l'accusé avait dénoncé un résistant aux autorités françaises plutôt qu'aux Allemands. On ne pouvait toutefois parler de justice sereine, dans la mesure où la procédure était bien souvent oubliée ; il arrivait qu'un témoin comparût à la dernière minute sans que la défense en eût été prévenue. Cet avocat remarqua également que ce fut durant les toutes premières semaines que les jurés de la Cour de Justice se montrèrent le plus sévères. Il attribuait ce phénomène au fait que beaucoup d'entre eux, venus sur le tard à la Résistance, étaient soucieux de donner des preuves d'un zèle qu'ils n'avaient su manifester plus tôt. Par la suite, avec le retour des déportés, on eut affaire à des jurés plus réfléchis, lesquels (toujours selon notre avocat) n'avaient nul besoin de se dédouaner [28].

La toute première affaire entendue par la Cour de Justice de Lyon — avant Angeli, avant Maurras — fut celle de René Cussonac, alors âgé de 50 ans, ancien intendant de police de la région Rhône-Alpes. Conformément aux règlements en vigueur, 20 jurés avaient été sélectionnés pour le mois, dont quatre furent désignés pour entendre l'affaire Cussonac (l'un d'eux, une femme, avait été emprisonné à Montluc sous l'occupation). Le procès s'ouvrit le 3 novembre 1944. Le réquisitoire esquissa le portrait d'un Cussonac zélé pourchasseur de résistants, de Juifs et de réfractaires au STO, et non moins zélé collaborateur de la Milice au service des Allemands. Ceux-ci l'appréciaient tant, à en croire l'officier de police responsable à l'époque de la liaison avec les forces d'occupation, que lorsqu'il disparut à la mi-août 1944, Klaus Barbie, le chef de la Gestapo, en fut singulièrement ulcéré et refusa d'avoir le moindre rapport avec tout autre policier français [29]. Cussonac avança pour sa défense qu'il n'avait fait qu'obéir aux ordres, mais il n'en fut pas moins condamné à mort. Avant d'être exécuté, il fut victime de la tentative de lynchage que nous avons évoquée plus haut [30].

Après le procès Cussonac, il y eut des affaires moins brûlantes : le second procès fut celui d'un marchand forain qui, à son retour d'un camp de prisonniers de guerre, s'était engagé dans la Milice : cinq ans de réclusion et autant de dégradation nationale. Un employé de la SNCF s'était enrôlé dans la Milice après que son fils, milicien, eut été tué par des résistants : acquitté. Un linotypiste avait dénoncé une famille juive pour toucher une prime : trois ans dc prison, dix dc dégradation[31].

Bientôt la Cour de Justice de Lyon fit savoir à Paris qu'elle n'avait plus d'affaires à entendre, car la police mettait très longtemps à enquêter, et se posait en outre un problème de prétoires, la plupart de ceux qu'abritaient l'immeuble de la justice ayant été endommagés lorsque les Allemands avaient fait sauter les ponts tout proches[32].

À la fin de 1944, Yves Farge signala dans un rapport à Paris que les 9 988 arrestations effectuées dans les huit départements qu'il contrôlait avaient donné lieu à 2 674 affaires déférées devant les Cours de Justice[33]. La plupart des inculpés étaient loin d'être illustres, ce qui incita un jour *Le Progrès* à titrer : « La grande parade des lampistes continue. » Un prévenu était accusé d'avoir répandu le bruit qu'un résistant rendait visite à l'un de ses voisins, si bien que la Gestapo était venu arrêter le résistant en question. Le mouchard fut acquitté au bénéfice du doute. Un coiffeur italien était accusé d'avoir dénoncé un voisin à la Gestapo, mais ses témoins soutenaient qu'il était antifasciste et avait aidé la Résistance : trois ans de prison. Un étudiant de 18 ans avait été milicien, mais souhaitait à présent prendre part à la guerre qui se poursuivait contre l'Allemagne : « On lui refuse justement un honneur qu'il n'a pas mérité, pouvait-on lire dans le journal. Quinze ans de travaux forcés et l'indignité nationale apprendront à ne pas écouter les mauvais bergers qui, en gagnant le sol étranger, ont abandonné les moutons qu'ils rêvaient de transformer en tigres. La France est propre ; elle ne le doit qu'aux bons Français[34]. »

Dès les premières semaines de 1945, une deuxième Cour de Justice ouvrit ses portes à Lyon et, durant l'été, on en prépara une troisième par suite de la décision de fermer les cours de Bourg et de Saint-Étienne[35]. À partir de novembre 1945, seules les affaires dont l'instruction avait déjà été ouverte pourraient être entendues ; tous les nouveaux suspects seraient déférés devant le tribunal militaire.

Parmi les procès importants qui devaient encore avoir lieu devant la Cour de Justice figurait celui de Francis André et de sa bande. André, dit Gueule Tordue, était le chef d'une escouade de brutes du Parti Populaire Français, chargée des tortures et des assassinats. L'une de leurs équipées les plus meurtrières était connue sous l'appellation de « Saint-Barthélemy grenobloise ». La bande du PPF était autorisée par ses protecteurs allemands à conserver tout l'argent et les biens qu'elle trouvait chez ses victimes. Ainsi, l'un des membres du gang, Antonin (Tony) Saunier, était-il habilité à perquisitionner chez les Juifs ; il remettait l'argent qu'il trouvait à son parti, après en avoir prélevé 10 à 15 % pour son compte personnel. Lorsqu'il opérait une descente chez quelqu'un, il se présentait comme appartenant à « la police allemande » ; parfois, après avoir torturé une victime, il la livrait aux Allemands. Au total, l'équipe d'André rassemblait 60 individus, répartis en trois groupes et travaillant parfois au QG même de la Gestapo. Avant la Libération, André et certains de ses acolytes réussirent à se joindre aux forces allemandes qui battaient en retraite ; les armées américaine et française les retrouvèrent en Italie en juillet 1945. Dix-neuf d'entre eux, dont huit étaient en fuite, furent inculpés et jugés à Lyon en janvier 1946. André, Saunier et sept de leurs complices furent condamnés à mort ; quatre autres accusés furent condamnés respectivement aux travaux forcés à perpétuité et à 15, 10 et 5 ans de travaux forcés [36]. L'intérêt du public était d'autant plus vif que Saunier avait une liaison avec une actrice de cinéma, Josseline Gaël. Cette dernière avait fait sa connaissance alors qu'il était garçon boucher et se livrait au marché noir. Lorsqu'il se fut enrichi grâce à ses sinistres activités dans la région lyonnaise, elle accepta de devenir sa maîtresse. On disait qu'elle aussi était accréditée auprès du PPF comme « collecteur de fonds », ce qui lui permettait de saisir et de vendre les biens des Juifs. Arrêtée à Paris et transférée à Lyon, l'actrice fut condamnée à la dégradation nationale à vie par la Chambre civique [37].

C'est également à Lyon que fut jugé un chef de la Milice accusé d'avoir tué Victor Basch, philosophe juif qui avait été avant-guerre président de la Ligue des droits de l'homme, et son épouse, tous deux âgés de 80 ans. L'accusé fut condamné à mort [38]. La même peine fut infligée à un couple étrange qui recherchait les Juifs pour le compte de la Gestapo et touchait une prime pour chaque personne signalée ; ils avaient notamment fait arrêter deux enfants (de sept ou huit ans) qui jouaient dans la rue d'un village, la personne qui s'en occupait ayant sans penser à mal reconnu qu'ils étaient juifs [39].

En raison du très grand nombre d'affaires à entendre, la Cour de Justice de Lyon resta ouverte jusqu'en 1949. Et même après cette date, il fallut la conserver pour régler le sort des personnes jugées par contumace et qui avait décidé de rentrer en France après l'amnistie. En effet, les peines infligées par contumace avaient été assorties de confiscation des biens et nombre de ces condamnés espéraient rentrer en leur possession [40].

Comme tous les autres départements de la région Rhône-Alpes, la Haute-Savoie institua sa propre Cour de Justice. Celle-ci commença à entendre des affaires à Annecy en novembre 1944 ; au total, 151 personnes passèrent en jugement devant elle et 196 autres devant la Chambre civique. À partir de juin 1945, date à laquelle ces deux tribunaux fermèrent leurs portes, les affaires en instance furent transférées à Chambéry, dans le département voisin de la Savoie. Sur les 43 condamnations à mort prononcées à Annecy, une seule fut exécutée. (Il convient de noter qu'un nombre considérable de condamnés l'avait été par contumace et que dans ce cas, la peine maximale — la mort — était de règle.) Il y avait eu 37 condamnations aux travaux forcés à perpétuité et 51 à la réclusion. La Chambre civique avait condamné 137 prévenus à la dégradation nationale et en avait acquitté 59[41].

Après le procès à sensation de l'intendant de police Georges Lelong devant un tribunal militaire à Annecy et son assassinat en compagnie du préfet Charles Marion — que nous avons déjà évoqué —, les audiences de la Cour de Justice d'Annecy devinrent moins spectaculaires. Lors d'une audience type, en novembre 1944, moins d'une semaine après l'incident Lelong-Marion, une femme de 57 ans qui avait dénoncé des communistes et des maquisards aux Allemands fut condamnée à six mois de prison et à deux mois de dégradation. Deux hommes âgés de 61 et 55 ans, accusés d'avoir dénoncé des communistes, se virent infliger respectivement 18 et trois mois de prison. Une femme d'origine italienne qui avait fait l'éloge de Mussolini fut condamnée à trois mois de prison. Un milicien qui avait participé à l'attaque contre le maquis des Glières, mais qui avait ensuite quitté la Milice pour s'enfuir en Suisse, fut condamné à cinq ans de prison et à vingt ans de dégradation. Une jeune femme qui avait fourni aux Allemands des renseignements sur le maquis, et son père, accusé lui aussi d'avoir eu la langue trop bien pendue, furent acquittés. La peine de mort fut requise contre un homme qui était l'un des informateurs habituels de la Gestapo sur les activités du maquis, mais il ne fut condamné qu'à cinq ans de prison et à la dégradation nationale à vie. Un prévenu qui avait su faire valoir d'honorables états de service durant la guerre et qui avait offert l'hospitalité aux Juifs et aux résistants, tout en étant accusé de les avoir dénoncés aux Allemands, fut condamné à huit mois de prison et à cinq ans de dégradation[42].

Un autre procès qui eut lieu juste avant Noël 1944 permet de connaître le sort réservé par la Cour de Justice d'Annecy aux miliciens et autres auxiliaires de la police contre le maquis. Quatre officiers de police en activité sous le régime de Vichy, dont un était l'ex-commandant des Groupes mobiles de Réserve (les GMR, force de police supplétive), furent jugés par contumace pour meurtre et autres violences, et reconnus coupables ; comme il était de règle, tous furent condamnés à mort. En revanche, un jeune milicien qui s'était enrôlé en mai 1944 parce qu'il était orphelin et espérait pouvoir ainsi subvenir aux besoins de ses jeunes frères et sœurs, posa à la Cour un cas de conscience : il comparut en personne, mais n'avait été accusé d'aucun crime sérieux (il figurait parmi ceux qui avaient déjà été acquittés par la cour martiale du Grand-Bornand). La Cour se retira par deux fois pour délibérer avant de l'acquitter, le sanctionnant néanmoins de vingt ans de dégradation nationale.

Le même jour, un autre commandant des GMR fut jugé pour avoir torturé un maquisard prisonnier et collaboré avec les Allemands à la capture d'autres maquisards. Cet accusé comparut lui aussi devant la Cour et intervint fréquemment durant l'interrogatoire des témoins. Il fut condamné à mort[43].

CHAPITRE V

Justice expéditive ou lenteurs inévitables ?

Un homme et un seul avait le pouvoir de sauver un collaborateur du peloton d'exécution une fois celui-ci condamné à mort par une Cour de Justice. C'était le chef de l'État qui, jusqu'au 20 janvier 1946, fut Charles de Gaulle. « Rien au monde ne m'a paru plus triste que l'étalage des meurtres, des tortures, des délations, des appels à la trahison qui venaient ainsi sous mes yeux, devait-il reconnaître dans ses mémoires. En conscience, j'atteste qu'à part une centaine de cas, tous les condamnés avaient mérité d'être exécutés. »

Il n'en commua pas moins 1 303 arrêts de mort, graciant notamment toutes les femmes, presque tous les mineurs et la plupart des accusés qui avaient agi sur ordre de leurs supérieurs et au risque de leur vie. Néanmoins, 768 recours en grâce furent rejetés : ceux des hommes dont de Gaulle estimait qu'ils avaient personnellement et spontanément cherché à tuer des Français ou à servir l'ennemi [1]. Chaque soir, dans sa résidence donnant sur le bois de Boulogne, le général recevait les dossiers des mains de Maurice Patin, quinquagénaire réservé, les lunettes sur le nez, ancien avocat général à la cour d'appel de Paris, alors directeur des Affaires criminelles et des Grâces ; chaque dossier comportait un formulaire de décret en deux volets, l'un décidant la commutation de la peine de mort, l'autre la confirmant, l'un et l'autre déjà signés par le Garde des Sceaux. Comme devait le confier Patin par la suite, de Gaulle apprit très vite quels étaient les faits essentiels à rechercher, mais il y avait parfois sept ou huit affaires à étudier au cours d'une même soirée et la réunion avec Patin pouvait durer jusqu'à des trois heures du matin [2]. Selon le témoignage de son propre secrétaire, de Gaulle avait la hantise de ces séances. Ce qu'il recherchait en examinant les dossiers, c'étaient des preuves d'intelligence avec l'ennemi. Ainsi, il laissa Paul Chack, qui avait encouragé les Français à s'enrôler dans l'armée allemande, aller à la mort en janvier 1945, mais il commua la peine de Henri Béraud [3]. Quelquefois, le Garde des Sceaux Pierre-Henri Teitgen recommandait la commutation sans l'obtenir ; de Gaulle lui déclara qu'il y avait deux catégories de traîtres qui ne méritaient aucune pitié : les hommes de lettres de grand talent et les officiers de carrière [4]. Nous savons cependant aujourd'hui que, durant ses dernières semaines à la présidence du Gouvernement provisoire, le général intervint personnellement pour permettre à l'épouse française d'un collaborateur britannique (condamné à mort dans son pays pour avoir travaillé pendant la guerre pour la radio italienne fasciste) d'aller rendre visite à son mari avant sa pendaison. « La tragédie du monde aura fait tant de victimes — écrivit de Gaulle aux parents du malheureux dévoyé qui se trouvaient être des amis à lui. Le seul jugement qui compte est celui de Dieu [5]. » Plus tard, lorsque la Quatrième République fut dotée d'une Constitution, ce fut son premier président, Vincent Auriol, qui exerça le droit de grâce au cours de réunions avec des membres du Conseil supérieur de la Magistrature [6].

Bien que la chose ne soit guère apparente d'après les témoignages qu'ont laissés de Gaulle et ses collaborateurs les plus proches, l'une des fonctions de la grâce présidentielle était de remédier aux inégalités des sentences prononcées par les Cours de Justice, soit entre Paris et la province, soit entre les différentes régions. C'était à un fonctionnaire du Bureau des Grâces, Adolphe Touffait, anciennement procureur à Évreux, qu'incombait le soin de contrôler ces disparités, puisqu'on l'avait choisi (en partie à cause de son attitude pendant la guerre) pour surveiller les Cours de Justice. Selon les départements, le même crime pouvait être puni de la peine de mort ou d'un châtiment assez modéré, et l'une des tâches du ministère de la Justice — qui, du haut de son observatoire central, pouvait surveiller tous les prétoires de France — était de rétablir un certain équilibre par le biais des grâces ministérielles. Lorsqu'une sentence était prononcée par une cour, le commissaire du Gouvernement de l'endroit, après y avoir joint son avis, la transmettait à la cour d'appel régionale et à Paris où elle atterrissait sur les tables du Bureau des Grâces. Seules les condamnations à mort franchissaient une étape supplémentaire pour finir sur le bureau du général de Gaulle. Dans les cas moins graves, c'était la Commission des Grâces, présidée par Patin, qui pesait le pour et le contre.

L'une des premières préoccupations de Touffait, afin de rappeler à tous qu'une politique nationale définissait le fonctionnement du système jùdiciaire, fut de compiler un bref opuscule regroupant toutes les ordonnances ayant trait au travail des tribunaux d'épuration, et de le faire distribuer dans les Cours de Justice de la France entière [7].

L'inégalité fut criante dès le départ. *L'Humanité*, signalant à la mi-octobre 1944 trois exécutions à Montauban, conformément au verdict rendu par un tribunal militaire, et une condamnation à mort prononcée par la Cour de Justice de Marseille, remarquait : « À Paris, pas un traître n'a encore été fusillé [8] ! » Quelques jours plus tard, il y en eut un, Georges Suarez. Et *L'Humanité* de titrer :

Enfin un peu de justice ailleurs qu'en province [9] !

Un des procureurs parisiens expliqua en partie cette disparité dans le traitement réservé aux collaborateurs par le fait que dans les zones rurales et les bourgs, tout le monde se connaissait et savait qui avait collaboré, alors qu'à Paris il avait été plus facile de se noyer dans la masse [10]. Il y avait toutefois d'autres explications de ces différences de traitement d'une juridiction à l'autre : en sa qualité de commissaire de la République pour la région d'Angers, Michel Debré dut justement régler un problème de ce genre. Un préfet, qui sous l'occupation avait été considéré comme une brute à Tulle, avait ensuite servi à Tours où il s'était forgé une réputation d'indulgence. Sachant qu'à Tulle cet homme serait abattu avant même d'arriver jusqu'au tribunal, Debré refusa de l'y faire transférer, mais il ne voulut pas non plus que le procès eût lieu à Tours où le prévenu eût certainement été acquitté trop aisément. Il ordonna donc de déférer l'affaire à la Cour d'Angers où l'ex-préfet fut condamné aux travaux forcés à perpétuité ; il fut remis en liberté au bout de vingt ans [11].

L'une des plus éminentes cibles de l'épuration, Xavier Vallat, ancien commissaire aux Questions juives, attribuait l'indulgence relative de certaines Cours de Justice à l'absence de communistes ou autres maquisards purs et durs sur les listes de jurés. Il estimait que les trois catégories d'accusés les plus sévèrement punies étaient les hommes de lettres, les policiers et les miliciens. Les policiers, à son avis, étaient traités avec une férocité toute particulière à cause de ce qu'il appelait la « domination communiste » exercée sur la police et sur l'appareil judiciaire après la Libération. Vallat reconnaissait que les individus accusés de collaboration économique s'en était tirés avec les sanctions les plus légères : « ils furent discrètement aiguillés de préférence vers les Chambres civiques ».

Il impute aussi les inégalités dans les condamnations au pur caprice, notant qu'elles variaient « avec les latitudes et les longitudes [12] ».

Un avocat qui joua un rôle actif dans la défense de gens accusés de collaboration nota quant à lui des différences de traitement au sein des mêmes catégories : par exemple, les relations régulières avec la Gestapo entraînaient presque invariablement la peine capitale, alors que les membres de la Légion des Volontaires Français qui s'étaient engagés de leur propre initiative dans l'armée allemande bénéficiaient souvent d'une certaine indulgence, parce qu'ils n'avaient pas directement causé de tort à d'autres Français et parce qu'ils avaient fait preuve de courage physique. Les miliciens étaient l'objet d'une plus grande sévérité si l'on estimait qu'ils avaient profité de leur situation pour satisfaire un désir de vengeance ou quelque convoitise personnelle ; la rigueur était moindre si l'on constatait qu'ils avaient sincèrement cru aider au maintien de l'ordre. Les membres de mouvements politiques comme ceux de Doriot ou de Déat comparaissaient devant les Chambres civiques qui ne pouvaient condamner les accusés qu'à la dégradation nationale [13].

Dans un département du Midi, un historien a eu la patience d'étudier les verdicts au jour le jour en partant de l'extrême sévérité des cours martiales et de la rigueur des Cours de Justice au cours des toutes premières semaines, pour en arriver à la période (de décembre 1944 à mars 1945) où elles continuaient à se montrer sévères, mais avec des verdicts tout de même « plus proportionnés aux fautes reprochées », et aboutir enfin à la période où « souvent la clémence l'emporte ». Car alors, comme le lui confia un ancien juré, on avait davantage de temps pour réfléchir, on était moins soumis aux pressions. Ainsi un milicien armé, condamné à mort par contumace en février 1945, comparut devant la Cour après son arrestation au début de juin de la même année. Sa jeunesse et son évident manque de discernement lui valurent une sanction modérée de dégradation nationale à temps. Au demeurant, tous ceux qui furent condamnés à mort par contumace durant les mois qui suivirent immédiatement la Libération pouvaient espérer, le temps passant, le vote d'une amnistie ou pouvoir s'en sortir, à l'issue de leur nouveau procès, avec une peine assez légère, voire un acquittement. Le chef de la Milice du département en question, condamné à mort par contumace en août 1945, se constitua prisonnier à Marseille en avril 1954 et fut jugé en mars 1955 ; en dépit des charges qui pesaient contre lui, il ne fut condamné qu'à cinq ans de prison et immédiatement remis en liberté. Du fait que les principaux collaborateurs étaient en fuite, échappant ainsi à un châtiment mérité, et que seul le menu fretin était resté pour expier ses crimes, les résistants avaient le sentiment que l'épuration judiciaire était un échec [14]. « Un nombre assez élevé de grands coupables de la collaboration avec l'ennemi ont échappé à la justice de leur pays en se cachant, plus fréquemment en gagnant l'étranger », devait se rappeler plus tard François de Menthon, certainement non sans amertume [15].

Nous disposons bien sûr de statistiques sur le travail accompli par les Cours de Justice dans chaque département. Elles font notamment apparaître que les cours du midi de la France furent les plus sévères (c'est dans cette région que le taux de condamnations à mort fut le plus élevé). Les endroits où l'on eut à juger le plus grand nombre d'affaires furent l'Alsace (annexée par les Allemands et soumise par conséquent à de très fortes pressions), Orléans, Aix-en-Provence, Caen, Rouen, Toulouse, Lyon et Besançon. À l'autre extrême, on trouve la Corse, le Pays Basque, la Bretagne, l'Anjou, la Savoie et le Berry. À Paris, le nombre d'affaires fut supérieur à la moyenne nationale, mais il y eut davantage d'acquittements et de non-lieux et moins de condamnations à mort : 2,8 %, alors que la moyenne nationale était de 6,1 %, soit encore 3,1 condamnations pour 100 000 habitants contre 7 pour 100 000 au niveau national [16]. À l'évidence, si l'on veut comprendre pourquoi il y eut davantage de procès dans une région que dans une autre, une sévérité plus grande ici que là, il convient de connaître en particulier la géographie de chaque région, car cette géographie avait une forte incidence sur l'implantation des groupes de Résistance et, partant, sur la violence de la répression. Il faut également savoir combien de collaborateurs avaient été supprimés avant l'ouverture des Cours de Justice soit au moyen d'exécutions sommaires, soit par des cours martiales autorisées, soit même par des tribunaux populaires constitués spontanément.

D'après le schéma initial, nous l'avons vu, il devait y avoir une Cour de Justice pour chaque région, correspondant aux cours d'appel régionales : l'idée directrice, du moins dans l'esprit de l'un des auteurs de l'ordonnance, était de maintenir les nouvelles cours à distance suffisante des pressions locales. Cependant, à la Libération, les impératifs de la justice requirent un plus grand nombre de cours et l'on dut en prévoir au moins une par département (la Seine-Inférieure, par exemple, en ouvrit deux, une à Rouen et une au Havre). Dès le début de 1945, cependant, la politique du ministère de la Justice fut de réduire le nombre de cours, et ce, dans les plus brefs délais. Ainsi, Charles Zambeaux, directeur de cabinet de François de Menthon, profita-t-il de l'agitation qui régnait à Alès, où une foule déchaînée avait envahi la prison, pour fermer la cour qui siégeait dans cette ville, transférant toutes les affaires et tous les prisonniers à Nîmes [17]. Plus tard, sous le successeur de De Menthon, Pierre-Henri Teitgen, le magistrat Adolphe Touffait fut chargé de fermer les cours au fur et à mesure qu'elles auraient liquidé les affaires initialement inscrites au rôle.

Il fallait harceler quotidiennement les magistrats locaux pour les inciter à régler au plus vite les affaires encore pendantes. Touffait avait fixé au mur une grande carte de la France sur laquelle, tout content, il biffait en rouge les chefs-lieux de départements dans lesquels la Cour de Justice avait fermé ses portes [18]. Officieusement, Charles Zambeaux avait mis au point sa propre méthode : à chaque fois qu'il restait moins de 100 affaires pendantes dans une juridiction, c'en était fini de la Cour de Justice. (Si bien que les procureurs qui signalaient un faible nombre d'affaires en attente — pour souligner l'efficacité avec laquelle fonctionnait leur Cour — la voyaient aussitôt disparaître.) Zambeaux estimait que le moment était venu de se hasarder à ralentir le processus judiciaire (en regroupant les cours), plutôt que de permettre à celles-ci de continuer à fonctionner dans des villes de faible importance où elles étaient plus vulnérables aux pressions locales. Sa vision d'ensemble lui laissait clairement discerner que plus la ville était petite, plus les manifestations de mécontentement populaire étaient virulentes. Pour sauver une vie, il suffisait parfois de transférer une affaire à Paris. Le renvoi devant une autre cour pouvait être réclamé aussi bien par la défense que par le ministère public [19].

En ce qui concerne la Région parisienne, Maurice Rolland, dont le titre était désormais celui d'inspecteur des services judiciaires, ayant analysé les premiers mois de fonctionnement des Cours de Justice, fut à même de signaler au Garde des Sceaux qu'elles avançaient bien lentement, non seulement en raison de difficultés matérielles, mais également du fait que le personnel vaquait à ses tâches sans se presser outre mesure. De fait, il n'y avait pas jusqu'aux jurés qui ne fissent preuve d'une étonnante sérénité ; en dépit de leurs opinions de résistants, ils semblaient pénétrés de leurs solennelles responsabilités : « Une fois installés sur le siège, ils deviennent insensibles aux manifestations du dehors. » Pour le département de Seine-et-Oise, par exemple, deux sections de la Cour de Justice fonctionnaient à Versailles au début de 1945 ; chaque juge d'instruction — il y en avait quatre — avait 175 affaires à préparer. Les deux cours siégeaient trois jours par semaine ; au 22 janvier, elles avaient à elles deux jugé 65 affaires (aucune condamnation à mort ; cinq aux travaux forcés à perpétuité). Si d'aucuns pensaient que ces tribunaux ne se montraient pas assez sévères, le grand public et la presse n'avaient guère émis de protestations. Il faut toutefois préciser que les plus grosses affaires étaient entendues non pas à Versailles, mais à Paris. La Chambre civique de Seine-et-Oise se réunissait trois après-midi par semaine, ce qui, de l'avis de Rolland, n'était pas suffisant, étant donné le besoin impérieux d'en finir au plus vite avec ces histoires d'indignité nationale. La Chambre entendait une centaine d'affaires par mois, alors qu'il y en avait 350 tout instruites qui attendaient, 600 autres qui se profilaient à l'horizon et même bien plus si la préfecture décidait de citer les 800 membres du groupe « Collaboration » du département [20].

Quand on atteignit le milieu de l'année 1945, 6 500 affaires s'étaient accumulées, dont un tiers furent néanmoins classées dès l'origine. À l'époque, six juges d'instruction étaient à pied d'œuvre, responsables d'environ 240 affaires chacun. Pour l'heure, les deux sections de la Cour avaient entendu 285 affaires (alors qu'à elle seule une cour de Seine-et-Marne en avait réglé 236). Les conditions de détention avaient empiré, car on avait sous-estimé le nombre d'inculpés que les cours de Seine-et-Oise auraient eu à juger et il arrivait une trentaine de nouvelles affaires par jour [21].

Entre les efforts des légalistes pour rendre une justice digne de ce nom d'un côté, et, de l'autre, l'impatience d'une population récemment délivrée de quatre années d'une brutale occupation ennemie, les heurts étaient inévitables, de même que ne pouvait persister une incompréhension mutuelle. Alors même que les cours commençaient à fonctionner, les pressions furent manifestes : la commission de la Justice du Conseil National de la Résistance chercha à établir une liaison officielle entre les nouvelles cours et les Comités départementaux de Libération, de façon que la Résistance pût contrôler leur fonctionnement ; le CNR pensait même avoir obtenu satisfaction, mais il voulut alors exiger la suppression du droit d'appel [22]. Auguste Gillot, du parti communiste, président de la commission de la Justice du CNR, tint à la fin d'octobre 1944, en compagnie de deux autres membres de cette commission, MM. Willard et Nordmann (qui, nous l'avons vu, avaient assuré l'intérim au ministère de la Justice avant l'arrivée de François de Menthon), une conférence de presse où les trois hommes répétèrent qu'ils exigeaient que le droit d'appel fût abrogé [23].

Au cours du débat sur le budget du ministère de la Justice à

l'Assemblée consultative, en février 1945, de Menthon déclara :
« Il n'y avait de choix qu'entre une répression rapide et aveugle,
qui eût été une parodie de justice, et la justice tout court, avec des
lenteurs inévitables. » Il ajouta : « L'épuration n'est pas une
revanche partisane. » Afin de prouver que l'administration n'y
mettait pas de mauvaise volonté, il annonça qu'à la date du
1er février, 100 000 personnes avaient été arrêtées et que
31 600 affaires étaient en cours d'instruction. Sur les
48 600 affaires déférées aux parquets, 17 000 avaient déjà été
réglées. À l'issue de 7 053 procès, il y avait eu 574 condamnations à
mort prononcées, et même 1 500 si l'on comptait les tribunaux
militaires. Pour ce qui concernait son propre ministère, il ajouta
que l'épuration administrative avait puni 36 des 152 membres du
Conseil d'État et que 266 magistrats sur les 2 100 alors en exercice
avaient été suspendus. Lors de la même séance, le député
communiste Auguste Gillot réclama pour l'épuration un « rythme
de guerre », tandis qu'un représentant du grand patronat demandait pour sa part que l'on mît purement et simplement fin à
l'épuration, qui « n'est plus qu'une comédie[24] ».

Ces deux extrêmes montraient assez fidèlement, semble-t-il,
combien l'opinion était partagée. Dans son rapport secret sur l'état
d'esprit de la population pour la même période, la gendarmerie
signala un mécontentement généralisé : ou bien les Français
déploraient la « trop grande clémence » de l'épuration, ou bien ils
regrettaient sa « sévérité excessive ». Un sentiment d'insécurité
régnait, l'épuration continuant en dépit des dates limites proclamées pour son terme ; beaucoup de gens estimaient aussi que « les
petits paient », tandis que « les vrais responsables courent toujours ». Il y avait un risque sérieux de réaction populaire contre les
Comités de Libération locaux, de divorce entre la Résistance et le
reste du pays. Les Français, rapportait un commandant de
gendarmerie, étaient « avant tout amis du bon ordre et de la
sécurité[25] ». Pourtant, le rapport du mois suivant mit l'accent sur
un sentiment général en faveur d'une complète épuration[26].

Nous avons déjà noté qu'il y eut une nouvelle flambée d'émotion
lorsque l'Allemagne s'effondra pour de bon, car on vit alors
s'ouvrir les portes des camps de concentration et les déportés
survivants rentrèrent chez eux pour y révéler de nouveaux détails
sur les crimes des collaborateurs. Dès le mois de mars 1945, la
gendarmerie nationale s'y était attendue : « Il est à souhaiter que
l'épuration soit terminée avant le retour massif des expulsés et des
déportés, sinon des incidents violents, voire même des exécutions
sommaires peuvent être à redouter[27]. »

En même temps que les déportés, on vit revenir certains des plus flagrants collaborateurs, y compris les fuyards du gouvernement de Vichy qui avaient fait partie du gouvernement fantoche établi en exil sous la protection des Allemands au château de Sigmaringen. Ces gens allaient être arrêtés en Allemagne, en Autriche, en Italie (ceux en tout cas qui ne parvinrent pas à disparaître de la circulation jusqu'à la fin de leur vie, comme Marcel Déat). Fernand de Brinon, porte-parole de Vichy auprès des Allemands — et vice versa — fut retrouvé en Allemagne. Il déclara qu'il s'était rendu de son plein gré à l'armée américaine. « Vous remarquerez qu'à la différence de tant d'autres, lança-t-il aux journalistes, je ne suis parti ni pour l'Espagne, ni pour l'Italie[28]. » Philippe Pétain rentra en France via la Suisse, mais les Suisses firent savoir qu'ils refuseraient le transit aux autres collaborateurs qui avaient toujours la ressource de se rendre directement aux forces d'occupation françaises en Allemagne, non loin de la frontière helvétique[29]. Pierre Laval se réfugia en Espagne, d'où il fut expulsé vers l'Autriche où les forces américaines le prirent en charge et le remirent aux mains des Français[30]. La presse signalait régulièrement de nouvelles arrestations, des rapatriements ; au cours d'une seule journée, vers la fin d'octobre 1945, 222 suspects arrêtés en Allemagne furent ramenés en France[31].

Près d'un an plus tard, l'aumônier de la Légion des Volontaires Français, Jean Mayol de Luppé, fut découvert en Allemagne où il vivait sous une fausse identité[32]. Un officier de cette même Légion, Jean Bassompierre, avait été capturé par les troupes soviétiques en février 1945, s'était évadé durant son transfert en France, était parvenu à gagner l'Italie et fut arrêté à Naples, alors qu'il s'apprêtait à embarquer pour l'Amérique du Sud[33].

Conformément à une décision du ministère de la Justice, les travailleurs qui rentraient en France, qu'ils fussent partis de leur plein gré ou qu'ils eussent été mobilisés par Vichy pour aller servir dans les usines allemandes, ne devaient pas être poursuivis, leurs affaires étant aiguillées vers les Chambres civiques. Le gros problème était que miliciens et auxiliaires de la Légion des Volontaires Français et des Waffen SS se mêlaient aux prisonniers de guerre rapatriés pour éviter d'être arrêtés. On incita vivement les authentiques prisonniers de guerre et les déportés à contribuer à l'épuration, et un raz de marée de dénonciations déferla sur les tribunaux. Tant et si bien que la justice, qui avait retrouvé une certaine sérénité, redevint soudain agitée, avec des jurés chez qui l'objectivité cédait souvent le pas à la passion, et des condamnations plus lourdes. Tout ceci rendait bien pessimiste l'inspecteur du ministère, Maurice Rolland : « La fin, que l'on pouvait espérer relativement proche il y a trois mois, paraît s'éloigner[34]. »

Les avocats étaient, eux aussi, animés de forts sentiments défavorables à l'épuration. En février 1945, le Conseil de l'Ordre des Avocats de Paris, ayant à sa tête un bâtonnier (Jacques Charpentier) qui avait joué un rôle dans la mise sur pied des procédures d'épuration, émit un vœu réclamant une révision de fond en comble des procédures judiciaires, notamment dans le domaine de la sélection des jurés, de l'instruction et de la cassation[35]. Inutile de dire qu'avec le climat qui prévalait à l'époque, rien ne serait tenté pour exaucer le vœu des juristes pointilleux ; ce qui n'empêcha pas les avocats de revenir à la charge dès l'automne, par le biais d'une déclaration soulignant les défauts inhérents au mode de sélection des jurés alors en vigueur. Ceux-ci étaient recrutés par des groupes non autorisés, tandis que « le pouvoir de juger a été retiré à l'immense majorité des Français ». Bien souvent, lors des procès, ajoutait le Conseil de l'Ordre, les jurés se considéraient comme les simples délégués de ceux qui les avaient choisis[36]. Au cours d'une conférence donnée au début de 1948, Me René Floriot s'en prit publiquement aux Cours de Justice pour des raisons analogues[37]. La critique la plus extrême fut exprimée dans une lettre ouverte d'un juriste anonyme aux Cours de Justice, où l'on pouvait lire que le gouvernement Vichy ayant été le seul gouvernement légal en France de juin 1940 à août 1944, lui seul était qualifié pour décider de juger des Français pour haute trahison, si bien que tous les procès qui s'étaient déroulés depuis août 1944 étaient entachés de nullité[38].

À l'opposé de ce point de vue, on trouvait des Français qui, lorsqu'ils estimaient que des collaborateurs n'avaient pas été assez punis — lorsque leur châtiment s'était borné, par exemple, à la dégradation nationale — n'hésitaient pas à exprimer leur mécontentement à coups d'explosifs. (Ce fut le cas dans les Landes en 1944[39].) Dans un rapport concernant l'épuration sur son territoire, le sous-préfet de Marmande (Lot-et-Garonne) signala en février 1947 la réaction négative des citoyens contre les « carences » des tribunaux locaux, notamment le retard dans l'exécution d'un traître condamné à mort. « Cette émotion de l'opinion publique risquerait fort de se matérialiser par des actes si certains collaborateurs notoires, épargnés par les juges et actuellement dans l'ombre, s'avisaient de reparaître demain au premier plan[40]. »

CHAPITRE VI

La justice en ses œuvres

Il est clair qu'à partir du moment où les Cours de Justice commencèrent à fonctionner, certaines personnes — et pas seulement celles accusées de collaboration — eurent pour premier souci de les voir fermer leurs portes dès que possible. Les ordonnances qui les avaient instituées stipulaient bien que, passé une certaine date limite ultérieurement fixée à novembre 1945, elles cesseraient d'être compétentes pour juger de nouvelles affaires. Nous avons vu que le ministère de la Justice s'était efforcé de fermer au plus tôt les cours départementales, mais les Cours de Justice n'en mirent pas moins longtemps à disparaître.

Dès son entrée en fonctions en février 1949, le nouveau Garde des Sceaux (Robert Lecourt) leur accorda trois mois de sursis : « Quand les dernières affaires auront été jugées, les Cours de Justice n'auront plus de raison d'être[1]. » Il allait pourtant falloir voter une nouvelle loi (en juillet 1949) pour les clore définitivement, et même alors elles survécurent. À Paris, la tâche de la Cour de Justice avait été prorogée jusqu'à la fin de l'année, mais d'autres cours et Chambres civiques qui avaient officiellement cessé d'exister furent maintenues en activité pour entendre les affaires ayant déjà atteint le stade du procès. Toutes les autres devaient être déférées au tribunal militaire[2].

Le 31 juillet 1949, par exemple, la presse annonça la fermeture de la Cour de Justice de Lyon[3]. Celle-ci était néanmoins toujours responsable de la réouverture d'affaires concernant des collaborateurs déjà condamnés par contumace et que l'on avait arrêtés depuis lors ou qui s'étaient constitués prisonniers (afin de pouvoir rentrer en possession des biens confisqués aux termes de la sentence antérieure). Qui plus est, cette cour de Lyon, théoriquement fermée, devint responsable de toutes les affaires d'une région préalablement nantie de vingt-sept autres Cours de Justice[4]. Au début de 1950, le commissaire du Gouvernement pour la région lyonnaise signala dans un rapport que 70 affaires étaient en cours d'instruction et que 27 inculpés étaient encore incarcérés. Onze affaires avaient été réglées, neuf devaient passer en jugement et deux seraient classées. La « nouvelle » Cour de Justice avait tenu dix audiences, la Chambre civique une seule, ce qui leur avait permis de régler respectivement 41 et 11 affaires[5]. Les dernières Cours de Justice n'allaient disparaître qu'en 1951 à Toulouse, Lyon, Colmar et finalement Paris.

Dès leur naissance ou presque, on avait pris l'habitude de publier les bilans d'activité des Cours de Justice, en partie pour prouver à l'opinion que le gouvernement faisait son devoir, puis, par la suite, pour démentir les rapports exagérés qui circulaient sur les excès de l'épuration. Nous savons par exemple qu'en décembre 1944, alors que presque toutes les Cours de Justice avaient ouvert leurs portes, elles mobilisaient les services de 623 magistrats sur les 2 200 que comptaient alors la France[6]. En janvier 1945, 18 700 affaires étaient en cours de règlement, sur un total estimé à 50 000[7]. En mai, le Garde des Sceaux François de Menthon se présenta devant la Commission de la justice et de l'épuration de l'Assemblée consultative pour annoncer qu'il y avait déjà eu 17 300 procès et 1 598 condamnations à mort ; les Chambres civiques avaient prononcé 17 500 peines de dégradation nationale ; les cours et chambres prises ensemble prononçaient une moyenne de 5 000 sentences par mois[8].

Les Cours de Justice ne pouvait plus recevoir de nouvelles affaires après novembre 1945, le successeur de De Menthon, Pierre-Henri Teitgen (ancien professeur de droit, ministre de l'Information du général de Gaulle à la Libération, et l'un des futurs leaders du Mouvement Républicain Populaire), put se targuer, dans un discours prononcé en avril 1946, de fournir des renseignements définitifs. Au total, les parquets avaient instruit 108 338 affaires, sur lesquelles 36 000 avaient été classées avant le procès ; 42 000 avaient été déférées aux Cours de Justice, le reste aux Chambres civiques. Au 15 mars 1946, les Cours de Justice avaient entendu 39 308 affaires et les Chambres 51 950, si bien qu'il en restait 19 000 à régler. Il y avait eu 3 920 condamnations à mort, 1 508 aux travaux forcés, 8 500 à des peines de prison. À ceux qui protestaient qu'il y avait eu bien plus de 108 338 collaborateurs et que la Révolution française s'y était bien mieux entendue en matière d'épuration, Teitgen répliqua : « Les tribunaux révolutionnaires de 1793 se sont bornés, au total, à prononcer

17 500 condamnations. Dès lors, si vous comparez ce chiffre des condamnations prononcées par les tribunaux de 1793 et des condamnations prononcées par nos Cours de Justice actuelles, ce n'est pas peu qu'il faut dire, c'est beaucoup. »

Et puis, y avait-il vraiment eu tant de traîtres en France occupée ? Teitgen cita une note adressée au gouvernement de Vichy par Marcel Déat et d'autres collaborateurs notoires à la fin de 1943, dans laquelle ils se plaignaient qu'il n'y eût pas plus de 50 000 collaborateurs dans tout le pays [9]. Plus tard cette année-là, devant l'Assemblée constituante, Teitgen devait conclure un résumé des statistiques d'épuration par une comparaison analogue : « Vous pensez sans doute que par rapport à Robespierre, Danton et d'autres, le Garde des Sceaux qui est devant vous est un enfant. Eh bien, ce sont eux qui sont les enfants, si l'on juge par les chiffres [10] ! »

Les chiffres définitifs, publiés cette fois après que la dernière des Cours de Justice eut irrévocablement fermé ses portes, indiquent que 124 751 dossiers furent ouverts par les cours et les Chambres dans leur ensemble. Sur ce total, 45 017 furent classés et 28 484 personnes qui passèrent en jugement furent acquittées. Il y eut 6 763 condamnations à mort, dont 2 853 prononcées en présence de l'accusé et 3 910 par contumace ; 767 d'entre elles furent finalement exécutées. Par ailleurs, 2 777 inculpés furent condamnés aux travaux forcés à perpétuité, 10 434 aux travaux forcés à temps, 24 116 à la prison et 2 173 à la réclusion. Les Chambres civiques, quant à elles, prononcèrent 48 484 condamnations à la dégradation nationale, mais 3 184 des condamnés furent immédiatement relevés [11].

Nous ne parlons pas ici du Tribunal militaire qui hérita de l'épuration (mais qui montra une indulgence appropriée à son temps). Ainsi, lorsque Horace de Carbuccia, directeur de *Gringoire*, comparut devant le tribunal militaire de Paris après avoir vécu dans la clandestinité en France et en Suisse, *L'Humanité* conclut le compte rendu de son procès sur une note ironique : « ... Horace de Carbuccia est enfin acquitté. Que vouliez-vous donc qu'on lui fît ? Son rédacteur Henri Béraud a été condamné à mort. Il y a dix ans de cela [12] ! »

Les Chambres civiques étaient une institution exceptionnelle inventée pour punir un crime qui ne l'était pas moins : l'indignité nationale. Les sanctions étaient, de l'aveu même des concepteurs, rétroactives — mais rétroactives dans le sens de la bienveillance, puisque c'était une mesure conçue pour éviter aux collaborateurs les peines plus graves qu'ils eussent encourues devant d'autres tribunaux. Pour déterminer la culpabilité ou l'innocence d'un prévenu, la Chambre devait considérer dans quelle mesure il avait été soumis à la contrainte, ainsi que l'importance et la fréquence des actes qui lui étaient reprochés ; elle pouvait casser le verdict si l'accusé avait ultérieurement pris part à la guerre contre l'Allemagne ou fourni de l'aide à la Résistance. Elle se réunissait en audience publique, mais les jurés délibéraient à huis clos. Les accusés avaient le même droit d'appel que dans une Cour de Justice [13].

Tous les défauts entachant ce crime d'indignité nationale ont déjà été évoqués dans ces pages : ainsi, alors même qu'ils inventaient le crime et son châtiment, les juristes de la Résistance se chamaillaient déjà à propos de notions comme celle de rétroactivité. Une analyse juridique d'un commissaire du Gouvernement ébauche le raisonnement suivant : l'indignité est « un état de fait plutôt qu'un crime », la dégradation n'est pas « une peine mais une déchéance ». L'ordonnance insistait bien sur le fait que l'accusé devait avoir agi sciemment et que la Chambre devait tenir compte de l'intention. Le magistrat en question fit en outre remarquer que les contacts sociaux, voire les relations intimes avec le personnel militaire allemand n'étaient pas punissables en soi, mais ne l'étaient qu'accompagnés d'autres actes répréhensibles. Les agissements collaborationnistes ne pouvaient être absous sous prétexte que l'accusé ne faisait qu'obéir aux ordres s'il (ou elle) n'avait rien fait pour se soustraire à ces ordres (ainsi en décidèrent les Chambres au fur et à mesure qu'elles établissaient leur jurisprudence [14]).

Ce sont des choses qu'il convient de rappeler, car les Chambres eurent plutôt mauvaise presse. D'un côté, comme l'a fait valoir un avocat, les prévenus des Chambres civiques bénéficiaient d'un avantage : « L'accusé comparaissait libre, et c'est librement qu'il quittait le prétoire, quel que fût l'arrêt prononcé » ; mais, de l'autre, toujours selon le même critique, les accusations étaient parfois des plus ténues : « ... un envoi de fleurs à Mme Abetz devient le fond d'un procès ». (Otto Abetz était, rappelons-le, l'ambassadeur de Hitler à Paris [15].) Certaines audiences des Chambres civiques nous sont dépeintes sous des couleurs courtelinesques : par exemple, un employé des Pompes funèbres est accusé d'avoir exécuté un salut fasciste devant le cercueil du collaborateur assassiné Philippe Henriot ; ou bien le chauffeur de Pierre Laval est condamné à cinq ans de dégradation uniquement pour avoir occupé cette fonction. Pour des crimes qui n'étaient guère plus graves que ceux-là, assure notre critique, « des dizaines de milliers de Français perdirent ainsi leur métier, parfois leurs biens, et durent même quelquefois, à un âge avancé, chercher à se refaire une situation ou une installation [16] ».

Il n'existe aucun compte rendu des procès des Chambres civiques. Si nous parvenons à recréer tant bien que mal leur atmosphère et à connaître un certain nombre de faits, c'est grâce à la diligence de la presse en certaines affaires. Cependant, les seuls témoignages détaillés que nous possédons sur elles émanent d'accusés qui se sont sentis victimes d'une injustice et qui ont voulu le faire savoir à tous. Ainsi un médecin, qui était dans son département médecin-chef des Caisses d'Assurances sociales, a-t-il publié sa version du procès qui lui fut intenté. Il avait écrit des ouvrages de vulgarisation sur l'hygiène et la santé ; dans l'un d'eux, publié sous l'occupation, il laissait entendre que les Français auraient dû être « reconnaissants » à Hitler de les avoir épargnés ; il voyait dans cette indulgence le signe avant-coureur de l'avènement d' « une Europe nouvelle » si les Français savaient la mériter. Le 25 janvier 1945, il fut convoqué pour interrogatoire chez le juge d'instruction, puis, le 5 mars, il passa en jugement devant la Chambre civique du département de l'Allier (à Moulins). Il fut autorisé à prendre place dans la salle pour observer les procès qui se déroulaient avant le sien. Une jeune femme qui avait fait de la lessive pour des officiers allemands était accusée d'avoir eu avec eux des relations intimes. Bien qu'elle eût rejeté cette accusation (notre médecin trouva son explication convaincante), elle fut condamnée à 30 ans de dégradation. Deux autres femmes accusées du même délit parurent suffisamment jolies à notre homme pour que la chose fût plausible ; l'une d'elle reconnut une liaison et écopa de la dégradation à vie, l'autre nia et reçut 20 ans de la même peine. Un technicien-radio accusé d'avoir lu au moins une fois de la propagande vichyste sur les ondes fut acquitté parce que — selon notre témoin — il était marié à la fille d'un général américain.

Puis ce fut le tour du médecin. Le président de la Chambre lut à voix haute un extrait de son livre dans lequel il imputait à la « démocrassouille » d'avant-guerre la mauvaise santé des Français ; venait alors la fameuse remarque sur Hitler et son indulgence. Le médecin déclara avoir écrit cette phrase parce qu'il y croyait. « Ainsi, vous ne regrettez rien ? — Je reconnais que cette phrase peut produire aujourd'hui un fâcheux effet, mais je l'ai écrite sans mauvaise intention et n'en ai d'ailleurs retiré aucun avantage. » Le premier témoin de l'accusé était un autre médecin qui déclara que son collègue était anti-allemand et qu'il avait aidé plusieurs jeunes gens à esquiver le STO (Service du Travail

Obligatoire en Allemagne). Deux autres témoins de la défense, dont l'un était un médecin juif, attestèrent qu'à l'époque où l'accusé avait écrit son livre, il était possible de se tromper sur la nature réelle de l'occupation. Le commissaire du Gouvernement recommanda l'acquittement. L'avocat de la défense ne revint pas sur les faits, mais plaida les bonnes intentions de son client, « bon Français, père de famille, écrivain distingué et très humain... » Lorsqu'on lui demanda de conclure, le prévenu déclara qu'il n'avait rien à ajouter. Au bout de dix ou quinze minutes de délibération, le jury revint pour lui infliger dix ans de dégradation nationale. Le lendemain, l'infortuné médecin put lire dans un compte rendu de presse consacré aux quatorze affaires de la veille — qui s'étaient soldées par quatre dégradations à vie, sept autres totalisant 95 années de dégradation, et trois acquittements — que son ouvrage avait exprimé son « admiration » pour Hitler. Il fut très vite convoqué devant la Commission d'Épuration du Conseil régional des Médecins à Clermont-Ferrand ; il ne se présenta pas à l'audience, mais, par arrêté, le ministre de la Santé publique lui interdit l'exercice de la médecine pour une période de deux ans. Peu après, cependant, le médecin reçut une nouvelle réconfortante : en appel, le verdict de la Chambre civique avait été cassé ; il était donc gracié, sauf pour ce qui était du droit de vote et de celui d'occuper des fonctions officielles qui ne lui étaient pas encore rendus. Il lui fallut cinq mois d'efforts supplémentaires pour faire lever l'interdiction d'exercer son métier [17].

Grâce au travail d'un historien qui a soigneusement passé au crible les archives, nous savons que les Chambres civiques se montrèrent les plus sévères à Besançon (où 88 % des inculpés furent condamnés), Nîmes et Rennes (85 %), Caen (84 %), Dijon (81 %), Orléans (80 %), Lyon et Riom (77 %), Bourges et Agen (75 %), Colmar et Toulouse (74 %), Bordeaux (73 %) ; les plus clémentes à Bastia (63 % d'acquittements) et Paris (43 %) [18]. Il va de soi qu'il y avait davantage de menu fretin que de gros bonnets au banc des accusés. En compulsant un fichier répertoriant différents dossiers, nous trouvons au hasard un représentant de commerce, un sculpteur, un garçon de bureau, un secrétaire de ministère, un électricien, un cantonnier, un cultivateur, un directeur de théâtre, une infirmière, un directeur commercial, une femme de ménage, un gardien de la paix, un chauffeur, un directeur de journal, un jardinier, une secrétaire, un employé d'assurance, un cuisinier, un docteur en médecine [19]...

Un échantillon d'affaires déférées aux Chambres du département de la Seine, pris lui aussi au hasard, contient les suivantes :

une fille de salle de 34 ans, ayant reconnu durant l'instruction avoir eu des relations intimes avec des soldats allemands pour arrondir ses fins de mois — en tout cas, jusqu'à ce qu'elle eût attrapé la syphilis — avait déclaré sous serment n'avoir dénoncé personne et sollicité l'indulgence, étant fille mère d'un garçon de 15 ans qui n'était pas au courant de ses activités. Ne s'étant pas présentée devant la Chambre pour son procès (en juin 1945), elle fut convaincue d'avoir « entretenu publiquement des relations indignes avec des militaires de l'armée allemande » ; la condamnation à la dégradation se doubla d'une interdiction de séjour dans la Région parisienne[20]. Au cours du même mois, une femme de 28 ans qui avait travaillé comme bonne à tout faire pour une unité de l'aviation allemande à Dreux, fut accusée d'avoir été la maîtresse d'un sous-officier allemand. L'enquête indiquait qu'elle n'avait eu de relations qu'avec un seul Allemand, et aucune autre plainte contre elle n'avait été enregistrée ; elle fut acquittée[21]. Un étudiant de 19 ans — que sa mère, civilement responsable, accompagna devant le tribunal — était accusé d'avoir été membre du PPF et d'avoir fait partie du service d'ordre lors de ses manifestations. Il fit valoir pour sa défense que son état de santé (il souffrait de tuberculose osseuse) et le fait que sa mère était privée d'emploi l'avaient obligé à accepter ce travail rémunéré au PPF. Il fut acquitté[22]. En juillet, le directeur du Théâtre de la Gaîté Lyrique, accusé d'activités proallemandes, fut acquitté, mais, au terme de poursuites distinctes, le ministre de l'Éducation lui infligea un an de suspension et la Commission nationale interprofessionnelle d'épuration le condamna elle aussi à un an de suspension à cause de déclarations proallemandes qu'il avait faites sous l'occupation, au retour d'un voyage à Berlin, et que la presse avait rapportées[23].

En octobre 1945, un artiste lyrique de 23 ans, appartenant à une famille de musiciens fort connus, fut acquitté lorsqu'il eut expliqué qu'il avait été obligé d'adhérer au RNP pour obtenir du travail[24]. Le mois suivant, un autre chanteur accusé d'avoir recruté pour le RNP fut condamné à 15 ans de dégradation[25].

En mars 1946, un homme de lettres fut accusé, entre autres méfaits, d'avoir donné des conférences pour le Groupe « Collaboration », ce qui lui valut 10 ans de dégradation[26]. En mai, un jeune peintre en bâtiment fut condamné par contumace à la dégradation nationale (une condamnation par contumace était obligatoirement à vie) : il s'était porté volontaire pour aller travailler en Allemagne pour l'Organisation Todt, qui construisait les défenses militaires des Nazis. (Un peu plus tôt, cette même affaire avait été classée par une Cour de Justice[27].) En juin, une femme de 31 ans, qui avait eu un soldat allemand pour amant, et qui travaillait en outre pour une firme allemande tout en appartenant au groupe « Collaboration », fut condamnée à cinq ans de dégradation[28]. Ce même mois, le jugement de l'actrice Corinne Luchaire suscita quelques échos dans la presse. À l'époque, son père Jean Luchaire, l'un des papes de la collaboration, avait déjà été condamné par une Cour de Justice et exécuté. « Corinne Luchaire reste élégante dans son très simple tailleur bleu, avec son chapeau style anglais d'assistante Croix-Rouge. Ces grands yeux, ce teint pâle montrent une femme malade qui n'a pas perdu ses expressions de petite fille. » Cet extrait est emprunté au bref compte rendu du *Monde*. À ce qu'il semblait, on ne pouvait rien reprocher de plus grave à l'accusée que sa liaison avec un officier allemand. Le jury — « chapeau de dame paroissiale et barbe sévère » (*Le Monde*) — lui infligea dix ans de dégradation[29]. Elle devait mourir peu après de tuberculose[30]. La veuve d'un milicien mort en fuite en Allemagne — où elle l'avait accompagné — fut jugée par contumace et condamnée à la dégradation en juillet 1946[31].

Une autre affaire qui eut les honneurs de la presse fut celle d'André Salmon, critique et journaliste. Il avait écrit non seulement sur l'art et la littérature, mais également sur la guerre en Syrie, sur les éléments français de l'armée allemande et sur les francs-maçons, dans le quotidien collaborationniste *Le Petit Parisien*. Dans sa déposition, il déclara avoir écrit « sous le coup d'une émotion de soldat », notamment après avoir vu brûler Rouen à la suite des attaques aériennes des forces alliées. Un témoin certifia que Salmon avait aidé à mettre à l'abri des Allemands certains tableaux d'artistes juifs ; Salmon eut droit aux circonstances atténuantes, ce qui réduisit sa condamnation à cinq ans de dégradation en juillet 1946[32]. Le philosophe Félicien Challaye, qui s'apprêtait à fêter ses 71 ans lorsqu'il fut cité à comparaître devant la Chambre civique de Paris en octobre de la même année, avait publié, sous l'occupation, des articles compromettants, mais des témoins attestèrent qu'il n'avait pas mesuré la portée de ses actes. Il fut acquitté[33].

On a peine à dénicher parmi les accusés un grand nom du monde des affaires. Un des rares cas de ce genre, en octobre 1946, concerne un industriel accusé d'avoir fabriqué des pièces métalliques pour le compte des Allemands, ainsi que d'opinions et d'activités proallemandes. Son affaire avait déjà été classée par une Cour de Justice et lorsqu'il comparut devant la Chambre civique, il obtint la relaxe[34]. Un an plus tard, un médecin, déjà jugé pour avoir travaillé pour la Milice, mais acquitté à la suite de témoignages indiquant qu'il avait aidé des jeunes gens à échapper au STO, fut convoqué devant la Chambre civique de Paris et condamné à 12 ans de dégradation [35]. Un fabricant de meubles, accusé d'avoir proposé ses services aux Allemands en échange de sa propre libération de prison où il attendait d'être jugé pour fraude (il avait derrière lui une longue liste de condamnations), fut acquitté par la Chambre en 1948, les tribunaux se montrent alors beaucoup plus indulgents [36]. En janvier 1949, un cafetier à qui ses relations d'affaires avec les Allemands avaient valu, en février 1946, une condamnation par contumace à la dégradation et à la confiscation de ses biens (il n'avait pas reçu la convocation de la Cour, expliqua-t-il, la maison où arrivait son courrier ayant été endommagée), comparut devant une Chambre civique qui réduisit sa peine à cinq ans [37].

On peut aussi suivre les audiences dans un département éloigné de la capitale, la Haute-Loire, par le truchement de la presse locale. La Chambre civique s'y réunit pour la première fois le 7 décembre 1944, dans un prétoire où les spectateurs ne se bousculaient pas. « Les faits que la Chambre civique doit juger, expliquait un journaliste, sont en effet moins graves (que ceux des Cours de Justice) et n'offrent guère d'intérêt. » Un pharmacien accusé d'activités au sein de la Milice : dégradation. Un agent d'assurance qui avait refusé de participer aux actions contre le maquis, mais qui était néanmoins membre de la Milice : même sentence. Un radio-électricien qui s'était enrôlé dans la Milice pour ne pas être envoyé en Allemagne alors que sa mère était malade et qui pouvait faire valoir de bons états de service militaires et même des actes de résistance : relaxe. Un archiviste âgé de 60 ans, pétainiste et milicien : dégradation. Même peine pour un jeune homme qui s'était enrôlé dans la Milice par conviction idéologique. Un bijoutier de 69 ans qui s'était enrôlé dans la Milice uniquement, déclara-t-il, pour obtenir le retour de son fils envoyé en Allemagne dans le cadre du STO : dégradation et confiscation d'une petite partie de ses biens. Un représentant de commerce qui avait démissionné de la Milice en apprenant sa véritable raison d'être : dégradation quand même [38].

Une fois de plus, ce sont les historiens régionaux qui nous donnent une vision plus fouillée de certaines régions. Ainsi, nous savons que les Chambres civiques des Pyrénées-Orientales siégèrent de décembre 1944 à juillet 1945, jugeant 1 303 personnes et en condamnant 1 144 ; cependant, à la suite des pourvois en appel et des condamnations par contumace, le chiffre définitif ne fut en fait

que de 956. Sur ce dernier total, 802 personnes avaient été
condamnées à des peines fermes, dont 276 à la dégradation à vie ; le
reste avait bénéficié d'un relèvement de la condamnation pour faits
de résistance[39].

Dans la région de Toulouse, voici quelles furent les condamnations infligées par les Chambres civiques :

	Dégradation	Acquittement
Ariège	134	16
Gers.	145	42
Haute-Garonne. .	716	461
Lot	25	25
Hautes-Pyrénées	173	38
Tarn	295	176

La plupart de ces condamnations étaient infligées à vie, les
réductions de peine étant très exceptionnelles. Cependant, toutes
les personnes frappées de dégradation nationale finirent par
recouvrer leurs droits grâce à la loi d'amnistie dont nous parlerons
plus loin[40].

CINQUIÈME PARTIE

La République française
contre l'État français

> *La justice politique, ce n'est pas la politique, ses méthodes, ses moyens appliqués à une œuvre de justice ; c'est la justice, ses principes, ses règles essentielles appliquées à l'activité politique.*
>
> Pierre-Henri TEITGEN

CHAPITRE PREMIER

Vichy en Haute Cour

Dès avant la guerre et Vichy, il existait en France une Haute Cour : siégeant en tribunal, le Sénat était habilité à juger le chef de l'Etat ou ses ministres. Après la Libération de 1944, le Gouvernement provisoire de Charles de Gaulle n'avait plus à sa disposition qu'une assemblée législative non moins provisoire, soigneusement choisie dans les rangs des mouvements de la Résistance et des partis pour n'inclure que des représentants exempts de toute compromission avec Vichy. Or, le châtiment des dirigeants de Vichy ne pouvait attendre une nouvelle Constitution ni l'élection d'une nouvelle Assemblée nationale : comme le dit de Gaulle, « l'ordre intérieur et la position extérieure de la France » exigeaient une action immédiate[1].

L'ordonnance qu'il signa à Paris le 18 novembre 1944 créa donc une Haute Cour de Justice dont la composition était adaptée au caractère exceptionnel de la situation. Elle serait présidée par un premier président de la cour de cassation, assisté de deux autres magistrats. Les 24 jurés devaient être tirés au sort à partir de deux listes dressées par l'Assemblée consultative provisoire. L'une comportait les noms de 50 sénateurs et députés ayant appartenu au dernier Parlement d'avant-guerre : aucun collaborateur, bien sûr. L'autre, les noms de personnalités désignées par l'Assemblée : tous des résistants, évidemment. L'ordonnance définissait les compétences de cette cour très spéciale : juger le chef de l'État, Pétain ; le chef du gouvernement, Laval ; les ministres et autres hauts fonctionnaires du « gouvernement ou pseudo-gouvernement » de la France métropolitaine depuis le 17 juin 1940, ainsi que leurs complices[2]. Nous avons vu que de Gaulle était disposé à élargir cette compétence traditionnelle des Hautes Cours pour permettre à celle-ci de juger une importante personnalité non gouvernementale, Charles Maurras.

La décision de faire passer Pétain et ses fidèles en justice avait été prise à Alger un an avant la Libération. Les moyens et méthodes nécessaires avaient fait l'objet de vives discussions entre de Gaulle et son Garde des Sceaux, François de Menthon (alors commissaire à la Justice). De Gaulle aurait voulu voir Pétain et ses acolytes jugés tous ensemble, pour répondre d'un seul et unique chef d'accusation : la responsabilité qu'ils avaient prise en signant un armistice avec l'Allemagne en juin 1940. De Menthon refusait d'entériner cette responsabilité collective ; il l'estimait impossible selon la loi française et était prêt, s'il le fallait, à démissionner. À ses yeux, certains ministres de Vichy étaient responsables à cent pour cent, mais d'autres ne l'étaient qu'à dix ; quant à l'armistice, c'était une grave erreur, non un crime. La discussion se poursuivit à Paris tout au long des mois qui suivirent la Libération[3]. Ce fut de Gaulle qui céda. Quoi qu'il en soit, les personnalités de Vichy allaient être accusées des pires forfaits qu'il fût possible d'imputer à des hommes publics. À l'époque où fut libéré le territoire français, un grand nombre d'entre eux se trouvaient encore en Allemagne ou en fuite. « Ils ne perdent rien pour attendre, déclarait *L'Humanité*. Bientôt, un nombreux public se réunira pour applaudir leur pendaison[4]. »

Dès septembre 1944, le tribunal militaire de Paris avait dressé un réquisitoire contre Pétain et ses ministres[5]. Tous ceux d'entre eux que l'on put retrouver et appréhender furent remis entre les mains de la justice militaire[6]. Cependant, l'ordonnance de novembre, instituant la Haute Cour, vint modifier la situation et, avant Noël, l'Assemblée consultative avait défini une procédure pour la sélection des jurés : la liste des candidats parlementaires devait être déterminée par le Groupe de la résistance parlementaire, lequel devait donner priorité aux membres de la Chambre et du Sénat d'avant-guerre qui, en juin 1940, avaient refusé d'accorder les pleins pouvoirs à Pétain ; quant aux jurés non parlementaires, ils devaient être choisis par la Commission de la justice et de l'épuration de l'Assemblée[7]. Un des juristes concernés par l'élaboration de la législation d'épuration, le bâtonnier Jacques Charpentier, devait déclarer par la suite que le « vice essentiel » de la Haute Cour résidait justement dans le mode de sélection des jurés. « Où il aurait fallu des juges — et des juges d'une impartialité exceptionnelle —, on avait confié le pouvoir de juger à des partisans[8]. » Autre caractéristique singulière de la Haute Cour : l'impossibilité de faire appel.

Le seul recours revenait à demander à de Gaulle la commutation de la peine capitale[9].

La Haute Cour fut prête à juger sa première affaire en mars 1945, à une époque où Pétain, Laval et la plupart des hautes personnalités de Vichy n'avaient pas encore été arrêtées. Elle commença donc par ce qu'elle put. Le premier à passer en jugement fut le résident général de Vichy en Tunisie, l'amiral Jean-Pierre Estéva. En présence de l'accusé, la Haute Cour se réunit sous la présidence de Paul Mongibeaux pour la sélection des jurés. Trente-cinq des cinquante anciens parlementaires se présentèrent au prétoire, ainsi que trente-sept des résistants. La défense exerça son droit de récusation vis-à-vis de deux députés communistes et deux résistants[10]. L'audience devait avoir lieu dans l'une des salles du palais de justice de Paris, de Gaulle estimant que l'endroit offrirait davantage de « sérénité » que le Palais Bourbon[11].

Le réquisitoire lu à la Cour n'était pas sans évoquer le ton de la narration historique : « Le 8 novembre 1942, un immense espoir emplissait le cœur des Français à la nouvelle que les Américains venaient de débarquer en Afrique du Nord, cependant que de Vichy, le maréchal Pétain donnait aux troupes françaises l'ordre de se battre contre ceux qui venaient ainsi en alliés... » L'amiral Estéva, alors âgé de 64 ans, était accusé de collaboration délibérée avec l'Allemagne, d'avoir recruté des troupes pour l'Axe, et des travailleurs pour les fortifications ennemies. Il déclara avoir été surtout dévoué au Maréchal et soutint qu'il s'était efforcé de réduire l'aide apportée à l'Axe. Il avait toujours haï les Allemands, et avait autorisé Robert Murphy et d'autres fonctionnaires américains à se déplacer à leur guise à travers la Tunisie, alors qu'il savait pertinemment qu'ils ne se contentaient pas de superviser le ravitaillement (ils étaient en réalité occupés à préparer les débarquements alliés en Afrique du Nord). Dans ce cas, pourquoi n'avait-il pas mis ses forces au service des Alliés ? Car les preuves indiquaient clairement qu'il avait bel et bien obéi à la requête de Vichy lui demandant de coopérer avec les Allemands. Estéva fit valoir que les messages collaborationnistes qu'il envoyait à Vichy étaient autant de mensonges lui permettant de continuer à « porter le drapeau de la France ». Dans son réquisitoire, le procureur André Mornet (vétéran de la magistrature que nous avons déjà rencontré en qualité de légiste clandestin de l'épuration) déclara qu'en 43 ans passés au service de la Justice, il n'avait que rarement requis la peine de mort, mais qu'il se sentait tenu de le faire contre Estéva. « Avec son procès, c'est le procès Pétain-Laval qui, dès aujourd'hui, commence. »

Me Georges Chresteil, qui défendait l'accusé, protesta contre cette façon de lier le sort de son client à celui de Pétain. Il déclara que le ministère public cherchait à donner l'impression que l'accusé principal était Pétain, qu'Estéva était un de ses complices et que, puisque Pétain était très certainement coupable, le jury ne pouvait que condamner « celui qui, corps et âme, s'était dévoué à lui ». Dans ce cas, pourquoi, demanda Chresteil, Pétain n'était-il pas jugé, fût-ce par contumace, avant Estéva ? « Si la trahison d'Estéva dépend de la trahison de Pétain, si elle n'est qu'un corollaire de celle-ci, il est vraiment impossible qu'on juge le complice avant de faire justice à l'auteur principal... » Il accusait son adversaire de vouloir faire accroire que « si on ne condamne pas Estéva à mort, on ne pourra plus condamner Pétain ». Le 15 mars 1944, le jury reconnut l'accusé coupable de trahison aux termes de l'article 75 du Code pénal, mais tint compte du fait qu'à la veille de l'arrivée des troupes de l'Axe en Tunisie, il avait libéré les « patriotes » détenus et facilité le départ des fonctionnaires alliés. Cela lui permit d'échapper au peloton d'exécution ; il fut condamné à la détention perpétuelle et à la dégradation militaire, assorties de la dégradation nationale et de la confiscation des biens [12].

L'un des jurés — en fait l'un des suppléants du contingent parlementaire — a gardé de l'amiral le souvenir d'un homme qui « comprenait et pratiquait la vertu d'obéissance jusqu'à violenter sa conscience... [13] ». De Gaulle, quant à lui, le considérait comme « égaré par une fausse discipline », ce qui l'avait rendu « complice, puis victime d'une néfaste entreprise [14] ». « Il obéissait, il obéissait aveuglément [15]. »

Le second procès jugé par la Haute Cour allait-il être une répétition pure et simple du premier ? Car le général Henri Dentz, 63 ans, haut-commissaire de Vichy en Syrie et au Liban, était accusé d'actes analogues dans des conditions fort semblables. (Ce procès devait être le dernier intenté à un subalterne avant celui de Pétain lui-même.) Dentz comparut devant la Haute Cour le 18 avril 1945, accusé d'avoir fourni des bases aériennes aux Allemands, d'avoir facilité leurs transports d'armes et de s'être joint à eux pour combattre les forces de la France libre et des Britanniques en mai 1941. Dentz, qui était malade, déclara : « C'est la première fois depuis mon retour de Syrie que j'ai enfin la liberté de dire franchement devant un public français ce qui s'est passé. » Sa politique, expliqua-t-il, avait consisté à « freiner les exigences allemandes » tout en s'efforçant de « donner cependant les facilités nécessaires pour écarter tout prétexte à une occupation permanente ». La Cour — Mongibeaux était toujours à la présidence, et Mornet au ministère public — fit remarquer que le « double jeu » du Général avait en fait été tout à l'avantage des Allemands, exactement comme ç'avait été le cas en France métropolitaine. Mornet cita le discours de Dentz à ses hommes, dénonçant « la politique démocratico-maçonnique et la finance judéo-saxonne », et traitant les Britanniques d' « ennemis séculaires ». En d'autres termes, déclara-t-il, Dentz avait trahi par conviction. Il méritait la mort.

L'avocat de la défense, René Vésinne-Larüe, fit allusion aux quatre années que le procureur avait lui-même passées au service de Vichy, et Mornet s'éleva aussitôt contre cette insinuation « infamante », car il avait été « au service des persécutés » et avait publiquement protesté contre l'absence de justice sous le régime de Vichy. Vésinne-Larüe répliqua qu'il y avait une différence entre la subordination d'un magistrat, qui prenait souverainement ses décisions, et celle d'un soldat qui n'était qu'un instrument et devait une obéissance aveugle. Puis il répéta ce que le défenseur d'Estéva avait déjà avancé : il fallait condamner Pétain avant de pouvoir condamner Dentz. Au cours d'une ultime déclaration, l'accusé dit qu'il avait agi en vue de protéger les intérêts de son pays et qu'il n'avait rien fait qui fût contraire à l'honneur militaire. Il fut reconnu coupable d'avoir, volontairement et même secrètement, aidé l'ennemi à combattre les soldats de la France libre et de l'armée britannique, causant la mort de 1 500 Français et peut-être d'autant de Britanniques. Le verdict emportait une notation supplémentaire :

> « Attendu que, quel que puisse être le devoir de discipline d'un chef militaire, ce devoir ne saurait aller jusqu'à lui faire méconnaître les intérêts supérieurs de sa patrie... »

Dentz fut condamné à mort, à la dégradation militaire, à la confiscation des biens [16]. De Gaulle commua sa peine et il mourut à l'hôpital de la prison de Fresnes [17].

Il est évident que la Haute Cour aurait dû juger Pétain en premier, mais celui-ci n'était pas en France lorsqu'elle se trouva prête à entendre ses premières affaires. Le procès Pétain aurait certes pu être jugé par contumace ; c'était d'ailleurs ce que souhaitait de Gaulle, et il confia au général de Lattre que si les forces françaises retrouvaient les ministres de Pétain en Allemagne, elles les arrêteraient, mais qu'il valait mieux, si possible, dissuader le maréchal lui-même de regagner la France [18]. Vers la fin de décembre 1944, lors d'une séance à l'Assemblée consultative provisoire, un délégué de la Résistance, Jacques Debû-Bridel, réclama un procès par contumace : « Ce qui nous importe, ce n'est pas la carcasse de ce vieillard, c'est ce qu'il fut, ce qu'il représente [19]. » L'ordonnance de novembre 1944 avait précisé qu'un procès par contumace serait considéré comme définitif, à moins que l'accusé ne pût prouver par la suite qu'un cas de force majeure l'avait empêché de comparaître. L'acte d'accusation de Pétain fut lu à la commission d'instruction le 23 avril 1945 [20] ; le 26, le maréchal et sa suite franchissaient la frontière suisse et entraient en France pour se constituer prisonniers.

Après avoir refusé durant de longs mois de se laisser manipuler et de prendre la tête d'un gouvernement français fantoche en Allemagne, Pétain avait résisté aux tentatives allemandes de l'évacuer hors de Sigmaringen pour gagner les derniers bastions dont ils disposaient à mesure que les Alliés envahissaient leur pays. Pour finir, les Allemands lui permirent de passer en Suisse où les autorités étaient disposées à accorder un asile définitif au vieillard ; mais ce dernier tint absolument à rentrer en France pour affronter la justice de son pays. Il fut arrêté dès qu'il eut franchi la frontière et transféré à Paris par train spécial, dûment protégé — pas au point, cependant, de l'empêcher d'entendre de temps à autre, le long de la route, des foules qui hurlaient « Pétain à mort [21] ! »

Il fut incarcéré au vieux Fort de Montrouge, alors utilisé pour l'exécution des collaborateurs (Brasillach y était mort en février). À l'époque, le fort ne servait pas de prison ; il fallut préparer en toute hâte des cellules pour Pétain et ses acolytes, ainsi que des bureaux pour installer le cabinet d'instruction et la Commission d'instruction. Il n'y eut pas jusqu'aux conditions de détention du vieil homme qui ne firent l'objet d'un débat lorsque les purs et durs de la Commission de la justice et de l'épuration de l'Assemblée — notamment son président, le délégué communiste Auguste Gillot — protestèrent qu'il était trop bien traité. Pour finir, on assura à la Commission que si l'on accordait au Maréchal un traitement spécial, c'était uniquement pour raisons de santé ; tous les gardiens du fort étaient des anciens de la Résistance [22].

Les procès devant la Haute Cour de l'amiral Estéva et du général Dentz n'avaient guère fait plus de vagues que ceux des collaborateurs vedettes devant les Cours de Justice. Le procès Pétain, en revanche, allait être un événement national, destiné à faire les gros titres de tous les journaux. Au cours des semaines qui précédèrent l'ouverture des débats, la presse fit régulièrement le point sur les progrès de l'instruction ; on se querella même sur le lieu où devrait se dérouler l'événement. La Commission d'instruction, dont la majorité était issue de l'Assemblée consultative, hautement politisée, aurait souhaité qu'il prît place au palais du Luxembourg, siège du Sénat, ou bien au Palais-Bourbon, alors que le gouvernement insistait pour qu'on utilisât l'un des prétoires ordinaires du palais de justice. « Il ne s'agit pas d'un débat politique, mais d'un procès pour trahison », déclara le Garde des Sceaux Pierre-Henri Teitgen à l'Assemblée consultative [23].

Le procès Pétain et celui de Pierre Laval, qui devait suivre, étaient en fait deux procès en un. Il y avait l'affaire judiciaire, débattue par des magistrats, reposant autant que possible sur des preuves écrites et des dépositions de témoins directs, et régie dans la mesure du possible par les dispositions de la loi et les termes de l'ordonnance de novembre 1944 instituant la Haute Cour. Mais il y avait aussi le procès — ou plutôt le débat — politique entre Pétain et ses défenseurs d'une part et, de l'autre, un jury militant, où figuraient des députés qui avaient été personnellement victimes du régime de Vichy, ainsi que des activistes de la Résistance. Les jurés avaient le droit d'intervenir et ils ne s'en privèrent pas. Le tout dans une atmosphère de violence : magistrats et jurés avaient reçu des menaces au cas où ils condamneraient Pétain ; le préfet de police avait même proposé des pistolets aux membres du jury qui, à la fin de chaque audience, quittaient le prétoire sous bonne escorte [24].

Le procès Pétain s'ouvrit le 23 juillet 1945, près de trois mois après le retour en France de l'accusé. Non seulement il occupa la première place dans tous les journaux, aux actualités et à la radio, mais il fut en outre l'occasion d'un nouvel affrontement entre Mauriac et Camus sur justice et charité. Mauriac, dans *Le Figaro* : « Ne reculons pas devant cette pensée qu'une part de nous-mêmes fut peut-être complice, à certaines heures, de ce vieillard foudroyé. » Camus, dans *Combat* : « S'il a fait don de sa personne, c'est comme une prostituée, mais ce n'est pas à la France. Espérons que les Français ne se laisseront pas encore séduire ou attendrir par les manèges de l'âge et de la vanité [25]. »

La défense contesta la compétence de la Cour : seul le Sénat était habilité à juger un président de la République. Le procureur André Mornet objecta que Pétain n'avait pas été légalement élu et la Cour, après en avoir délibéré, rejeta l'objection de la défense et déclara que la présente Haute Cour avait été constitué selon la loi. Le procès confirma le talent d'un jeune avocat, Jacques Isorni (qui avait déjà défendu Brasillach devant la Cour de Justice). Dès le début des audiences, il protesta contre la hâte avec laquelle l'affaire avait été amenée devant les juges ; les principaux témoins n'avaient pas même été entendus par le juge d'instruction, des caisses de documents essentiels à la défense n'avaient pu être ouvertes, et nombre de pièces écrites de première importance n'avaient pas été communiquées aux avocats de Pétain. Il accusa en outre le procureur général, le président de la Commission d'instruction et le président Mongibeaux d'avoir tous laissé percer dans leurs déclarations publiques leur conviction déjà solidement ancrée de la culpabilité de l'accusé.

Le procès ne s'en poursuivit pas moins. On vit défiler devant la Cour maintes personnalités de la République d'avant-guerre : les anciens premiers ministres Paul Reynaud et Édouard Daladier, l'ex-président de la République Albert Lebrun. La présence du général Weygand et des membres les plus influents du régime de Vichy contribua à transformer le prétoire en tribune politique [26]. Dans son réquisitoire prononcé le 11 août, Mornet énuméra les principaux chefs d'accusation retenus contre Philippe Pétain : « l'acceptation définitive de la défaite, l'humiliation de la France, la guerre sournoise à nos alliés, la fourniture à l'Allemagne d'hommes pour travailler et combattre [27] »... Il requit la peine de mort : « Ce sont les réquisitions les plus graves que je formule au terme d'une trop longue carrière, arrivé moi aussi au déclin de ma vie, non sans une émotion profonde, mais avec la conscience d'accomplir ici un rigoureux devoir [28]... »

Le plaidoyer d'Isorni — sa description de la prochaine mise à mort du vieux héros — fit monter les larmes aux yeux de beaucoup [29]. Au bout de sept heures de délibération, dans la nuit du 14 au 15 août, le jury condamna le maréchal Pétain à mort, à la dégradation nationale, à la confiscation de ses biens, mais il ajouta : « Tenant compte du grand âge de l'accusé, la Haute Cour de Justice émet le vœu que la condamnation à mort ne soit pas exécutée [30]. » De Gaulle la commua très vite en détention à perpétuité et le vieillard devait finir ses jours dans la citadelle de l'île d'Yeu, au large du littoral vendéen [31].

En d'autres temps, l'événement lourd de passions que fut le procès Pétain n'aurait peut-être pas eu lieu, en tout cas pas sous cette forme. Cependant, pour que le gouvernement de la Libération fût légitime, il fallait que Pétain et son entourage fussent coupables ; coupables, ils l'étaient assurément, mais, à l'époque, les preuves de leur faute étaient bien difficiles à fournir. D'où ce paradoxe : même si la culpabilité du maréchal était évidente aux yeux de la France libérée, le procès proprement dit (comme d'ailleurs beaucoup de grands procès de l'épuration) souleva bien des problèmes juridiques qui ne furent pas résolus. Aux États-Unis ou en Grande-Bretagne, qui avaient eu la chance de ne pas être vaincus, occupés puis libérés, il est probable que ces psychodrames que furent le procès Pétain, ou ceux de Béraud ou Brasillach, n'auraient pu avoir lieu. Ce qui ne signifie d'ailleurs nullement que Pétain, Béraud ou Brasillach, jugés selon le système judiciaire anglo-saxon, n'auraient pas été reconnus coupables.

Tous les vices de forme par lesquels avait péché le procès Pétain allaient se retrouver dans celui de Laval. Le temps avait manqué pour instruire une affaire portant sur plus de quatre ans de régime vichyste. Seulement, on avait les accusés sous la main et leur jugement s'imposait. Laval avait été en fuite jusqu'au 1er août 1945, mais on avait pu le ramener à Paris à temps pour témoigner au procès de Pétain. L'acte d'accusation dressé contre lui était prêt depuis le mois de juin, et la Haute Cour était disposée, à le juger par contumace s'il le fallait. Dès son retour, il fut soumis à toute une série d'interrogatoires. Ce qui n'empêcha pas ses avocats et lui-même d'estimer que l'instruction avait été bâclée[32]. Durant son exil en Allemagne, Laval avait préparé un lot de documents extrêmement nourri pour sa défense[33], mais il pensait néanmoins avoir besoin d'un surcroît de préparation. Car, comme il l'écrivit au Garde des Sceaux, Teitgen, le 22 septembre, on l'accusait des « crimes les plus graves ou les plus abominables qui puissent être reprochés à un homme » ; or, durant l'instruction, on ne l'avait questionné que sur des actes et des déclarations isolés, « alors qu'il faudrait, disait-il, pour pouvoir me juger équitablement, examiner l'ensemble et l'essentiel de mes propos et de mes actes ». Sa défense était en fait contenue dans cette lettre de protestation : « J'ai contribué à faire vivre pendant quatre ans notre malheureux pays pendant que d'autres menaient courageusement un autre combat pour sa libération. Je l'ai préservé, en m'exposant moi-même, de malheurs pires que ceux qu'il a connus (...). On ne pourra contester, quand la vérité sera connue, ni mon patriotisme, ni mon courage[34]. »

Le procès Laval s'ouvrit le 4 octobre 1945. L'accusé était présent, mais pas ses avocats. Dans une lettre lue par le président Mongibeaux, les défenseurs de Laval, Me Albert Naud et Me Jacques Baraduc, expliquaient leur absence par le fait que l'affaire avait été insuffisamment instruite, imputant cette négligence à la hâte excessive du gouvernement, soucieux d'expédier ce procès avant les élections[35]. (Selon Naud et Baraduc, le gouvernement espérait démontrer, grâce à une rapide condamnation de Laval, qu'il poursuivait l'épuration avec la plus grande énergie[36].) Le premier président reconnut qu'il avait cherché à accélérer au maximum la procédure, mais uniquement pour permettre aux jurés qui se présentaient aux élections d'avoir le temps d'aller faire campagne dans leurs circonscriptions respectives [37]. André Mornet avait d'ailleurs fait valoir un peu plus tôt que l'affaire Laval n'avait même pas besoin d'être instruite ; tous les faits étaient étalés au grand jour depuis juin 1940 [38]. Lors de cette première audience encore, alors que le président de la Cour et le procureur semblaient l'un et l'autre vouloir restreindre le droit de réponse de l'accusé, un groupe d'avocats venus en observateurs se leva ostensiblement pour quitter le prétoire en signe de protestation [39].

Rien, dans ce procès, ne suivit les règles établies, pas même celles nouvellement adoptées par la justice de la Libération. Par comparaison, le procès Pétain avait été un modèle de bon ordre. En la personne de Pierre Laval, les jurés avaient devant eux le symbole le plus vil de la soumission de Vichy à Hitler, et ils avaient bien du mal à se contenir. Le premier éclat fut le fait d'un des parlementaires : « Un peu plus de modestie, fourbe ! » hurla-t-il en entendant Laval se dire patriote [40]. Lorsque l'accusé se plaignit d'être épuisé après une longue journée d'audience et rappela qu'il était confiné dans une étroite cellule, le même juré s'écria que tous les patriotes avaient connu d'étroites cellules sous le gouvernement Laval [41]. Un jeune homme de l'assistance ayant applaudi l'accusé, un des jurés — dont la sténographie ne précise pas l'identité — s'exclama : « Il mérite, comme Laval, douze balles dans la peau [42]. »

L'atmosphère tendue était encore exacerbée par l'attitude de Laval : ardent à se défendre, exprimant tantôt la colère, tantôt le défi. Après un éclat de cet ordre — « Condamnez-moi tout de suite, ce sera plus clair ! » —, il fut expulsé du prétoire [43]. Le boycott de ses avocats dramatisait encore l'affaire. Lorsqu'il se présenta enfin devant la Cour, Me Naud réclama « vraiment un grand procès », comme aurait pu s'en tenir un aux États-Unis ou en Grande-Bretagne [44]. Le ministère public insista : les preuves, c'étaient les discours radiodiffusés de Laval, ses actes, les lois qu'il avait signées. « Tout cela, c'est de l'Histoire contemporaine présente à l'esprit de tous, dont tous nous avons été plus ou moins victimes », fit valoir Mornet [45].

Le troisième jour (6 octobre), Laval s'éleva contre le ton adopté par le président Mongibeaux pour l'interroger. « Monsieur le Président, la façon injurieuse dont vous m'avez posé les questions tout à l'heure et les manifestations auxquelles se sont livrés certains jurés me montrent que je peux être la victime d'un crime judiciaire. Je n'en veux pas être le complice. » Il refusa dès lors de proférer un seul mot[46]. Il ne parut pas à l'audience suivante, non plus que ses témoins ; le reste du procès se déroula sans lui. La cour oserait-elle poursuivre en son absence ? « J'ose, répondit André Mornet, comme j'eusse osé applaudir au geste de la justice populaire » si l'on avait pu s'emparer de Laval dans Paris libéré en août 1944. « Justice eût alors été faite ! » Mornet requit la peine de mort. Sa dernière intervention, Laval la fit sous forme de lettre en réponse à certaines des affirmations du ministère public[47]. Comme on s'y attendait, l'accusé fut condamné à mort, à la dégradation nationale, à la confiscation. Cependant, lors d'une entrevue avec de Gaulle, le 12 octobre, les avocats de la défense réclamèrent un nouveau procès. « Ceux des Français qui paraissent indignes seront peut-être réhabilités par un grand procès Laval qui situera et limitera les responsabilités de la collaboration », fit valoir Me Naud, soulignant en outre les « scandales » du procès qui venait de s'achever. De Gaulle rejeta leur requête ainsi que le recours en grâce[48].

Quant à l'exécution de la sentence, elle fait partie de la légende. Lorsque les fonctionnaires préposés, accompagnés des avocats du condamné, pénétrèrent dans sa cellule de la prison de Fresnes, le matin de l'exécution (15 octobre 1945), ils découvrirent que Laval s'était empoisonné au moyen d'une fiole de cyanure qu'il était parvenu à dissimuler. Un médecin, aussitôt appelé, lui fit faire des lavages d'estomac jusqu'à ce qu'il fût en mesure de discerner — à 10 h 50 précises, le greffier l'a noté — quelques signes de vie. Les personnes présentes entreprirent alors de vêtir le prisonnier et, peu après midi, on réussit à le faire tenir sur ses jambes. On décida de l'exécuter à Fresnes même, si bien qu'un potcau fut hâtivement érigé. Laval, qui dans sa cellule avait paru vouloir en finir lui-même, demanda à ne pas être attaché au poteau, mais sa requête fut rejetée. En mourant, il cria « Vive la France[49] ! ». Un témoin involontaire de cet épisode, qui vit Laval avancer en titubant vers le poteau sous les insultes de ses gardiens, en a gardé une impression pénible[50]. Personne ne parut particulièrement fier de ce procès ni de l'exécution qui le suivit, et quinze jours plus tard, le communiste Auguste Gillot, s'exprimant en tant que président de la Commission de la justice du CNR, reconnut que « les procès Pétain et Laval ont été sabotés ». Il critiqua même le refus de faire droit à la requête de Laval lorsque celui-ci avait réclamé une instruction plus poussée[51].

Peu avant le procès Laval, la Haute Cour avait jugé un autre symbole de l'occupation : Joseph Darnand, fondateur de la Milice, inspirateur du contingent français des Waffen SS ; il avait peut-être été — comme le prétendit le réquisitoire — le premier Français à prêter serment à Hitler. Il ne fut pas difficile de faire le procès de la Milice et de son chef redouté. « Darnand a trahi pendant quatre ans, sans un remords, sans une défaillance ! s'écria le procureur dans son réquisitoire. Darnand a trahi avec une telle nocivité, Darnand, je le répète, a tellement de sang français sur les mains que, quant à moi, il m'est absolument impossible de reconnaître en sa faveur la moindre circonstance atténuante. » La défense, pourtant, ne se fit pas faute d'essayer, allant même jusqu'à suggérer que l'on devrait ériger le poteau d'exécution sur le champ de bataille de Champagne où l'accusé avait fait la preuve de son courage en 1918. « Mais alors qu'il soit le dernier, et que ce dernier sacrifice, il l'offre encore à cette France qu'il a seule aimée ! » Il est presque superflu de préciser que Darnand fut condamné à mort et exécuté [52]. « Rien mieux que la conduite de ce grand dévoyé de l'action ne démontrait la forfaiture d'un régime qui avait détourné de la patrie des hommes faits pour la sauver. » Ces mots sont ceux du général de Gaulle [53].

Durant sa première année de fonctionnement, la Haute Cour condamna encore à mort par contumace Marcel Déat et l'académicien Abel Bonnard, tous deux ministres dans le gouvernement de Vichy ; elle accorda par contre des non-lieux à plusieurs personnalités liées au régime de Vichy, mais dont le patriotisme ou l'absence de volonté collaborationniste effaçaient la souillure [54]. (Jacques Le Roy-Ladurie avait été secrétaire d'État à l'Agriculture et au Ravitaillement pendant cinq mois en 1942, mais il avait ensuite fait de la Résistance ; il bénéficia d'un non-lieu en décembre 1945 [55].)

Désormais, la France s'orientait vers un retour à la normale. Le 21 octobre 1945, une Assemblée nationale constituante fut élue, tint sa première séance le 6 novembre et ne tarda pas à élire — à l'unanimité — Charles de Gaulle président du Gouvernement provisoire de la République française. L'une des premières mesures prise par son Garde des Sceaux, Pierre-Henri Teitgen, fut de soumettre au vote une révision des procédures de la Haute Cour. Dorénavant, les jurés seraient tous des parlementaires choisis à partir d'une liste de députés de tous les partis, au prorata de la représentation de chaque parti à l'Assemblée. Les juges seraient élus par l'Assemblée parmi ses propres membres [56]. Le premier président de cette Haute Cour nouvelle formule fut le député socialiste Louis Noguères, l'un des parlementaires de la Troisième République qui avaient voté contre les pleins pouvoirs à Pétain en juillet 1940 [57]. (Marcel-Edmond Naegelen, socialiste lui aussi, fut à strictement parler le premier, mais il dut être aussitôt remplacé, ayant été nommé ministre de l'Éducation nationale[58].)

Le temps que la nouvelle Haute Cour fût prête à entendre d'autres affaires, Charles de Gaulle s'était abruptement retiré du pouvoir. 85 inculpés devaient encore passer en jugement, dont 25 étaient détenus, 6 hospitalisés, 22 en fuite et 32 en liberté provisoire.

La première affaire entendue par Noguères fut celle de l'ancien ministre de Vichy Jacques Chevalier. Le ministère public prétendit que l'accusé avait insisté jusqu'en juin 1944 pour que Pétain renforçât les mesures répressives contre la Résistance; il fut convaincu (le 11 mars 1945) d'atteinte à la sûreté extérieure de l'État aux termes des articles 80 et 83 du Code pénal, et condamné à 20 ans de travaux forcés, à la dégradation nationale et à la confiscation de ses biens[59]. Le lendemain, c'est l'ex-secrétaire d'État aux Communications, Robert Gibrat, qui comparaissait; il fut prouvé qu'il avait exercé des responsabilités strictement techniques au sein du gouvernement, qu'il avait démissionné au moment des débarquements anglo-américains en Afrique du Nord, et le réquisitoire comporta même certains indices d'une attitude favorable à la Résistance et aux Juifs. Il n'en fut pas moins reconnu coupable d'avoir accepté un poste gouvernemental à l'invitation de Laval, autrement dit d'un crime d'indignité nationale, mais on lui accorda les circonstances atténuantes, ce qui lui valut d'être condamné finalement à dix ans de dégradation nationale[60]. Jean Ybarnégaray, membre du cabinet Reynaud avant l'armistice, puis du premier gouvernement Pétain, fut en mesure de prouver ses sentiments favorables à la Résistance et avait en outre été arrêté et déporté par les Allemands. Après sa condamnation automatique à la dégradation, il fut donc immédiatement relevé[61].

Cette année-là, un des procès à sensation — le premier à avoir lieu dans la salle du Congrès du palais de Versailles — fut celui d'un éminent homme politique de la Troisième République qui avait été fort brièvement ministre des Affaires étrangères sous Vichy. Ce procès permit d'évoquer dans le détail la politique extérieure de Pétain, car Pierre-Étienne Flandin se présenta comme l'intermédiaire du maréchal avec son ancien allié britannique, ainsi qu'avec les Américains; l'un des témoins de la défense était d'ailleurs le propre fils de Winston Churchill, Randolph. Le ministère public rappela néanmoins au jury que tout ministre de Vichy était automatiquement considéré comme coupable du crime d'indignité nationale; il n'en demandait pas plus — ni moins —

pour Flandin. L'un des avocats de la défense répliqua que cela revenait à appliquer aveuglément des règlements, « comme un juge de simple police inflige sept francs d'amende à une ménagère qui a secoué son tapis après sept heures du matin ». Dans sa décision, la cour fit valoir son droit statutaire à juger les ministres de Vichy, mais reconnut néanmoins les actes positifs accomplis par l'accusé. Il fallut donc le condamner (le 26 juillet 1946) à cinq ans de dégradation, mais il fut immédiatement relevé[62].

Versailles était un lieu tout à fait approprié au procès d'une personnalité de la dimension de Flandin et ses sympathisants se présentèrent en force, arrivant, selon un observateur, dans leurs voitures de luxe et applaudissant à tout rompre la déposition de Randolph Churchill, puis l'issue du procès[63]. Tant et si bien que lorsque la Haute Cour se réunit à nouveau quelques jours plus tard pour entendre l' « affaire des amiraux », le vice-président, délégué par les communistes, et tous les jurés communistes étaient absents en signe de protestation contre la sentence prononcée à l'issue du procès Flandin.

Rétrospectivement, il est loisible de replacer ce boycott dans le contexte du schisme croissant entre les communistes — qui, tant en France qu'en Union soviétique, entraient alors dans une nouvelle ère de dogmatisme — et leurs anciens partenaires de la Résistance, socialistes, démocrates-chrétiens et autres modérés de la gauche et du centre. En l'absence des communistes, le jury désigné pour juger les amiraux était composé de onze membres du parti démocrate-chrétien de l'après-guerre, le MRP (Mouvement Républicain Populaire), dont le Garde des Sceaux Pierre-Henri Teitgen était un des dirigeants, de cinq socialistes, de trois membres du PRL (Parti Républicain de la Liberté, à tendance conservatrice), de trois républicains indépendants, d'un radical socialiste et d'un membre de l'UDSR (Union Démocratique et Socialiste de la Résistance, dirigée par René Pleven)[64]. Jacques Duclos, président du groupe parlementaire communiste, à qui l'on avait officiellement demandé de remplacer les jurés communistes démissionnaires, répondit que tout son groupe était favorable au boycott, considéré comme le refus communiste « de s'associer aux travaux d'une juridiction qui soustrait trop souvent à leur juste châtiment les principaux responsables de la trahison vichyssoise et de la collaboration avec l'ennemi[65] ». Au cours du débat parlementaire qui suivit cette prise de position, le Garde des Sceaux déclara au nom du gouvernement : « La justice politique, ce n'est pas la politique, ses méthodes, ses moyens appliqués à une œuvre de justice ; c'est la justice, ses principes, ses règles essentielles appliqués à l'activité politique (…) Je vous prie, je vous prie tous de ne pas (…) transporter en ce domaine les règles du jeu de la lutte électorale [66]… »

Le débat — qui ne portait plus cette fois sur justice et charité, mais sur justice et politique — déborda le cadre parlementaire pour se développer jusque dans la presse. Dans *Combat*, Raymond Aron affirma : « Tous les procès en Haute Cour ont été et ne pouvaient pas ne pas être des procès politiques. » Ceci ne justifiait pas pour autant un retour à la justice sommaire des premières heures de la Libération, comme l'eussent souhaité les communistes. « Peu à peu, des règles, sinon des principes, ont été dégagées : la part prise personnellement à la collaboration par le ministre ou le grand fonctionnaire mesure la culpabilité de chacun [67]. » « Haine contre le crime, mais non préjugé de haine contre l'accusé — écrivit dans l'organe quotidien de son parti, *Le Populaire*, Léon Blum qui avait, comme il ne se faisait pas faute de le rappeler aux lecteurs, souffert de la justice politique de Vichy. Dans la même conscience du juge doivent donc cohabiter les haines vigoureuses contre le crime et l'impartialité scrupuleuse vis-à-vis de l'homme accusé du crime. Le terrible problème de toute justice politique est là [68]. »

Le président Noguères réunit donc sa Cour à Versailles comme si de rien n'était, avec toutefois quinze jours de retard. Deux seulement des amiraux cités à comparaître étaient présents : Jean Abrial, naguère secrétaire d'État à la Marine (dix ans de travaux forcés) et André Marquis, qui avait négocié avec les autorités militaires de l'Axe pour le compte de Vichy, et notamment ce qui avait trait au mouillage de la flotte française à Toulon (cinq ans de prison). Un troisième amiral, Gabriel Auphan, lui aussi secrétaire d'État à la Marine et l'un des principaux confidents de Pétain, était en fuite ; il fut donc condamné aux travaux forcés à perpétuité, à la dégradation nationale à vie et à la confiscation de ses biens, le tout par contumace. L'amiral Jean de Laborde, qui avait commandé la flotte française à Toulon, était dispensé pour raison de santé ; il passa en jugement en mars 1947, accusé d'avoir collaboré avec l'ennemi sans faire montre d'aucune hésitation, notamment en se déclarant en faveur d'une attaque franco-allemande au Tchad. Il fut reconnu coupable de trahison, condamné à mort, à la dégradation, à la confiscation [69]. (La peine fut ensuite commuée en détention perpétuelle et il fut remis en liberté quelques années plus tard [70].)

Deux ans s'étaient écoulés depuis la libération de Paris, mais les procès des dignitaires du régime Pétain étaient loin d'être terminés ; certains des collaborateurs les plus acharnés n'avaient pas encore comparu devant leurs juges. L'année 1947 débuta par le procès en Haute Cour de Fernand de Brinon, vivant symbole de la collaboration dans Paris occupé, puisqu'il avait servi d'agent de liaison entre Vichy et les Allemands. À son propos, un des plus virulents censeurs de la Haute Cour devait reconnaître : « Pour la première fois, la Haute Cour juge un accusé directement mêlé à la politique de collaboration du gouvernement de Vichy au vu d'un dossier sinon complet, du moins substantiel [71]. » Ce qui n'empêcha pas les avocats de Brinon de protester contre l'insuffisance de l'instruction, le refus opposé par la Cour de leur donner accès aux archives, et l'utilisation de documents allemands fournis par les autorités militaires alliées. Brinon se refusa à déposer et ni lui ni son avocat ne présentèrent le moindre plaidoyer. Le procureur le dépeignit dans son réquisitoire comme « un traître intégral », sans l'ombre d'une qualité pour le racheter ; verdict : la mort, la dégradation, la confiscation [72].

Raphaël Alibert, en fuite, accusé d'avoir rédigé les ordonnances anti-juives de Vichy et beaucoup d'autres mesures anti-démocratiques, fut condamné à mort par contumace ; il devait être ultérieurement amnistié [73].

La Haute Cour pouvait cependant faire montre d'indulgence : le ministre des Affaires étrangères de Vichy Paul Baudouin ne fut condamné qu'à cinq ans de travaux forcés, à la dégradation à vie et à confiscation [74]. (Claude Mauriac ayant émis l'opinion que cette peine était déjà lourde, de Gaulle exprima son désaccord [75].) En juin 1947, Jacques Benoist-Méchin, autre apôtre de la « collaboration à outrance » — pour reprendre la formule du procureur —, qui avait été proallemand dès avant la guerre et que le Reich considérait comme son homme de confiance à Vichy, fut condamné à mort, peine commuée en détention [76].

Lorsque la Haute Cour se réunit à nouveau, ce fut conformément à une nouvelle législation promulguée le 15 septembre 1947 et conçue pour répartir plus équitablement les charges de jurés au sein de l'Assemblée, sur la base d'une stricte représentation proportionnelle des partis politiques [77]. La Cour était désormais de retour à Paris où elle siégeait à la cour d'assises du palais de justice, mais les difficultés rencontrées pour astreindre les jurés parlementaires à respecter les convocations persistaient. Le président Noguères finit par démissionner, en guise de protestation, mais se laissa néanmoins convaincre de poursuivre tant que la Cour serait en mesure de fonctionner [78].

Xavier Vallat, premier commissaire aux Questions juives de

Vichy, contesta à l'un des juges, « Benjamin Kriegel, dit Kriegel-Valrimont », le droit de siéger pour avoir accusé de lâcheté les collaborateurs inculpés. Vallat s'expliqua : « Je ne permettrai pas à M. Benjamin Kriegel, fils d'Isaac, Français depuis moins de vingt ans, de juger l'ancien officier de chasseurs que je suis. » (Louis Noguères présidait l'audience, assisté par les vice-présidents Kriegel-Valrimont, jeune chef de la Résistance et député, et Maurice Guérin, du MRP). Le jury reconnut Vallat coupable d'avoir collaboré avec les Allemands dans le cadre de ses activités anti-juives, et d'avoir fait l'éloge de l'ennemi et dénigré les Alliés dans ses déclarations radiodiffusées, après avoir succédé à Philippe Henriot en qualité de responsable de la propagande vichyste. Cependant, eu égard aux blessures qu'il avait reçues durant la Première Guerre mondiale — il avait perdu la jambe gauche —, il bénéficia de « larges circonstances atténuantes » et fut condamné à dix ans de prison et à la dégradation à vie [79]. À la même époque, le successeur de Vallat au commissariat aux Questions juives, Louis Darquier de Pellepoix, fut jugé par contumace et condamné à mort. Ayant noté que l'accusé se cachait en Espagne sous un faux nom, le procureur cita le refrain d'un poème de Louis Aragon : « Où est Darquier de Pellepoix [80] ? » Ce dernier mourut en exil en 1980 (toujours en Espagne), mais la presse française ne put obtenir confirmation de son décès qu'en 1983 [81].

Et puis, au sein de cette Cour de Justice politique où des professionnels de la politique rendaient la justice, une nouvelle crise se noua. La Haute Cour entendit l'affaire d'un ancien ministre de Vichy, Adrien Marquet, qui avait longtemps été maire de Bordeaux. Il existait à la fois des preuves de sa bienveillance et des preuves de sa collaboration. Selon les termes mêmes du procureur général, le jury avait à décider si « l'attitude mauvaise et néfaste d'un homme sur le plan général peut toujours, et dans tous les cas, être je dirais " lavée " par des services individuels, même de beaux services individuels ? » La majorité du jury refusa de rendre un verdict de culpabilité pour les crimes les plus graves ; ce que voyant, les jurés communistes se levèrent et quittèrent sur-le-champ la salle de délibération. Le président Noguères s'efforça en vain de renvoyer l'affaire en remettant Marquet en liberté provisoire, mais les 18 jurés restants, qui représentaient la majorité absolue, préférèrent sanctionner l'accusé au seul motif d'avoir appartenu à un gouvernement vichyste, et le condamnèrent à dix ans de dégradation nationale [82]. Il convient de noter ici que Marquet, comme tant d'autres accusés jugés par la Haute Cour, avait déjà passé de très longs mois en prison. Il avait d'abord été incarcéré cinq mois dans la région bordelaise, avant d'être transféré à Fresnes en janvier 1945, n'ayant droit qu'à une visite et à un colis par semaine ; l'instruction officielle n'avait commencé qu'en décembre 1946. Le procès était prévu pour juillet 1947, mais il avait dû être différé en raison de la réorganisation de la Cour ; il n'avait finalement commencé qu'en décembre 1947, pour être presque aussitôt renvoyé une nouvelle fois jusqu'en janvier 1948, afin de permettre un complément d'enquête sur certains faits. Marquet fut enfin remis en liberté le 29 janvier 1948, après 41 mois de détention[83].

Dans la foulée de ce procès, le président Noguères donna sa démission, imité par les vice-présidents Maurice Guérin, Edgar Faure et Paul Theetlen, ce qui provoqua un nouveau débat parlementaire. Noguères devait faire valoir par la suite que le verdict du procès Marquet était pleinement valide, même en l'absence de certains jurés, car l'ordonnance instituant la Haute Cour lui conférait le droit d'agir souverainement sans avoir à répondre à personne de ses actes : « La Haute Cour qualifie les faits et les sanctionne[84]... » Deux députés, dont l'un était un ancien déporté en Allemagne, déposèrent des projets de loi réclamant la suppression de la Cour, ainsi que de « toutes les juridictions d'exception[85] ». Leur cause fut soutenue en première page du *Monde* par un ancien combattant de la Résistance, Rémy Roure : « La Haute Cour en question est elle-même condamnée. Elle l'est par son président et ses vice-présidents qui, excédés, ont offert leur démission. Elle l'est par ses membres qui ont abusé de la faculté d'être absents ou de se défiler[86]... » Pour finir, l'Assemblée refusa de supprimer la Cour, mais elle en réduisit les effectifs (de 3 juges et 24 jurés, on passa à 3 juges et 12 jurés), décida de remplacer les jurés défaillants par des députés appartenant à d'autres partis, au prorata de leur représentation, et rejeta une proposition communiste demandant que fût levé le secret de la délibération. Cette nouvelle Cour, présidée par Noguères, Guérin et Edgar Faure, fut prête à siéger au mois de mai ; les représentants du parti communiste manquant comme prévu à l'appel, le jury fut complété par des députés d'autres partis[87].

Les audiences reprirent le 25 mai 1948, avec un certain nombre d'affaires moins passionnées visant des membres du gouvernement de Vichy qui n'avaient à leur actif aucun acte notoire de collaboration, ce qui ne les rendait passibles que de simples dégradations ou de légères peines de prison[88]. Peu auparavant, le même mois, le non-lieu accordé par la Commission d'instruction de la Haute Cour au général Weygand avait entraîné la démission du seul membre communiste de cette commission, Marcel Willard, qui estimait que le seul fait d'avoir conseillé un armistice en juin 1940 était un crime [89].

L'une des affaires les plus remarquées de l'année fut celle du contre-amiral Henri Bléhaut, jugé par contumace et condamné à dix ans de prison et à la dégradation à vie (le ministère public tint quelques propos en sa faveur et lorsqu'il se constitua prisonnier en 1954, il obtint la relaxe [90]). Le général Eugène Bridoux, qui avait incité la France à aider l'Allemagne sur le plan militaire, avait suivi les « ultras » de la collaboration jusqu'à Sigmaringen et fait partie du gouvernement fantoche que les Allemands y avaient instauré, fut condamné à mort par contumace. En revanche, le propagandiste Paul Marion, secrétaire d'État à l'Information, bénéficia de circonstances atténuantes : il était coupable de démoralisation de l'armée et de la nation, mais pas « dans un esprit de vénalité, et ne s'est rendu coupable d'aucune dénonciation dirigée contre des patriotes ». Marion fut condamné à dix ans de prison et à la dégradation à vie ; son procès donna lieu à quatre jours de discussion franche et courtoise entre l'accusé et la Cour ; à l'évidence, Marion avait impressionné le jury [91].

Marcel Peyrouton, qui s'était opposé à Laval alors qu'il était ministre de l'Intérieur du maréchal Pétain, et qui avait ensuite rejoint le général Giraud à Alger, terminant la guerre au service de la France libre, fut reconnu coupable de fautes lourdes tant qu'il avait servi dans le gouvernement de Vichy. Cependant, son opposition active à la politique de Laval fut prise en considération, ainsi que les services qu'il avait ultérieurement rendus en Afrique du Nord. N'ayant commis aucun crime, il fut acquitté (le 18 décembre 1948). Il était incarcéré depuis son arrestation à Alger en novembre 1943 [92].

L'une des dernières affaires entendues par la Haute Cour de Noguères fut celle de René Bousquet, secrétaire général à la Police de Pierre Laval. Le ministère public, sur les instances de l'accusé, reconnut qu'il méritait « de larges circonstances atténuantes » ; il avait certes aidé les Allemands à localiser les émetteurs-radio de la Résistance et joué un rôle dans le système répressif de la police de Vichy, mais d'autres faits plaidaient en sa faveur ; le jury se rangea à cet avis, puisqu'il ne fut condamné qu'à la peine minimale de cinq ans de dégradation, et immédiatement relevé [93].

La Cour avait fait son travail, réglant sa dernière affaire le 1er juillet 1949 (celle d'un haut fonctionnaire de Vichy, condamné lui aussi à cinq ans de dégradation et aussitôt relevé [94]). Cependant, une nouvelle cour, allégée encore une fois — trois juges, sept jurés

—, devait siéger jusqu'au milieu des années 1950 pour refaire le procès de collaborateurs jugés par contumace et désormais disposés à se constituer prisonniers ; l'un des résultats prévisibles — étant donné tout le temps qui s'était écoulé depuis l'occupation — fut que ces hauts fonctionnaires de Vichy n'allaient plus écoper que de peines légères, voire être acquittés, et ce, pour des crimes aussi graves que ceux qui avaient valu la condamnation à mort à Pierre Pucheu, à Alger en 1944[95].

L'une des premières affaires entendues par cette nouvelle cour fut celle d'un des proches de Laval, René Bonnefoy, à qui ses activités avaient valu une condamnation à mort par contumace en juillet 1946. Or, en janvier 1955, son avocat, Me Pierre Véron, révéla que Bonnefoy n'avait en fait jamais quitté la France : « Il a pensé — vous direz, messieurs, s'il a bien fait — que la justice, au lendemain de la Libération, n'avait pas acquis la sérénité qu'elle a acquise depuis. » Il était donc resté caché, vivant chichement de traductions mal rétribuées et de leçons particulières, sous une fausse identité. Véron réclama la liberté provisoire pour son client, et elle lui fut accordée (par le président de la nouvelle Haute Cour, Édouard Depreux, ancien chef de la Résistance et député socialiste). Lors du procès qui suivit, au mois de mars, l'avocat de Bonnefoy le présenta comme un simple journaliste de province entraîné par un mauvais génie, en l'occurrence Laval. Bien que le ministère public eût requis une peine de prison, le jury se borna à lui infliger cinq ans de dégradation nationale[96].

Le lendemain, la Cour entendit Charles Rochat, ex-secrétaire général du ministère des Affaires étrangères de Vichy, qui avait suivi les Allemands à Sigmaringen — emmené de force, prétendit-il. Pourquoi n'était-il pas revenu alors, pour se livrer à la justice française ? « Je n'ai pas à vous dire les raisons (...), vous les devinez... » Plusieurs éminents résistants, dont le ministre des Affaires étrangères de l'après-guerre Georges Bidault, vinrent témoigner en sa faveur. La condamnation à mort de 1946 se transforma en cinq ans de dégradation, le condamné étant immédiatement relevé[97].

Cela devint une habitude. Les travaux forcés à perpétuité infligés à l'amiral Auphan en 1946 furent réduits à cinq ans de prison avec sursis et à cinq ans de dégradation, dont il fut immédiatement relevé[98]. Les dix ans de prison infligés en 1948 à l'amiral Bléhaut se transformèrent en acquittement[99]. En 1956, le nouveau procès du général Charles Noguès, condamné par contumace à 20 ans de travaux forcés pour avoir résisté au débarquement américain en 1942 et aidé l'Axe en tant que Résident général de

France au Maroc, suscita un véritable défilé de témoins. Noguès lui-même expliqua qu'il avait préféré ne pas se constituer prisonnier plus tôt, parce qu'il n'existait pas alors de cour compétente pour le juger ; le président de la Haute Cour, Vincent de Moro-Gafferri, répondit que la Haute Cour de l'époque était parfaitement habilitée à le juger, mais qu'il avait été en droit d'attendre. Quant au procureur, il fit remarquer qu'aux termes de la loi, lorsqu'un accusé condamné par contumace était à nouveau jugé et reconnu coupable d'un délit de correctionnelle, « la prescription de cette peine lui est acquise s'il s'est écoulé plus de cinq ans entre l'arrêt de contumace et sa représentation en justice ». Tel était effectivement le cas de Noguès, si bien que le ministère public requit une simple condamnation morale. Le jury suivit, infligeant au général la dégradation nationale et le relevant immédiatement [100]. En 1958, le secrétaire général du gouvernement de Vichy, Jacques Guérard, condamné à mort par contumace en 1947, fut condamné à une peine de cinq ans de dégradation, et aussitôt relevé. On espérait que cette condamnation symbolique inciterait d'autres personnalités vichystes à renoncer à l'exil [101].

Il était passé beaucoup d'eau sous les ponts.

CHAPITRE II

Le Parlement au banc des accusés

La dernière Assemblée nationale d'avant-guerre avait été élue en 1936 ; c'était la Chambre du Front populaire de Léon Blum, qui, siégeant avec le Sénat à Vichy en juillet 1940, avait voté les pleins pouvoirs au maréchal Pétain, lequel s'était ensuite empressé de renvoyer les parlementaires dans leurs foyers. Le Gouvernement provisoire de Charles de Gaulle n'avait aucune intention de laisser ceux qui avaient voté pour Pétain reprendre leur place dans la vie publique du pays, comme si de rien n'était. Il n'y avait pas jusqu'à la législation vichyste qu'il ne fallût épurer, tâche herculéenne au demeurant, car les pétainistes avaient, en l'espace de quatre ans, rempli d'ordonnances en tous genres leur *Journal Officiel*. « Il faut se rendre compte, en effet, que la vie quotidienne d'un pays repose pour une grande part sur sa structure juridique, avait fait remarquer dès juin 1944, à Alger, un Comité spécial de l'Assemblée consultative. On ne peut pas, sans risquer d'aboutir à des situations inextricables, changer brutalement, du jour au lendemain, un ensemble de lois et de décrets qui, dès maintenant, forment quatre gros volumes de près de mille pages chacun[1]. » Il fut tenu compte de ce rapport. Bien des lois, bien des institutions établies par Vichy survécurent sous la Quatrième, voire sous la Cinquième République.

Restait le problème des hommes qui faisaient les lois. Lorsque le Comité Français de Libération Nationale (CFLN), dont les co-présidents étaient alors les généraux de Gaulle et Giraud, institua l'Assemblée consultative provisoire à Alger en septembre 1943, la forme que devait revêtir l'épuration de l'ancien Parlement était déjà claire : la nouvelle assemblée rejetterait impitoyablement tout membre de l'ancien Parlement — Chambre et Sénat — ayant voté pour Pétain en juillet 1940, où il y avait eu 359 voix pour et 80

contre. Était également exclu tout membre d'un des gouvernements vichystes, quiconque avait agi, écrit ou parlé en faveur de la
collaboration, quiconque avait accepté un poste de responsable ou
de conseiller sous Vichy. Toutefois, les anciens parlementaires
ayant voté pour Pétain avaient la ressource d'échapper à l'épuration s'ils avaient ensuite participé à la Résistance et pouvaient
présenter une attestation correspondante du Conseil National de la
Résistance[2]. Suivit alors la très complète ordonnance du 21 avril
1944 dont le titre à lui seul révélait l'ambition : « portant
organisation des pouvoirs publics en France après la Libération. »
Elle allait faire autorité pour le rétablissement des institutions
républicaines non seulement à Paris, mais aux niveaux municipal
et départemental[3]. Dans la pratique, les mouvements de Résistance des différents départements ne devaient céder le pouvoir que
de fort mauvaise grâce aux anciens conseils municipaux et
départementaux, même après que ceux-ci eurent été épurés ; dans
de nombreuses régions, des conseils provisoires allaient détenir le
pouvoir local jusqu'à ce qu'il fût possible d'organiser de véritables
élections[4].

Après la libération de Paris en août 1944, les hommes politiques
et le CNR pressèrent le Gouvernement provisoire de convoquer
l'Assemblée consultative. Elle se réunit pour la première fois sur le
sol français le 7 novembre 1944, au Palais du Luxembourg. Sa
composition était sensiblement différente de celle de l'Assemblée
qui s'était réunie à Alger : désormais, la Résistance métropolitaine
détenait 148 sièges, contre 28 à la Résistance de l'extérieur, 12 aux
représentants de la France d'outre-mer et 60 aux anciens parlementaires, au prorata de l'importance des groupes politiques au
moment où la guerre avait éclaté[5]. Un seul des membres désignés
— représentant un petit parti centriste — fut refusé par la nouvelle
Assemblée à l'issue d'un vaste débat durant lequel le candidat eut
l'occasion de se défendre : oui, il avait voté pour Pétain en 1940,
mais, depuis lors, il avait toujours été contre la collaboration.
L'Assemblée ne lui en opposa pas moins son veto par 171 voix
contre 6[6].

Ensuite, lorsque le moment fut venu de préparer les élections
aux conseils municipaux et départementaux, la question de
l'inéligibilité redevint l'une des considérations primordiales. Après
un débat à l'Assemblée consultative et avec l'accord de celle-ci, le
Gouvernement provisoire promulgua, le 6 avril 1945, une ordonnance énumérant les nouveaux critères (par exemple, les candidats
ayant été sanctionnés par des commissions d'épuration administratives ou professionnelles, ou ayant été frappés d'amendes pour

profits illicites sous l'occupation, étaient automatiquement refusés). On créa un jury d'honneur, composé du vice-président du Conseil d'État, René Cassin, d'un membre de l'Ordre de la Libération, André Postel-Vinay, et d'un membre du CNR, Maxime Blocq-Mascart, habilité à casser les décisions d'inéligibilité[7]. « Les élections municipales provisoires que nous sommes sur le point de faire, conformément au plan prévu, vont rendre à nos communes, cellules de la reconstitution française, leur administration responsable et traditionnelle. » Ainsi parla de Gaulle au peuple français, par la voie des ondes, le 25 avril 1945[8]. Les premières décisions du jury d'honneur furent annoncées le lendemain : trois députés (dont l'un avait été déporté en Allemagne) et trois sénateurs étaient relevés de leur inéligibilité et pouvaient donc se présenter aux élections locales[9].

En bonne logique, la procédure du jury d'honneur fut appliquée aux candidats aux élections nationales lorsque l'heure de celles-ci fut venue. Ce jury (toujours composé des trois mêmes membres) était saisi d'office lorsqu'une candidature était contestée, et il publiait les résultats de son enquête au *Journal Officiel*, accompagnés de ses décisions motivées. Il était possible de faire appel en fournissant de nouvelles preuves[10]. On peut citer quelques exemples des décisions du jury (signées par le président René Cassin), telles qu'elles parurent au *Journal Officiel* : un sénateur du Cher, ayant voté les pleins pouvoirs à Pétain en juillet 1940, tombait automatiquement sous le coup de l'interdiction et son dossier avait donc été soumis à l'examen du jury : « Considérant que l'intéressé n'a pas manifesté d'opposition à l'usurpateur (...) et que, d'autre part, il n'a pas accompli d'actes impliquant une participation directe et active à la Résistance », il restait frappé d'inéligibilité. Un confrère de Saône-et-Loire, en revanche, avait lui aussi voté pour Pétain, mais avait ensuite pris part à la Résistance et exhorté publiquement les jeunes gens à ne pas aller travailler en Allemagne, ce qui lui avait valu d'être révoqué par Vichy, arrêté et déporté par les Allemands. Il fut de ce fait relevé de l'inéligibilité.

Il fallait cependant avoir résisté énergiquement. Un sénateur du Cantal avait témoigné de l'hostilité aux Allemands et rendu certains services à la Résistance, mais il avait également défendu le gouvernement de Vichy et n'avait pas « véritablement participé à la lutte » : il restait donc inéligible. Il en alla de même pour un ancien député du Puy-de-Dôme, car « les actes qu'il a accomplis en faveur de Français et de la Résistance n'impliquent pas la participation à la lutte contre l'ennemi sur laquelle la nation était en droit de compter de la part de ses mandataires [11] »... Parmi ceux dont l'inéligibilité fut confirmée figurait Jean-Louis Tixier-Vignancour [12] ; ce qui ne l'empêcha pas, quelque vingt ans plus tard, de s'adresser à la télévision à l'ensemble de ses concitoyens en tant que candidat à la présidence de la République...

Les élections législatives d'octobre 1945 firent apparaître une nouvelle carte électorale. Les 152 communistes et groupes alliés, les 142 socialistes et UDSR et les 141 MRP se partageaient 80 % des sièges du nouveau corps législatif, lequel était habilité à rédiger une nouvelle Constitution : ainsi en avait décidé une majorité écrasante (96,4 %) des électrices et électeurs français. (Si les « non » l'avaient emporté, les pouvoirs de la nouvelle Chambre n'auraient guère différé de ceux des assemblées siégeant en vertu de la Constitution de la Troisième République, qui remontait à 1875 [13].)

Cette nouvelle Assemblée devait d'abord juger ceux de ses membres fraîchement élus contre qui avaient été lancées certaines accusations. Ainsi, sur la base de renseignements soumis par le Comité départemental de Libération du Cantal, elle étudia minutieusement et en sa présence le dossier d'un nouveau député de ce département. Il s'était déjà vu interdire d'exercer sa profession en raison de ses activités sous l'occupation ; un tel homme était-il digne de représenter une circonscription à l'Assemblée de la Libération ? Par 252 voix contre 4, ses pairs répondirent par la négative [14]. L'Assemblée était simplement censée s'assurer que ses nouveaux membres méritaient bien d'être élus, mais, en fait, un certain nombre de ceux qui représentaient les tendances conservatrices furent pris à partie et accusés de collaboration. C'est ainsi que les communistes déclenchèrent une attaque contre Édouard Frédéric-Dupont, vice-président du Conseil municipal de Paris sous l'occupation, qui fit valoir qu'il était l'unique membre de ce Conseil maintenu en place par le gouvernement de la Libération pour ses faits de résistance. Le débat le concernant dégénéra, selon un journal, en « une série d'incidents d'une violence croissante », dus « à l'intolérance et à la hargne réciproques du PRL [le parti de Frédéric-Dupont] et des communistes ». Il s'acheva par un vote de 341 voix contre 130 en faveur du député contesté [15].

Cette affaire servit de précédent à la contestation d'autres éminentes personnalités auxquelles les communistes étaient hostiles, notamment l'ancien président du Conseil Paul Reynaud. Ce dernier avait été emprisonné par Vichy, ce qui n'empêcha nullement ses ennemis politiques d'avant-guerre de déclarer que c'était lui qui avait ouvert, en 1940, la porte aux pétainistes. Il fit remarquer que selon les critères d'épuration, il était parfaitement éligible et avait d'ailleurs été élu tout à fait régulièrement. « Il s'agit de valider une élection et non pas d'approuver une politique », lança un député du MRP. À l'issue du débat, l'élection de Reynaud fut confirmée par 298 voix contre 132[16]. Édouard Daladier subit un sort analogue ; pour résumer le turbulent débat qui agita l'Assemblée, disons qu'il s'agissait d'une attaque lancée par les communistes contre la politique de l'ex-président du Conseil, notamment contre les mesures qu'il avait prises lorsque l'Union soviétique avait signé son pacte de non-agression avec le Troisième Reich*. L'élection de Daladier fut finalement validée par 311 voix contre 132[17].

Quant au jury d'honneur, il décida de se dissoudre lui-même en octobre 1946, « considérant que le jury a statué sur toutes les affaires dont il a été régulièrement saisi ». L'une de ses dernières décisions concerna un socialiste, membre du tout premier cabinet Pétain, en juin 1940 à Bordeaux, mais qui avait démissionné dès que le maréchal s'était fait voter les pleins pouvoirs à Vichy. En première audience, le jury avait refusé de relever cet homme de son inéligibilité, mais il finit par l'absoudre après appel. Un ancien sénateur avait demandé que la décision sur son cas fût différée jusqu'à son retour en France, mais il ne revint pas et n'offrit aucune justification de son attitude. Étant donné qu'il avait accepté une importante ambassade pour le compte du « pseudo-gouvernement » de Vichy et conservé ce poste jusqu'en août 1944, son inéligibilité fut confirmée. Un sénateur des Bouches-du-Rhône fut par contre relevé de la sienne au vu de ses faits de résistance dûment avérés[18]. Les meilleures statistiques disponibles indiquent que sur les 416 parlementaires dont les dossiers furent examinés par le jury d'honneur, 114 (soit un peu plus du quart) furent relevés de leur inéligibilité. Sur les 639 décisions prononcées au total, 193 (un tiers) avaient été favorables[19].

Les partis politiques s'attachèrent à l'épuration de leurs propres brebis galeuses et un historien a noté que les socialistes se montrèrent en l'occurrence les plus rigoureux[20]. Dans un étonnant éditorial en première page, *Le Populaire*, organe du parti socialiste, s'expliqua sur « Notre épuration », et ce, moins d'une semaine

---

* Surpris par la signature du pacte germano-soviétique le 23 août 1939, le PCF, après quelques semaines de flottement durant lesquelles ses dirigeants répondirent aux ordres de mobilisation, appliqua les directives du Kremlin reçues aux environs du 20 septembre et dénonça la guerre contre Hitler comme injuste. Daladier décida le 26 septembre la dissolution du Parti communiste et la déchéance parlementaire des députés communistes qui acceptaient le pacte (NdE).

après la libération de Paris. Les parlementaires socialistes, précisait le journal, avaient été systématiquement écartés du parti s'ils avaient voté pour Pétain en juillet 1940 ; on en profitait pour souligner au passage que les socialistes avaient constitué le plus nombreux des groupes anti-vichystes à la Chambre. « Il n'en reste pas moins, reconnaissait *Le Populaire*, que le parti avait ses défaillants, ses lâches, ses traîtres. » Dès l'occupation, l'organe clandestin des socialistes — qui s'appelait déjà *Le Populaire* — avait proclamé que le parti « a rompu délibérément et définitivement avec ceux de ses membres dont le courage moral ou physique était inférieur à l'instinct de conservation immédiat [21] ».

Tout comme venait de le faire la nouvelle Assemblée, le Parti socialiste décida de lever l'interdiction pour ses membres coupables d'avoir voté en faveur de Pétain dès lors qu'ils avaient rejoint les rangs de la Résistance sitôt après cette « défaillance ». Cette règle fut appliquée très strictement, au point qu'un ancien député socialiste qui avait servi d'agent aux Britanniques en organisant des parachutages clandestins en France occupée se vit refuser le titre de résistant. Sur les 168 parlementaires socialistes d'avant-guerre, 53 seulement furent inconditionnellement maintenus dans les rangs du parti : 32 d'entre eux avaient voté contre Pétain en 1940, et les autres venaient d'être réintégrés sur la foi d' « indiscutables » états de service dans la Résistance. Il n'y eut cependant pas moins de 84 parlementaires socialistes définitivement exclus, soit exactement la moitié des effectifs de 1936. Parmi eux figuraient 12 des 17 anciens ministres socialistes encore en vie. On baptisa cette épuration la « Saint-Barthélemy socialiste », et l'on peut ajouter que Léon Blum, s'il avait pu imposer sa volonté, se serait volontiers montré plus conciliant [22].

Les mouvements profascistes d'avant-guerre, comme le Parti Populaire Français de Jacques Doriot, disparurent avec leurs chefs : ceux-ci étaient soit incarcérés, soit en fuite, soit même décédés. Il existait néanmoins un mouvement d'avant-guerre qui avait rejeté le fascisme tout en se démarquant de la droite et du centre traditionnels, et qui ne semblait pas avoir de place dans la France de la Libération, du moins dans l'esprit des gaullistes et de leurs alliés désormais aux commandes. Et il faut reconnaître que l'épuration du Parti Social Français, en la personne de son chef, le très controversé colonel de La Rocque, fut un acte gouvernemental plutôt qu'une décision de justice. C'est là un des plus curieux épisodes des années d'épuration, et l'un des plus mystérieux. À l'heure où nous écrivons ces lignes, certains détails n'en avaient encore jamais été publiés.

Le lieutenant-colonel François de La Rocque, blessé et décoré au cours de la Première Guerre mondiale, était devenu célèbre dans les turbulentes années trente en tant que chef des Croix de Feu. Par ses manifestations de masse, ce mouvement se posait en redoutable adversaire du Front populaire, au point que celui-ci y voyait un ennemi potentiel au moins aussi dangereux que les mouvements plus extrémistes et néo-fascistes. Dès son arrivée au pouvoir, le gouvernement Blum s'empressa de dissoudre les Croix de Feu en même temps qu'il interdisait les groupements fascistes. Les Croix de Feu se transformèrent alors en Parti Social Français, qui acceptait la République et son parlement, proposant une alternative non marxiste à la gauche traditionnelle. Avant la fin de la décennie, il était devenu le plus important parti politique organisé en France, puisqu'il comptait quelque 800 000 membres, bien plus que n'en pouvaient réunir les socialistes ou les communistes [23]. Les adhérents du PSF étaient animés par un patriotisme exacerbé et par une fervente loyauté envers leur chef ; le mouvement faisait peur aussi bien à l'extrême droite qu'à l'extrême gauche et, bien que ses objectifs déclarés ne parussent pas à première vue incompatibles avec le programme de Vichy, La Rocque ne tarda pas à se brouiller avec l'entourage de Pétain. Il avait cru, un peu naïvement peut-être, qu'il pourrait servir d'intermédiaire entre les Alliés et le Maréchal. Après une entrevue avec ce dernier en mars 1943, durant laquelle il lui dévoila les grandes lignes de son plan, il fut arrêté (ce qui le convainquit qu'un des proches de Pétain l'avait dénoncé aux Allemands [24]), et il termina la guerre dans un camp de concentration allemand.

À la Libération, ses partisans commencèrent à dresser leurs plans d'action pour l'après-guerre, car ils avaient bien l'intention de prendre part aux prochaines élections. Leurs premières déclarations publiques, à cette époque, marquaient leur nette intention de s'opposer aux « forces de subversion », c'est-à-dire à l'extrême gauche (qui se trouvait justement partager le pouvoir avec les gaullistes). De son côté, le Comité parisien de Libération, dominé par les communistes, réclama en mars 1945 la dissolution du PSF et la « mise hors d'état de nuire de ses dirigeants [25] ». Après une intervention dans le même sens du délégué communiste à l'Assemblée consultative, Jacques Duclos, le Gouvernement provisoire annonça (le 9 mars) que « le Parti Social Français était et demeure dissous ». Le PSF dut consacrer pas mal de temps et d'énergie à faire remarquer que la déclaration du gouvernement était erronée : alors que les Croix de Feu avaient effectivement été interdites, leur successeur, le PSF, avait existé dans la plus parfaite légalité durant les années qui avaient précédé la guerre, faisant élire des députés à la Chambre ainsi qu'une multitude d'élus locaux. Un de ses députés, Jean Ybarnégaray, avait même fait partie du cabinet de guerre de Paul Reynaud en mai 1940. Comme le PSF ne se faisait pas faute de le rappeler, il n'avait été interdit que sous l'occupation, par le chef de la police SS, Karl Albrecht Oberg[26].

Peu après, dans le sillage de la victoire sur l'Allemagne, les camps ouvrirent leurs portes, leurs pensionnaires furent libérés et rapatriés. La Rocque, qui avait alors 59 ans, arriva à Paris par avion, le 8 mai 1945, jour de la capitulation nazie à Berlin. Il fut aussitôt appréhendé et placé sous la garde de la police qui lui montra un arrêté du préfet de police de la capitale l'assignant à résidence à Versailles, conformément à l'ordonnance du 4 octobre 1944 sur l' « internement administratif des individus dangereux pour la Défense nationale ou la Sécurité publique ». Aux termes de cet arrêté, La Rocque devait se présenter une fois par semaine au commissariat de police de son quartier[27].

Tout cela était parfaitement correct, du moins sur le papier, mais, dans la réalité, La Rocque ne fut pas du tout astreint à résidence. Il fut conduit sous escorte policière jusqu'à la préfecture de Versailles, fouillé, puis mis aux arrêts dans une caserne, sous bonne garde ; le lendemain, on le transféra dans un autre bâtiment, la Caserne des Coches, qui servait à la garde mobile[28]. Pour dire les choses comme elles étaient, il fut arrêté et incarcéré, traitement qui n'était nullement autorisé par la fameuse ordonnance du 4 octobre 1944. Celle-ci stipulait simplement que « les individus dangereux » pouvaient être neutralisés de trois manières : « soit éloignés des lieux où ils résident, soit astreints à résider dans une localité spécialement désignée », soit internés dans des installations conçues tout exprès, auquel cas l'interné devait être interrogé dans un certain délai par une commission de vérification. La Rocque était enregistré comme « assigné à résidence », ce qui eût dû lui valoir une liberté de mouvement beaucoup plus grande que celle dont il allait effectivement bénéficier.

On sait désormais comment la chose fut possible. L'affaire La Rocque fut réglée au plus haut niveau, directement par le ministre de l'Intérieur Adrien Tixier, lequel eût d'ailleurs bien aimé recevoir l'aval de son collègue de la Justice. Il téléphona personnellement à de Menthon et, en l'absence de celui-ci, s'entretint avec son directeur de cabinet qui lui déclara que ses services ne disposaient d'aucune information justifiant cette arrestation, bref, que le ministère de la Justice n'avait rien à reprocher au dirigeant du PSF. (Le directeur de cabinet pensait bien, à part soi, que l'arrestation était l'aboutissement de pressions politiques, l'Intérieur se trouvant être plus sensible que la Justice à ce genre d'influences[29].) L'affaire ne fut jamais portée à l'attention du successeur de De Menthon, Pierre-Henri Teitgen, lequel devait plus tard supposer que La Rocque était ainsi gardé à vue sur la foi d'accusations fictives, pour le protéger d'ennemis politiques résolus à le supprimer; Teitgen avait déjà dû à maintes reprises ordonner aux procureurs de la République de garder des innocents en prison pour leur propre sécurité[30].

On fit en effet savoir à La Rocque que sa détention était une « mesure de protection en [sa] faveur », car les communistes en voulaient à sa vie. Il resta convaincu, quant à lui, qu'on l'avait enfermé pour l'empêcher de ressusciter son mouvement politique, qui eût représenté une menace non seulement pour la gauche, mais pour les gaullistes[31]. Le 13 mai, cinq jours après son arrestation, il écrivit à la préfecture de Versailles : « ma meilleure sécurité consistera à regagner le plus tôt possible mon domicile personnel » — une petite maison particulière dans une paisible rue du XVIe arrondissement; presque en face se trouvait, par le plus grand des hasards, un bâtiment des services de la Sûreté nationale. Il serait *plus* dangereux pour lui, expliquait-il, d'être astreint à résider dans un endroit qu'il ne connaissait pas. Son état de santé s'était en outre sérieusement dégradé en raison des mauvais traitements qu'il avait subis en Allemagne; on avait dû l'opérer à Innsbruck, pour « éventration d'anciennes cicatrices opératoires internes provoquée par l'amaigrissement ». Par conséquent, s'il était remis en liberté, ce serait pour rester chez lui, sans songer pour le moment à reprendre ses activités politiques, non plus d'ailleurs qu'aucune activité clandestine. « Le jour où j'envisagerai de reprendre l'activité dont la fidélité touchante de mes amis, au service de la Nation, me dicte le devoir, ce sera par la voie légale, à la suite de démarches auprès des autorités compétentes[32]. »

À ce stade de l'affaire, il est désormais possible de consulter une communication extraordinaire du préfet de Seine-et-Oise, Roger Léonard (qui deviendra Gouverneur général de l'Algérie, puis Premier Président de la Cour des Comptes), à l'attention du ministre de l'Intérieur Adrien Tixier, où il faisait remarquer la contradiction flagrante entre l'arrêté par lequel La Rocque était astreint à résider à Versailles et sa situation effective. Afin de régulariser celle-ci, Léonard proposait de rédiger un nouvel arrêté. Autrement, La Rocque pouvait certes être astreint à résider à Versailles, comme le stipulait l'arrêté existant, « mais alors la libre circulation de l'intéressé ne serait pas sans amener des incidents [33] ». Six semaines passèrent sans la moindre réaction destinée à régulariser la situation. Roger Léonard ordonna alors que le prisonnier fût « astreint (...) à résider à la Caserne des Coches », là où il se trouvait [34]. La Rocque protesta, exigea d'être interrogé par la Commission de vérification [35]. Le préfet en informa Paris, qui fit la sourde oreille ; La Rocque renouvela sa requête en août et le préfet la transmit fidèlement : « Je pense, dit Léonard au ministre, que vous estimerez effectivement avec moi que la situation présente, qui n'avait d'ailleurs été envisagée que comme une solution toute provisoire d'un cas délicat, ne saurait se prolonger sans abus. » Et de faire remarquer que la prétendue assignation à résidence de La Rocque équivalait « purement et simplement » à un emprisonnement, « détention d'autant plus douloureuse à l'intéressé qu'il souffre de ses blessures de guerre et qu'il vient de passer deux années de captivité en Allemagne ». Le préfet priait qu'on notifiât sans plus tarder au colonel les accusations retenues contre lui, de sorte qu'il pût soumettre son cas à la Commission de vérification. Autrement, concluait-il, il fallait transformer l'arrêté en simple décision d'interdiction de séjour en certaines régions, assortie d'une interdiction de se livrer à l'agitation politique ou de tentative de reconstitution d'une organisation dissoute [36].

Charles de Gaulle était-il au courant de ce qui se passait ? La Rocque essaya en tout cas de le lui faire savoir. Sa première lettre au président du Gouvernement provisoire, datée du 13 mai, explique qu'il était, à ce qu'on lui avait dit, gardé à vue « par le souci de ma sécurité ; il y aurait projet soit d'attentat, soit d'enlèvement dont je pourrais être victime ». Ce prétexte le laissait des plus sceptiques ; il serait plus en sécurité à Paris, où il pourrait en outre être soigné pour ses « blessures aggravées en captivité ». Le 14 juillet, il écrivit une seconde fois au général, s'adressant à lui en tant qu'officier et que chrétien, et attirant son attention sur la situation de son mouvement politique. Seuls les Allemands l'avaient interdit, mais en annonçant à tort qu'il avait été dissous sous la Troisième République, le gouvernement de Gaulle entravait jusqu'à ses œuvres sociales auprès des anciens combattants. Il rappelait à son correspondant que l'extrême droite l'avait frappé d'ostracisme depuis le 6 février 1934, date à laquelle il avait refusé de prendre part aux violentes manifestations contre l'Assemblée, ce qui n'empêchait pas qu'on le traitât à présent de fasciste. « Sous des prétextes mal définis de sanctions », sa famille ne recevait que la moitié de la pension de retraite à laquelle il avait droit. Il avait en fait été responsable, jusqu'à son arrestation par les Allemands, de l'un des principaux réseaux de renseignements britanniques en

France occupée, et il pouvait assurer de Gaulle qu'il était loyal au gouvernement de la Libération. Était-ce à cause de son anti-communisme qu'on le traitait ainsi ? Certaines gens s'efforçaient de détourner de lui les membres de son parti et laissaient même entendre que ces manœuvres avaient l'approbation du général de Gaulle. Cependant, avertissait-il, si le PSF était empêché de prendre part aux prochaines élections, on pourrait prétendre à juste titre que l'électorat n'aurait pas l'occasion de s'exprimer librement.

Il adressa une troisième lettre à de Gaulle à la mi-août ; il écrivait, précisait-il, « de la mansarde où, sans explication, sans enquête, sans procès, sans motifs, vous me faites séquestrer depuis plus de trois mois, après vingt-six mois de détention et de déportation dans les geôles SS ». (Il avait pris la plume, cette fois, pour implorer la grâce de Pétain qui venait tout juste d'être condamné à mort [37].)

De Gaulle ne répondit jamais au colonel de La Rocque [38].

Au début d'octobre 1945, moins de quinze jours avant les élections à l'Assemblée constituante, le préfet de Seine-et-Oise écrivit une fois de plus au ministre de l'Intérieur. La Rocque espérait bien être libéré après les élections, mais, en attendant, sa détention le mettait dans l'impossibilité de recevoir les soins médicaux dont il avait manifestement besoin. Il avait subi une évidente perte de poids, un médecin avait prescrit des promenades quotidiennes... Le préfet demandait instamment que le prisonnier fût libéré dès la fin du mois [39]. Il avait d'ailleurs reçu de lui une véhémente protestation : « Aujourd'hui, je constate que, même pour de courtes promenades, les autorités responsables de ma séquestration gardent une attitude inhumaine en tout point analogue à celle qu'observa la Gestapo, me laissant, au cours de longs mois, endurer de cruelles crises de sciatique et ne répondant même point à ma demande de faire acheter un sédatif banal [40]. » Pourtant, Roger Léonard s'efforçait vraiment de lui venir en aide. Le 23 octobre, il fit savoir au ministère de l'Intérieur que la situation ne pouvait plus durer : la Cour de Justice avait eu plus qu'amplement le temps de décider s'il fallait ou non faire passer La Rocque en jugement. Son message se croisa avec celui du ministère, lui réclamant un dossier sur le prisonnier à soumettre à la Commission de vérification, puis au ministre, pour aboutir à une décision. Léonard s'empressa de répondre qu'il ne pouvait pas soumettre de dossier, pour la bonne raison qu'il n'en existait pas, La Rocque ayant été placé en résidence surveillée « sur votre invitation directe », sans être accusé de quoi que ce soit. (En effet, sur la « notice individuelle à établir au moment de l'arrestation », post-datée de six mois par rapport à la date d'arrestation effective, puisqu'elle indiquait la date du 8 novembre, on avait laissé en blanc la section : « résumé des motifs de l'arrestation[41] ».)

C'est précisément le 8 novembre que La Rocque fut enfin entendu par la Commission de vérification des Internements administratifs, dont les questions portèrent toutes sur la ratification par le colonel, dans *Le Petit Journal*, son quotidien d'avant-guerre qu'il avait continué à publier durant les premières années du régime de Vichy, de la politique de collaboration adoptée par Pétain et son gouvernement[42]. La Rocque, de son côté, était en mesure de fournir une attestation des Alliés confirmant qu'il avait été le chef d'un réseau de renseignements, le réseau Klan, à partir de juin 1942 jusqu'à son arrestation par les Allemands, et qu'il avait fourni aux Britanniques des renseignements d'ordre militaire et politique[43]. Déclara-t-il à la Commission qu'il avait continué à écrire et à publier sous l'occupation parce que ses contacts britanniques lui avaient demandé de ne modifier en rien ses activités, pour ne pas risquer d'attirer l'attention de Vichy et des Allemands ? Il aurait pu le faire, car dans le rapport de police figurait le procès-verbal d'interrogatoire d'un officier de renseignements français qui avait déposé en ce sens[44].

L'avocat de La Rocque fit suivre cette entrevue d'un mémoire dans lequel il faisait remarquer que l'ordonnance d'octobre 1944 sur l'internement offrait trois possibilités — le camp, l'assignation à résidence ou l'éloignement —, mais certainement pas la détention telle qu'on l'avait fait subir à son client. Il s'agissait donc d'une « détention illégale ou arbitraire » qui, étant donné qu'aucune instruction judiciaire n'avait été ouverte, aurait dû prendre fin six mois après la Libération du territoire, soit le 10 novembre 1945 pour la Seine-et-Oise[45]. Lors de sa séance du 19 novembre, les trois membres de la Commission convinrent que la détention du colonel constituait une violation de l'ordonnance ; rien n'avait été découvert contre lui et la date limite fixée pour une inculpation était expirée. Rien ne justifiait donc un surcroît de détention, d'autant qu'il n'y avait aucun danger que son retour causât des troubles sérieux. Même si le dossier contenait des articles de caractère anti-gaulliste et collaborationniste, publiés par La Rocque sous l'occupation dans *Le Petit Journal*, le colonel avait ensuite été arrêté et interné par les Allemands ; il avait travaillé pour les renseignements britanniques — félicité à deux reprises par le QG allié pour la valeur de ses informations —, si bien que « rien ne s'oppose (…) à ce que soit pris fin purement et simplement à la mesure prise [46] ».

Rien, cependant, ne devait être ni pur ni simple dans cette affaire. La Rocque ne fut pas remis en liberté. Tout au plus, à la fin de l'année, fut-il autorisé à résider à Croissy jusqu'à ce qu'une décision fût prise concernant son futur lieu de résidence. La décision du ministre de l'Intérieur prenait note de l'engagement du prisonnier de ne pas avoir d'activités politiques [47].

Un ami de La Rocque l'accueillit dans sa maison de Croissy où le colonel put enfin bénéficier d'un examen médical approfondi. L'éventration qu'avait entraînée son amaigrissement nécessitait une intervention chirurgicale, d'autant plus qu'après son opération à Innsbruck en mars 1945, il avait trouvé le moyen de sauter pardessus le mur de l'hôpital pour rencontrer des éclaireurs américains parachutés dans la région en avant-garde des troupes alliées [48]. L'opération eut lieu à Montmorency à la fin de janvier 1946 ; en avril, le malade fut transporté d'urgence à Paris pour une seconde opération, d'un ulcère à l'œsophage cette fois, et il mourut des suites immédiates de cette intervention, le 28 avril 1946 [49]. Il en avait appelé au Conseil d'État pour faire cesser sa détention arbitraire, mais, en juillet 1947, le plaignant étant décédé, le Conseil décida de ne pas statuer [50]. Il y eut toutefois une espèce de réhabilitation, puisque de Gaulle — alors président de la République — accepta que la médaille des Déportés résistants lui fût attribuée à titre posthume. Dès avant cela, en 1957, le Général, alors simple citoyen, avait reçu le fils du colonel, Gilles de La Rocque. Lorsque ce dernier affirma que la détention de son père avait été ni plus ni moins qu'une lettre de cachet, de Gaulle répondit qu'elle avait été décidée afin de protéger La Rocque de ses ennemis [51].

CHAPITRE III

Les grands corps en accusation

Charles de Gaulle a résumé en une phrase la nécessité d'épurer la fonction publique : « ... Les rancœurs étaient particulièrement vives, car Vichy avait rayé des cadres plus de 50 000 personnes et, d'autre part, on avait vu s'étaler chez certains détenteurs de l'autorité publique un zèle odieux au service de l'envahisseur[1]. » L'épuration des fonctionnaires avait commencé, nous l'avons vu, en Afrique du Nord en novembre 1942, dès que la France libre put assurer son pouvoir. En décembre 1943, une ordonnance stipula que serait révoqué des échelons supérieurs de l'administration quiconque aurait appartenu à la Milice ou à d'autres formations collaborationnistes militaires et paramilitaires, ainsi que tous les membres de mouvements tels que le Rassemblement National Populaire de Marcel Déat[2]. Des ordonnances ultérieures précisèrent quels étaient, dans chaque ministère, les postes considérés comme « emplois supérieurs », dont les détenteurs étaient soumis à cette règle ; par exemple, au commissariat — futur ministère — à l'Intérieur, elle s'appliquait à tous les échelons supérieurs de l'administration centrale à partir du rang de sous-chef de bureau, aux préfets, aux sous-préfets, aux directeurs et chefs de cabinet des préfets et à tous les autres hauts fonctionnaires des préfectures, à tous les officiers de police en position d'autorité tels qu'intendants de police, commissaires divisionnaires, commissaires de police, inspecteurs, commandants et autres officiers des gardiens de la paix[3].

Cependant, l'ordonnance principale portant sur ce qu'on allait appeler l'épuration administrative fut signée après les débarquements en Normandie. Elle prévoyait des sanctions disciplinaires contre les fonctionnaires, de quelque grade qu'ils fussent, qui avaient collaboré avec l'ennemi, définissant la collaboration comme le fait d'avoir « favorisé les entreprises de toute nature de l'ennemi », d'avoir « contrarié l'effort de guerre de la France et de ses alliés », d'avoir « porté atteinte aux institutions constitutionnelles ou aux libertés publiques fondamentales », et enfin d'avoir « sciemment tiré ou tenté de tirer un bénéfice matériel » des lois promulguées par Vichy.

Les sanctions pouvaient prendre diverses formes : la révocation avec ou sans pension, le déplacement d'office, la rétrogradation, la mise en disponibilité ou à la retraite, la suspension à temps ; il pouvait également s'agir d'une interdiction provisoire ou définitive d'exercer une profession (les officiers ministériels et employés d'organismes bénéficiant de subsides gouvernementaux figuraient dans l'ordonnance). Pour le personnel militaire, la sanction encourue était généralement la radiation des cadres, avec ou sans pension. Le seul appel possible était au Conseil d'État, pour abus de pouvoir[4].

Peu après la libération de Paris, les nouveaux ministères commencèrent à émettre des arrêtés permettant d'instituer, pour chaque grand service de l'administration, une Commission d'épuration. Prenons l'exemple du ministère des Finances : sa commission devait être présidée par un conseiller d'État ou un conseiller maître à la Cour des Comptes, en d'autres termes par un haut fonctionnaire aux états de service inattaquables. Il serait assisté de trois membres désignés par le gouvernement, et de quatre autres membres choisis par le Comité de Libération du ministère. La Commission entendrait les témoignages soumis par le directeur du personnel ou le Comité de Libération, puis se réunirait à huis clos, après avoir accepté une déposition écrite ou orale de l'employé visé ; elle devrait ensuite envoyer au ministre un avis sur la culpabilité de l'accusé et suggérer une sanction ; elle pourrait même, le cas échéant, déférer l'affaire au Parquet pour d'éventuelles poursuites judiciaires. Elle n'était pas habilitée, en revanche, à examiner le cas des hauts fonctionnaires ministériels, ni même des chefs de service ou des sous-directeurs ; c'était là une des prérogatives du seul ministre, assisté d'un jury d'honneur[5]. Hors de Paris, l'épuration des administrations devait être entreprise dès la libération de la région concernée, et elle était soumise à l'autorité des commissaires régionaux de la République, lesquels usèrent généreusement de leur droit de suspendre des fonctionnaires. À Paris, la procédure était couverte par l'ordonnance du 27 juin 1944. Plus tard, le Conseil d'État devait invariablement statuer en reconnaissant aux commissaires le droit de suspendre, mais non de révoquer ; cette décision restait l'apanage du ministère[6].

S'il y avait une épuration à mener à bien en priorité, c'était évidemment celle de la police et de la justice. Dès 1943, à Alger, le commissariat à l'Intérieur avait dressé des listes. L'une était celle des « fonctionnaires à arrêter dès la Libération », une autre celle des « fonctionnaires à éliminer immédiatement de l'administration[7] ». À la fin de 1944, on avait déjà décidé la révocation, la suspension ou l'arrestation de 5 000 fonctionnaires de la police, et tous les directeurs généraux, ainsi que leurs délégués, avaient été remplacés. Tous les intendants de police furent révoqués et la plupart arrêtés, cinq d'entre eux étant même condamnés à mort[8]. Quant à la mission d'épurer la magistrature, elle échut au « père de la Résistance judiciaire », Maurice Rolland.

Celui-ci édicta ses propres directives : 1) les chefs étaient responsables et devaient être remplacés, à moins de pouvoir prouver qu'ils avaient été des résistants actifs ; 2) leurs subordonnés resteraient en place, à moins qu'on ne fût en mesure de les convaincre de collaboration. Dans la magistrature, les « chefs » étaient, dans chaque région, le premier président de la cour d'appel et le procureur général près la cour d'appel. Il y avait entre 2 et 3 000 autres magistrats (on obtenait le chiffre le plus élevé en y incluant les juges de paix). En cas d'incertitude, on priait le suspect d'accepter sa mise en congé ou à la retraite au lieu de le révoquer. Si un procureur n'avait pas collaboré, mais avait, par courte vue, appliqué avec rigueur les lois de Vichy, il fallait le muter plutôt que le révoquer.

À vrai dire, les épurateurs se trouvaient confrontés à une magistrature dont la grande majorité des membres, sous l'occupation, avait vaqué à leur besogne habituelle, appliquant aux affaires qui leur étaient déférées les lois promulguées par le régime de Pétain. Il y avait pourtant moyen, à l'époque, pour qui le voulait, de saboter les procédures mises au point par Vichy : c'était de les ralentir au maximum, en faisant traîner les choses, de façon que le prévenu ne fût pas jugé et condamné ; mais il ne fallait surtout pas non plus le relâcher, car il aurait risqué alors, surtout s'il était juif, de devenir la proie des Allemands. Parfois, la décision la plus patriotique avait consisté à juger un Juif ou un résistant et à l'expédier en prison pour le sauver des forces d'occupation. Maurice Rolland lui-même, en tant que magistrat, avait recouru à de tels artifices sous l'occupation[9]. Pour mener à bien son épuration, il était armé d'une ordonnance promulguée peu après le jour J et permettant la suspension temporaire des magistrats ; elle autorisait même (en prévision de toutes les têtes qui allaient tomber) des procès avec un nombre réduit de juges, les effectifs prescrits étant momentanément complétés par des personnes appartenant aux rangs des anciens juges, avocats et même notaires [10].

Dans un rapport définitif sur l'épuration de la magistrature présenté à l'Assemblée consultative le 24 mai 1945 — la tâche avait été menée à bien un peu plus tôt ce même mois, et l'inamovibilité de la magistrature rétablie dès le 15 — le Garde des Sceaux, François de Menthon, exposa que le travail avait été facilité par les renseignements fournis par l'Inspection générale de la magistrature (le service de Maurice Rolland), par les commissaires de la République, par les Parquets locaux et par les Comités départementaux de Libération. Les affaires avaient été soumises à la Commission centrale d'épuration du ministère, laquelle avait été divisée en six sections, chacune composée de deux magistrats et de trois délégués de mouvements de Résistance. À partir du 6 octobre 1944, soit environ un mois après que de Menthon eut repris en main le ministère, ces sections avaient étudié 403 dossiers et entendu 363 affaires, ce qui représentait 17 % de tous les magistrats en fonctions ; il y avait eu 237 suspensions. En outre, 97 magistrats ayant servi dans les tribunaux d'exception institués par Vichy, par exemple les Sections spéciales, avaient été traduits devant la commission. (Il s'avéra qu'un nombre considérable de suspects avaient en fait rempli leurs fonctions officielles en liaison avec des mouvements de Résistance, ce qui leur valut d'être blanchis.)

À la cour de cassation, 11 magistrats sur 61 furent entendus, dont 6 furent révoqués. Sur 48 premiers présidents et procureurs généraux près les cours d'appel en exercice en métropole au moment de la Libération, 34 furent déférés à la Commission ; dans chacune de ces deux catégories, 15 se virent infliger diverses sanctions. À la cour d'appel de Paris et au tribunal de la Seine, 32 magistrats firent l'objet de poursuites, dont 9 furent révoqués et 13 encoururent des sanctions plus légères. Pour les cours d'appel et tribunaux de province, il y eut 203 sanctions, dont 64 révocations et 65 mises à la retraite d'office. À l'intérieur même du ministère, tous les directeurs et l'inspecteur général des Services judiciaires avaient été révoqués sans pension ou mis à la retraite d'office [11]. Nous disposons aussi du témoignage de l'avocat Joë Nordmann, l'un des membres de la Commission d'épuration du ministère de la Justice. D'après ses souvenirs, il arrivait souvent que les membres de la Commission, ouvrant les dossiers des magistrats suspects, les trouvassent vides ; pour Nordmann, c'était là l'œuvre de collaborateurs à l'intérieur du ministère [12].

L'épuration du corps diplomatique commença elle aussi en Afrique du Nord, même si, à l'époque, bien peu d'ambassadeurs se trouvaient placés sous l'autorité de la France libre. Comme le fit remarquer René Massigli, commissaire aux Affaires étrangères du CFLN, à François de Menthon, les seuls diplomates français à en dépendre étaient ceux rattachés aux Résidences de Rabat et de Tunis, et ceux qui s'étaient volontairement ralliés à la France libre. Les diplomates restés fidèles à Pétain et à Vichy avaient tout simplement regagné la France. Il y avait donc eu, déclara-t-il, une sorte d' « épuration spontanée » dans les milieux diplomatiques. Lui-même estimait que tout ambassadeur qui avait continué à servir Vichy après le 8 novembre 1942 (date des débarquements alliés en Afrique du Nord) était indigne de représenter un gouvernement gaulliste. Il n'avait maintenu à titre temporaire que l'ambassadeur français à Dublin : le gouvernement irlandais persistant à ne reconnaître que le régime pétainiste, et non celui de De Gaulle, il était plus commode de fonctionner ainsi pour le moment. Autrement, des délégués de la France libre avaient été désignés partout ailleurs [13]. Dès avant la libération de la métropole, le Gouvernement provisoire avait pénalisé 11 ambassadeurs (en annulant leur nomination) et révoqué 16 ministres plénipotentiaires, 14 conseillers d'ambassade et consuls généraux, 25 secrétaires d'ambassade, attachés, consuls et vice-consuls [14].

En septembre 1944, dans Paris libéré, Charles de Gaulle plaça Georges Bidault — président du Conseil National de la Résistance (CNR) naguère clandestin — à la tête des Affaires étrangères. Ce dernier s'empressa de créer une Commission d'Épuration présidée par un ambassadeur (Paul-Émile Naggiar) et dont les membres représentaient l'Assemblée consultative (en la personne d'un professeur de droit, André Hauriou), le CNR (Georges Oudard) et le personnel du ministère n'ayant pas servi Vichy (Pierre-Eugène Gilbert, consul général) [15]. En préparant l'épuration du corps diplomatique, on avait déjà établi quelques principes. Il avait d'abord été décidé que toutes les décisions prises par Vichy concernant le personnel seraient considérées comme nulles et non avenues, notamment les retraites anticipées, les révocations et suspensions. Les concours de recrutement de Vichy seraient annulés, mais les candidats auraient la possibilité d'en repasser d'autres. Les avancements exceptionnels seraient réservés aux diplomates qui avaient rallié les rangs gaullistes dès le début ou qui avaient à leur actif des faits notoires de résistance [16].

Juste avant l'arrivée de Bidault au ministère et l'institution de la

Commission d'Épuration, son prédécesseur au sein du gouvernement de la Libération, René Massigli, annula toutes les nominations d'ambassadeurs faites par Vichy. Il fut clairement précisé que
cette décision visait aussi Fernand de Brinon, Gaston Henry-Haye
(ambassadeur de Pétain à Washington), Léon Bérard (à Rome) et
l'écrivain Paul Morand (en Suisse). Le premier soin de Bidault fut
de révoquer à son tour un nouveau contingent d'hommes de
Vichy [17]. Bientôt, la commission Naggiar fut elle-même à l'œuvre.
Elle se réunit d'octobre à décembre 1944, recueillant les dépositions des accusés et de témoins. Bidault, quant à lui, recevait les
fonctionnaires de grade supérieur désireux d'expliquer leur
conduite sous l'occupation. La Commission réclama 83 sanctions
graves, allant de la rétrogradation à la révocation sans pension ;
dans certains cas, elle se contenta de ratifier certaines décisions
déjà prises à Alger.

Parmi les diplomates haut placés, 11 ambassadeurs et 23 ministres plénipotentiaires furent déclarés passibles de sanctions [18].
Lorsque, le 13 janvier 1945, de Gaulle écrivit à chacun de ses
ministres pour lui demander de mener rapidement à son terme
l'épuration administrative, Georges Bidault put lui répondre,
quinze jours plus tard, qu'au Quai d'Orsay toutes les affaires
étaient réglées, hormis celles des diplomates qui se trouvaient
encore en territoire ennemi, soit en Allemagne, soit en Extrême-
Orient. Tout en estimant que ces représentants avaient dû
accomplir leur mission dans des conditions fort difficiles, Bidault
comptait néanmoins les soumettre à la même procédure que leurs
collègues [19].

Dans un télégramme à certaines ambassades françaises daté de
mars 1945, Bidault attira l'attention sur un discours prononcé
devant l'Assemblée consultative par Pierre Meunier, secrétaire
général du CNR, qui avait déclaré que « le ministère des Affaires
étrangères est l'un des rares départements où l'épuration a été
effective ». Bidault lui-même avait « conjuré » l'Assemblée « de ne
pas revenir sur ce qui a été tranché une fois pour toutes avec la
collaboration de membres de cette Assemblée et d'un délégué du
Conseil National de la Résistance », intervention saluée par des
applaudissements. Dans la dépêche citée plus haut, le ministre
assurait les représentants de la France en Amérique du Sud (le
message s'adressait aux ambassades de cette partie du monde),
ainsi que les résistants qui s'y trouvaient, que les diplomates
nommés dans les pays concernés, grâce à l'épuration, seraient
désormais tous des patriotes. Il n'accepterait aucune discussion sur
leur nomination [20].

Au total, la Commission d'Épuration du ministère des Affaires étrangères avait examiné 506 dossiers et sanctionné une personne sur six. Les deux tiers des ambassadeurs cités à comparaître s'étaient vu infliger des sanctions, ainsi que les deux cinquièmes des ministres plénipotentiaires, mais, dans le cas des conseillers, le rapport tombait à un quart, et dans celui des consuls généraux, à un cinquième seulement. Selon les propres archives du ministère, à la fin de 1945, le bilan de l'épuration était le suivant [21] :

Grades	Nombre d'affaires	Mises en disponibilité	Radia-tions	Révoca-tions	Mises à la retraite
Ambassadeurs ...	15		9	1	
Ministres plénipotentiaires	46			18	2
Conseillers d'ambassade...	35		2	4	3
Consuls généraux	70		3	4	4
Secrétaires d'ambassade...	50	1		1	2
Consuls.........	126	2	10	1	

À la requête du ministère de la Justice, Bidault signala les noms de 13 diplomates susceptibles de faire l'objet de poursuites. Plusieurs d'entre eux allaient effectivement être jugés par la Haute Cour : Charles Rochat, Jacques Guérard et Xavier Vallat [22].

Les archives du Quai d'Orsay contiennent de nombreuses références aux recours formulés contre les décisions d'épuration. Le cas de Paul Morand sort de l'ordinaire. La fin de la guerre surprit le célèbre essayiste et romancier en Suisse où il avait été ambassadeur du gouvernement de Vichy ; il y resta. Toutefois, après sa révocation sans pension par le gouvernement de la Libération, il fit appel devant le Conseil d'État, faisant valoir qu'il n'avait pas été convoqué à la moindre audience par la Commission d'épuration, ni mis en mesure de se défendre. Il avança qu'il ne pouvait être considéré comme défaillant — seul cas dans lequel une sanction pouvait être prise en l'absence de l'accusé — puisque son adresse en Suisse était parfaitement connue. Il contesta également la déclaration du ministre selon laquelle sa carrière n'avait été qu'une succession de nominations soigneusement choisies pour lui donner matière à écrire, car (selon lui) des intervalles considérables avaient toujours séparé ses missions à l'étranger du livre que lui inspirait ultérieurement l'endroit en question. Il fit aussi valoir que

Vichy lui avait confié la tâche relativement inoffensive d'examiner des scénarios pour le cinéma, avant de le nommer ambassadeur en Roumanie, puis en Suisse. En 1953, le Conseil d'État entendit son affaire et annula sa révocation, reconnaissant que son adresse en Suisse était effectivement connue et qu'on pouvait donc sans difficulté le prier de faire parvenir sa défense à ceux qui le jugeaient. Il fut ultérieurement réintégré et mis à la retraite avec paiement d'un arriéré de cinq années de salaire et cinq années de pension[23].

Il y eut une affaire plus curieuse encore. Le 18 mars 1945, parmi une liste de personnel diplomatique révoqué sans pension ni indemnité sur avis de la Commission d'épuration publiée au *Journal Officiel*[24], figurait le nom de Roger Peyrefitte, consul de 2ᵉ classe. Or, ce dernier avait déjà été épuré une fois, par Vichy. En octobre 1940, il avait été interpellé dans la capitale de la collaboration alors qu'il pénétrait dans une pâtisserie en compagnie d'un adolescent et le lendemain, il était convoqué au ministère des Affaires étrangères, à l'Hôtel du Parc (où résidait aussi le maréchal Pétain), pour y être confronté avec l'agent de police responsable de son arrestation. Le ministère possédait d'ores et déjà un dossier sur ce qu'il appelle lui-même ses « petites histoires » avec d'autres jeunes garçons à Athènes, où il avait été cinq ans en poste à l'ambassade de France. On le mit donc devant un choix : ou il démissionnait, ou il était révoqué. Comme il ne faisait pas bon être fonctionnaire révoqué sous l'occupation allemande, Peyrefitte opta pour la première solution. Pourtant, il désirait vivement reprendre du service ; on finit par lui proposer un poste bien peu attrayant : membre de la Délégation de Fernand de Brinon à Paris où ce dernier assurait la liaison entre Vichy et les autorités allemandes. Cette nomination devait toutefois être ratifiée par les Allemands, si bien que Peyrefitte écrivit à un vieil ami, Ernst Achenbach, directeur de la section politique de l'ambassade du Reich à Paris, pour obtenir sa recommandation, ce qui lui permit de devenir chef d'un service responsable du transfert des réfugiés allemands aux autorités d'occupation. Mais il s'aperçut bien vite qu'il n'y avait plus aucun transfert à effectuer, si bien que son emploi était une véritable sinécure. La Libération venue, alors que Brinon et tous les autres hauts fonctionnaires s'empressaient de s'éclipser, Peyrefitte resta tout tranquillement à Paris, ne voyant pas ce qu'on pourrait bien lui reprocher[25], d'autant, devait-il assurer ultérieurement, qu'il avait même été en mesure de venir en aide à certaines victimes des nazis, grâce — selon ses propres termes — à sa « confraternité de mœurs » avec, à l'ambassade d'Allemagne, Rudolf Rahn[26].

Il a lui-même narré, sous forme fictive, la suite de l'histoire dans un caustique roman à clés, *La Fin des Ambassades*, où les noms véritables (Charles Rochat, François Charles-Roux) côtoient les noms imaginaires (par exemple celui de « Mlle Crapote » pour le personnage inspiré par Suzanne Borel, haut fonctionnaire du Quai d'Orsay, qui allait épouser Georges Bidault). Dans le roman, le héros de Peyrefitte (derrière lequel se cache l'auteur lui-même) rendit visite à Mlle Crapote pour lui montrer son mémoire justificatif. Il retrouva dans son antichambre plusieurs diplomates de haut rang qui attendaient leur tour d'être reçus, car Mlle Crapote était devenue une héroïne nationale qui « répondait avec condescendance aux saluts des ambassadeurs et des officiers ». Lorsque Peyrefitte fut enfin introduit dans son bureau, elle se montra sans pitié pour ses anciens collègues et pour son visiteur. Peyrefitte a tourné en ridicule cette épuration supervisée par « le moins français des ambassadeurs de France », car Naggiar, qui présidait la Commission d'épuration, était né dans une « île du Levant ». « ... Le secret de l'épuration n'était-il pas qu'il fallait des victimes pour qu'il y eût des héros ? » se demandait son personnage [27].

L'écrivain devait revenir sur ces événements dans un mémoire féroce où il faisait remarquer qu'il avait été révoqué sans même avoir été entendu par la Commission [28]. Il est intéressant de souligner que cette révocation fut loin de nuire à sa carrière littéraire. Lorsque, en 1945, l'Académie Goncourt décerna son prix tant convoité à un écrivain communiste célèbre, Elsa Triolet (on chuchotait d'ailleurs que l'Académie avait fait ce choix pour épargner à un de ses membres de figurer sur la « liste noire [29] »), le plus dangereux rival de la romancière n'était autre que Roger Peyrefitte avec son livre *Les Amitiés particulières*, pour lequel il reçut le même jour le Prix Renaudot ; le quotidien *Résistance* décrivit cet ouvrage comme un « beau livre [30] ». Peyrefitte a attribué cette indulgence à l'amitié qui le liait à Louis Aragon et à un autre écrivain communiste un peu plus jeune, Francis Crémieux, dont il avait tenté d'aider le père, Benjamin, sous l'occupation. (Benjamin Crémieux, français et juif, qui, en sa qualité de conseiller littéraire chez Gallimard, avait lu et admiré *Les Amitiés particulières*, devait mourir en 1944 à Buchenwald [31].)

À partir de 1953 où une loi d'amnistie vint lever les sanctions administratives (sans pour autant entraîner une réintégration automatique), Peyrefitte fit appel de la décision de révocation sans pension prise à son encontre, et ses avocats et lui-même allaient passer 25 ans à se battre pour la faire casser. En 1960, le tribunal administratif de Paris annula la révocation sous prétexte que

Peyrefitte n'avait pas été informé des accusations spécifiquement retenues contre lui et n'avait pas eu non plus la possibilité de se défendre devant la Commission d'épuration avant qu'elle n'émît sa première décision ; en outre, en prenant sa décision finale, ladite Commission n'avait pas tenu compte du mémoire justificatif de l'accusé et n'avait pas motivé sa décision[32].

Le même jour, le tribunal administratif statua sur la demande de dommages et intérêts présentée par Peyrefitte pour les déclarations prétendument diffamatoires à son égard du ministère des Affaires étrangères après la publication de *La Fin des Ambassades*, l'ouvrage ayant été considéré comme une attaque calomnieuse visant le corps diplomatique. Dans ses déclarations, le Quai d'Orsay avait alors fait allusion à des agissements pour lesquels Peyrefitte avait été amnistié. Le ministère répondit que c'était l'auteur lui-même qui, le premier, avait mentionné lesdits agissements, et que, de toute façon, étant « contraires à l'honneur et aux bonnes mœurs », ces agissements n'étaient pas couverts par l'amnistie. Le tribunal décida que les deux parties — le gouvernement par son attaque contre Peyrefitte, et ce dernier en révélant des informations confidentielles sur le corps diplomatique par le biais de son roman à clés — étaient fautives. Cependant, comme les foudres gouvernementales encourues par l'écrivain n'avaient pas porté préjudice à la vente de ses livres, bien au contraire, et comme il avait lui-même fourni dans ses ouvrages d'amples détails sur sa vie privée, il n'eut droit qu'au franc symbolique « en réparation totale et définitive du préjudice[33] »... Le ministère attaqua cette décision devant le Conseil d'État qui, deux ans plus tard, rejeta son appel, faisant valoir que la responsabilité du ministère n'était pas moins engagée du fait que ses déclarations visaient à défendre le personnel diplomatique et que la propre conduite de Peyrefitte avait été « répréhensible[34] ».

L'affaire n'était pas terminée pour autant, car Peyrefitte voulait aussi toucher son salaire. Avec l'appui de son cousin Alain, il espérait bien être réintégré au rang approprié. Il s'attendait — ce fut du moins ce qu'il confia à son cousin — à être nommé ambassadeur, quitte à présenter aussitôt sa démission, et comptait bien recevoir de surcroît une indemnité qu'il estimait à l'époque personnellement à quelque trois millions de francs. Cependant, lorsqu'elle lui fut enfin accordée (à la suite d'une décision du tribunal administratif de Paris en 1976), cette indemnité ne se montait qu'à 20 000 francs. Peyrefitte porta son affaire devant le Conseil d'État qui statua que sa nomination à la délégation de Brinon avait été exceptionnelle, et que — indépendamment de sa révocation par Bidault — toutes les mesures d'exception prises par Vichy avaient été annulées par décret, si bien que 20 000 francs représentaient une compensation suffisante[35]. Rétrospectivement, Peyrefitte se convainquit qu'il n'avait pas tout perdu, son épuration lui ayant finalement permis de devenir un écrivain célèbre plutôt qu'un obscur diplomate[36].

Dans leur désir de débarrasser la France de la moindre souillure vichyste, les nouvelles autorités frappèrent un grand coup en prenant la décision, sans doute sans précédent, d'épurer non seulement les rangs du corps diplomatique français, mais également ceux des représentations étrangères. Les gaullistes refusèrent ainsi catégoriquement d'accepter les lettres de créance des ambassadeurs ou chefs de mission que leurs gouvernements respectifs avaient déjà dépêchés auprès du maréchal Pétain. Le propre secrétaire général des Affaires étrangères du gouvernement de la Libération, Raymond Brugère, vétéran de la diplomatie, fut horrifié par cette violation du protocole, qu'il aurait bien voulu atténuer en présentant la chose comme une série de mesures individuelles plutôt que comme une répudiation en bloc ; mais son ministre, Georges Bidault, se montra inflexible.

En fait, seule une petite poignée de diplomates étrangers étaient restés à Vichy. Vers la fin du mois de septembre, ils se rendirent à Paris, accompagnés par un fonctionnaire du Quai d'Orsay. Bidault refusa de les voir, si bien que ce fut Brugère qui leur signifia que leur présence en France n'était plus désirable. Le secrétaire général était particulièrement marri de constater que parmi les sommités ainsi congédiées figurait le nonce apostolique Valerio Valeri, doyen du corps diplomatique de Vichy. Compte tenu de l'attitude hostile de ce dernier vis-à-vis des hauts prélats collaborateurs, Brugère avait le sentiment que l'intervention de Valeri aurait été fort utile pour obtenir que ces derniers fussent destitués. Brugère, cependant, avait également l'impression que Georges Bidault, l'un des fondateurs du MRP (Mouvement Républicain Populaire) de tendance démocrate-chrétienne, souhaitait le remplacement de Valeri par un nouveau nonce plus favorable à son propre parti. Pour persuader de Gaulle de refuser d'accepter plus longtemps la présence de Valeri, on avait fait valoir que traditionnellement, le 1er janvier, c'était le nonce qui présentait les vœux du corps diplomatique au chef de l'État, et qu'il serait choquant que celui qui avait ainsi rendu hommage à Pétain en 1944 en fît autant pour de Gaulle en 1945[37]. Ce dernier convint que la chose était « impossible ») ; il l'a d'ailleurs répété dans ses mémoires, ajoutant qu'il avait exprimé au nonce, avant son sépart, « notre haute considération pour sa personne[38] ».

Valeri fut donc remplacé par Mgr Angelo Roncalli, précédemment délégué apostolique en Turquie, qui devait devenir par la suite l'un des papes les plus populaires de notre époque sous le nom de Jean XXIII. En envoyant Roncalli à Paris (non sans avoir fait savoir qu'il était fort mécontent de voir son ancien nonce ainsi éconduit), le pontife régnant, Pie XII, laissa entendre qu'en échange de cette faveur, il entendait bien voir les gaullistes s'abstenir d'exiger le moindre changement dans la hiérarchie ecclésiastique. Les démarches entreprises en ce domaine par le gouvernement de la Libération sont assez bien connues grâce aux révélations du Pr André Latreille qui, en novembre 1944, fut chargé des relations Église-État en qualité de Directeur des cultes au ministère de l'Intérieur. Son nouveau ministre, Adrien Tixier, l'informa que le Gouvernement provisoire espérait voir écarter plusieurs évêques considérés comme collaborateurs. Latreille pouvait craindre que le Vatican ne se fît tirer l'oreille après le départ forcé de Mgr Valeri[39].

On possédait certaines indications sur le sentiment officiel et populaire en la matière. Le cardinal de Paris, Mgr Suhard, qui avait accueilli le maréchal Pétain sur le parvis de Notre-Dame en avril 1944, fut averti par deux émissaires du Gouvernement provisoire (tous deux catholiques pratiquants) que sa présence serait inopportune — voire dangereuse — lorsque de Gaulle, accompagné de Georges Bidault, François de Menthon et Pierre-Henri Teitgen, assisterait à sa première messe d'action de grâces dans Paris libéré, le 26 août[40].

En novembre 1944 — époque où Latreille prenait ses fonctions au ministère de l'Intérieur —, un sondage d'opinion indiqua que 82 % des Français estimaient qu'il fallait punir les évêques qui avaient collaboré, alors que 10 % étaient d'avis contraire et que 8 % n'avaient pas d'opinion. Parmi les partisans du châtiment, 57 % pensaient que c'était au gouvernement de prendre des sanctions, 32 % auraient plutôt confié cette responsabilité à l'Église, et 11 % auraient préféré voir les deux agir conjointement[41].

À l'heure de la Libération, plusieurs évêques avaient été contraints de quitter temporairement leur diocèse ; des menaces, semblait-il, avaient été proférées contre plusieurs autres prélats, mais les autorités étaient parvenues tant bien que mal à maîtriser la situation[42]. Latreille a révélé que le ministre de l'Intérieur, Adrien Tixier, socialiste bon teint, n'était pas insensible aux requêtes des sections locales de son parti qui réclamaient que l'on prît des mesures contre le clergé. Le syndicat des instituteurs protesta contre l'apparente indulgence du gouvernement envers l'Église, seul des grands corps nationaux à échapper à une véritable épuration. Une note datée du 26 juillet 1944, dont Latreille pense qu'elle avait été rédigée par Bidault — alors chef du CNR —, soulignait « le silence conservé par l'épiscopat de France en face d'atteintes portées par l'occupant et par Vichy aux droits les plus sacrés des consciences des personnes... », et citait nommément les évêques dont la destitution était recommandée. Le cardinal Suhard arrivait en tête de liste. Cette même note précisait l'identité des ecclésiastiques dont la promotion au rang d'évêque était au contraire désirable [43].

L'une des raisons valables d'écarter un évêque était connue sous le nom d'*odium plebis* : la vindicte populaire. Pour sa part, Mgr Roncalli estimait qu'il lui serait bien difficile, en sa qualité de représentant du pape, d'entreprendre une telle inquisition. On décida finalement de nommer le philosophe thomiste Jacques Maritain, qui avait passé les années d'occupation aux États-Unis comme ambassadeur de France auprès du Vatican chargé de négocier l'épuration de la hiérarchie ecclésiastique. Latreille rédigea une note proposant l'éviction de douze prélats, dont trois archevêques [44].

À la mi-avril 1945, Latreille, s'aperçut que le cabinet du général de Gaulle avait pris en main le dossier de l'épuration de l'Église, et, à la fin de mai, sept évêques avaient quitté leur diocèse, dont deux (ceux d'Arras et d'Aix-en-Provence) avaient pris sur eux de démissionner. On choisit des remplaçants pour ces deux évêchés et pour d'autres restés vacants, sans faire ouvertement référence au départ forcé de leurs titulaires [45].

Nous pouvons consulter aujourd'hui un document qu'André Latreille n'eut certainement pas sous les yeux à l'époque. Il s'agit d'un télégramme du général de Gaulle à son ministre des Affaires étrangères Georges Bidault, alors en voyage aux États-Unis, pour lui préciser l'état de ses négociations avec Roncalli à la mi-mai. Le nouveau nonce s'était enquis des « demandes définitives » du gouvernement français et de Gaulle les lui avait exposées : il fallait destituer cinq évêques ; la présence de l'archevêque Feltin à Bordeaux était « peu souhaitable » ; il était préférable que ni Mgr Feltin ni Mgr Marmottin, archevêque de Reims, ne devinssent cardinaux. Après avoir rappelé à de Gaulle que l'Église avait déjà fait la preuve de sa bonne volonté en évinçant l'évêque d'Aix-en-Provence, le nonce promit néanmoins d'étudier les autres cas soumis à son attention, sauf en ce qui concernait l'évêque de Saint-Brieuc (qu'il accepta toutefois d'éloigner de son diocèse pendant un an). Quant à Feltin, Roncalli ne souhaitait nullement sa mise à l'écart. De Gaulle signala à Bidault que l'archevêque semblait avoir gagné la sympathie du nonce, lequel avait garanti au chef du gouvernement français que, de toute façon, jamais Feltin ne recevrait sa barrette de cardinal[46]. Mgr Feltin allait devenir archevêque de Paris en 1949, et cardinal-prêtre en 1953.

Un évêque, à ce qu'il semble, fit l'objet d'une instruction pour crime de collaboration, mais l'affaire fut rapidement classée[47]. Dans un autre cas au moins, un commissaire de la République engagea des pourparlers pour le même motif ; ainsi Michel Debré, responsable de la région d'Angers, conclut un marché avec un évêque de sa région : il éviterait au recteur de l'Université catholique des poursuites judiciaires pour faits de collaboration à condition que l'évêque démît cet homme de ses fonctions. On put croire un instant qu'une nouvelle guerre de religions allait éclater dans le Maine-et-Loire, mais Debré refusa de céder et obtint gain de cause[48].

CHAPITRE IV

L'administration sous surveillance

L'une des plus vastes tâches des épurateurs concernait l'appareil de l'Éducation nationale qui, depuis Paris, contrôlait, dans toutes les villes et communes de France, 185 000 hommes et femmes chargés d'une mission délicate entre toutes : former la jeunesse. C'est Pétain qui, le premier, avait montré combien il était important de s'assurer la maîtrise de ce moyen d'influencer les familles françaises, et, pour que l'épuration du pays fût complète, il fallait que professeurs et instituteurs — et surtout leurs supérieurs — fussent au-dessus de tout soupçon. Le filtrage commença à Alger où René Capitant, professeur de droit, était alors commissaire à l'Éducation nationale. Dès août 1943, une ordonnance décida de la création d'une Commission d'épuration à l'intérieur de ce ministère et, en décembre, un Comité d'enquête fut institué pour faire face au nombre important d'affaires attendues. Chaque subdivision de l'appareil devait être pourvue de sa propre unité d'épuration (un Conseil académique d'enquête) ; un Conseil supérieur d'enquête superviserait l'ensemble des opérations et réglerait le sort des hauts fonctionnaires [1]. Ce Conseil supérieur eut pour premier président Pierre Petot, professeur à la Faculté de droit de Paris ; ses autres membres étaient des professeurs, des instituteurs et des directeurs d'école [2].

À Paris, un Conseil académique d'enquête commença à fonctionner officieusement dès avant la Libération ; à l'arrivée du Gouvernement provisoire, il se transforma en Commission d'épuration de l'Académie de Paris. Une circulaire ministérielle datée du 6 octobre 1944 habilitait cette commission à enquêter et à prendre des décisions sur lesquelles le Conseil supérieur d'enquête avait néanmoins droit de regard [3]. L'atmosphère des premiers jours nous est révélée par un article d'une grande franchise, paru dans le

quotidien du parti communiste. Des comités du Front national,
d'obédience communiste, avaient siégé dans chacun des lycées
parisiens, ordonnant que les professeurs révoqués par Vichy
fussent rétablis dans leurs fonctions et s'occupant de régler leur
compte « aux traîtres et aux lâches ». Il y eut des suspensions
immédiates, ainsi que des demandes de déplacement, des mises à
la retraite, des ouvertures d'enquête — et même des arrestations.
Les décisions prises au cours de ces audiences officieuses furent,
semble-t-il, entérinées « de fait » par le secrétaire général du
Ministère, communiste lui-même et éminent pédagogue, alors
même que la décision finale appartenait à une Commission
d'enquête[4].

C'est néanmoins le Conseil supérieur d'enquête qui trancha en
dernier ressort chacune des 6 000 affaires qui lui furent soumises.
Un examen objectif des dossiers laisse entrevoir les difficultés
auxquelles il se trouva confronté. D'un côté, les plaintes déposées
contre certains instituteurs et professeurs trahissaient souvent des
signes d'animosité personnelle ou professionnelle. De l'autre, les
épurateurs devaient faire la part des erreurs de jugement, par
exemple dans le cas d'un instituteur qui avait adhéré à une
organisation collaborationniste pour être sûr que l'œuvre de sa vie,
un drame en vers, serait enfin jouée... Des artistes de talent avaient
accepté des invitations à se rendre en Allemagne ; des jeunes
femmes avaient fréquenté des membres de l'armée d'occupation
(qui prétendaient parfois être non pas allemands, mais autrichiens
et anti-nazis, eux aussi). Un proviseur avait rendu hommage à
Pétain, le vainqueur de Verdun, au cours d'une quelconque
cérémonie[5].

Vers juin 1945, 2 362 personnes travaillant pour l'Éducation
nationale avaient fait l'objet d'enquêtes ; 370 d'entre elles avaient
reçu des blâmes, 359 avaient été sanctionnées par un déplacement
d'office, 110 par une rétrogradation, 69 par une mise en disponibilité ou en non-activité, 90 par une mise à la retraite d'office, 17 par
une suspension à temps ou définitive de la pension de retraite, 194
par une interdiction provisoire ou définitive d'exercer la profession
(cumulée avec d'autres sanctions), 18 par une déchéance provisoire
ou définitive du droit de porter des décorations, 59 par une
révocation avec pension, 272 par une révocation sans pension. Sept
dossiers, enfin, avaient été transmis au ministère de la Guerre et
114 à ceux de l'Intérieur ou de la Justice. En outre, 357 hauts
fonctionnaires appartenant aux échelons supérieurs de l'appareil
avaient été sanctionnés, dont 18 par l'interdiction d'exercer la
profession[6].

Inutile de dire que cette épuration en profondeur d'un service public regroupant 185 000 personnes prit du temps. Au début de 1948, on créa une Commission supérieure d'enquête unique, chargée de reprendre le travail des commissions spécialisées, principalement dans le but de réviser les dossiers et de décider des amnisties[7]. Cette année-là, par exemple, la Commission décida qu'un enseignant frappé d'indignité nationale n'aurait plus le droit d'enseigner, mais qu'il pourrait occuper un autre emploi dans la fonction publique et même obtenir le rétablissement de sa pension[8]. Lorsqu'il eut à statuer sur les décisions du ministère de l'Éducation attaquées en appel par les victimes de l'épuration, le Conseil d'État accepta la légitimité de l' « interdiction absolue » d'enseigner, qui était un châtiment traditionnel dans la profession depuis le xixᵉ siècle[9]. Cependant, selon une autre de ses décisions, en août 1949, un fonctionnaire pouvait être réintégré lorsqu'il aurait purgé sa peine de dégradation nationale ou bénéficié d'une grâce. En outre, comme nous le verrons, une loi du 5 janvier 1951 amnistia toutes les sanctions concernant les pensions de retraite et fit de la dégradation nationale une peine non plus criminelle, mais correctionnelle[10].

Une virulente critique de l'épuration de l'enseignement — dont l'auteur anonyme fut peut-être une des victimes — impute à la « fureur résistantialiste » la « ruine de toutes nos traditions universitaires », définies comme étant « la liberté des esprits et la confraternité ou solidarité des personnes ». Dans son sillage, nous assure ce texte, l'épuration n'a laissé que « les rancunes, les haines, les défiances, les jalousies inexpiables, l'atmosphère de hargne sournoise, de dénonciation constante ». Cette critique nous propose une description à chaud de la façon dont fonctionnait l'épuration. Dans chaque lycée ou faculté, un comité d'établissement « composé de concierges, d'appariteurs, de frotteurs, de plongeurs, d'élèves, de répétiteurs et de professeurs », était chargé de la première enquête ouverte contre un suspect, et habilité à suspendre les enseignants et à diminuer leur salaire de moitié, en attendant la décision d'une Commission académique d'enquête et l'examen final par le Conseil supérieur d'enquête. L'auteur anonyme prétend en outre que les commissions d'enquête étaient recrutées selon des critères politiques manipulés en faveur de l'extrême gauche. Et de présenter ce qu'il appelle des exemples pittoresques des conséquences de l'épuration : dans un lycée d'outre-mer, un professeur d'histoire avait été révoqué et remplacé par une écuyère de cirque, faute de trouver un candidat plus acceptable ; un professeur de langue vivante avait été remplacé par un répétiteur n'ayant jamais passé le moindre examen dans cette langue (l'enseignant suspendu refusa de donner des leçons particulières, malgré les supplications des parents d'élèves qui s'inquiétaient pour le baccalauréat de leurs enfants...). On nous affirme qu'un enseignant communiste avait dénoncé un de ses collègues pour avoir fait le salut fasciste en public (l'accusé expliqua qu'il s'agissait d'un simple signe de la main) et avoir médit de ses confrères républicains ; cette accusation valut au « coupable » de passer par un camp d'internement, puis devant la Chambre civique, avant d'être finalement acquitté [11].

Un récit plus objectif de l'épuration de l'enseignement reconnaît que, comme dans le cas des Cours de Justice, les premières sanctions furent sévères. Toutefois, les possibilités de grâces et d'amnisties, surtout après 1948, contribuèrent à rétablir l'équilibre. Lorsque le Conseil d'État annulait une sanction, l'affaire était automatiquement révisée ; après l'amnistie de 1953 prorogeant le délai d'acceptation des recours, 500 dossiers furent reconsidérés. Et même passé le nouveau délai, le ministère de l'Éducation accepta les pourvois en appel, si bien qu'il y eut encore de nombreux cas de réintégration, rétablissement de pension et suspension de la rétrogradation. La chose apparaissait plus difficile là où les fonctionnaires étaient moins nombreux, par exemple pour les inspecteurs ou les professeurs d'université, mais relativement aisée pour les professeurs de lycée et les instituteurs [12].

Pas le moindre recoin de cette vaste administration ne fut épargné. Ainsi, on créa une Commission d'épuration des Archives et Bibliothèques, dont l'une des premières affaires concerna celui que Vichy avait nommé administrateur général de la Bibliothèque nationale, Bernard Faÿ, qu'une Cour de Justice devait ensuite condamner pour son rôle dans la persécution des francs-maçons. Le Conseil d'enquête des Archives et Bibliothèques, qui avait à sa tête un substitut de procureur général, convoqua Faÿ, détenu à l'époque au camp de Drancy, et lui reprocha d'avoir été un « agent particulièrement zélé » de Vichy et un ardent collaborateur des Allemands. On l'accusa plus particulièrement d'avoir dénoncé les activités de résistance à la Bibliothèque nationale. Faÿ prétendit pour sa part avoir été anti-allemand et favorable à la Résistance, fournissant même des attestations en sa faveur. Malgré cela, le conseil d'enquête proposa à l'unanimité sa révocation et la transmission de son dossier au ministère de la Justice, recommandant qu'il fût condamné à la dégradation nationale [13].

Tout comme l'Éducation nationale, l'armée était un vaste service nécessitant une soigneuse épuration. Celle-ci avait commencé à Alger où le commissariat à la Guerre et à l'Air du CFLN, avec à sa tête André Le Troquer, avait créé sa propre Commission d'épuration [14]. L'ordonnance du 21 décembre 1943, interdisant la fonction publique aux membres des organisations collaborationnistes, prévoyait aussi la suspension ou la mise à la retraite d'office des officiers et sous-officiers ayant adhéré à de telles organisations. Dans le sillage de la défaite de 1940, la hiérarchie militaire française avait éclaté non pas en deux, mais en plusieurs factions. Certains soldats et marins étaient restés en France, fidèles à Vichy ; d'autres s'étaient ralliés à la France libre ; mais il y en avait d'autres encore, particulièrement en métropole, qui ne servaient ni Pétain, ni de Gaulle. Certains de ceux-ci avaient rejoint les rangs de la Résistance, d'autres s'étaient enrôlés dans des unités collaborationnistes militaires ou paramilitaires, d'autres encore étaient restés totalement passifs.

L'un des premiers soucis des forces de libération fut de neutraliser les neutres. Ainsi, le 21 août 1944, les FFI de la région de Toulouse émirent un ordre concernant les officiers d'active qui ne s'étaient pas engagés dans la Résistance. Ils étaient assignés à domicile jusqu'à ce que leur situation eût été réglée, le port de l'uniforme leur était interdit et ils avaient ordre de se présenter devant l'officier supérieur de leur région [15]. Par un autre ordre dont le numéro — 10010 — allait devenir familier à l'armée d'après-guerre, le commissariat à la Guerre du gouvernement gaulliste indiqua aux commandants la marche à suivre vis-à-vis du personnel militaire de métropole. Tous les officiers qui n'étaient pas sous les ordres du Gouvernement provisoire non plus qu'aux FFI étaient « placés d'office en position de disponibilité » ; le port de l'uniforme leur était interdit et ils ne pouvaient être appelés en service actif, sauf par décision individuelle fondée sur la preuve qu'ils avaient servi la Résistance clandestine, ou pour « des nécessités impérieuses d'encadrement », c'est-à-dire si l'on avait par trop besoin de leurs talents de chef, auquel cas ce besoin devrait être exposé personnellement au commissaire à la Guerre. Les officiers devaient remplir une déclaration sur l'honneur sur leur attitude depuis le 25 juin 1940 [16].

Et les chiffres, dans tout cela ? Selon la meilleure source d'origine militaire, ils seraient les suivants : au début de la guerre, on comptait 35 000 officiers en service actif ; 1 200 avaient été tués, 800 étaient portés disparus et, quand l'armistice avait été signé, 10 000 étaient prisonniers. Un millier d'officiers environ avaient rejoint les rangs des Forces Françaises Libres, soit individuellement, soit par ralliement spontané de leurs unités. En métropole, les 11 000 officiers restants se répartissaient entre l'Armée d'armistice que Vichy fut autorisé à conserver jusqu'en novembre 1942 (4 200), le personnel rendu à des missions civiles (2 500) et ceux qui avaient reçu un congé d'armistice (4 800). Outre-mer, 11 000 officiers avaient servi Vichy en Afrique du Nord, en Afrique occidentale, en Afrique orientale et à Madagascar. Après l'occupation de la zone Sud par les Allemands en novembre 1942, 4 000 officiers environ (sur 11 000) entrèrent dans la Résistance, soit dans les unités de combat, soit dans celles de renseignements, tandis que d'autres parvenaient à gagner l'Afrique du Nord (1 100) ; un autre millier avaient atteint l'âge de la retraite. Ce qui laissait 4 500 officiers à rester dans l'expectative [17].

Une fois installé dans Paris libéré, le ministère de la Guerre du Gouvernement provisoire prit deux décisions auxquelles tout le monde s'attendait. Il commença par annuler toutes les nominations et promotions accordées par l' « autorité de fait se disant gouvernement » de Vichy, autorisant toutefois les officiers concernés à conserver le supplément de solde ainsi perçu. Cette mesure ne s'appliquait pas aux officiers qui, après le débarquement en Normandie du 6 juin 1944, avaient servi dans les FFL ou les FFI [18]. La seconde ordonnance signée le même jour, 22 septembre 1944, par de Gaulle et son ministre de la Guerre André Diethelm, institua une Commission d'épuration et de réintégration des personnels militaires. Elle examinerait les dossiers du personnel militaire de tous grades, qui pourrait être soumis à des sanctions aux termes de l'ordonnance du 27 juin 1944 sur l'épuration administrative ; son avis serait transmis au ministre qui prendrait la décision. La nouvelle commission devait également émettre des recommandations pour une éventuelle réintégration des officiers de l'armée d'armistice qui ne s'étaient ralliés ni aux FFL, ni à la Résistance. Elle se composait d'un général, qui présidait, assisté soit de trois autres généraux siégeant avec lui lorsque le dossier d'un autre général était à l'étude, soit de cinq officiers pour le personnel d'un grade inférieur [19].

Entre-temps, sans même attendre les audiences de la nouvelle Commission, le ministère de la Guerre suspendit quelques officiers haut gradés dont les liens avec Vichy étaient notoires : le conseiller politique de Pétain, le général d'armée Charles Brécard, Grand Chancelier de la Légion d'honneur de Vichy ; le général de corps d'armée Eugène Bridoux qui, à ce moment même, était secrétaire d'État à la Défense dans le gouvernement fantoche que Brinon avait constitué sous la protection des Allemands à Sigmaringen ; et enfin le chef de la garde personnelle du maréchal Pétain, le général de brigade Jean Perré [20].

Avec le général de division Philippe-Paul Matter, ancien combattant de Verdun et chef de l'infanterie après la Première Guerre mondiale, la Commission se trouva dotée d'un président peu amène. Étant franc-maçon, il avait été mis à la retraite d'office dès l'avènement du régime pétainiste, conformément à l'ordonnance de Vichy sur les sociétés secrètes [21]. On aura une meilleure idée de son attitude rigoriste en lisant son mémoire du 26 octobre 1944, s'inquiétant du fait que « des officiers sur lesquels il y aurait beaucoup à dire n'ont pas hésité, pour se " blanchir ", à prendre du service » dans les armées de libération de Leclerc ou de Lattre après les débarquements alliés en métropole. La Commission demandait donc que lui fussent communiqués les noms de ces retardataires [22] (que les résistants avaient baptisés « naphtilards » pour avoir laissé leur uniforme au vestiaire [23]...). Peu après, le ministère de la Guerre fit savoir à toutes les régions militaires que l'on manquait, pour l'examen des dossiers d'officiers qui cherchaient à se faire réintégrer, de certificats délivrés par les FFI, les mouvements de Résistance ou les Comités de Libération, et que, « de ce fait, il est extrêmement difficile d'émettre un avis sur leur attitude pendant l'occupation et la période de libération [24] ». Les officiers et sous-officiers de l'Armée d'armistice devaient certifier qu'ils n'avaient pas appartenu à des mouvements collaborationnistes [25].

Et puis les têtes commencèrent à tomber. Une remarque lâchée par de Gaulle en octobre 1944, un jour où pas moins d'une demi-douzaine d'officiers avaient sollicité directement son intervention, fournit une indication indirecte sur l'ampleur de l'épuration. Il s'exclama devant son secrétaire particulier, parlant de ses camarades de promotion : « Ils sont tous en taule [26] ! » Par la suite, le secrétaire devait néanmoins avoir l'impression qu'en raison de la prédominance qu'excerçaient dans le nouveau gouvernement les militaires et les juristes, les tribunaux se montraient plus cléments envers leurs collègues accusés de collaboration [27].

L'examen des dossiers de 253 officiers généraux et intendants généraux par la Commission Matter fut consigné dans un registre à partir du jour de novembre 1944 où elle commença à fonctionner, ce qui nous donne un aperçu des sanctions infligées. Quelques affaires étaient simplifiées du fait que les officiers visés avaient été condamnés à la prison avec dégradation nationale pour leurs activités de collaborateurs, ce qui impliquait automatiquement la dégradation militaire, la suspension des pensions et le retrait des décorations. Certains officiers furent révoqués sans pension, d'autres avec pension, ou bien mis à la retraite d'office, ou encore mis à la retraite avec le grade qui était le leur avant le 8 novembre 1942, ce qui équivalait à annuler les promotions accordées par Vichy. D'autres furent gardés en service, mais « sans emploi », tandis que les innocents étaient remis en activité. Le nombre important d'officiers maintenus à leur grade, ainsi que le nombre d'affaires qui furent simplement classées, semblent indiquer que chaque dossier avait été examiné avec soin[28]. Parmi les 181 officiers généraux dont les dossiers furent soumis à la Commission, 40 seulement furent maintenus en activité, l'un d'eux étant rétrogradé au rang de colonel.

À la fin de 1946, 10 270 officiers avaient fait l'objet d'une enquête. La Commission Matter avait réintégré 6 630 d'entre eux, en avait mis 650 à la retraite et « dégagé » — selon l'expression de l'époque — 2 570 autres[29]. Le 3 novembre 1945, une Commission d'Appel fut créée, habilitée elle aussi à enquêter ; son avis devait être transmis au ministère de la Guerre[30]. Elle était composée de quatre officiers, deux appartenant respectivement aux FFI et aux FFL (c'est-à-dire aux forces anti-vichystes de l'intérieur et de l'extérieur), un choisi dans les rangs des résistants déportés, et le quatrième n'appartenant à aucune de ces catégories, mais ayant été titulaire d'un commandement contre l'ennemi après novembre 1942[31].

La fin des hostilités vit s'ouvrir les portes des camps de prisonniers en Allemagne, ce qui pose de nouveaux problèmes. Les prisonniers libérés devaient solliciter leur réintégration en accompagnant leur demande d'une justification de leur attitude en captivité[32]. Une note du ministère de la Guerre expliqua : « Tous les officiers prisonniers de guerre ayant travaillé pour l'Allemagne seront, sous réserve des sanctions à prendre contre eux après proposition d'une Commission ou d'un Jury d'honneur, placés en non-activité pour cause de rentrée de captivité à l'ennemi, s'ils sont officiers d'active, ou démobilisés s'ils sont de réserve[33]. » La Commission Matter examina 6 160 dossiers d'anciens prisonniers de guerre et elle prononça 173 sanctions. Sur les 99 officiers généraux dont les dossiers lui furent soumis, elle n'en maintint que sept en activité ; en revanche, certains ex-détenus ou déportés furent promus pour compenser leur inactivité involontaire ; cette mesure fut prise, semble-t-il, pour « atténuer l'amertume du plus grand nombre[34] ».

La sévérité de la Commission Matter et du ministère de la Guerre du gouvernement de la Libération ne parvint cependant pas à satisfaire les ultras de la Résistance. À l'Assemblée consultative, un débat animé opposa d'anciens combattants de la Résistance communiste aux ministères de la Guerre et de la Justice. Ainsi Maurice Kriegel-Valrimont accusa le gouvernement de n'avoir pas versé dans l'armée des officiers FFI et s'éleva contre l'idée d'envoyer des collaborateurs internés servir en Indochine. Tout cela revenait, assura-t-il, à éliminer les officiers patriotes, cependant qu'on encourageait des anti-républicains à reprendre du service. L'Assemblée réclama un surcroît d'épuration dans les rangs de l'armée et demanda que les officiers qui n'avaient ni œuvré pour la Résistance, ni répondu à l'appel à la mobilisation de juin 1944, ne fussent affectés qu'aux unités de combat [35]. À vrai dire, les forces armées devaient pour lors faire face à un tout autre problème. D'un côté, on se trouvait à la tête d'effectifs considérables en raison de l'intégration à l'armée régulière des combattants de l'armée irrégulière des FFI ; de l'autre, avec la fin de la guerre, il était nécessaire de procéder à un allégement de l'encadrement. C'est ainsi que, durant l'année 1946, on renvoya 11 000 officiers à la vie civile ; autant que possible, l'opération se fit bien sûr en douceur, par l'entremise d'une Commission de dégagement présidée par le général Matter [36].

La gauche ne fut pas la seule à critiquer l'épuration de l'armée. Un ancien général allégua que Matter lui-même « n'avait cessé de hanter les couloirs (...) de Vichy ». (Si la chose avait été vraie, on peut penser que c'était pour tenter de faire appel contre sa révocation arbitraire.) En outre, les officiers frappés par l'épuration n'avaient pas toujours eu la possibilité de se défendre. Les actes de résistance n'avaient pas tous été pris en considération, notamment « les plus méritoires, accomplis silencieusement », par exemple le camouflage de matériel. Quant au traitement réservé aux officiers qui rentraient de captivité, il était qualifié de « scandaleux ». Notre contestataire critiquait jusqu'aux statistiques de l'épuration à laquelle il imputait — conjointement au dégagement des cadres qui l'avait suivie — la faiblesse militaire de la France en Indochine à la fin des années quarante, et le désintérêt des fils d'officiers pour la carrière militaire [37].

Bien entendu, l'administration centrale n'était pas seule concernée par l'épuration. En dehors de Paris, la responsabilité se trouvait entre les mains des Comités départementaux de Libération dont l'avis (fondé sur les conclusions des comités d'épuration ou tribunaux d'honneur locaux) était transmis aux commissaires régionaux de la République qui, à leur tour, faisaient suivre les

dossiers aux ministères concernés (avec une proposition de sanction). On a estimé que 40 à 50 000 fonctionnaires locaux avaient
fait l'objet d'enquêtes, et que plus de 11 000 dossiers avaient été
envoyés à Paris par les commissaires régionaux. Comme il n'existe
pas de statistiques complètes, l'historien le plus digne de foi en ce
domaine propose un certain nombre de données isolées. Dans la
Haute-Loire, par exemple, il y eut 13 révocations, cinq mises à la
retraite anticipée, 15 mutations d'office et six poursuites judiciaires. Dans le Nord, il y eut 24 révocations ou mises à la retraite
anticipée, quatre mises en disponibilité, deux suspensions et huit
mutations d'office. Dans le Vaucluse, où la Commission d'épuration du CDL se montra particulièrement féroce, on compta
74 demandes de révocation, frappant notamment six employés de
la préfecture, trois magistrats, dix agents de police, trois gendarmes, deux ingénieurs des travaux publics, le directeur des
postes, celui des services responsables du contrôle des prix,
l'intendant militaire et deux inspecteurs des contributions[38]. Pour
les affaires d'épuration, les renseignements circulaient dans les
deux sens : non seulement la province tenait Paris au courant, mais
la capitale lui rendait la politesse. Par exemple, le ministère de
l'Intérieur fit savoir au commissaire de la République d'Auvergne
que sa Commission d'épuration avait enquêté sur le préfet régional
du gouvernement de Vichy à Clermont-Ferrand et découvert qu'il
avait « déployé le plus grand zèle » au service de Pétain et de
l'ennemi ; le ministère priait donc le commissaire de bien vouloir
faire examiner le dossier de ce haut fonctionnaire par ses services[39].

Les archives nous permettent de voir d'un peu plus près
comment se déroula l'épuration sur le terrain. Voici par exemple
une décision prise à l'automne de 1944 par le Comité départemental de Libération de l'Ain siégeant à Bourg-en-Bresse : sur avis de
sa Commission de l'Enseignement, le CDL demanda au Recteur et
au commissaire de la République de prendre la sanction suivante
contre un inspecteur primaire d'une localité voisine : « Déplacement d'office immédiat hors du département. Ce déplacement ne
doit pas constituer un avancement. » Motif : en 1940 et 1941, cet
homme s'était montré « un ardent auxiliaire de la politique de
répression de Vichy à l'égard des instituteurs ». Son attitude au
cours de ces deux années méritait d'ailleurs une sanction plus
sévère, expliquait le CDL, mais, au cours de l'année écoulée, elle
avait nettement changé, si bien qu'il était désormais possible de
réclamer une peine plus légère. Contre un instituteur, en revanche,
le CDL de l'Ain demandait la révocation immédiate. Motif : il

s'agissait d'un agent de propagande et de recrutement pour le Service d'Ordre légionnaire (prédécesseur de la Milice), ayant servi de délégué départemental au Service d'Information et de Propagande de Vichy[40].

En novembre 1944, le commissaire de la République de la région de Bordeaux, Gaston Cusin, signala à Paris qu'il avait mené à bien « une épuration sévère de tout le personnel administratif », de façon progressive dans les secteurs économiques, de façon à ne pas perturber les activités essentielles, et plus rapide dans les services politiques et administratifs. Cela, ajoutait-il, n'avait nullement mis fin aux attaques contre les « fonctionnaires dont l'activité exacte pendant l'occupation n'a pu être connue et qui sont jugés ainsi sur des apparences extérieures ou au résultat de vengeances de subordonnés ». Ces attaques, estimait Cusin, paralysaient le travail des fonctionnaires et il souhaitait qu'une date limite fût fixée au-delà de laquelle les plaintes ne seraient plus recevables[41]. Un an plus tard, en novembre 1945, Gaston Cusin informa Paris que, bien que les activités des commissions d'épuration eussent pris fin, la presse continuait d'affirmer qu'il restait dans la fonction publique de prétendus collaborateurs[42]. A la lumière des accusations récemment portées contre l'un des préfets sous les ordres du commissaire régional Cusin, à la Libération, Maurice Papon qui avait été en 1942 secrétaire général de la préfecture de la Gironde (et que d'anciens combattants de la Résistance ont accusé d'avoir facilité la déportation de Juifs par les nazis — voir chapitre III de la dernière partie), ces mots prouvent aujourd'hui tout leur sens. Au niveau national, à la question posée à l'époque : « l'épuration des administrations publiques vous paraît-elle suffisante, insuffisante, trop sévère ? », 14 % des Français interrogés répondirent « suffisante », 65 % « insuffisante », 6 % trop sévère ; il y avait en outre 3 % de réponses conditionnelles, tandis que 12 % n'avaient pas d'opinion[43].

Combien y eut-il au total de fonctionnaires touchés par l'épuration ? Comme pour le nombre de morts ou de victimes des autres formes de châtiment, les exagérations sont allées bon train. Certains adversaires de l'épuration ayant avancé le chiffre de 120 000 sanctions, le gouvernement fit savoir que si l'on comptait ensemble tous les services de l'administration en sus des établissements publics et des entreprises nationalisées (par exemple la SNCF), on arrivait à un total de 16 113 sanctions[44]. Pour la seule administration centrale, l'épuration telle qu'elle avait été conçue dans l'ordonnance du 27 juin 1944 avait touché 11 343 personnes, de la façon suivante[45] :

Révocations sans pension.	4 052
Révocations avec pension	521
Retraites d'office	841
Suspensions à temps ou définitives de pension de retraite	215
Suspensions à temps de fonctions.	1 024
Rétrogradations de grade.	367
Rétrogradations de classe.	608
Mutations d'office	1 516
Avertissements	347
Blâmes	965
Retards d'avancement	36
Interdictions d'exercice.	822
Retraits de distinction honorifique	29

Me Jacques Isorni, défenseur de Philippe Pétain, n'était pas satisfait de ces chiffres. Il fit remarquer qu'ils ne tenaient pas compte des dégradations nationales prononcées par les Chambres civiques, non plus que des sanctions prises à l'encontre des fonctionnaires départementaux et régionaux ou des travailleurs indépendants employés par l'État, par exemple les huissiers ou les agents des Eaux et Forêts. Il établissait sa propre estimation aux alentours de 150 000, tout en notant que l'Union pour la Défense du Service public (qui avait alors à sa tête Louis Rougier, critique particulièrement véhément de l'épuration) avançait le chiffre de 120 000. Ce fut d'ailleurs ce chiffre qui, en 1951, incita un député à questionner le gouvernement, lequel fournit alors le chiffre de 16 113 sanctions que nous venons de citer. Isorni alla même plus loin : il prétendit qu'un million de Français au moins avaient perdu leur emploi par suite de l'épuration administrative et professionnelle. Il affirmait en outre que des fonctionnaires sectaires, principalement des communistes, avaient eu la mainmise sur les opérations d'épuration et en avaient profité pour éliminer leurs adversaires, allant même jusqu'à recourir aux faux témoignages en cas de besoin [46].

Les fonctionnaires touchés par l'épuration administrative avaient la possibilité de faire appel. D'abord par le biais du recours ordinaire au Conseil d'État, chargé d'arbitrer en dernier ressort tous les litiges administratifs en France. Durant les années qui suivirent la Libération et tout au long des années cinquante, le Conseil d'État passa une grande partie de son temps à entendre des affaires ayant trait aux procédures d'épuration. Un juriste qui a étudié les décisions du Conseil d'État aux premiers temps de l'épuration a relevé qu'elles soulignaient la nécessité d'une instruction très approfondie ; la commission ou le comité d'enquête saisis à l'origine de l'affaire devaient suivre une procédure judiciaire correcte avant d'adresser leur avis au ministre. Les enquêteurs devaient par exemple prendre connaissance des arguments de la défense, même si ce n'était pas nécessairement en présence de l'accusé : il pouvait s'agir d'un document écrit. Aucune décision ne serait validée si l'accusé n'avait pas eu la possibilité d'apprendre ce qu'on lui reprochait et d'y répondre.

Le Conseil d'État établit une distinction entre les cas des fonctionnaires que leurs tâches appelaient à travailler en contact régulier avec les Allemands et ceux qui n'avaient pas affaire à l'occupant dans l'exercice de leur métier. Il fallait apporter la preuve que l'accusé avait « sciemment et intentionnellement » commis la faute dont on l'accusait. Une distinction était également faite entre les adhérents au mouvement « Collaboration », dont la dénomination ne laissait planer aucun doute sur ses intentions, et ceux qui avaient simplement adhéré à la Légion française des Combattants, ce qui pouvait apparaître comme une démarche patriotique[47].

Un simple regard sur les décisions du Conseil d'État durant la décennie de l'épuration nous permet de voir comment les divers secteurs de l'administration réglèrent le sort de leurs brebis galeuses et dans quelle mesure leurs décisions résistèrent à l'examen de juristes plus pointilleux. Ainsi, le Conseil d'État refusa d'entériner les sanctions prises contre des parents de collaborateurs ; il n'accepta pas, par exemple, que fût retenu contre un haut magistrat le fait que son fils avait été membre du Service d'Ordre légionnaire, alors même que l'accusé n'avait pas désavoué son rejeton[48]. Il n'entérina pas davantage la sanction prise contre l'épouse d'un officier du STO (l'organisation chargée d'envoyer des travailleurs français en Allemagne), « comme ayant sciemment tiré ou tenté de tirer un bénéfice matériel direct[49]... ». Il n'était pas davantage possible, selon lui, de demander des comptes à un fonctionnaire accusé de ne pas s'être opposé ouvertement à son fils lorsque ce dernier s'était enrôlé dans la Milice[50].

Cela ne signifie nullement que le Conseil repoussait systématiquement les sanctions ministérielles. Ainsi, il rejeta l'argumentation d'un magistrat épuré qui prétendait que, la Cour de Justice ayant classé son affaire, il ne méritait aucune sanction administrative pour ses activités sous l'occupation[51]. La sanction prise à l'encontre d'un brigadier des gardiens de la paix de la ville de Paris, pour avoir répété la propagande collaborationniste de Radio-Paris à ses collègues et à ses subordonnés, fut considérée comme justifiée, alors que le simple fait d'être allé entendre une conférence prononcée par un collaborateur n'était pas passible de sanction [52]. Le Conseil d'État cassa en revanche la sanction prise contre un groupe de fonctionnaires sous le vague prétexte qu'ils avaient « servi avec zèle et admiration le gouvernement de Vichy et peuvent ainsi être considérés comme ayant favorisé les entreprises de toute nature de l'ennemi [53] ». Pourtant, dans au moins une de ces décisions antérieures, le Conseil avait décidé que le fait d'avoir « servi le prétendu gouvernement de Vichy avec zèle et fidélité » était passible de sanction [54].

Une fameuse affaire mit en cause le propre frère de François Mauriac, Pierre, ancien doyen de la Faculté de médecine de Bordeaux, révoqué sans pension sur avis du Conseil académique d'enquête de Bordeaux, confirmé par le Conseil supérieur d'enquête du ministère de l'Éducation. Il était accusé d'avoir colporté avec enthousiasme la propagande vichyste, d'avoir incité certains médecins à partir travailler en Allemagne pour permettre le retour de prisonniers de guerre (c'était, on se le rappelle, l'argument avancé par Vichy en faveur du service volontaire en Allemagne), d'avoir facilité les poursuites contre un de ses collègues et sa condamnation. Cette dernière accusation n'étant étayée par aucune preuve, le Conseil d'État statua que la décision ministérielle était en partie fondée sur un fait matériellement inexact, ce qui justifiait l'annulation de la sanction [55]. Des témoignages assez précis indiquent que la « situation difficile » de son frère exerça une vive influence sur l'attitude du sympathisant de la Résistance qu'était François Mauriac : peut-être explique-t-elle tant soit peu sa décision de prôner la charité plutôt que la justice ? « Que des hommes aussi foncièrement *honnêtes* puissent être inquiétés ou menacés de l'être, c'est le signe d'une faille inadmissible dans le système actuel », déclara-t-il à son fils Claude [56].

Au début des années cinquante, à une époque où l'humeur populaire s'était radoucie et où l'on parlait volontiers de pardon, le Conseil d'État continua de manifester son désir de rendre une justice équitable. En 1951, par exemple — l'année de la première amnistie importante —, il confirma que le fait d'avoir été procureur général près la Cour suprême de Justice de Riom (le propre tribunal d'épuration du gouvernement de Vichy) méritait en soi une sanction, de même que d'avoir été juge au tribunal d'État (juridiction spécialement conçue pour servir les desseins de l'occupant), à moins d'avoir été contraint d'accepter ce poste[57]. L'adhésion au Service d'Ordre légionnaire était passible de sanction. En revanche, le fait d'avoir été sténodactylographe dans le propre service de Pierre Laval, et même d'avoir été promue rédactrice et protégée par le chef du gouvernement de Vichy, ne l'était pas[58]. En 1956 encore, le Conseil d'État n'hésita pas à établir de telles distinctions : par exemple, il statua qu'un contrôleur général qui avait accepté de faire partie d'un ministère vichyste, et qu'un inspecteur des finances qui avait été directeur administratif et financier du commissariat à la Main-d'Œuvre en Allemagne, n'étaient pas (en l'absence d'autres accusations) passibles de sanction ; ce qui, faute de preuves de ses activités de résistance, n'était pas le cas d'un accusé qui avait accepté une préfecture en 1941 et avait ensuite occupé un poste de responsabilités dans la production industrielle ; ni celui d'un fonctionnaire qui avait dirigé la surveillance d'un dépôt de munitions allemand. Quant au directeur de l'exploitation de la Société des Transports en commun qui avait renvoyé des employés pour raisons politiques et s'était consacré avec zèle à l'organisation de transports pour les Allemands, on estima que la sanction qui l'avait frappé était méritée[59].

À partir d'une amnistie votée en 1947, les sanctions administratives s'adoucirent. Dès cette époque, les déplacements d'office — sanctions relativement légères — furent amnistiés, mais cela ne signifiait pas pour autant que le fonctionnaire concerné avait le droit de reprendre ses fonctions antérieures. Il fallut attendre la loi du 6 août 1953, dont nous reparlerons, pour que fussent enfin amnistiées toutes les sanctions administratives[60]. Elle n'entraînait pas la réintégration automatique, mais elle la rendait souvent possible. Son effet le plus immédiat fut de rétablir les pensions de retraite et d'effacer toute trace de sanctions administratives, en sorte qu'un « fonctionnaire révoqué » devenait tout simplement un « ancien fonctionnaire[61] ».

SIXIÈME PARTIE

Les particuliers

Les ingénieurs, entrepreneurs et maçons qui ont bâti le mur de l'Atlantique se promènent parmi nous bien tranquillement (...)

Ils bâtissent les murs des nouvelles prisons où l'on enferme les journalistes qui ont eu le tort d'écrire que le mur de l'Atlantique était bien bâti.

Jean PAULHAN, 1947
Lettre aux Directeurs de la Résistance

CHAPITRE PREMIER

Ingénieurs et entrepreneurs

Le jeune Raymond Aubrac, commissaire de la République pour la région de Marseille, était un révolutionnaire de cœur. Tout ce qui avait trait à cette mission de dernière heure qui avait fait de lui le proconsul de Charles de Gaulle dans six départements du midi de la France lui indiquait que ses pouvoirs étaient illimités. À ses yeux, on l'avait mis là pour qu'il fasse changer les choses ; c'était à cela que devait avoir contribué la Résistance. Il avait le sentiment que le Garde des Sceaux, François de Menthon, partageait sa détermination, de même que son ami Emmanuel d'Astier de la Vigerie, ministre de l'Intérieur, qui devait se rapprocher encore davantage des communistes durant les années qui suivirent la Libération[1]. À l'instar d'Yves Farge à Lyon, qui avait repris Berliet, et du général de Gaulle, à Paris, qui avait nationalisé Renault, Aubrac s'attaqua aux géants de l'industrie. Peut-être même l'expérience marseillaise fut-elle encore plus radicale, en ce qu'elle fut plus systématique dans ses attaques contre la collaboration industrielle, et au moins aussi engagée sur le plan social[2].

Aubrac décida de reprendre en main quinze grandes sociétés marseillaises : trois affaires de construction navale, deux entreprises d'industrie lourde (notamment de locomotives), cinq firmes spécialisées de la manutention portuaire, deux installations électriques, enfin une firme dans chacun des secteurs suivants : travaux publics, distribution d'électricité et menuiserie. Ces entreprises employaient au total 18 000 personnes. Pour Aubrac, il s'agissait tout à la fois d'épurer et de réformer les structures, tout en garantissant la possibilité de maintenir une activité industrielle consacrée à l'effort de guerre. Les arrêtés par lesquels le commissaire réquisitionna les entreprises en question se référaient tant à l'ordonnance du 10 janvier 1944, instituant les commissariats régionaux de la République, qu'à une loi de 1938 sur l'organisation du pays en temps de guerre, qui autorisait la saisie de sociétés indispensables à l'effort de guerre. Jérôme Ferrucci, l'un des conseillers juridiques travaillant avec Aubrac, devait expliquer ces saisies de la façon suivante : « Nombre d'administrateurs de ces sociétés avaient eu (...) depuis 1940 une attitude qui ne leur permettait plus de conserver la confiance du personnel et, parfois même, les désignait pour être déférés à la justice. Il s'agissait, après leur épuration, à la fois d'éviter le chômage de nombreux ouvriers, d'apaiser les troubles sociaux qui étaient près de se développer, et de remettre à la disposition du pays et des forces alliées, dans le minimum de temps, des entreprises d'un intérêt majeur pour la poursuite de la guerre... » Aubrac et ses hommes choisirent leurs dirigeants dans les rangs mêmes du personnel des entreprises visées ; ces responsables étaient assistés par un comité consultatif composé d'ouvriers, de cadres et d'actionnaires.

Ce bouleversement structurel n'était évidemment pas destiné à survivre au retour à la normale ; l'expérience marseillaise, de même que celle de Lyon, était un phénomène issu du bouillonnement de la Résistance et, partant, tout à fait provisoire. Ni l'une ni l'autre n'était destinée à servir d'exemple au pays[3]. Aubrac devait cependant déclarer par la suite qu'il n'avait « jamais reçu d'ordre gouvernemental précis d'avoir à revenir sur des décisions qui étaient pourtant, dans leur substance comme dans leur forme, de caractère provisoire[4]. Ses réquisitions n'en furent pas moins, les unes après les autres, annulées par le Conseil d'État à partir de décembre 1946[5].

En effet, à quelques importantes exceptions près — que nous étudierons au prochain chapitre — le gouvernement de la Libération préféra éviter de saisir les entreprises industrielles, car les mesures de cet ordre semblaient mener tout droit au chômage : qui saurait trouver des dirigeants capables de faire tourner les usines et de gérer les finances des entreprises, grandes ou petites[6] ? Ce qu'il espérait accomplir, c'est l'ordonnance du 16 octobre 1944 sur l'épuration des entreprises qui nous l'apprend. L'exposé des motifs contenait le raisonnement sous-tendant l'ensemble du projet : le rétablissement économique du pays souffrirait de la présence de propriétaires, dirigeants, agents de maîtrise et mêmes simples employés ayant derrière eux un passé de collaborateurs ; les poursuites engagées contre eux par les Cours de Justice risquant d'être fort longues, il était indispensable de prendre des mesures immédiates, « dans le cadre de la discipline professionnelle », afin d'épurer les entreprises. Les collaborateurs étaient passibles de déplacements d'office, de suspensions avec ou sans salaire, de licenciements avec ou sans indemnités, et même d'interdiction d'occuper un poste directorial dans l'entreprise ou la profession considérées. En outre, aucune de ces sanctions n'excluait la possibilité de poursuites judiciaires pour faits de collaboration.

Chaque région de France devait instituer un Comité régional interprofessionnnel d'épuration composé de magistrats, de représentants des Comités départementaux de Libération, de représentants des syndicats, de représentants du personnel d'encadrement (agents de maîtrise, ingénieurs ou cadres supérieurs), et enfin d'un représentant du patronat. Chaque Comité régional était habilité à créer des sections autonomes pour la sidérurgie, les produits chimiques, les transports, la banque et autres types d'activités. Ces comités indiquaient les sanctions à prendre, mais la décision appartenait au commissaire de la République ou, dans la Région parisienne, au préfet ; il était possible de faire appel auprès du Conseil d'État. En dernière instance, une Commission nationale interprofessionnelle d'épuration (CNIE) fut instituée (par la même ordonnance). Elle devait être présidée par un haut magistrat, siégeant avec deux représentants du CNR, des représentants du gouvernement et le même dosage de représentants des employés et de la direction que pour les Comités régionaux. La CNIE pouvait ouvrir un dossier de sa propre initiative ou attendre que le gouvernement ou un comité régional portât une affaire à sa connaissance. Elle pouvait infliger des sanctions, sous réserve d'annulation par le Conseil d'État en appel[7]. Bientôt, les éditeurs spécialisés dans le droit commencèrent à publier des compilations de textes sur l'épuration dans les entreprises, par exemple *La confiscation des profits illicites* (Capdevielle et Nicolay, 1944), *La collaboration : l'épuration, la confiscation, les réparations aux victimes de l'occupation* (Pierre-Henri Doublet) et *Commerce avec l'ennemi* (du même auteur), parus tous deux en 1945.

Les profits illicites : ils semblaient fournir le meilleur moyen de frapper les profiteurs au point sensible, moyen qui offrait en outre l'avantage d'être juste, puisqu'il consistait à reprendre de l'argent acquis en collaborant avec l'ennemi. Une fois de plus, tout se fit par ordonnance. Le 18 octobre 1944, deux jours après la promulgation de l'ordonnance sur l'épuration professionnelle, le gouvernement émit des instructions détaillées pour calculer avec précision les sommes recueillies en faisant affaire avec l'ennemi, et pour récupérer ledit argent. « Indépendamment de l'action pénale qui doit s'exercer contre les mauvais citoyens, pouvait-on lire dans l'exposé des motifs, la plus élémentaire justice fiscale exigeait que soient reversés au Trésor les gains illicites réalisés pendant plus de quatre années de guerre et d'occupation... »

En fait, cette mesure visait deux sortes de profits : les marchés conclus avec l'ennemi et la spéculation (par exemple les profits réalisés en enfreignant la réglementation des prix et le rationnement, ou bien en tirant parti des règlements ou des réquisitions des Allemands). La confiscation de ces gains illicites devait être considérée comme une mesure fiscale, prise sans préjudice de poursuites ultérieures pour faits de collaboration[8]. L'ordonnance prévoyait un comité dans chaque département, chargé de calculer le pourcentage des profits illicites à saisir, sous réserve d'appel auprès d'un Conseil supérieur à Paris. En janvier 1945, elle fut modifiée afin d'y inclure notamment les profits réalisés grâce à la saisie des biens juifs ; dans le même temps, on accéléra la procédure afin de pouvoir faire face au grand nombre d'affaires à examiner : il y en avait 12 906[9].

On comprendra mieux, en jetant un regard sur les archives disponibles, comment ce système pouvait toucher une société donnée. Les Ateliers de Construction de la Seine, entreprise de travaux publics, avaient été accusés de travailler pour les Allemands, ce que personne n'avait songé à nier. Les bénéfices globaux qui en avaient résulté se montaient à 129 307 600 francs de l'époque dont 10 % furent considérés comme profits. On confisqua donc la somme de 8 500 000 francs, assortie d'une amende supplémentaire de 4 millions de francs. Après appel, il fut décidé de déduire du total des profits illicites les sommes dues par les Allemands mais qui n'avaient pas été effectivement versées (environ 5 millions de francs) et d'autres sommes, pour un montant de 6 millions de francs, que la firme avait remises clandestinement à la Résistance (elle pouvait le prouver). Cela laissait encore 1 800 700 francs de profits qui, impôts déduits, permirent de percevoir une amende de 1 654 800 francs. L'affaire, cependant, était également inscrite au rôle de la Commission nationale interprofessionnelle d'épuration, alertée par Bordeaux où l'on avait découvert — dans les dossiers de la société allemande de construction de fortification Todt — une facture concernant une prestation de services des Ateliers. Étant donné qu'une Cour de Justice avait déjà acquitté le directeur de la société, accusé de collaboration, et que le Comité de confiscation avait de son côté fait son travail, la CNIE décida de classer l'affaire[10].

Rien de tout cela n'était simple. Les archives contiennent des pages et des pages de comptabilité fort compliquée. Il fallait d'abord établir combien une entreprise accusée avait gagné avant la guerre pour être en mesure de déterminer quelle fraction des bénéfices réalisés sous l'occupation pouvait être considérée comme profits illicites. Inutile de dire que les profiteurs avaient mille moyens de dissimuler leurs profits, par exemple par l'acquisition de tableaux et autres objets de valeur. Les sociétés pouvaient falsifier leurs livres. Maints propriétaires et dirigeants d'entreprises avaient été assez malins pour jouer double jeu, aidant la Résistance tout en gagnant de l'argent grâce aux Allemands et à Vichy [11]. Les Comités de confiscation avaient reçu toute latitude pour enquêter et même (lorsqu'il semblait qu'une société avait agi sous la contrainte) pour innocenter [12].

L'important était que les sanctions fussent prises rapidement et ostensiblement. En décembre 1944, le ministre des Finances René Pleven donna une conférence de presse pour indiquer comment « faire rendre gorge aux profiteurs de la détresse » (c'est ainsi qu'un des journalistes résuma ses déclarations). Pleven annonça que les Comités de confiscation des profits illicites étaient d'ores et déjà en activité dans tous les départements, et que 3 304 dossiers avaient été enregistrés. Il décrivit une affaire type. Un certain André Marquer avait épousé sa cuisinière, qui était allemande. Le père de Marquer possédant une affaire de confection, sa bru avait pris contact avec le service d'achats des forces d'occupation et conclu un arrangement aux termes duquel les Marquer achetaient au marché noir — sans factures — des tissus, des couvertures et des draps, puis les revendaient aux Allemands. Grâce à une patiente enquête des fonctionnaires du fisc commencée dès avant la Libération, on avait pu établir que la famille Marquer avait vendu pour 700 millions de francs de tissus à la Luftwaffe, et exécuté pour 30 millions de francs de travaux pour la même organisation, réalisant au bas mot 250 millions de francs de profits. Les Marquer avaient d'ailleurs emménagé dans un luxueux appartement, acheté des meubles rares, des tapisseries, des tableaux, trois châteaux, des immeubles à Paris, une propriété à Monaco, un haras avec trente chevaux de course, des automobiles et des camions, des bijoux de prix, de l'or (que les FFI retrouvèrent dans un de leurs châteaux). On estima qu'ils allaient devoir verser 500 millions de francs par mesure de confiscation et d'amende [13]. Lorsque toutes leurs activités eurent finalement été passées au crible, le prélèvement se monta à 247 169 465 francs par confiscation de profits illicites et à 900 millions de francs d'amende [14].

La presse ne tarda pas à publier des listes de profiteurs communiquées par les Comités de confiscation. On aurait pu assurément écrire des livres entiers sur certaines de ces affaires ;

par exemple, celle d'un spéculateur engagé dans des dizaines de
transactions immobilières, qui devait à présent faire face à une
confiscation de 1,9 milliard de francs et à une amende de
2 milliards[15]. En octobre 1945, à Paris, l'Hôtel des Ventes fut le
théâtre d'une vente aux enchères annoncée comme la première
d'une longue série concernant les biens saisis aux profiteurs. (Il
s'agissait justement de ceux des Marquer ; André Marquer et son
épouse allemande étaient à Fresnes et le gouvernement s'évertuait
à percevoir le montant de l'amende en faisant vendre les châteaux
et nombre d'autres biens ; parmi les lots qui rapportèrent beaucoup figuraient des objets d'art en jade et un étui à cigarettes en or
avec briquet assorti[16].)

En dehors de Paris, la récolte était généralement moins bonne.
En Haute-Savoie, on enquêta sur 628 personnes ; en mars 1946,
313 affaires avaient été entendues et avaient abouti à des confiscations pour près de 70 millions de francs et à des amendes se
montant à 18,9 millions de francs ; sur ce total, on avait déjà
recueilli 40,3 millions de francs[17]. Dans les départements de la
région de Toulouse, à la fin de juillet 1945, 2 322 dossiers avaient
été ouverts et 348 affaires étaient réglées, rapportant 527 millions
de francs sous forme de confiscations et 592 millions sous forme
d'amendes ; à la fin de l'année, le total avait atteint 1 850 000 000 de
francs. Le commissaire régional de la République, Pierre Berteaux, signala une affaire particulièrement délicate : en septembre
1944, le Comité départemental de Libération du Gers avait accepté
de percevoir une contribution volontaire des négociants en armagnac, mais l'on craignait que grâce à cette somme relativement
modeste (100 millions de francs), lesdits négociants ne fussent en
train de chercher à esquiver d'autres sanctions. On s'aperçut en
effet qu'ils avaient vendu aux Allemands des quantités considérables d'armagnac en leur faisant payer huit à neuf fois le prix
normal. Après la Libération, les négociants prétendirent que ces
ventes constituaient en fait une forme de résistance, puisqu'elles
avaient permis de soutirer un maximum d'argent à l'occupant. Les
autorités, cependant, n'avaient nullement l'intention de les laisser
s'en tirer à si bon compte[18].

Il est aujourd'hui possible de consulter les archives, restées
longtemps secrètes, de la Commission nationale interprofessionnelle d'épuration (CNIE). La première impression qu'on tire de
leur examen est la surprise, car bon nombre de très grosses
entreprises françaises y figurent. Le plus souvent, cependant, les
individus impliqués ne sont ni les propriétaires ni les dirigeants,

mais de simples cadres, des agents de maîtrise ou de petits employés. Certaines grandes sociétés qui avaient fourni des biens et services aux Allemands ne furent sanctionnés qu'à travers les échelons inférieurs de leur personnel.

Si l'on reprend les enquêtes dans l'ordre chronologique, on voit d'abord s'ouvrir les unes après les autres des affaires de médiocre importance. On peut l'expliquer par la nature complexe des affaires de premier plan. Toutefois, nombre de celles-ci n'atteignirent jamais le stade du châtiment.

La première séance de la CNIE eut lieu le 20 décembre 1944 et c'est Paul Mongibeaux qui, on l'a vu, allait être juge de la Haute Cour au procès Pétain, qui assumait les fonctions de commissaire du Gouvernement. Dans ses remarques préliminaires, il expliqua le dessein de l'ordonnance du 16 octobre sur l'épuration des entreprises. Il était essentiel, souligna-t-il, de prouver qu'il y avait eu *intention* d'aider l'ennemi. Il attira l'attention sur les difficultés que soulevaient le châtiment des principaux responsables de ces crimes économiques. Comment éliminer le patron sans que le personnel en pâtisse ? Quant aux administrateurs, comment le fait de leur ôter toute responsabilité dans le fonctionnement de l'entreprise pouvait-il constituer un châtiment, vu qu'ils n'en avaient de toute façon aucune au départ ? Mongibeaux fit également remarquer que les Comités régionaux n'étaient pas des juridictions, en ce sens qu'ils pouvaient seulement recommander une sanction aux préfets et aux Commissaires régionaux, mais que la CNIE, en revanche, était habilitée à infliger des sanctions définitives et à les faire exécuter. À l'occasion de cette première séance, Joë Nordmann et le Front national proposèrent que les enquêtes fussent effectuées par le Comité de Libération local et les syndicats, la police étant débordée ; Mongibeaux retint cette suggestion [19].

Le 3 janvier 1945, la CNIE tint sa seconde séance, qui fut en fait sa première séance de travail. Elle ne fut guère passionnante. Bien que le gouvernement de la Libération fût au pouvoir depuis déjà plus de quatre mois, les deux premières affaires entendues ce jour-là se révélèrent des plus insignifiantes. Un cadre de la société Astra était accusé d'avoir dénoncé des collègues ; la Commission décida son licenciement sans indemnités, lui interdit l'exercice de sa profession et déféra son dossier à la justice. Le directeur d'une autre entreprise, Laffly, était accusé d'avoir intensifié la production à la demande des Allemands et favorisé l'envoi de travailleurs français en Allemagne ; devant ses dénégations, la Commission ordonna un complément d'information. L'affaire fut réentendue le

24 janvier, en présence de témoins à charge et à décharge. Les ouvriers insistèrent sur les positions anti-résistance et pro-collaboration de leur directeur. Pour finir, la CNIE décida de punir deux autres cadres de la firme pour leurs activités et leur attitude (chacun se vit infliger une suspension de trois mois sans traitement), tandis que le directeur était acquitté « en raison de ses faits de résistance établis par l'enquête ». Le 31 janvier, la CNIE étudia les accusations portées contre le directeur et certains membres du personnel des établissements SKF. Tous les accusés bénéficièrent d'un non-lieu, sauf une femme qui fut licenciée sans indemnités, et son dossier transmis à la justice [20].

Entre-temps, la CNIE envoyait des circulaires à toutes les entreprises françaises pour leur demander de bien vouloir communiquer leurs chiffres d'affaires annuels depuis 1938 jusqu'au mois de juillet 1944, ainsi que leurs ventes aux autorités allemandes, civiles ou militaires [21]. On demandait en somme aux entreprises de se dénoncer elles-mêmes.

Pourtant, les affaires qui défilaient les unes après les autres ne concernaient que le menu fretin. Ainsi, le Comité d'épuration des usines Citroën avait soumis tout un lot de dossiers accompagnés de ses avis : pour un gardien de nuit accusé d'avoir proféré des remarques proallemandes, anti-gaullistes et anti-Alliés, il réclamait la prison et le renvoi définitif. Le 7 février 1945, après avoir examiné douze dossiers de ce genre qui lui avaient été soumis, la CNIE rendit neuf verdicts de non-lieu pour insuffisance de preuves. Contre un ouvrier qui avait dénoncé un de ses collègues, elle ordonna le licenciement sans indemnités et transmit le dossier à la justice ; contre un autre ouvrier qui avait exprimé des sentiments anti-patriotiques et incité ses collègues à partir pour l'Allemagne, elle décréta une mise à pied de trois mois, sans traitement [22].

On vit aussi passer le nom d'un autre géant de l'automobile, Simca, mais uniquement parce que deux modestes employés avaient été accusés de faits de collaboration par le Comité d'épuration de la société. Les preuves étaient toutefois insuffisantes et ils furent acquittés. Un soudeur de la même usine, convaincu d'avoir fait des déclarations antipatriotiques, fut sanctionné par licenciement, mais avec indemnités (24 septembre 1945). Le cas de deux experts en objets d'art était plus pittoresque ; ceux-ci étaient accusés d'avoir tenté de convaincre le vicomte de Sèze de vendre certaines tapisseries rarissimes qui ornaient les murs de son château, en Haute-Vienne, et que convoitait Hermann Göring, lequel parvint finalement à triompher des efforts de Vichy pour garder les tapisseries en France. Le 15 octobre 1945, la CNIE décida que les deux experts avaient « favorisé une entreprise des Allemands tendant à enlever du territoire national des richesses artistiques » ; il leur fut interdit d'exercer désormais leur profession et d'occuper des postes de direction[23].

On a émis l'hypothèse que le menu fretin était passé en premier parce qu'il fallait un certain temps pour étayer les accusations contre le gros gibier. Dans le cas du directeur de la cristallerie de Villejuif, la CNIE se trouvait confrontée à de graves accusations. Celui-ci était accusé d'avoir dénoncé les ouvriers qui ralentissaient la production et de les avoir menacés de les faire punir par les Allemands ; on avait entendu sa femme dire qu' « il lui fallait une bonne guerre pour l'enrichir ». On prétendait même qu'il était allé trouver les Allemands pour leur demander de faire pression sur un fournisseur de mazout, afin que la cristallerie fût en mesure de produire encore davantage. Certains membres de la Commission avaient le sentiment que la croissance de la production de cette entreprise sous l'occupation était effectivement suspecte, mais l'accusé nia avoir aidé les Allemands et soutint qu'il avait au contraire sauvé certains ouvriers du travail obligatoire en Allemagne en les faisant affecter à son usine. Comme il n'était pas prouvé qu'il avait profité de la présence de l'occupant, il fut relaxé[24].

Le 12 mars 1946, la Commission entendit l'affaire visant le Directeur général de la Société Nobel, et son directeur adjoint, accusés d'avoir fourni aux Allemands du matériel destiné à des fusées. Ce dernier était en outre accusé d'avoir transmis des renseignements aux Allemands et d'avoir facilité la livraison d'explosifs à l'occupant au moment des débarquements alliés en Normandie. Le directeur se vit interdire de siéger dans tous conseils d'administration, et son adjoint d'exercer des fonctions directoriales[25]. En juin 1948, cependant, le Conseil d'État annula la décision prise contre le directeur pour vice de forme (son adjoint était mort entre-temps). L'affaire fut à nouveau entendue en décembre : la CNIE établit que l'accusé avait fait son possible pour retarder la livraison du matériel aux Allemands et nota qu'une Cour de Justice avait classé l'affaire. Il fut donc mis hors de cause[26]. Le directeur de l'usine Nobel d'Ablon, en Normandie, fut accusé d'avoir fréquenté les Allemands au-delà de ce que requérait son propre travail, et la CNIE ordonna sa mutation à l'intérieur de la même société[27].

La gamme fort étendue d'affaires entendues par la CNIE fournissait un ample panorama de l'activité économique, voire de la vie en général sous l'occupation. On peut cependant se demander si la Commission, en dépit du soin consciencieux avec lequel elle donna suite aux plaintes ayant trait à l'industrie, des bureaux directoriaux aux ateliers de production, n'était pas passée à côté d'une plus vaste réalité : l'esprit de collaboration, les intrigues que l'on ne pouvait découvrir en tournant les pages d'un registre... S'il est permis de le penser, c'est qu'il semble bien qu'elle se donna autant de mal pour des affaires visant des artistes-peintres, des propriétaires de cirque ou des directeurs de théâtre que pour celles impliquant des directeurs de banque ou des entrepreneurs de travaux publics. Ainsi les directeurs de deux théâtres parisiens — l'Empire et la Gaîté Lyrique —, tous deux accusés d'avoir fréquenté l'occupant plus que de raison, furent suspendus pour un an par le Comité d'épuration du Spectacle, dont les sanctions furent confirmées par la CNIE [28]. Peu après, le président et les principaux cadres de la Banque de Paris et des Pays-Bas furent accusés de collaboration au vu d'un copieux dossier auquel avaient contribué le ministre des Finances René Pleven et un Comité de Libération des Banques ; la CNIE se pencha avec une attention toute particulière sur le rôle qu'avait joué Paribas dans la création de sociétés franco-allemandes à capital mixte, ainsi que sur la façon dont elle avait facilité la prise de participation allemande dans les sociétés pétrolières françaises et facilité les paiements de marchandises françaises livrées aux Allemands. Le président de la banque se vit interdire de diriger une banque, quelle qu'elle fût, cependant que plusieurs de ses subordonnés étaient aussi pénalisés, mais bénéficiaient de la possibilité de se représenter devant la Commission si une Cour de Justice leur accordait un non-lieu ou les acquittait [29].

Des cadres de la Banque Nationale pour le Commerce et l'Industrie et de la Banque Worms & Cie furent accusés, entendus, absous [30]. Les dirigeants d'une importante usine du groupe Alsthom furent accusés d'avoir fourni du matériel de guerre aux Allemands ; les preuves de leur culpabilité consistaient en témoignages de plusieurs ouvriers, dont certains étaient hostiles à la direction en raison de sa politique salariale. La défense put faire valoir que les accusés étaient en fait parvenus à ralentir la production et le ministère public lui-même se montra disposé à leur accorder le bénéfice du doute. On pouvait en outre ajouter en faveur de ces dirigeants que l'usine avait fonctionné sous la surveillance constante des forces d'occupation [31].

Au cours de sa première année complète d'activité — 1945 —, la Commission tint 26 audiences ; l'année suivante, il y en eut 60. Au début de 1946, on s'inquiéta d'ailleurs du nombre considérable d'affaires qui restaient à entendre et l'on convint de nommer des suppléants pour tous les membres permanents du jury, de sorte que, même en accélérant le rythme des séances, un quorum fût garanti en toute occasion. Le commissaire du Gouvernement ne manqua pas de souligner que la CNIE n'était pas en retard par rapport aux Cours de Justice [32]. Toutefois, l'étonnante disparité des affaires, le besoin de faire face aussi bien à la grogne des ateliers de production qu'aux manipulations de la haute finance, continuaient à accaparer les enquêteurs.

En 1947, année au cours de laquelle devaient se tenir 66 audiences, on entendit une affaire concernant un ouvrier de chez Simca contre qui vint déposer un autre ouvrier : « Dès le début de 1942, déclara ce dernier, quand je suis rentré à la Simca, il avait une attitude collaboratrice. Ce qui est grave, à la prise de Sébastopol par les Allemands, devant le vestiaire, devant tous les camarades, il applaudissait, disant : " Je suis content, Sébastopol est pris " (...) En 1943, au moment du débrayage que nous avons fait (...) le 11 novembre (...), lui a continué à travailler. » Dans son réquisitoire, le procureur laissa planer le doute, car certains témoins s'étaient montrés favorables, et l'accusé était un ancien combattant de la guerre de 1914-1918. Il fut néanmoins condamné à être licencié sans indemnités, la sanction devant être affichée à l'usine [33].

La même année, la CNIE entendit des affaires mettant en cause des propriétaires et directeurs de grands magasins parisiens. Les directeurs d'Uniprix et de la Grande Maison de Blanc avaient versé de l'argent à une organisation extrémiste, le Parti Populaire Français ; pour se défendre, ils avancèrent que leur contribution avait été non pas politique, mais un simple moyen de se débarrasser de « collecteurs importuns. » Le directeur du Bon Marché avait déjà été jugé pour ses contributions à des mouvements antipatriotiques par une Chambre civique, condamné à la dégradation nationale, puis aussitôt relevé en raison de ses faits de résistance, et l'on fit remarquer que la Samaritaine, les Galeries Lafayette et le Printemps avaient tous versé des contributions analogues [34]...

Durant l'été 1947, le représentant des ouvriers et le représentant-supléant des techniciens au sein de la CNIE démissionnèrent pour protester contre une décision visant la firme Francolor. Les deux protestataires étaient délégués de la CGT, laquelle approuva leur geste et profita de cet épisode pour annoncer au ministre de la Production industrielle qu'elle n'enverrait plus de délégués siéger à la Commission. En octobre, la CNIE décida, par un vote unanime des membres restants, qu'elle ne pouvait fonctionner dans de telles conditions, si peu conformes aux clauses de l'ordonnance qui l'avait instituée. Il restait cependant de nombreuses affaires à entendre et plusieurs dirigeants de sociétés avaient été suspendus dans l'attente de l'issue de leur affaire ; ces retards nuisaient à la production.

À quoi devait-on cette crise ? La Commission s'était réunie en juillet 1947 afin de considérer l'affaire du P-DG et d'autres cadres supérieurs de Francolor, société fondée sous l'occupation par trois firmes françaises de produits chimiques et le géant allemand IG Farben, qui détenait 51 % des actions. Selon l'accusation, cet arrangement constituait une mainmise allemande sur une branche importante de l'industrie chimique, les teintures. On reprochait au P-DG de Francolor non seulement la façon dont il avait dirigé la firme, mais d'avoir encouragé l'envoi de travailleurs en Allemagne ; la seule sanction prise à son encontre consista pourtant à lui interdire d'occuper un poste de direction dans l'industrie chimique (pour une durée limitée s'il bénéficiait d'un non-lieu devant une Cour de Justice). Trois de ses adjoints furent acquittés et deux autres devaient être entendus à une date ultérieure[35].

La Commission s'efforça en vain de persuader les délégués de la CGT de revenir. Son travail fut interrompu pendant des mois, alors que 425 affaires étaient en attente (454 ayant déjà été réglées). Puis, en mai 1948, le ministre de l'Industrie et du Commerce annonça tout simplement qu'il n'acceptait pas ces démissions. Les audiences reprirent le mois suivant, malgré l'absence des délégués de la CGT et des représentants du CNR[36].

Certaines des affaires les plus hautes en couleur étaient encore à venir, car la Commission avait toute une pile de dossiers concernant les antiquaires : ceux qui avaient pignon sur rue, dans leurs magasins, et ceux, plus officieux, qui opéraient à domicile. D'ordinaire, ils étaient accusés d'avoir vendu de précieuses œuvres d'art françaises aux Allemands. Ainsi, en 1949, le CNIE devait entendre l'affaire de deux antiquaires qui avaient vendu à Göring une série de tapisseries du XVIIe siècle représentant le sacre de Charles Quint ; l'un et l'autre se virent infliger un blâme pour une durée d'un mois, la décision devant être affichée à la porte de leur magasin[37]. Un marchand de tableaux et deux de ses complices furent accusés d'avoir comploté pour acquérir et expédier en Allemagne — frauduleusement — quatre tapisseries de Beauvais d'une valeur considérable. Le marchand, jugé le moins responsable, ne reçut qu'un blâme limité à une durée de quinze jours, mais l'un de ses complices, agent de publicité, se vit interdire d'exercer sa profession pendant deux ans, tandis que l'autre, un Russe blanc qui se disait ancien conservateur du musée de Pétersbourg avant la révolution, considéré comme le principal instigateur de ce marché, se vit interdire d'exercer son métier pendant deux ans et d'occuper la moindre fonction de direction[38].

L'épuration de ceux par qui le pays gagnait de l'argent ne pouvait être complète, ne fût-ce que parce qu'il fallait maintenir les entreprises en activité dans l'intérêt même du rétablissement économique[39]. Les juristes la contestaient : sa sanction la plus décisive, la confiscation, était considérée par le bâtonnier Jacques Charpentier comme « un emprunt aux pires traditions des tyrannies ». Il traita les comités d'épuration de « caricatures de tribunaux », moins préoccupés de rendre la justice que de faire de la politique ; l'épuration d'un industriel risquait d'être « une révolution d'usine montée par un personnel mécontent contre un patron dont il se venge[40]. » De fait, Pierre-Henri Teitgen se refusa d'emblée à profiter de l'épuration nécessaire pour refondre tout le système économique et social ; il n'était pas question, dit-il, « de me servir de l'épuration pour faire des réformes de structure », car c'eût été un « abominable détournement de pouvoir[41] ».

Au demeurant, si l'épuration économique entraîna moins de bouleversements que l'épuration politique, ce fut très certainement parce que Teitgen — en sa qualité de Garde des Sceaux — voulut qu'il en fût ainsi. Catholique et progressiste, il était loin d'apprécier le capitalisme dans ses manifestations les plus flagrantes, mais il estimait que si l'on devait inculper un P-DG parce que son usine avait travaillé pour les Allemands, alors il fallait aussi inculper ses principaux cadres et ses ingénieurs — et, après tout, pourquoi pas les contremaîtres, voire les ouvriers qui peignaient de leurs mains les croix gammées sur les chars ? Et si l'on répondait que ces ouvriers cherchaient seulement à gagner leur vie, eh bien, ne pouvait-on en dire autant du P-DG ? Quand Teitgen dut reprendre le ministère de la Justice, il confia à de Gaulle que la mission ne l'enchantait guère, mais que si son devoir la lui imposait, il l'accomplirait. Il ajouta cependant qu'il n'avait nullement l'intention de permettre à 40 000 résistants de juger 40 millions d'autres Français ; certes, il comptait bien traîner en justice les assassins, les dénonciateurs et autres véritables criminels, mais rien de plus. Il se fit une règle de ne pas poursuivre les gros pontes du commerce et de l'industrie, tout en se déclarant favorable aux confiscations de profits acquis en faisant affaire avec l'ennemi. Cela étant, si un président de société n'avait rien de plus à se reprocher que d'avoir fait tourner son usine, il n'était pas question de l'inculper. Inutile de préciser que cette attitude entraîna quelques heurts assez féroces avec les communistes [42].

Le problème, c'était que de nombreux collaborateurs du monde des affaires eurent beau jeu de glisser entre les mailles d'un filet tendu de façon aussi lâche. Un autre démocrate-chrétien habituellement plus indulgent, François Mauriac, le sentait fort bien. « Là comme ailleurs, les moins coupables ou les plus bêtes paieront, avertissait-il dans un éditorial du *Figaro* dès le 22 novembre 1944. L'argent criminel est caché : il y a beau temps qu'il a trouvé des retraites inaccessibles. » Il avouait ne pas connaître grand-chose aux finances, mais avoir pourtant été le témoin involontaire de conspirations. Sous l'occupation, à une époque où il ne lui était pas loisible d'habiter chez lui, il errait à travers Paris et, lorsqu'il était épuisé, il se réfugiait dans les cafés, ce qui lui avait souvent valu d'assister aux calculs de ceux qui, ayant fait des profits illicites, cherchaient des moyens de les dissimuler. « *Carat*, c'était le mot qui dans ces bouches revenait le plus souvent. » Et Mauriac de conclure : « Il faudrait que le ministre des Finances fût doublé d'un détective inspiré [43]... » Mauriac, qui fait ici allusion à de petits trafiquants et non à des P-DG, se montrait-il par trop naïf ? Non, si l'on en croit Teitgen qui, en avril 1946, avança une théorie selon laquelle ces prétendus petits criminels faisaient encore plus de mal que les grands banquiers et les gros industriels, car tandis que ces derniers restaient carrés dans les fauteuils de leurs bureaux, c'étaient les « petits margoulins (...) ignorés du public » qui sillonnaient le pays avec des listes de marchandises à acheter pour les Allemands ; or, ces activités avaient coûté des dizaines de milliards de francs au patrimoine français. « Voilà des soi-disant " lampistes ", concluait Teitgen, qui ont causé à la France un singulier préjudice et qu'il ne faut pas considérer comme un petit gibier [44]. »

CHAPITRE II

L'affaire Renault

Ce qu'Yves Farge pouvait faire à Lyon et Raymond Aubrac à Marseille, Charles de Gaulle pouvait évidemment le faire à Paris — en mieux. Farges, certes, avait repris en main la société Berliet, et Aubrac les principales entreprises de travaux publics et de transports du littoral méditerranéen, mais leurs décisions n'allaient guère survivre à leur autorité de commissaires de la République. De Gaulle, en revanche, était en mesure de châtier par le biais de la confiscation, et d'imposer sa décision par celui de la nationalisation. Les entreprises promises à ce sort figuraient parmi les plus importantes de leur branche et avaient à leur tête des propriétaires et des dirigeants accusés de collaboration. Malgré les protestations du parti communiste (« il faut constater que les trusts ont trahi la France, tonna le secrétaire du parti, Jacques Duclos, lors d'une réunion d'octobre 1944 ; il faut donc confisquer tous leurs biens [1] »), les actionnaires furent néanmoins indemnisés.

Cependant, lorsqu'en décembre 1944 les Charbonnages du nord de la France furent nationalisés par ordonnance, le gouvernement précisa que l'opération était motivée par un « désir d'instaurer une politique économique nouvelle », et non de punir, car, dans leur ensemble, les propriétaires des mines avaient eu, sous l'occupation, un comportement irréprochable. Dans leur cas, l'idée directrice était plutôt de faciliter le retour à une exploitation normale des installations, que l'on regroupa sous l'appellation de Houillières nationales du Nord et du Pas-de-Calais. Comme de Gaulle lui-même devait l'expliquer plus tard, cette nationalisation servait à la fois les intérêts de la réforme sociale et ceux du redémarrage économique. Elle lui permettait en outre de ravir l'initiative aux communistes. L'une après l'autre, les principales sources d'énergie — électricité, gaz, pétrole — allaient passer sous l'aile tutélaire de l'État, suivies par les grands établissements de crédit, à commencer par la Banque de France[2].

Dans un discours prononcé au palais de Chaillot le 12 septembre 1944, quinze jours à peine après la libération de Paris, de Gaulle indiqua clairement la politique qu'il comptait suivre : « Pour résumer les principes que la France entend placer désormais à la base de son activité nationale, expliqua-t-il, nous disons que, tout en assurant à tous le maximum de liberté, et tout en favorisant, en toute matière, l'esprit d'entreprise, elle veut faire en sorte que l'intérêt particulier soit toujours contraint de céder à l'intérêt général, que les grandes sources de la richesse commune soient exploitées et dirigées non point pour le profit de quelques-uns, mais pour l'avantage de tous[3]. »

Cela dit, à la fin de mai 1945, le désir de punir était bel et bien ce qui motiva la confiscation des actions de la Société des Moteurs Gnome et Rhône, fabricants de moteurs d'avion[4]. Charles Tillon, ministre de l'Air et ancien combattant de la Résistance communiste, avait préparé le terrain en déclarant : « Il ne s'agit pas d'une décision arbitraire prise par l'État à l'endroit d'un secteur important de l'industrie privée, mais d'un geste de conscience patriotique qui s'imposait eu égard à l'attitude des anciens directeurs de cette entreprise. » En effet, son P-DG attendait à Fresnes de passer en jugement[5]. Un mois plus tard, les transports aériens devenaient virtuellement monopole d'État avec la nationalisation d'Air France[6]. (En annonçant qu'Air France avait, en 1943, remis à l'Allemagne toute une armada d'appareils, Tillon avait d'ores et déjà parlé de « trahison caractérisée[7]. »)

Les autorités de la Libération s'attaquèrent également au métro parisien dont la direction fut accusée d'une longue liste de faits de collaboration, notamment d'avoir dénoncé des patriotes, d'avoir réparé des chars allemands et d'avoir fourni des moyens de transports à des troupes allemandes en route pour le front en Normandie. Ces accusations furent émises par le Comité parisien de Libération, organisation dominée par les communistes, puis reprise par le ministère des Travaux publics et des Transports. En janvier 1945, le ministre de l'Intérieur suspendit plusieurs dirigeants haut placés du métro parisien et nomma un administrateur spécial. Pour la société privée d'avant-guerre, c'était le commencement de la fin, préparant la voie à la création de la Régie Autonome des Transports Parisiens, entreprise publique[8].

Cependant, la plupart des grandes firmes, même lorsqu'il s'agissait d'entreprises aussi familières à l'homme de la rue que le métro parisien, restaient des entités impersonnelles. Hormis aux yeux des idéologues qui concevaient la Libération comme une occasion de changer la nature même de l'économie, leur réquisition ne pouvait représenter qu'une sanction abstraite, désincarnée, même s'il était évident que des êtres humains — les actionnaires — se cachaient quelque part derrière les façades de ces entreprises. Il fallut l'affaire Renault pour donner sa vraie dimension à l'épuration de la grande industrie. Car Renault, c'était avant tout un homme, un personnage fait pour être le héros d'un drame ou d'un roman.

Tout comme Marius Berliet à Lyon, Louis Renault était alors un vieil homme acariâtre, qui s'était montré, semblait-il, irascible dans sa jeunesse. Il n'avait vécu que pour son travail. Un de ses biographes l'a présenté comme étant « toujours de mauvaise humeur, irritable, tendu, d'autant plus agressif que son complexe de timidité est plus grand [9] ». Cet auteur — qui n'avait lui-même rien d'un homme de gauche — a décrit de façon très succincte la philosophie politique et sociale de l'industriel entre les deux guerres : « Désormais, dans cette France qui s'organise autour des partouzes, de la journée de huit heures, se peuple d'apatrides et d'Africains, remplace la qualité par la médiocrité, l'esprit d'entreprise par la volonté de jouissance, Louis Renault va se comporter comme un étranger [10]. » Cet autocrate, convaincu qu'il pouvait diriger sa société à sa guise — sans ingérence des syndicats —, n'affichait pas pour autant le paternalisme qui va généralement de pair avec cette espèce d'individualisme bourru [11]. Il était, comme avait pu le dire Pierre Drieu La Rochelle à Christine Renault, l'épouse de l'industriel, la grenouille de la fable de La Fontaine. (Drieu, soit dit en passant, fréquentait beaucoup Christine Renault dont il fit le personnage central de son roman *Beloukia* [12].)

Nul ne s'étonnera d'apprendre que Louis Renault refusa de s'adapter ou d'adapter ses usines à la Seconde Guerre mondiale lorsque celle-ci éclata ; le gouvernement fut obligé d'intervenir pour augmenter la production et, de l'avis général, le patriarche ne fut pas du tout à la hauteur de sa tâche [13]. (Il n'avait alors que 62 ans, mais il était vieux avant l'âge.) Un biographe a cherché à démontrer qu'au début de l'occupation, Renault et son neveu, François Lehideux, firent de leur mieux pour éviter de mettre leurs capacités de production au service de l'ennemi ; cependant, au lieu de rester à l'abri dans le midi de la France, le plus loin possible de son usine de Billancourt, Louis Renault regagna inopinément la capitale et se trouva donc disponible lorsque les Allemands vinrent réclamer — et obtenir — des concessions ; l'unique préoccupation de l'industriel semble alors avoir été de préserver ses usines et ses ouvriers pour l'après-guerre.

Les anecdotes fourmillent sur les démêlés du responsable allemand affecté à l'usine avec le vieux Renault, désormais physiquement handicapé, notamment sur le plan de l'élocution. (On a dit que Louis Renault avait feint d'être plus gêné qu'il ne l'était en réalité, pour mieux dérouter les Allemands. Il convient de mentionner ici cette infirmité perceptible dès la période de l'occupation, car, plus tard, ses amis et sa famille devaient prétendre que son état physique était le résultat de sévices subis aux mains de ses gardiens à la Libération.) Radio-Londres dénonça les activités collaborationnistes des usines Renault et le 3 mars 1942, les avions de la RAF bombardèrent Boulogne-Billancourt. Des tracts britanniques faisaient savoir que la production automobile française avait doublé par rapport à la dernière année d'avant-guerre et que Renault représentait 25 % de cet accroissement [14].

Le 20 août 1944, le biographe le plus favorable à Louis Renault nous dépeint le vieux patron de 67 ans enfourchant son vélo pour foncer à grands coups de pédales vers Billancourt afin d'y rouvrir son usine. « Il vient, ce naïf, avec son bon sens, sa claire conscience d'avoir servi le pays de son mieux, comme en 1918... (...) Il n'a aucune idée de ce qui l'attend. » Bientôt, sous le titre :

Justice contre les traîtres
et les profiteurs de la trahison !

L'Humanité accusa la firme Renault de n'avoir pas fourni à la France les chars et les avions dont elle avait eu besoin en 1939, et de s'être ensuite offerte à l'Allemagne dès l'année suivante. Louis Renault n'en continua pas moins de retourner chaque jour à son usine, malgré les propos menaçants que tenaient certains ouvriers. Les attaques contre lui furent reprises par d'autres journaux. Finalement, le vieil homme fut contraint de quitter son domicile (il passa alors, paraît-il, une soirée avec Lucien Combelle, directeur de *Révolution Nationale*, un des journaux de la collaboration ; le même Combelle devait être jugé et condamné par une Cour de Justice [15]). Le 19 septembre, sous le titre « Épuration ! Épuration », *L'Humanité* fit remarquer que l'industriel n'avait pas encore été arrêté : « Louis Renault doit payer, écrivait Georges Cogniat, pour les soldats des Nations unies tués à cause de son empressement volontaire à fabriquer du matériel pour l'ennemi [16]. »

En fait, un mandat d'amener avait été lancé contre lui dès le 4 septembre [17], mais, d'après son biographe, Renault refusait de se constituer prisonnier. Il était prêt à rencontrer le juge d'instruction, mais uniquement s'il pouvait se présenter devant lui en homme libre [18]. En réponse aux questions, il déclara le 18 septembre : « Depuis l'armistice, j'ai été contraint de travailler pour les Allemands, mais je me suis toujours efforcé de freiner la production [19]... » Le 23 septembre, au cours de ce que le juge d'instruction devait décrire comme une « pénible » séance, Renault ne parvint à s'exprimer qu'avec difficulté. Il nia avoir eu des contacts directs avec l'occupant : « Je n'ai jamais pris de repas ou consommé avec des sujets ennemis. » (Son biographe, cependant, prend soin de préciser que c'était la voix du juge qui tremblait, que c'était lui qui suait à grosses gouttes [20].) Cette fois, Renault fut mis en état d'arrestation et incarcéré à Fresnes, où il fut examiné par trois médecins qui le trouvèrent « sénile, peu conscient de la situation, amnésique et s'exprimant avec la plus grande difficulté. » Il fut incapable de leur donner son âge ou le nom de son frère, nia être malade et avoir eu la syphilis. Le diagnostic fut le suivant : « début de démence sénile, vraisemblablement une forme de la maladie d'Alsheimer. » En raison de son état, assorti de complications cardio-vasculaires, les médecins conseillèrent de le transférer dans un hôpital psychiatrique ; en attendant, il fut placé en observation à l'Infirmerie centrale de Fresnes. Il y subit un nouvel examen au cours duquel on nota qu'il avait manifesté des signes de démence dès 1940 et que son état s'était progressivement dégradé ; les médecins estimèrent qu'il constituait un danger pour lui-même et pour autrui et qu'il devait donc être admis dans un hôpital psychiatrique [21]. Encore une fois, ces détails ont leur importance, puisqu'ils indiquent — contrairement aux allégations ultérieures de ses sympathisants — qu'il était loin d'être en bonne santé lors de son admission à l'Infirmerie de Fresnes.

« Avec l'arrestation de Louis Renault, c'est le procès de la grande industrie française qui est engagé », affirma Albert Camus dans un éditorial (non signé) à la une de *Combat*. La vérité était que toute l'industrie française — Renault comme les autres — avait travaillé pour l'ennemi. « C'est l'évidence qui frappe d'abord les âmes les plus simples, celles qui, sur un certain plan, ne se trompent jamais. » Cet argument, Camus le reconnut, était moral. « Pour tout dire d'un mot, le problème est dans la responsabilité. Un chef d'industrie qui a vécu de tous les privilèges ne peut se juger comme tel fonctionnaire subalterne qui a obéi à Vichy parce qu'il avait l'habitude de l'obéissance. Les hommes doivent porter la responsabilité de leurs privilèges. » Camus faisait fi de l'argument selon lequel, si Renault n'avait pas collaboré, les Allemands auraient tout simplement réquisitionné ses usines : « Cela s'est déjà vu et le résultat a été lamentable. » Il comparait l'industriel aux résistants « sans titres et sans argent » : « Ce qui était pour eux le simple devoir qu'ils trouvaient dans leur cœur devait être pour Louis Renault une obligation impérieuse et inéluctable [22]. » Le lendemain, Camus revenait sur l'affaire Renault : « ... Les industriels français qui ont produit pour l'Allemagne se sont jugés eux-mêmes. Nous avons seulement à ratifier ce jugement [23]. »

Ce jour-là, les usines Renault furent réquisitionnées. Un administrateur veillerait à ce que leur bon fonctionnement ne fût pas interrompu [24]. Renault et son adjoint, René de Peyrecave, furent inculpés. Entre-temps, Charles Tillon nomma un administrateur provisoire à la tête de la Société anonyme des Moteurs Renault pour l'Aviation et de la Société Caudron-Renault. En novembre, les usines Renault furent officiellement confisquées [26]. Enfin, en janvier 1945, une ordonnance signée par le président du Gouvernement provisoire Charles de Gaulle, par le ministre de la Production industrielle Robert Lacoste, par le ministre de l'Économie nationale Pierre Mendès France, par le ministre du Travail et de la Sécurité sociale Alexandre Parodi, et par le ministre des Finances René Pleven, liquidait la Société anonyme des Usines Renault et transférait tous ses biens à l'État. L'exposé des motifs se référait tant à « l'attitude de ses dirigeants envers l'envahisseur » qu'au décès de Louis Renault, « survenu au moment où celui-ci devait rendre compte de ses actes devant la justice française. » Il expliquait l'importance économique des usines, leur utilité pour l'ennemi ; il répétait que la production de Renault pour l'armée française au début de la guerre avait été « notoirement insuffisante », alors qu'après la défaite, la firme avait travaillé efficacement pour les Allemands. Les parts de Louis Renault étaient purement et simplement confisquées, mais les autres actionnaires devaient être dédommagés. L'entreprise nationalisée, promettaient les auteurs de l'ordonnance, serait gérée de façon à permettre à la fois la participation des travailleurs et l'efficacité maximale, « avec la ferme volonté de l'État de diriger, conformément à l'intérêt général, une branche d'activité d'importance primordiale pour l'économie du pays [27] ».

Mais c'est le destin du vieil industriel qui devait conférer à l'affaire sa dimension tragique. Par la suite, la famille Renault et son entourage devaient porter de graves accusations selon lesquelles Louis Renault avait été si maltraité en prison qu'il était mort non point des causes indiquées dans son acte de décès, mais de sévices subis à l'Infirmerie de Fresnes, tout particulièrement dans la nuit du 3 octobre où il avait reçu des coups qui avaient

provoqué une hémorragie méningée. Il aurait dit à sa femme :
« C'est la nuit qu'ils viennent. Ils sont si méchants ! » Un
thuriféraire de l'industriel réclama que fussent interrogés ses codétenus, ainsi que « ces civils armés qui se tenaient à la porte de la
cellule, de jour et de nuit (...) à la garde du seul Louis Renault. »
Selon ce biographe, la veuve de l'industriel était parvenue à faire
radiographer sa dépouille à travers le cercueil plombé, et les
résultats lui avaient été communiqués avec une note attirant son
attention sur une « fracture de la première vertèbre cervicale[28] ».

Cette nuit du 3 octobre, que peuvent nous apprendre sur elle les
documents officiels restés jusqu'à présent confidentiels ? Rien,
sinon que Louis Renault fut transféré à l'hôpital psychiatrique de
Ville-Évrard, à Neuilly-sur-Seine, le 5 octobre, puis que le 14 du
même mois, un de ses avocats, Maurice Ribet, demanda instamment, sur la foi d'un rapport médical privé, qu'il fût transféré dans
une clinique chirurgicale. Le 17 octobre, un nouvel examen
révélait que ses jours étaient en danger ; le diagnostic faisait état
d'une « pyélonéphrite au stade ultime, chez un malade présentant
de longue date des troubles prostatiques. » Le patient fut transporté à la clinique chirurgicale des Frères Saint-Jean-de-Dieu, à
Paris, où il mourut le 24 octobre, ce décès étant, selon l'autopsie
datée du 28 octobre, « la suite et la conséquence de complications
cérébrales d'origine vasculaire ».

L'adjoint de Louis Renault, René de Peyrecave, fut remis en
liberté provisoire le 4 janvier 1945, et la procédure entamée contre
lui fut classée en 1949 : de l'avis du parquet de la Cour de Justice,
il n'avait pris aucune initiative personnelle et n'avait montré aucun
zèle particulier en faveur de la collaboration. On estimait que
c'était Renault qui, en restant en contact avec les Allemands alors
qu'il aurait pu l'éviter, leur avait facilité l'utilisation de ses usines ;
mais comme il était mort, les poursuites engagées contre lui étaient
automatiquement éteintes[29].

Il n'en allait pas ainsi de la controverse soulevée par son décès.
Peut-être la firme était-elle devenue à tout jamais la Régie nationale
des Usines Renault, mais les sympathisants de l'industriel, sa
famille, ses biographes n'en continuaient pas moins d'affirmer que
la mort du patriarche avait été causée — ou, au mieux, hâtée — par
les brutalités qu'il avait subies[30]. En 1956 encore, soit plus d'une
dizaine d'années après les événements, Mme Christine Renault et
son avocat, Me Jacques Isorni, portèrent plainte contre X,
alléguant que Louis Renault avait succombé par suite des sévices
qu'on lui avait infligés. Mme Renault fit état de sa tentative
infructueuse pour rendre visite à son mari à Fresnes ; Isorni était

convaincu que des gardiens appartenant aux FTP avaient enlevé l'industriel de l'infirmerie de la prison pour le passer à tabac dans une partie de l'établissement où ils faisaient la loi [31]. À la demande de la veuve et de son avocat, la dépouille fut exhumée, mais magistrats et experts ne purent trouver aucune trace des blessures que les plaignants estimaient prouvées par la radiographie du cercueil immédiatement postérieure au décès. Un an plus tard, Mme Renault fut déboutée : la justice conclut au non-lieu [32]. En 1969, cependant, un livre consacré à Louis Renault réitérait les doutes sur la cause de son décès, laissant entendre non seulement que le prisonnier avait peut-être été assassiné, mais que son meurtrier n'était nullement quelque gardien trop excité, mais le gouvernement lui-même. L'auteur semblait accréditer la thèse selon laquelle la vertèbre endommagée aurait été enlevée d'un coup de rasoir afin de la soustraire à tout enquêteur [33]. En 1984 encore, dans ses mémoires, Me Isorni perpétuait les soupçons [34].

Mis à part quelques spectaculaires nationalisations et la cause célèbre que devint très vite l'affaire Renault, on ne pouvait prétendre que les exigences maximales de la Résistance dans le domaine de la réparation morale — exigences qu'exprimaient par exemple les éditoriaux de Camus dans *Combat* — fussent satisfaites. Dans les années suivantes, la carte industrielle de la France changea beaucoup moins radicalement que n'auraient pu l'imaginer les idéologues de la Résistance à la dure époque de l'occupation. Il n'y eut guère de rubriques à modifier ou à omettre dans le *Who's Who*. Les procédures d'épuration étaient d'une extrême lenteur, bien souvent dirigées contre les petits criminels, alors que les gros en sortaient indemnes. Les appels auprès du Conseil d'État vinrent modifier et atténuer les décisions annoncées au lendemain immédiat de la Libération. Le Conseil d'État mit l'accent sur les limites de l'épuration des entreprises. Il stipulait, par exemple, que les porteurs de parts ayant contribué à monter une affaire sous l'occupation étaient passibles de sanctions, de même qu'un associé ayant approuvé les faits de collaboration, même sans y participer directement. En revanche, le comportement d'un associé qui n'avait pris aucune part à la gestion et ne s'était vu redistribuer aucun profit n'était pas punissable [35]. Il était impossible de pénaliser sans raison précise les employés d'une firme cinémato-graphique ayant travaillé pour les Allemands ; en revanche, tout patron d'entreprise ayant encouragé ses employés à travailler pour les Allemands méritait un châtiment. Ainsi en décida le Conseil [36]. Un patron qui, en 1942-1943, avait licencié les employés qui refusaient de travailler le dimanche ou qui manifestaient une insuffisance de rendement, fut jugé coupable d'actes « de nature à favoriser les desseins de l'ennemi », car sa firme produisait des biens utiles aux Allemands [37]. Dans ses décisions, le Conseil veilla à insister sur la régularité des procédures et sur le strict respect des règlements concernant, par exemple, les dates limites ou la composition de la CNIE (qui avait à connaître des affaires ayant trait à l'industrie). Dans un cas, au moins, il cassa une décision parce que dans la Commission qui l'avait prise figuraient deux représentants des employeurs alors que l'ordonnance n'en prévoyait qu'un [38].

Le Conseil d'État veillait aussi à respecter les juridictions régionales : il confirma la décision prise par le Comité régional interprofessionnel d'épuration et le commissaire de la République de la région de Toulouse contre le directeur d'une société industrielle chargée sous l'occupation de produire dans tout le sud de la France ; l'accusé avait contesté la compétence des autorités toulousaines sous prétexte que ses activités s'étaient étendues bien au-delà de cette zone. En revanche, une sanction prononcée par le préfet de la Seine contre un directeur d'usine fut cassée, la société visée n'ayant ni activités ni siège social dans la capitale [39].

L'épuration des syndicats ouvriers et des organisations professionnelles commença dès la Libération : on avait prié les organisations privées de bien vouloir faire le ménage dans leurs propres rangs. On peut observer la façon dont le nettoyage fut mené à bien dans une profession au moins, grâce à une circulaire adressée par la Fédération nationale du Bâtiment et des Travaux publics à ses branches régionales, le 22 septembre 1944. La Fédération faisait savoir à ses sections, toutes composées de propriétaires et de salariés d'entreprises du bâtiment, que l'ordonnance gouvernementale du 27 juillet 1944 relative au rétablissement de la liberté syndicale affectait « tout membre des bureaux et organismes directeurs des syndicats professionnels, et, par voie de conséquence, des organisations corporatives constituées par eux » ; s'il était établi qu'ils avaient directement ou indirectement servi l'ennemi, il fallait les éliminer. La circulaire faisait en outre remarquer que cette épuration n'était nullement limitée aux dirigeants : « Elle doit également s'appliquer à tous les membres de ces organismes qui, au cours des quatre dernières années ont, en collaboration avec l'ennemi, réalisé des profits anormaux. » Certes, la plupart des sociétés n'avaient pas eu loisir de refuser de travailler pour l'occupant, ajoutait la Fédération, mais une grande

majorité d'entre elles s'en étaient tenues à une production limitée
« afin de sauvegarder leur outillage et la situation de leur
personnel ». D'autres, en revanche, avaient délibérément effectué
un travail considérable pour les Allemands, soit en créant de
nouvelles entreprises, soit en agrandissant celles qui existaient
déjà. C'étaient ces entreprises-là qu'il fallait empêcher de continuer à fonctionner.

Chaque branche régionale de la Fédération nationale du Bâtiment et des Travaux publics fut priée de créer une commission
pour constituer des dossiers contre les entreprises « qui ont
abusivement tiré profit de la situation imposée à notre pays depuis
quatre ans ». Ces dossiers seraient ensuite soumis à une Commission interprofessionnelle du Bâtiment qui transmettrait à son tour
son avis aux autorités compétentes en vue de sanctions[40]. Cette
circulaire, ainsi que l'ordonnance à laquelle elle se référait,
précédèrent l'ordonnance relative aux profits illicites, portant
création d'une Commission nationale interprofessionnelle d'épuration.

Quant aux syndicats ouvriers, ils étaient régis par la même
ordonnance du 27 juillet 1944 ; leurs dirigeants devaient être
épurés selon les mêmes critères[41]. Inutile de préciser que les lois
de Vichy sur les syndicats, les conditions de travail et les relations
entre travailleurs et patronat étaient abrogées ; les syndicats étaient
donc en mesure d'en revenir aux modalités d'avant-guerre et de
recouvrer leurs biens saisis. L'ordonnance, cependant, ne fournissait aucune précision sur l'éventuel châtiment des simples travailleurs[42]. En octobre 1944, une Commission nationale de Reconstitution des Organisations syndicales fut mise sur pied par le
ministre du Travail, composée de dirigeants syndicaux de la CGT
et de la CFTC (Confédération française des Travailleurs chrétiens) ; dès sa première décision, elle annonça que 56 personnes
avaient été interdites à vie d'exercer une activité syndicale, et
même d'adhérer à un syndicat. Parmi ceux que frappait cet
interdit, on relevait les noms du ministre vichyste René Belin et de
l'adjoint de Marcel Déat, Georges Albertini[43]. Agissant selon des
directives approuvées par la CGT et la CFTC, la nouvelle
commission sanctionna non seulement certains dirigeants syndicaux, mais de simples adhérents qui avaient pris part aux activités
syndicales prônées par Vichy : à elle seule, la Commission
nationale devait prononcer plus de 300 exclusions de cet ordre. Par
la suite, le Conseil d'État allait rectifier le tir, faisant remarquer
qu'aucune loi n'autorisait la Commission à exclure d'un syndicat
de simples adhérents[44].

CHAPITRE III

L'épuration des mots

Il n'y eut qu'un seul domaine de l'activité économique où l'épuration obtint les résultats escomptés, et ce de façon flagrante : ce fut le monde de l'imprimé. Le coup de balai fut magistral : tout devait disparaître avant de repartir de zéro. Chaque jour, à Paris et presque partout ailleurs, la presse s'étalait sous les yeux du peuple français. Durant les années d'occupation, chaque ligne de chaque publication avait été soigneusement contrôlée par les autorités allemandes ou vichystes ; il ne s'agissait pas seulement de ce qu'il ne fallait pas imprimer, mais aussi de ce qu'il fallait dire. Aucun quotidien, aucun hebdomadaire, aucun mensuel comportant des rubiques sociales ou politiques ne pouvait échapper à la propagande. Par définition, par la nature même des choses, la presse était contaminée. Du point de vue de la France libre, il n'y eut pas, au long de toutes ces années, un seul journal valable en métropole. Comment la chose eût-elle été possible ?

L'épuration de la presse procédait en outre d'une autre motivation, moins immédiatement perceptible par le tout-venant des lecteurs. Pour les idéologues de la Résistance (lesquels représentaient une proportion non négligeable du mouvement), la presse d'avant-guerre avait été dominée par des intérêts occultes ; les quotidiens influents dépendaient de la grosse industrie ou des banques. Les projets de la Résistance pour la presse d'après-guerre revenaient avec insistance sur la nécessité de la transparence financière. Dans le cours de son travail, le Comité général d'Études — il s'agissait, rappelons-le, d'experts restés en métropole et qui s'occupaient, à la demande des gaullistes, de mettre sur pied la législation d'épuration — consulta plusieurs sommités du monde journalistique. Une Commission de la Presse clandestine — qui devint ensuite la Fédération de la Presse clandestine — fonctionnait sous l'égide de la Résistance et le CNR possédait son propre groupe d'études[1].

Ces projets débouchèrent sur des résultats concrets, sous forme d'instructions contenues dans ce qu'on appela le *Cahier bleu,* conçu pour inspirer les autorités de la Libération dans les mesures à prendre vis-à-vis de l'ancienne presse, ainsi que de la nouvelle qui était en train de naître[2]. Ces directives émanaient en fait non pas du gouvernement en exil à Alger, mais du CGE. Elles recommandaient la suspension immédiate des journaux qui avaient continué de paraître sous l'occupation, la saisie de leur matériel (qui pourrait être mis à la disposition de la presse de la Résistance ou des journaux qui avaient volontairement suspendu leur publication en novembre 1942, lorsque les Allemands avaient envahi la zone libre. De son côté, le Gouvernement provisoire d'Alger allait faire connaître ses propres dispositions avec l'ordonnance de juin 1944 dont nous allons parler ; entre ces deux documents, il y avait certaines différences qui furent finalement corrigées par l'ordonnance de septembre 1944, postérieure à la Libération. Entre-temps, dans le feu de l'action, une circulaire fut adressée aux Comités départementaux de Libération par les commissaires à l'Intérieur et à l'Information : dès la Libération, les commissaires de la République et les préfets devaient suspendre et placer sous séquestre tous les journaux à caractère politique qui avaient continué de paraître après novembre 1942, à moins qu'ils ne puissent faire la preuve de leurs activités de résistance. Durant cette suspension, nul n'aurait le droit d'utiliser le titre des publications interdites. Quant aux propriétaires desdits journaux, ils étaient bien sûr passibles de poursuites judiciaires[3].

Peu après avoir débarqué en territoire libéré, François Coulet, commissaire de la République en Normandie, promulgua un arrêté daté du 17 juin 1944 par lequel il suspendait tous les journaux et périodiques et plaçait leurs biens, y compris les presses à imprimer, sous séquestre ; la parution de nouveaux journaux serait autorisée à mesure que la chose deviendrait possible[4]. Tandis que les forces de Libération — britanniques et américaines, avec quelques unités françaises — progressaient, la population française était tenue au courant par Radio-Londres : « Nous vous envoyons des officiers de presse qui n'ont de militaire que l'uniforme. Ils arriveront peut-être avec les premières troupes alliées pour vous expliquer nos idées et nos plans. S'ils n'arrivent pas tout de suite, ne perdez pas de temps : appliquez de vous-mêmes les principes essentiels (...). Rappelez-vous, représentants de la Résistance, journalistes résistants, que vous avez le devoir de veiller à la mise sous séquestre de toute entreprise de presse ayant subsisté sous le régime vichyssois[5]. »

Il est d'ailleurs possible, comme le fait remarquer un historien qui s'est penché sur ce mois dramatique, de suivre la progression des Alliés à travers la Normandie en consultant les dates de publication des premiers numéros de la nouvelle presse. À Bayeux, l'organe de la Résistance était en mesure de se proclamer fièrement « le premier journal paru en France libérée ». Les journaux de l'occupation ayant fermé leurs portes dans les heures qui avaient précédé le jour J, François Coulet se trouva momentanément privé de porte-parole. D'où le lancement précipité de *La Renaissance du Bessin*, imprimé dans les ateliers de feu le *Journal de Bayeux* dont les biens avaient été placés sous séquestre conformément à l'ordonnance du 22 juin 1944. À Caen, le premier numéro de la *Liberté de Normandie* parut « sous les bombes », imprimé sur une presse à bras à quelques milliers d'exemplaires. Il fallut attendre la libération totale de la ville, le 19 juillet, pour donner le jour à une nouvelle génération de journaux et magazines susceptibles de remplacer ceux qui avaient disparu[6].

La première ordonnance importante exposant la politique des autorités de la Libération en matière de presse fut signée par le général de Gaulle le 22 juin, pour n'être rendue publique que le 8 juillet. Elle décrétait la suspension de tous les journaux et périodiques soumis à Vichy et la mise sous séquestre judiciaire de leurs biens « au fur et à mesure de la libération du territoire métropolitain... » Des comités régionaux, composés de représentants du commissaire à l'Information, de représentants des Comités départementaux de Libération et de journalistes, étaient habilités à autoriser la publication de quotidiens et autres périodiques « au fur et à mesure des possibilités techniques ». Un Comité national de presse et d'information, composé de représentants du commissariat à l'Information, de représentants du CNR et de journalistes, était chargé de diriger et de coordonner l'action des comités régionaux[7]. En fait, la décision finale se trouvait entre les mains de l'homme responsable de chaque grande région, autrement dit le proconsul du gouvernement de la Libération. L'un d'eux, Michel Debré, a expliqué comment, en sa qualité de commissaire de la République pour la région d'Angers, il avait encouragé la naissance de nouveaux journaux et personnellement choisi leurs responsables ; il s'agissait en quelque sorte de remanier de fond en comble la presse des départements relevant de sa juridiction[8].

Cependant, le document le plus important concernant l'épuration de la presse était encore à venir. Ce fut l'ordonnance du 30 septembre 1944, promulguée à Paris. Avec la sérénité et le recul procurés par l'expérience et favorisés par le retour à des conditions à peu près normales sur l'ensemble du territoire, elle codifiait les rêves et les solutions pratiques des gaullistes et de leurs alliés de la Résistance métropolitaine. Elle confirmait avant toute chose l'interdiction de tous les journaux nés de l'occupation, ainsi que de tous ceux qui existaient avant l'armistice de 1940 et qui avaient continué de paraître en zone occupée pendant plus de 15 jours après cet armistice, ou en zone libre pendant plus de 15 jours après l'entrée des Allemands, le 11 novembre 1942. En outre, tous les journaux et périodiques publiés par des personnes alors poursuivies par les Cours de Justice étaient suspendus jusqu'à ce que l'affaire eût été jugée. L'ordonnance ratifiait les suspensions déjà décrétées par le Gouvernement provisoire, les commissaires régionaux et les Comités départementaux de Libération. Il convient de noter que les journaux et périodiques exclusivement consacrés à la religion, à la littérature, au sport, à la science ou à des activités professionnelles et n'ayant publié aucune propagande collaborationniste pouvaient être autorisés à reparaître. Si ses propriétaires ou directeurs n'étaient pas traduits en justice, l'interdiction frappant une publication prendrait fin six mois après la promulgation de l'ordonnance [9].

Cette date limite s'avéra par trop optimiste, car les tribunaux ne furent pas en mesure de trancher aussi vite ; en février 1945, l'interdiction fut prorogée de six nouveaux mois [10]. Le même jour (17 février), une autre ordonnance rendit définitive l'interdiction d'utiliser à l'avenir les titres des journaux collaborationnistes ; l'exposé des motifs expliquait pourquoi, non sans emphase : « À ces titres, et abstraction faite même de la culpabilité des dirigeants du journal, s'attache le souvenir de l'opprobre, de la trahison. Ils ne peuvent être mis au service du pays après avoir été les instruments de son asservissement [11]. »

L'interdiction du 30 septembre frappant la presse de la collaboration allait toucher au bout du compte quelque 900 journaux et périodiques, tandis que 649 entreprises faisaient l'objet d'une mise sous séquestre judiciaire [12]. Une presse totalement neuve était prête à prendre la relève avec de nouveaux titres, souvent nés de la Résistance (*Combat*, *Libération*, *Franc-Tireur*, *Défense de la France*), et d'anciens titres rescapés parce que vierges de toute compromission (*Le Progrès* à Lyon, *Le Figaro* et, bien sûr, *Le Populaire* et *L'Humanité*, organes respectifs des partis socialiste et communiste). De nouveaux journalistes, dont beaucoup arrivaient tout droit de la presse clandestine, dominèrent alors la presse nationale, d'autant que la loi exigeait que leurs aînés fussent sévèrement contrôlés. L'ordonnance du 30 septembre excluait en effet non seulement les rédacteurs coupables de trahison, mais aussi quiconque avait montré un « patriotisme défaillant ou n'a pas su conserver une attitude suffisamment indépendante à l'égard de l'ennemi [13]. » L'assainissement devait s'opérer par le biais d'un système de carte professionnelle sans laquelle il était inutile de songer seulement à s'installer devant une machine à écrire. À l'époque, elle fournissait un moyen de filtrage plus rigoureux que n'importe quelle autre qualification professionnelle. Elle permit aussi à l'un des nouveaux journalistes, Albert Camus, de déclarer dans les colonnes de *Combat* que « le journalisme est le seul domaine où l'épuration soit totale, parce que nous avons effectué, dans l'insurrection, un renouvellement complet du personnel [14]. » Par décision du Comité de la Presse clandestine, *Combat* avait été, avec *Franc-Tireur* et *Défense de la France*, l'un des trois journaux autorisés à s'installer dans les anciens locaux de *L'Intransigeant*, dont les Allemands s'étaient servis sous l'occupation pour publier leur quotidien en langue allemande, la *Pariser Zeitung* [15]. « Aujourd'hui, affirmait Camus, des journaux paraissent qui ont leurs défauts, mais qui, du moins, vivent seulement de leur vente. La France a maintenant une presse libérée de l'argent. Cela ne s'était pas vu depuis cent ans [16]. »

Dans ses Mémoires, le général de Gaulle a reconnu que cette transformation radicale ne s'était pas faite « sans bouillonnements et bousculades ». En effet, « à Paris et aux chefs-lieux des départements, un personnel généralement nouveau et inexpérimenté installait des feuilles péremptoires dans des immeubles où, autrefois, s'élaboraient des organes connus (...). On assistait à une extraordinaire floraison de publications. Chacune était — et pour cause — minuscule, mais tirait beaucoup d'exemplaires... » Il s'est également rappelé avoir parfois donné le coup de pouce nécessaire pour accorder le droit de paraître ou de reparaître. Dans le cas du *Figaro*, par exemple, l'autorisation fut accordée à un rédacteur en chef qui n'était pas propriétaire du journal ; dans celui de *La Croix*, qui tombait en principe sous le coup de l'interdiction, de Gaulle fit personnellement jouer son *nihil obstat :* « Il me semblait désirable que la presse française s'ouvrît largement à des formules et à des plumes diverses et rajeunies [17]. »

À la fin de 1944, le nouveau profil de la presse, tant parisienne que provinciale, était déjà relativement bien dessiné. Alors qu'avant-guerre, les quotidiens étaient avant tout des journaux d'informations générales dépourvus de ligne ostensible, les publications de ce genre ne représentaient plus désormais qu'une petite fraction du tirage global ; la plupart des journaux étaient liés à présent à des mouvements politiques ou à des groupements de la Résistance[18]. L'un des rares journaux d'information à occuper après la guerre une place de premier plan fut *Le Monde,* qui avait repris les presses et même certains employés, certains caractères d'imprimerie et le style « sérieux » d'un célèbre défunt, *Le Temps.* Ce dernier avait été l'une des premières cibles des réformateurs, et il était indéniable qu'ayant continué à paraître pendant 17 jours après l'entrée des Allemands en zone libre, il était de ce fait passible d'interdiction. Ses anciens responsables, cependant, étaient intimement convaincus que la date-limite avait justement été fixée à 15 jours après l'invasion pour s'assurer que *Le Temps* disparaîtrait à tout jamais[19].

Nul ne s'étonnera de constater que les journalistes qui se trouvèrent exclus de leur profession après la Libération, de même que leurs ardents soutiens, décrivirent l'épuration comme une spoliation de la presse française[20]. « Du jour au lendemain, devait écrire un de leurs défenseurs, des familles furent plongées dans la misère. Combien de braves gens, imprimeurs de père en fils, furent ainsi dépossédés de leurs biens, privés de leur gagne-pain ! » Il ajoutait que la réquisition « s'accompagna de scènes de violence souvent horribles[21]... »

L'épuration de la presse se trouva renforcée par l'ordonnance de mai 1945 stipulant que des poursuites seraient engagées non seulement contre les propriétaires des journaux, mais contre les journaux eux-mêmes. Il était « inadmissible », déclarait l'exposé des motifs, que « la société qui a publié un journal ayant pendant quatre ans servi la propagande ennemie échappe à toute forme de sanction. » Le fait était que les sanctions infligées aux dirigeants de presse et aux journalistes, chaque fois que la chose était possible, n'empêchaient pas toujours la société de poursuivre ses activités — qui plus est, avec « son patrimoine accru du prix de la trahison ». Cependant, les propriétaires de journaux qui avaient résisté aux faits de collaboration de leur publication seraient protégés : en cas de confiscation, leurs parts feraient l'objet d'une indemnisation. En effet, si un journal était jugé coupable, la peine était la dissolution de la société et la confiscation de ses biens. Elle s'appliquait d'ailleurs à toutes les entreprises d'édition, d'information ou de publicité[22]. Le gouvernement ne tarda pas à préciser clairement que *tous* les journaux ayant paru sous le régime de Vichy feraient sans exception l'objet de poursuites[23].

Les procès des entreprises de presse commencèrent avant la fin de 1945. En Normandie, par exemple, où les codirecteurs du vénérable *Journal de Rouen* avaient déjà été condamnés par une Cour de Justice (l'un aux travaux forcés à perpétuité, l'autre à cinq ans de prison), le journal lui-même passa en justice en décembre 1945. La Cour décida de dissoudre la société et de confisquer la moitié de ses biens[24].

De façon paradoxale, cette nouvelle procédure ouvrit une brèche dans l'ordonnance de septembre 1944 interdisant les journaux collaborationnistes, car si un journal était acquitté par une Cour de Justice, il était désormais en droit de recouvrer tous ses biens et de reprendre sa publication ; seul son ancien titre restait interdit.

Au début de 1946, la Cour de Justice de Paris avait 94 affaires de ce genre inscrites à son rôle, concernant aussi bien des sociétés d'édition que des journaux. Vingt-quatre d'entre elles furent transférées à la section financière de la Cour, car elles avaient trait aux profits illicites ; les 70 autres étaient censées relever de la collaboration politique. Parmi les accusés figuraient des publications collaborationnistes notoires telles que *Je Suis Partout*, des quotidiens populaires, dont *Le Matin*, *Le Petit Parisien* ou *Paris-Soir*, enfin un magazine naguère prestigieux, *L'Illustration*[25]. Un peu partout en France, des titres fameux étaient déférés aux tribunaux ; *Le Petit Niçois*, par exemple, fut dissous (son directeur, Albert Lejeune, avait déjà été jugé par la Cour de Justice des Bouches-du-Rhône et exécuté). En revanche, *Le Journal*, à Lyon, bénéficia d'un non-lieu pour avoir aidé la Résistance et pour ses constants démêlés avec les censeurs de Vichy[26].

En mai 1948, la Cour de Justice de Paris jugea le journal *L'Œuvre*, qui avait quitté la zone libre en septembre 1940 pour regagner ses bureaux parisiens et servir de plate-forme au collaborateur Marcel Déat. Les propriétaires eurent beau protester qu'ils s'étaient toujours opposés à Déat et que les Allemands avaient même créé une société distincte de la leur pour permettre au journal de paraître indépendamment de ses propriétaires, la société n'en fut pas moins dissoute et tous ses biens confisqués[27]. Le cas du *Petit Journal*, le quotidien du colonel de La Rocque (dont nous avons déjà évoqué la détention et le décès), était beaucoup moins net. Les successeurs de La Rocque avaient pu prouver que ce dernier avait coopéré avec les Alliés à partir de 1942 et que ceux-ci lui avaient demandé de ne rien changer à ses activités, afin de ne pas éveiller les soupçons de Vichy ou des Allemands. Les avocats du *Petit Journal* firent valoir que les 25 articles publiés par leur client, dont le ton était à présent attaqué comme étant collaborationniste, étaient en fait la « rançon » qu'avait dû payer La Rocque pour pouvoir poursuivre ses activités clandestines. Après son arrestation et sa déportation par les Allemands, son journal s'était fréquemment attiré les foudres de Vichy pour son manque de conviction. De son côté, le commissaire du gouvernement soutint que le journal s'était montré plus favorable à la collaboration qu'il n'en avait été besoin. La Cour ne fut pas de cet avis et *Le Petit Journal* fut acquitté[28].

À la fin de 1948, sur 538 sociétés poursuivies en justice conformément à l'ordonnance de mai 1945, 115 avait été condamnées (64 à la confiscation totale, 51 à la confiscation partielle) et 30 avaient été acquittées. Par ailleurs, 393 autres affaires s'étaient soldées par des non-lieux ou avaient été classées, et il en restait encore 35 à juger à Paris. Le droit de grâce avait souvent réduit le pourcentage des biens frappés de confiscation ou permis à d'anciens propriétaires de récupérer leur journal. Au demeurant, la presse d'antan ne tarda pas à renaître de ses cendres et à venir menacer la presse nouvelle issue de la Résistance[29]. « Pourrait-on (...) voir resurgir sans dégoût ces titres de journaux avec leur direction ancienne plus ou moins camouflée ? » s'indigna Rémy Roure dans un éditorial du *Monde* (vers la mi-1948). C'était l'époque où l'on commençait à redouter de plus en plus de voir certains journaux d'avant-guerre, qui avaient servi l'occupant, sortir indemnes de l'épuration, et l'éditorialiste du *Monde* estimait qu'une telle perspective risquait de démoraliser le pays[30]. Le temps allait néanmoins faire son œuvre. Plus les poursuites judiciaires s'éternisaient, moins les interdictions et dissolutions de sociétés semblaient nécessaires. Le procès de *L'Illustration* n'eut lieu qu'en décembre 1949. Pourtant, même à cette date tardive, la célèbre revue fut condamnée à être dissoute, tandis que 10 % de ses biens étaient confisqués ; cette dissolution, cependant, fut annulée en 1954, de même que l'interdiction de paraître, et la confiscation fut limitée à six millions de francs[31].

On ne saurait toutefois prétendre que le gouvernement de la Résistance ne fit pas de son mieux pour empêcher les résurrections inopportunes. En mai 1946, l'épuration de la presse fut codifiée par ce qu'on devait appeler la loi Defferre. Elle ordonnait l'expropriation de tous les journaux d'avant la Libération, qu'ils eussent ou non été jugés et condamnés pour collaboration, à l'exception de ceux qui avaient été autorisés à reparaître ou qui étaient de nature exclusivement scientifique, technique ou professionnelle. Les anciens propriétaires devaient être indemnisés d'après la valeur estimée en 1940. Parallèlement, cette loi créait une société nationale des Entreprises de presse (SNEP), responsable de la gestion des journaux confisqués [32]. Il n'était plus question de justice, protesta le bâtonnier Jacques Charpentier, « mais d'attribuer les imprimeries aux journaux qui soutiennent les partis au pouvoir [33] ». Il fallut néanmoins des années pour mettre le nouveau système sur ses rails, et quand on en fut là, les nouveaux arrangements politiques et financiers, les fusions d'entreprises avaient déjà commencé à sécréter une presse d'après-guerre fort différente de ce qu'avaient espéré les organisateurs de la Libération.

Régler le sort des éditeurs — des éditeurs de livres — ne posait pas moins de problèmes. En un certain sens, cela en posait même davantage. Un quotidien, en effet, pouvait se définir par ses éditoriaux — proallemands dans Paris occupé, pétainistes à Vichy. Chez les éditeurs, en revanche, une maison qui avait publié de la propagande collaborationniste ou des libelles racistes avait aussi à son actif de la grande littérature due à des plumes prestigieuses ; après la libération de la métropole, ces maisons n'avaient pas fermé et certaines commençaient même à publier des écrits de résistants. Jusqu'à quel point pouvait-on le tolérer ? Les écrivains de la Résistance eux-mêmes ne savaient trop quelle attitude adopter envers les suspects. Pouvait-on exclure un grand éditeur de la profession pour faits de collaboration s'il se trouvait justement être le vôtre ? Deux des éditeurs les plus en vue du Paris occupé, Gallimard et Denoël, ne publiaient-ils pas les œuvres de deux résistants communistes non moins éminents, Louis Aragon et Elsa Triolet ?

Sous l'occupation, les écrivains de la Résistance avaient travaillé dans le cadre d'un Comité national des Écrivains dont l'organe clandestin était Les Lettres Françaises, qui multiplia les attaques contre les collaborateurs et leurs périodiques ; parmi ses rédacteurs (à l'époque anonymes, par la force des choses) figuraient non seulement François Mauriac, Raymond Queneau, Jean-Paul Sartre et Albert Camus, mais aussi Jean Paulhan, l'un des piliers de la maison Gallimard, laquelle hébergea jusqu'en 1943 La Nouvelle Revue Française, dirigée alors par un fasciste avoué, Pierre Drieu La Rochelle. Les membres du Comité national des Écrivains réussirent même à imprimer une fausse Bibliographie de la France, qui était l'organe officiel de l'édition ; cette version clandestine avertit les éditeurs parisiens que la guerre ne durerait pas éternellement [34].

Vers la fin de 1943, les sections du Comité, tant en zone Nord qu'en zone Sud, se regroupèrent pour voter une résolution intitulée « Avertissement aux Éditeurs ». On y déclarait que l'ennemi s'était infiltré dans les maisons d'édition, qu'il lisait les manuscrits des écrivains patriotes et dénonçait ces derniers à la presse collaborationniste, qu'il se livrait au chantage et inondait le marché de propagande germanophile. Les écrivains de la Résistance réclamaient une épuration de toutes ces maisons dès le jour de la Libération [35].

Une déclaration publiée dans *Les Lettres Françaises* en mars 1944 demanda au Conseil National de la Résistance (CNR) de créer une commission d'enquête sur les maisons d'édition. Elle affirmait que les éditeurs qui collaboraient avec l'ennemi ne devaient plus à l'avenir avoir le droit d'influer sur l'opinion et devraient en outre être contraints d'indemniser les auteurs dont ils avaient sacrifié les droits, tout ceci sans préjudice des peines qui pourraient leur être infligées par la justice française [36].

La Libération venue, l'organe du CNE put paraître au grand jour. Le premier numéro « officiel » des *Lettres Françaises* contenait sur les écrivains de la collaboration une déclaration du CNE sur laquelle nous reviendrons plus longuement. Dans cette même déclaration, les écrivains de la Résistance s'engageaient à refuser d'être édités dans les journaux, les périodiques et les collections littéraires qui avaient publié les œuvres de collaborateurs. Il est intéressant de souligner que nulle mention n'était faite des maisons d'édition, ce qui revient à dire que les auteurs en question ne s'engageaient pas à refuser que leurs livres parussent chez les mêmes éditeurs que ceux de leurs confrères collaborateurs [37]...

Comme toutes les autres professions, l'édition ne tarda pas à avoir son Comité d'épuration, qui commença à fonctionner peu après la libération de Paris. Il dépendait du ministère de l'Éducation et parmi ses membres figuraient Jean Bruller (qui, sous le nom de « Vercors », avait fondé les Éditions de Minuit, maison d'édition clandestine qui avait publié son court roman anti-collaborationniste, *Le Silence de la mer*), Jean-Paul Sartre (qui sous l'occupation avait fait paraître des livres chez Gallimard et jouer des pièces sur les scènes parisiennes, mais qui n'en était pas moins résistant de cœur) et Pierre Seghers (écrivain résistant et éditeur dans le midi de la France) [38]. Ce Comité — et ses propres membres ne se firent pas faute de le déplorer — n'avait cependant aucune autorité légale, aucun moyen d'imposer ses sanctions. Pour protester contre son impuissance, il annonça son intention de suspendre ses activités dès la fin du mois de novembre 1944, après seulement trois mois d'existence. Il n'avait pas encore grand-chose à son actif, hormis d'avoir fait nommer Jean Paulhan conseiller extraordinaire auprès de la direction des Éditions Gallimard pour y superviser la liquidation de *La Nouvelle Revue Française* et faire retirer la marque « Éditions de la Nouvelle Revue Française » de tous les livres publiés par Gallimard[39]. Entre-temps, le Syndicat de l'édition avait décidé d'exclure de ses rangs un certain nombre d'éditeurs, notamment Bernard Grasset et Fernand Sorlot[40]. Pourtant, Seghers n'allait pas tarder à démissionner du Comité d'épuration pour protester contre le fait que Sorlot poursuivait ses activités. Vercors approuva ce geste, mais préféra différer sa propre démission afin de laisser à l'édition une dernière chance « de se sauver du déshonneur[41] ». Dès janvier 1945, néanmoins, dans une déclaration figurant en première page des *Lettres Françaises*, Vercors annonça que le Comité d'épuration de l'Édition était mort, car des collaborateurs tels que Grasset et Denoël continuaient à publier. Qui plus est, ces maisons avaient droit à des rations de papier que l'on refusait aux nouveaux éditeurs nés de la Résistance, si bien que les auteurs préféraient rester dans ces maisons compromises, mais reconnues par la tradition[42].

L'exaspération des écrivains et journalistes les plus militants de la Résistance se manifestait déjà publiquement à une époque où l'on était en train de mettre au point la politique du gouvernement de la Libération sur l'épuration professionnelle. De ce fait, en février 1945, une nouvelle instance fut chargée d'enquêter sur les maisons d'édition qui avaient collaboré. Il s'agissait de la Commission consultative d'épuration de l'édition, logée au centre même du monde de l'édition, le Cercle de la Librairie, boulevard Saint-Germain. Elle était chargée de constituer des dossiers et de les adresser, avec son avis, à la Commission nationale interprofessionnelle d'épuration. Elle avait pour président Raymond Durand-Auzias, de la Librairie Générale de Droit et de Jurisprudence, Pierre Seghers et Vercors en étaient membres, de même qu'Henri Malherbe — membre du CNE — et que du journaliste catholique bien connu Francisque Gay. Les cadres et employés des maisons d'édition et les libraires étaient également représentés[43]. Cependant, la tâche qu'ils avaient choisi d'assumer n'allait pas être facile.

Le président Durand-Auzias, pour sa part, était pleinement conscient de cette difficulté, comme l'indique le bilan des préoccupations de la nouvelle instance qu'il présenta dès mars 1945 à la Commission nationale interprofessionnelle d'épuration (CNIE). Un éditeur, expliqua-t-il, ne fait pas seulement du commerce, si bien qu'il était impossible de demander aux maisons d'édition de ne rendre compte que de leurs transactions financières avec l'ennemi (comme c'était le cas pour les autres entreprises). Dans leur cas, c'étaient les livres qu'ils publiaient qui déterminaient leur trahison : « Trahison délicate à préciser juridiquement (...) et pourtant infiniment plus grave dans ses conséquences, immédiates et lointaines, que le simple fait d'avoir vendu à l'ennemi du cuir ou du ciment. » Les sanctions prévues n'envisageaient pas l'interdiction du nom des maisons d'édition, et pourtant, faisait valoir le président, il serait tout aussi scandaleux de permettre à des noms tels que « Denoël » de subsister que d'autoriser la publication de périodiques portant le titre de *Gringoire* ou de *Au Pilori,* fût-ce sous la direction d'une nouvelle équipe. Le nom d'un éditeur coupable de trahison apposé sur la couverture d'un livre allait nuire à la réputation de l'auteur, lequel n'était pas en mesure, par suite de ses obligations contractuelles, de quitter son éditeur ou d'obtenir l'interdiction de vente de son ouvrage. Même si le responsable d'une maison d'édition était exclu de la profession conformément à l'ordonnance d'octobre 1944 sur l'épuration des entreprises, une autre personne pourrait fort bien reprendre son nom et sa raison sociale. Durand-Auzias proposait donc une gamme de sanctions allant de la suppression du nom de l'éditeur sur la couverture d'un livre à la liquidation pure et simple de sa firme [44].

Las, cette solution idéale ne devait pas se concrétiser. Il est certain qu'aucun grand nom de l'édition ne disparut des librairies, que les propriétaires ou les responsables de la maison eussent été ou non sanctionnés. Et tous ces éditeurs se cramponnèrent à leurs auteurs, militants de la Résistance y compris. Il faut convenir au demeurant que bien peu d'éditeurs furent frappés par des sanctions proportionnées au service qu'ils avaient rendu aux forces d'occupation en se prêtant à la mystification qui voulait que tout fût parfaitement normal dans le Paris allemand et que la vie culturelle pût continuer comme à l'accoutumée sous la botte nazie. « Les éditeurs ont plus de chance que les écrivains, devait noter dans son journal un éditeur-libraire-auteur désabusé. L'un après l'autre, sans bruit, ils ont tous été relaxés [45]. »

Les dossiers transmis par la Commission consultative d'épuration de l'édition étaient examinés par la CNIE en présence de Durand-Auzias. Certaines affaires semblaient relativement simples : par exemple, celle des directeurs collaborationnistes de Ferenczi, maison datant d'avant la guerre et confisquée à son propriétaire juif sous l'occupation ; ils furent exclus de la profession, de même que le propriétaire des Éditions Baudinière, collaborationniste à tout crin, accusé d'avoir édité des ouvrages pronazis sans même y avoir été contraint. Les enquêteurs avaient reçu des accusations d'après lesquelles Gilbert Baudinière aurait dénoncé certains libraires qui ne vendaient pas assez de ses ouvrages proallemands, ainsi que des confrères jugés trop tièdes envers la collaboration, ou ceux qui publiaient des œuvres qu'il estimait subversives. En revanche, la maison Sorlot, l'une des principales cibles des attaques de la Résistance, ne se vit infliger qu'un « blâme sans publicité ». Elle bénéficia en effet des circonstances atténuantes, la firme étant en mesure de prouver qu'elle n'avait publié des ouvrages proallemands qu'à la suite de pressions exercées sur elle (encore que la Cour ne fût pas convaincue que ces pressions avaient été vraiment irrésistibles[46]).

Un petit éditeur de Saint-Ouen n'avait publié que deux ouvrages proallemands, mais il avait exprimé des opinions favorables à la collaboration dans une lettre aux autorités allemandes (à la Propagandastaffel). On estima qu'il avait « favorisé les desseins de l'ennemi » et on lui interdit de ce fait tous postes de direction dans l'édition et en tout autre domaine. Un de ses confrères avait édité, sous la raison sociale des Éditions Littéraires et Artistiques, des romans à bon marché sur des thèmes proallemands : même sanction.

On eut une belle surprise avec les Éditions du Chêne qui, sous l'occupation, avaient publié des ouvrages en langue allemande pour les forces d'occupation, notamment des guides touristiques à l'intention des soldats allemands, et même un album sur les chevaux de course français confisqués par l'armée allemande. On estimait en outre que le propriétaire de cette maison avait fait jouer ses bonnes relations avec l'occupant au détriment de certains confrères moins bien introduits, au point que la Commission d'épuration émit une protestation lorsque le magazine américain *Life* le décrivit comme un héros[47]. On supposa que c'était par mesure de protection qu'il avait fréquenté aussi assidûment des collaborateurs notoires tels que Lucien Combelle[48]. L'épuration venue, il trouva une couverture encore plus efficace, puisque au moment d'entendre sa cause, la Commission d'épuration reçut une lettre des Éditions du Chêne l'informant que leur propriétaire était décédé. Que faire en de telles circonstances, sinon classer l'affaire[49] ? Quelque temps plus tard, l'éditeur ressuscita pour lancer une nouvelle maison d'édition...

L'une des cibles les plus évidentes de l'épuration fut bien entendu Denoël. Non seulement cette firme avait édité sous l'occupation les écrits de Céline, caractérisés par un antisémitisme provocateur, ainsi qu'un livre que l'on pouvait considérer comme un grand classique des doctrines profascistes et antisémites, *Les*

Décombres de Lucien Rebatet, mais, de surcroît, son propriétaire, Robert Denoël, avait vendu 360 de ses 725 parts à un Allemand. Mais voici qu'en décembre 1945, Denoël fut assassiné dans une rue sombre de la capitale ; jamais on ne découvrit si le crime était lié à ses activités collaborationnistes, à sa vie privée ou s'il s'agissait d'un meurtre occasionnel. En tout cas, sa disparition mit un point final à la procédure entamée contre lui [50].

Bien que les principaux coupables fussent d'importants éditeurs, car il était évident qu'un grand nom rendait d'autant plus graves les faits de collaboration, la Commission devait aussi pourchasser avec zèle les coupables moins huppés, par exemple un jeune éditeur marseillais, Robert Laffont, cité à comparaître pour avoir édité trois ouvrages reflétant des sentiments collaborationnistes. Laffont, qui avait alors 29 ans, protesta dans une lettre à la CNIE datée de janvier 1946, faisant valoir qu'il fallait replacer ces trois ouvrages dans le contexte des 60 titres qu'il avait publiés en trois ans d'occupation. « Pendant ce temps, pas une traduction allemande, pas un ouvrage inspiré par la propagande allemande, pas un ouvrage de propagande pour Vichy n'ont été publiés par notre maison, exposa-t-il ; pas un gramme de papier, pas un franc de subventions ou de chiffre d'affaires de la part des Allemands n'ont été perçus par notre maison. » Et de conclure : « Ce fait est tellement exceptionnel qu'il donne à notre firme une position à laquelle (à l'exception des éditeurs clandestins) ne peut prétendre aucune maison aussi haut placée soit-elle dans la direction de notre profession ou dans le comité d'épuration. » Il semble que la Commission se soit rendue à ce plaidoyer, car Laffont fut acquitté [51].

Inutile de dire que l'affaire que tout un chacun attendait, c'était l'affaire Gallimard. Cette maison qui publiait Gide et Malraux n'était-elle pas aussi celle de Drieu La Rochelle et n'avait-elle pas abrité *La Nouvelle Revue Française*, notoirement collaborationniste, sous la direction du même Drieu ? Comme toutes les grandes maisons d'édition, Gallimard avait continué, au long des quatre années d'occupation, à publier des livres soumis à la censure allemande, et s'était donc pliée à l'ostracisme qui frappait les auteurs juifs et tous les autres écrivains exprimant des sentiments antinazis. L'enquête établit qu'afin de prévenir la réquisition de sa firme par les Allemands, Gaston Gallimard avait accepté de subordonner l'orgueil de sa maison, *La Nouvelle Revue Française* ou *NRF*, au candidat pronazi Drieu La Rochelle. A la décharge de l'éditeur, on notait qu'il avait continué à publier les auteurs non collaborateurs lorsqu'ils n'étaient pas explicitement interdits par les Allemands, et qu'il avait évité de publier des traductions d'ouvrages nazis. Gallimard présenta en outre un dossier de lettres écrites par des directeurs de collection et des auteurs que l'on savait favorables à la Résistance. Ainsi Albert Camus, qui était à l'époque un des héros du milieu intellectuel, rédacteur en chef du quotidien *Combat*, né de la clandestinité, signala que son bureau chez Gallimard avait servi de lieu de rendez-vous aux militants de la Résistance : « Bien que ne connaissant pas le détail de cette activité, M. Gaston Gallimard en connaissait le principe et m'a toujours couvert à cet égard. » Camus ajoutait que de nombreux écrivains de la Résistance, tels que lui, avaient continué à écrire pour Gallimard pendant l'occupation « et s'en sont servis pour maintenir ce qu'ils croyaient devoir maintenir ». Ils ne pouvaient donc pas se désolidariser aujourd'hui de la firme. D'autant moins, précisait Camus, que « tout jugement porté sur cette maison est un jugement porté sur eux. Et personnellement, je me considérerais, ainsi que d'autres confrères plus connus (Valéry, Gide, Paulhan, Sartre, etc.) comme condamné par un semblable jugement... »

La déclaration d'André Malraux n'était pas moins convaincante : fort de son prestige considérable d'auteur et de directeur de collection chez Gallimard, doublé de l'antifasciste des années trente qui avait refusé d'être édité à Paris sous l'occupation, fût-ce par Gallimard, Malraux, au moment de l'épuration, était ministre de l'Information du général de Gaulle, après avoir participé à la résistance armée et s'être battu contre les Allemands. Sa déposition, sous forme de lettre à Gaston Gallimard, estimait que l'éditeur avait bien fait « de sauvegarder au moins le fonds de la maison d'édition (...) » Sartre, pour sa part, expliqua qu'il avait été membre de la Commission d'épuration des éditeurs, laquelle n'avait trouvé aucune raison de sanctionner Gallimard ; Gaston Gallimard, ajouta-t-il, était un ami qui partageait ses sentiments hostiles à l'occupation et savait que sa maison d'édition servait à des rencontres clandestines. Par conséquent, « tout blâme qui serait porté contre la maison Gallimard atteindrait au même titre Aragon, Paulhan, Camus, Valéry, moi-même, etc. bref, tous les écrivains qui faisaient partie de la Résistance intellectuelle et qui se sont fait publier par lui ». Sartre ajouta que Malraux, Gide et Martin du Gard avaient tous trois conseillé à Gaston Gallimard d'accepter Drieu La Rochelle comme directeur de la *NRF* sous les Allemands.

Un témoignage analogue fut fourni par le conseiller littéraire de Gallimard, Jean Paulhan, qui déclara s'exprimer au nom des autres directeurs de collection de la maison, Bernard Groethuysen et

Raymond Queneau. Paulhan assura que la séparation entre la maison Gallimard et la *NRF* de Drieu avait été si complète que lui-même n'avait seulement jamais rencontré ce dernier ni aucun de ses auteurs dans les couloirs de l'immeuble. Le poète et résistant communiste Paul Éluard, militant du CNE, écrivit en faveur de Gallimard la déclaration suivante : « Malgré le risque que représentait la présence imposée dans votre maison du misérable directeur de la Revue [Drieu], je n'ai jamais éprouvé la moindre méfiance en y pénétrant. Je m'y sentais défendu courageusement, efficacement, aussi bien par vous que par ceux dont vous vous étiez entouré. »

La Commission consultative d'épuration de l'édition avait donc recommandé à l'unanimité que les poursuites engagées contre Gallimard fussent abandonnées, mais que l'éditeur n'utilisât plus pour sa maison l'appellation d' « Éditions de la NRF ». L'affaire fut effectivement classée en juin 1948[52].

Les charges existant contre Grasset étaient moins ambiguës, car le fondateur de la maison, Bernard Grasset, s'était personnellement engagé du côté de la collaboration dans son abondante correspondance privée et publique, ses articles et ses livres. En novembre 1940, par exemple, il avait écrit *À la recherche de la France*, où il faisait l'éloge de « la puissance créatrice du Führer[53]. » À la Libération, Grasset avait été arrêté et interné à Drancy, avant d'être placé en liberté surveillée dans une maison de repos[54]. Sa société n'en éditait pas moins un auteur sympathisant de la Résistance, François Mauriac, et nombreux furent ceux qui se récrièrent en apprenant qu'il était question de fermer la maison qui avait découvert Proust et Malraux. La première sanction prise contre Grasset déçut fortement les résistants les plus militants, car il ne fut condamné qu'à trois mois de suspension de ses activités, après quoi on pensait que l'affaire serait classée, ce qui lui permettrait de reprendre la direction de sa maison[55]. En fait, cette sanction relativement bénigne était due au fait que les membres de la CNIE connaissaient tous l'état psychologique de l'accusé (alors âgé de 65 ans), et à ce que la firme n'avait publié sous l'occupation qu'un nombre relativement restreint de livres recelant de la propagande ennemie[56]. L'affaire Grasset n'était pourtant pas terminée.

Contre les éditeurs, l'épuration allait revêtir deux formes : sanctions professionnelles de la CNIE et procès intentés aux maisons d'édition conformément à l'ordonnance de mai 1945 qui visait aussi les journaux et les magazines. La Cour de Justice avait engagé des poursuites contre Gallimard, Denoël et d'autres éditeurs. La plupart des affaires furent classées, faute de preuves d'une collaboration sérieuse de la part des accusés. Les preuves retenues contre Grasset semblaient elles aussi bien minces au magistrat qui les examina[57], mais c'étaient les plus solides de toutes celles qui avaient été présentées à la Cour, si bien qu'au bout de deux jours d'audience, en juin 1948, la société Grasset fut condamnée à être dissoute, cependant que 99 % de ses biens seraient confisqués. En vain la défense fit-elle valoir que d'autres maisons d'édition ayant eu des activités analogues sous l'occupation n'avaient pas reçu la moindre sanction, non plus que les auteurs des livres que l'on reprochait à Grasset d'avoir publiés. Ultérieurement, la mesure de dissolution fut remplacée par une amende, et la firme fut graciée[58].

CHAPITRE IV

Gens de lettres

Comment punir les auteurs pour leurs écrits ? Où se situaient les limites de la liberté d'expression à ne pas dépasser ? Comment trancher ? Et qui charger de ce soin ? Le problème était encore compliqué par le fait que certains des plus ardents collaborateurs se doublaient d'éminents hommes de lettres, d'astres de la constellation littéraire, de gloires nationales dont s'enorgueillissait la culture française. « Notre gloire ne pèse pas lourd auprès de la leur, se serait d'ailleurs exclamé — si l'on en croit Sartre — un poète connu en parcourant une liste de collaborateurs sur laquelle figuraient Henry de Montherlant, Céline et Jacques Chardonne [1]. Oui, mais le talent excusait-il les auteurs qui avaient servi la cause nazie ? Un certain nombre de personnalités influentes semblaient le penser, dont plusieurs étaient liées à la Résistance. Charles de Gaulle, en revanche, estimait que plus grand était l'artiste, plus puissante était censée être son influence vers le bien comme vers le mal. En ce qui concernait ceux qui avaient choisi « le camp opposé (...), on voyait trop bien vers quels crimes et vers quels châtiments leurs éloquentes excitations avaient poussé de pauvres crédules... » Ce n'était donc pas une excuse que d'être écrivain, « car, dans les lettres comme en tout, le talent est un titre de responsabilité [2] ».

Sous l'occupation, les écrivains résistants s'en étaient pris dans leur organe clandestin, *Les Lettres Françaises*, aux hautes personnalités de la littérature collaborationniste : Drieu La Rochelle, Paul Morand, Brasillach, Montherlant. Ils avaient même décoché quelques traits contre un auteur aussi apolitique que Colette, pour avoir écrit un article destiné à un journal de la collaboration, encore que, dans son cas, *Les Lettres Françaises* fussent prêtes à lui accorder le bénéfice du doute, laissant entendre que Colette n'avait peut-être pas su dans quel contexte allait être publié ce qu'elle avait écrit. « Et cette manœuvre, dont nous venons de démontrer le mécanisme, prouve qu'en donnant à la presse contrôlée par l'occupant le moindre bout d'article, même sans caractère politique, un écrivain joue sa partie dans le concert de la propagande ennemie orchestrée par Goebbels[3]... » En novembre 1943, *Les Lettres Françaises* contenaient une requête du CNE demandant au CFLN, à Alger, de créer un comité chargé de décider à quelles actions judiciaires on pouvait avoir recours contre les écrivains collaborateurs, « afin d'éclairer l'action de la justice et de préparer les libres conditions de l'exercice de la profession dans l'avenir[4] ».

Au départ, l'épuration des écrivains allait être en effet une initiative du CNE. Le premier numéro des *Lettres Françaises* publié au grand jour dans Paris libéré — le 9 septembre 1944 — annonça qu'une commission chargée de dresser une liste d'auteurs coupables de collaboration avait été instituée. Les membres du CNE s'étaient engagés à l'unanimité à n'écrire pour aucun journal ou périodique, à ne contribuer à aucun recueil ou à aucune collection ayant également publié les œuvres de collaborateurs. Déjà, lors de sa première séance plénière du 4 septembre, expliquait l'organe du CNE, le Comité avait dressé une première liste d'hommes de lettres collaborateurs ; il s'agissait de Robert Brasillach, Céline, Alphonse de Chateaubriant, Jacques Chardonne, Drieu La Rochelle, Jean Giono, Marcel Jouhandeau, Charles Maurras, Henry de Montherlant, Paul Morand, Armand Petitjean et André Thérive[5]. Dans le numéro suivant des *Lettres Françaises* figurait une liste plus étoffée de 94 noms parmi lesquels ceux de membres des Académies française et Goncourt, de fonctionnaires de Vichy et d'écrivains ayant écrit régulièrement pour des quotidiens et hebdomadaires collaborationnistes dans le Paris allemand[6]. On fit très vite remarquer que cette liste n'était nullement définitive, car elle devait être encore ratifiée par une autre assemblée plénière du CNE[7].

Au sein de la Commission d'épuration du CNE figuraient Paul Éluard, Gabriel Marcel, Raymond Queneau et Charles Vildrac, ainsi que Vercors, Jacques Debû-Bridel, André Rousseaux et Lucien Scheler[8]. En octobre 1944, elle dressa une nouvelle liste « noire » de personnes avec qui le CNE refusait d'avoir le moindre contact. Celle-ci comportait 158 noms, auxquels devaient vite s'en ajouter deux autres[9]. Encore une fois, les vedettes de la collaboration y figuraient, dont certaines allaient être jugées et fusillées dans les premiers mois qui suivirent la Libération (Brasillach, Paul Chack, Georges Suarez). On y trouvait d'autres noms célèbres, notamment ceux de Pierre Benoit et Sacha Guitry et, bien sûr,

Céline, Chardonne, Drieu La Rochelle, Giono, Jouhandeau, Maurras et Morand. Cette liste fut largement diffusée ; elle parut notamment dans *Le Figaro* [10]. En 1946, le Congrès international de PEN — le PEN Club —, réuni à Stockholm, vota (par 17 voix contre 5 et 3 abstentions) en faveur d'une diffusion mondiale de ces listes noires. Les délégations des pays qui avaient été occupés par les nazis votèrent pour ; les États-Unis, l'Irlande, la Suisse, l'Inde et l'Afrique du Sud votèrent contre ; le Royaume-Uni s'abstint [11].

C'était l'heure des règlements de comptes. Auréolé de son nouveau prestige d'écrivain de la Résistance, le poète communiste Louis Aragon réquisitionna la moitié supérieure de la une des *Lettres Françaises* pour y attaquer André Gide à qui le numéro précédent avait offert l'hospitalité pour y publier un extrait de son *Journal*. Gide n'avait certes pas collaboré, reconnaissait Aragon, ce qui ne l'empêchait pas de s'élever contre les écrits anti-soviétiques d'avant-guerre de son confrère, lesquels avaient fait de lui, à ses yeux, le précurseur des collaborateurs [12].

Bientôt, le moins conformiste de tous les hommes de lettres, Jean Paulhan, qui avait continué à travailler chez Gallimard tout au long de l'occupation, cohabitant avec les collaborateurs tout en sapant subtilement leur travail, et prenant part de façon fort risquée à la résistance des écrivains, allait réagir contre la « liste noire » du CNE. Lui-même avait été un membre actif de ce comité, mais l'idée de voir des amis et des confrères marqués du sceau de l'infamie lui répugnait. Il fit valoir que les écrivains étaient bien souvent des oppositionnels, et qu'ils avaient le droit de se tromper ; il se refusait quant à lui à jouer les « gendarmes bénévoles [13] ». Pour finir, au printemps de 1945, il eut recours aux pages des *Lettres Françaises* pour y exprimer son hostilité aux listes noires et aux commissions d'épuration parrainées par le gouvernement. Il dépeignit avec une ironie féroce une situation dans laquelle les résistants passeraient tout leur temps à écrire pour les journaux et autres périodiques — leurs confrères épurés n'ayant plus accès à leurs colonnes — et n'auraient donc plus une minute à consacrer à la vraie littérature. Or, « pendant ce temps, les écrivains collaborateurs, bien tranquilles, travailleront à l'écart. Après cinq ou dix ans, ils rentreront en force avec des œuvres mûries [14] »...

Condamné à mort pour collaboration, puis gracié, Lucien Rebatet fut l'un de ceux qui tira profit de ces loisirs forcés. « Après seize ans de journalisme, devait-il révéler par la suite, j'avais acquis enfin, grâce à la prison, une liberté bien précieuse, celle de m'établir dans l'emploi du temps idéal, douze à quatorze heures de travail littéraire par jour. » Allait sortir de toutes ces heures laborieuses l'œuvre majeure de l'écrivain, *Les deux Étendards*. (Long de plus de mille pages, ce livre fut publié en deux volumes par Gallimard en 1952[15].)

Dans son nouveau mensuel *Les Temps Modernes*, Jean-Paul Sartre présenta différemment le problème par le biais d'un essai intitulé « La nationalisation de la littérature ». À son avis, on jugeait à présent les écrits d'un auteur sur son passé de résistant plutôt que sur leur valeur intrinsèque, et le grand danger était que les critiques ne fussent bientôt tentés d'aller plus loin et d'encenser un ouvrage pour la seule raison que son auteur appartenait au même parti politique qu'eux[16].

Au fil des mois, voire des années qui suivirent, Jean Paulhan poursuivit sa croisade contre la liste noire. Il démissionna du CNE en même temps que Georges Duhamel, Jean Schlumberger et Gabriel Marcel, aucun de ces hommes n'étant de toute façon à sa place dans l'atmosphère de plus en plus politisée de cette organisation qui n'allait pas tarder à devenir l'instrument avoué du parti communiste. Dans une lettre ouverte aux démissionnaires, Vercors exprima la crainte de voir désormais des publications qui s'étaient abstenues de publier les écrits de collaborateurs, de peur de devoir renoncer à ceux d'auteurs plus importants, reprendre leur diffusion, si bien que les écrivains qui préféraient respecter la liste noire se verraient privés de la possibilité de travailler pour lesdits journaux. En d'autres termes, ce seraient dorénavant les écrivains du CNE qui seraient condamnés au silence[17]…

Paulhan fit remarquer que s'il devait être jugé selon les critères du CNE, Romain Rolland, considéré comme un écrivain subversif durant la Première Guerre mondiale, figurerait à présent sur la liste noire[18]. Dans une série de lettres ouvertes dont la première parut au printemps de 1947, Paulhan avança qu'il n'appartenait pas aux écrivains de dénoncer leurs confrères. On a vu qu'il remarqua alors, non sans ironie, que « les ingénieurs, entrepreneurs et maçons qui ont bâti le mur de l'Atlantique se promènent parmi nous bien tranquillement » et « bâtissent les murs des nouvelles prisons où l'on enferme les journalistes qui ont eu le tort d'écrire que le mur de l'Atlantique était bien bâti[19] ». Bref, les écrivains étaient traités bien plus sévèrement que ceux qui avaient matériellement contribué à l'effort de guerre nazi. Paulhan poursuivit son œuvre en créant une nouvelle revue littéraire, les *Cahiers de la Pléiade*, afin de combler le vide laissé par la disparition de *La Nouvelle Revue Française* à la liquidation de laquelle il avait contribué ; il publia dans ces *Cahiers* ses propres objections à la liste noire et, dès le second numéro, fit paraître un texte d'un de ses amis figurant sur cette liste, Marcel Jouhandeau [20].

La liste noire, cependant, n'était qu'une sanction morale dont les effets pratiques étaient fort incertains. L'épuration de la profession littéraire prit assez vite, comme partout ailleurs, un tour plus officiel. Les auteurs déférés aux Cours de Justice étaient, nous l'avons vu, ceux qui avaient régulièrement écrit dans les quotidiens et hebdomadaires de la presse collaborationniste. Leur talent littéraire fut bien souvent invoqué pour les sauver du châtiment. Ainsi, après la condamnation à mort de Robert Brasillach, François Mauriac écrivit en première page du *Figaro* : « À tous mes confrères, journalistes, poètes, romanciers, philosophes, je demande : Combien de mercantis milliardaires ont-ils été jusqu'ici fusillés ? » Et il ajoutait, évoquant les promesses littéraires de Brasillach : « Qu'ils prennent en pitié l'esprit, même coupable — surtout lorsque c'est un jeune homme qui l'incarne [21]. »

Il se trouve qu'aucun écrivain d'envergure ne passa effectivement en jugement. Drieu La Rochelle, que certains peuvent ranger dans cette catégorie, échappa à l'arrestation en se suicidant alors qu'il était en fuite. Jacques Chardonne fut arrêté et interné. Dans les écrits qu'il avait publiés sous l'occupation, il avait exprimé sa sympathie pour les Allemands et avait même fait partie d'une délégation d'écrivains français qui s'étaient rendus en Allemagne. Il fit valoir pour sa défense qu'il n'avait fait ce voyage que pour protéger d'autres auteurs français que la Gestapo voulait arrêter, et il affirma en outre avoir protégé ses confrères résistants Georges Duhamel, Mauriac, Paulhan et Aragon, s'être démené pour obtenir la remise en liberté du mari de Colette, Maurice Goudeket, arrêté parce que juif, et avoir aussi tenté de sauver le poète Max Jacob (lequel mourut avant que les tentatives en sa faveur n'eussent été couronnées de succès).

Chardonne avait été avant-guerre un éminent homme de lettres et éditeur. Il se présenta devant le juge d'instruction muni d'impressionnants témoignages émanant d'écrivains de la Résistance. « Je sais du moins, avait écrit Paulhan, que ses erreurs même sont nobles. » Mauriac convenait que Chardonne « s'est trompé », mais ajoutait aussitôt : « J'atteste qu'il n'a obéi à aucun motif bas. » Georges Duhamel renchérissait : « Ses fautes ne sont pas des crimes. » Pierre Bourdan lui-même, qui avait travaillé pour Radio-Londres, lui offrait son soutien : « Quelque difficile qu'il nous soit souvent de trouver la ligne de démarcation entre l'erreur et la faute, ceux qui possèdent les éléments d'appréciation ont le devoir de faire une distinction entre un grand esprit égaré pour un temps et ceux dont les motifs relevaient de tout autre chose que d'une crise de conscience. » Ajoutons à cela qu'un témoignage d'un des chefs de la Résistance, précisant que le fils de l'écrivain avait lutté dans ses rangs et été arrêté par la Gestapo, n'était pas pour lui nuire. Ce fils accompagnait d'ailleurs Chardonne lorsqu'il comparut devant le juge d'instruction de Versailles. L'écrivain avait rédigé une déclaration pour sa propre défense : « En 1940, j'ai cru la victoire allemande définitive. Je me suis trompé sur le socialisme allemand. La façon dont la Charente a été occupée m'a donnée une idée fausse sur les véritables intentions de l'Allemagne... » Il prétendait avoir compris son erreur dès 1941-1942 et n'avoir plus rien publié après cette date, cependant que les Éditions Stock, dont il était cogérant, n'avaient publié aucune propagande. Son affaire fut classée[22].

L'affaire Céline aurait pu déchaîner les passions étant donné la personnalité de cet auteur, resté sous l'occupation aussi provocateur qu'il avait pu l'être juste avant la guerre, déclarant par exemple que les Allemands n'exterminaient pas suffisamment de Juifs[23]. Après avoir rallié les rangs des ultras de la collaboration à Sigmaringen, il était parvenu à filer au Danemark à la fin de la guerre. En avril 1945, la Cour de Justice de la Seine lança contre lui un mandat d'arrêt et l'ambassadeur de France au Danemark demanda aux autorités danoises de l'arrêter et de l'extrader. Céline fut placé en état d'arrestation, mais on le garda en prison à Copenhague pendant plus d'un an, après quoi ce fut lui qui décida de rester en exil. « Je sais bien pour mon compte, écrivit-il à Me Isorni, que si j'étais demeuré à Paris, j'aurais été assassiné de toute façon, soit dans la nuit et sans phrase comme Denoël [son éditeur], soit au Palais et avec phrases comme Brasillach. » Il faisait ensuite allusion à la comparaison, alors très en vogue, entre les procès intentés aux écrivains et l'indulgence que l'on paraissait témoigner envers les collaborateurs économiques. « Avec 3 ou 4 kilomètres de mur de l'Atlantique, je m'en sortais ! Je serais " classé " depuis belle lurette[24] ! » Le ministère public se décida finalement à juger Céline non pas pour intelligence avec l'ennemi, mais pour le délit moins grave d' « actes de nature à nuire à la défense nationale[25] ». Le procès eut lieu par contumace en février 1950 ; Céline le dénonça, depuis son exil danois, comme « une affaire Dreyfus à l'envers[26] » ! Il fut condamné à un an de prison, à une amende, à la confiscation de la moitié de ses biens et à la dégradation à vie ; mais il devait être amnistié dès l'année suivante. « Le premier que je prends aux *allusions*, je lui fous un procès et c'est tout », écrivit-il, triomphant, à un ami. Il ne tarda pas à regagner la France[27].

Les tribunaux, cependant, étaient réservés aux grands coupables. L'épuration professionnelle pourvoyait à la sanction du tout-venant des faits de collaboration : ceux des chefs d'entreprise et de leurs ouvriers sur les lieux de production, ceux des fermiers et des représentants de commerce — alors pourquoi pas ceux des écrivains et des artistes ? Néanmoins, si l'on pouvait considérer qu'un chef d'entreprise, par exemple, relevait de la juridiction du ministère de la Production, quel département ministériel devait présider à l'épuration du talent créateur ? On décida que ce serait le ministère de l'Éducation.

Pour les écrivains et les artistes, tout comme pour les chefs d'entreprise et les membres de n'importe quelle autre profession, le châtiment devait revêtir la forme de sanctions pécuniaires. Une ordonnance du 30 mai 1945 établissant la procédure d'épuration des gens de lettres, auteurs et compositeurs, des artistes-peintres, dessinateurs, sculpteurs et graveurs qui avaient « mis leur activité au service des causes antinationales », expliqua dans son exposé des motifs que l'opinion publique « ne pourrait supporter que des œuvres ayant eu pour objet ou pour résultat de favoriser les entreprises de l'ennemi ou de contrarier l'effort de guerre de la France et de ses alliés, continuent d'être, pour leur auteur, une source de profits ». Une procédure fut donc créée, analogue à celle en vigueur dans les autres professions, chez les médecins ou bien les artistes dramatiques. « Mais, s'il semble opportun de frapper ces écrivains ou ces artistes d'une interdiction ou d'une limitation d'activité professionnelle ayant tout ensemble le caractère d'une censure publique et d'une sanction pécuniaire, il y a lieu d'éviter soigneusement tout système de répression portant atteinte au droit de la libre expression de la pensée. » L'ordonnance instituait deux comités d'épuration séparés, l'un pour les gens de lettres, auteurs et compositeurs, l'autre pour les artistes-peintres, dessinateurs, sculpteurs et graveurs. Le premier était habilité à interdire aussi bien les œuvres qui avaient entraîné la sanction que (de façon temporaire) les œuvres nouvelles, les articles de presse, les conférences et causeries, les radiodiffusions et la perception de droits d'auteur ou de tout autre bénéfice provenant d'activités littéraires ou musicales. Le second pouvait temporairement interdire d'exposer ou vendre des œuvres, de travailler pour la presse, de donner des conférences, de s'exprimer à la radio ou de percevoir des honoraires. Dans les deux cas, les sanctions étaient limitées à deux ans au maximum, ou bien, pour les personnes condamnées par une Cour de Justice, à la durée de la peine, à concurrence de cinq ans au maximum.

Les dossiers pouvaient être transmis aux Comités d'épuration par un de leurs membres ou bien par une association d'écrivains ou d'artistes. En ce qui concernait les auteurs, les groupements qualifiés pour porter plainte étaient la Société des Gens de Lettres, la Société des Auteurs et Compositeurs dramatiques, la Société des Auteurs, Compositeurs et Éditeurs de Musique, la Société des Orateurs et Conférenciers, le Comité national des Écrivains et l'Association des Écrivains Combattants. Le Comité d'épuration avait tout loisir d'interroger un accusé, de convoquer des témoins et d'obtenir des preuves par le biais de sources gouvernementales ou privées[28].

Il fallut pas mal de temps au Comité pour s'organiser. Lors d'une réunion tenue au siège de l'Association des Écrivains Combattants le 25 juillet 1945, le Comité National d'Épuration des Gens de Lettres, Auteurs et Compositeurs fut mis sur pied. La Société des Gens de Lettres y avait délégué deux de ses membres, Francis Ambrière et Simone Saint-Clair ; la Société des Auteurs et Compositeurs Dramatiques, Charles Vildrac ; et la Société des Auteurs, Compositeurs et Éditeurs de Musique, Joseph Szyfer, alors inspecteur général de l'Enseignement musical. Le CNE avait dépêché Gabriel Audisio, et l'Association des Écrivains Combattants, le général Édouard Brémond. Ce fut le gouvernement qui nomma le président, Gérard Frèche, avocat général près de la cour d'appel de Paris. Bientôt, le Comité siégea dans un bureau de la galerie Montpensier, mis à sa disposition par la direction des Beaux-Arts (il partagea ce local, ainsi qu'une secrétaire, avec le Comité d'épuration des spectacles). Les plaintes étaient étudiées par des commissions d'instruction de trois membres qui convoquaient les auteurs accusés de collaboration, les informaient des charges qui pesaient contre eux et leur demandaient une défense écrite ou orale. L'accusé avait le droit de se faire représenter par un avocat à qui l'on donnait accès au dossier vingt-quatre heures avant l'audience. La commission d'instruction soumettait le dossier à l'assemblée plénière du Comité d'épuration qui pouvait soit entériner d'emblée l'avis de la commission, soit rouvrir le dossier. Les décisions étaient prises à la majorité ; en ce qui concernait les sanctions, si la majorité n'était pas atteinte, on atténuait leur sévérité au tour suivant, et ainsi de suite jusqu'à adoption de la sanction retenue[29].

Les archives de l'épuration des auteurs semblent indiquer que le Comité manquait de moyens pour mener son travail à fond. On ne saurait par exemple prétendre qu'il avait sous les yeux la totalité de ce qu'un accusé avait écrit sous l'occupation, ni même un échantillon pleinement représentatif ; et pas plus ses enquêtes que ses recherches sur des ouvrages pourtant publiés n'étaient exhaustives. Il disposait néanmoins de preuves telles que des listes de films et d'émissions de propagande allemande auxquels avaient contribué certains auteurs, établies par exemple d'après les registres de la Société des Auteurs, Compositeurs et Éditeurs de Musique, portant trace des droits d'auteur versés à chacun [30]. Le concours du Comité était d'ailleurs sollicité parfois par d'autres services gouvernementaux : ainsi, avant de délivrer des passeports ou des visas à des conférenciers, le préfet de police de Paris souhaitait savoir s'ils avaient été sanctionnés [31]. Les éditeurs ou directeurs de journaux qui envisageaient de s'attacher les services d'un écrivain, et les sociétés d'auteurs qui désiraient savoir si l'un de leurs membres était autorisé à percevoir des droits d'auteur, venaient consulter le Comité. Un professeur écossais, occupé à composer une anthologie de poésie contemporaine, s'adressa au Comité, car il préférait ne pas y faire figurer d'auteurs mis à l'index [32]. Le Service culturel français à New York transmit une requête analogue émanant de l'US Dramatists Guild [33].

Le Comité d'épuration des Gens de Lettres avait naturellement à sa disposition la liste noire du CNE, mais il pouvait aussi se rabattre sur des liasses de questionnaires que les sociétés d'auteurs avaient adressés à leurs membres. La SACEM, par exemple, avait fait circuler un questionnaire imprimé demandant à ses membres de certifier « sur l'honneur que toutes les réponses aux critères ci-dessous sont l'exacte et sincère expression de la vérité ». Les questions portaient sur l'adhésion à des groupements collaborationnistes, les relations personnelles avec les Allemands, la production de chansons ou de scénarios servant la propagande allemande. L'auteur avait-il reçu l'autorisation de circuler en voiture de tourisme sous l'occupation (ce qui était censé dénoter une position privilégiée) ? Avait-il participé à des émissions de radio, des manifestations artistiques, des visites en Allemagne ? On sera peu surpris d'apprendre que les auteurs reconnaissaient rarement avoir eu une conduite répréhensible [34]...

En fait, aucune affaire ne défraya la chronique et bien peu d'écrivains de stature internationale, ou dignes de figurer dans le dictionnaire, furent châtiés ; la liste des personnes sanctionnées est beaucoup moins exhaustive, par exemple, que la liste noire du CNE. L'une des raisons de ces maigres résultats fut la décision prise par le Comité de ne pas entendre les affaires visant des auteurs déjà traduits en justice en tant que collaborateurs [35]. La liste des candidats à l'épuration en fut considérablement réduite :

s'en trouvèrent éliminées les personnalités les plus marquantes qui, logiquement, avaient été les premières inculpées. Les archives du Comité indiquent en outre que lorsqu'un auteur devait passer en jugement, voire faire l'objet d'une instruction quelconque, le Comité se trouvait dans l'impossibilité de mettre la main sur son dossier et finissait donc par différer ou classer l'affaire. Le temps qu'un collaborateur notoire eût été acquitté par les tribunaux ou eût obtenu le classement de son affaire, le Comité avait pour ainsi dire oublié jusqu'à son existence. Le résultat pour le moins paradoxal fut que ses sanctions furent généralement infligées à des auteurs jugés moins fautifs et qui s'étaient en tout cas adonnés de façon moins flagrante à la collaboration, alors que d'autres, considérés comme des collaborateurs nettement plus actifs, s'en sortaient indemnes.

Certains noms célèbres furent néanmoins cités. Il y eut par exemple un dossier sur Jean Cocteau comportant des accusations de collaboration (que rien ne venait étayer). Dans sa réponse au questionnaire de la Société des Auteurs et Compositeurs dramatiques, le poète souligna que le délégué de Vichy auprès des Allemands, Fernand de Brinon, avait interdit que sa pièce *La Machine à Écrire* fût représentée sur les scènes parisiennes durant l'occupation, alors que des fascistes du PPF avaient interrompu à grand tapage une représentation d'une autre de ses œuvres, *Les Parents terribles*. Cocteau ajoutait que les articles qu'il avait fournis à la presse sous l'occupation étaient de nature strictement culturelle. Convoqué devant le Comité d'épuration, il ne se présenta pas, mais on décida néanmoins qu'il était « hors de cause », ses prétendues activités collaborationnistes n'ayant pas été prouvées [36].

Le dossier réuni contre l'ermite campagnard Jean Giono n'était guère plus convaincant ; pourtant, il émanait d'une Cour de Justice (celle d'Aix-en-Provence, qui l'avait transmis à Paris). La plus grosse faute que l'on pût reprocher à Giono, c'était d'avoir écrit pour *La Nouvelle Revue Française* de Drieu La Rochelle. Interrogé par la police chez lui à Manosque, l'écrivain s'était vu montrer un texte signé de son nom dans un magazine allemand, à quoi il avait répondu qu'il avait très certainement été emprunté sans son autorisation à l'une de ses œuvres. Le Comité d'épuration des Gens de Lettres reconnut que ses articles de la *NRF* n'avaient aucun caractère politique. Dans le questionnaire qu'il avait renvoyé à la Société des Auteurs et Compositeurs dramatiques, Giono avait répondu à la question : « Avez-vous aidé l'occupant à recruter des travailleurs pour l'Allemagne ? » par une lettre de deux pages se référant aux réfractaires qu'il avait hébergés dans sa ferme où, ajoutait-il, avait été constitué le premier groupe armé de résistants des Basses-Alpes. Il avait aussi donné asile pendant trois ans à un membre du parti communiste allemand, Charles Fiedler, recherché par la Gestapo, et avait caché un si grand nombre de Juifs qu'une feuille collaborationniste s'intitulant *Le Franciste* l'avait baptisé « le consul juif de Manosque ». Il bénéficia d'un non-lieu [37].

Passons au prolifique romancier Pierre Benoit de l'Académie française. Il avait été arrêté chez lui à Dax, accusé d'intelligence avec l'ennemi et transféré à Fresnes, mais l'instruction n'avait permis de découvrir contre lui aucun fait évident de collaboration, si bien qu'on l'avait relâché. Le Comité examina soigneusement les charges retenues contre lui ; l'éditeur de Benoit certifia qu'aucune des œuvres de l'auteur n'avait été publiée sous l'occupation et que ce dernier avait refusé des offres de travailler pour le quotidien de langue allemande la *Pariser Zeitung*, de même que pour la firme cinématographique Continental, parrainée par les Allemands. Le Comité décida donc que les accusations n'étaient pas prouvées et que l'accusé était hors de cause [38].

Parmi les éléments de la première charrette, comme disaient *Les Lettres Françaises* [39], effectivement condamnés le plus éminent était très certainement l'austère et aristocratique Henry de Montherlant, fasciné par la mystique allemande. Pour juger cet écrivain, le Comité avait sous les yeux ses réponses au questionnaire de la Société des Auteurs et Compositeurs dramatiques, dans lesquelles il prétendait avoir été censuré par les autorités d'occupation et avoir refusé des invitations à se rendre en Allemagne sous l'occupation. Il déclarait avoir fait l'objet d'une perquisition de la part de la Gestapo, ajoutant qu'après avoir reçu un chèque de 47 000 francs d'un éditeur allemand, il avait fait don de 50 000 francs à la Croix-Rouge suisse, pour venir en aide aux enfants français victimes de guerre. Il soumit aussi au Comité un document de trente-deux pages sur son attitude à l'égard de l'Allemagne avant la guerre, ses rapports avec Vichy et avec les Allemands (qui, soutenait-il, avaient interdit son ouvrage controversé, *Solstice de Juin*, généralement considéré comme une apologie de la collaboration). Mais le Comité disposait également d'un dossier contenant tous les articles qu'il avait publiés dans la presse parisienne, notamment celui paru le 4 juillet 1942 dans *Aujourd'hui*, où il était question de la « lutte de l'élite héroïque de la nouvelle civilisation européenne contre les bas-Européens » et où l'on pouvait lire : « L'Europe allait mourir de médiocrité sans le sursaut qu'elle a eu en 1939. » Le Comité sanctionne Montherlant, mais par une interdiction couvrant une période déjà écoulée : il fut privé pour un an du droit de publier des œuvres ou d'en tirer profit à dater du 1ᵉʳ octobre 1944, sanction votée le 29 octobre 1946. Si bien que lorsqu'on lui demanda, peu après ce verdict, de définir la position de Montherlant, le Comité répondit qu'il « n'existe à son fait aucune interdiction à ce que des œuvres nouvelles de cet auteur soient publiées ou représentées ». (Selon l'ordonnance, les ouvrages qui avaient motivé une sanction pouvaient être frappés d'interdiction permanente — d'où cette insistance du Comité sur les mots « œuvres nouvelles [40] ».)

Le dossier du vieux poète Paul Fort passa lui aussi devant le Comité : Fort était accusé d'avoir publié 25 articles dans un quotidien notoirement collaborationniste, *Les Nouveaux Temps*, et d'avoir participé à 15 émissions de Radio-Paris (dans un contexte purement littéraire). Il avait en outre assisté à un déjeuner donné à l'Institut allemand en l'honneur d'un autre « ancien », Édouard Dujardin. Fort fut jugé par défaut, car il n'avait pas répondu à la convocation qui lui avait été adressée (il se disait malade et reclus, quoique patriote). Le Comité lui infligea, en janvier 1946, une interdiction de douze mois, qu'il confirma lorsque Fort se présenta enfin devant lui, six mois plus tard. André Thérive, qui avait travaillé pour certains journaux prônant la collaboration la plus éhontée — *Je Suis Partout*, *Les Nouveaux Temps*, la *Pariser Zeitung* — et qui avait assisté à un congrès d'écrivains en Allemagne en 1942, fut interdit pendant 18 mois [41]. Tel historien, accusé de trahison et acquitté par une Cour de Justice, fit valoir que cet acquittement l'immunisait contre les sanctions du Comité. On lui répondit que, bien au contraire, les actes qui n'étaient pas assez graves pour justifier une peine criminelle pouvaient néanmoins motiver des sanctions du Comité. Au vu de son travail pour un journal collaborationniste et de ses commentaires hebdomadaires pour la bande d'actualités officielles proposée par l'agence France Actualités, alors contrôlée par les Allemands, il se vit infliger la sanction maximale, une interdiction de deux ans [42].

Il y eut aussi l'affaire d'un membre de l'Académie Goncourt, Jean Ajalbert. Son dossier indiquait qu'il avait décrit le propagandiste proallemand Philippe Henriot, abattu par un groupe d'intervention de la Résistance, comme « un martyr de la Pensée européenne ». Pour le Prix Goncourt, son choix s'était porté sur l'ouvrage de Lucien Rebatet, *Les Décombres*, et il aurait voulu voir Céline élu à l'Académie Goncourt. Arrêté à la Libération, il avait été détenu à Fresnes et radié par la Société des Gens de Lettres.

Plaidant le grand âge et les infirmités, il n'avait pas répondu aux diverses convocations de cette société ni du Comité national d'épuration des Gens de Lettres. Le 4 mars 1946, celui-ci décida :

> Considérant que M. Jean Ajalbert, convoqué, ne se présente pas,
>
> Considérant que M. Ajalbert, tant par ses articles que par les interviews qu'il a données durant l'occupation, a affirmé ses sentiments collaborationnistes et même (...) s'est élevé contre ceux qui pourraient mettre ces sentiments en doute,
> Considérant qu'en apportant son appui public à des auteurs comme Alphonse de Chateaubriant, Céline et Rebatet, dont les sentiments racistes et proallemands étaient notoires, il a favorisé une des entreprises de l'ennemi,
> PAR CES MOTIFS
> Prononce par défaut, pour une période de deux années à dater de la présente décision, la totalité des deux interdictions temporaires de l'article 3 [43].

Les décisions du Comité national d'épuration des Gens de Lettres, Auteurs et Compositeurs étaient publiées au *Journal Officiel* en tant qu'arrêtés du ministre de l'Éducation nationale. Ainsi, le 26 juin 1946, les décisions prises durant les huit séances qui s'étaient tenues entre janvier et avril de cette année-là furent rendues publiques ; de même, le 26 janvier 1947, pour les décisions prises lors de huit autres séances tenues de mai à octobre. Le CNE précisa à ses sympathisants que, bien que le Comité fît fonction de tribunal, il ne pouvait infliger des interdictions de publier ou de paraître pour plus de deux ans. Son arme véritable, c'était donc l'opinion publique [44].

Suivit une longue interruption, mais, en 1948, la plupart des affaires criminelles avaient été réglées, mais, de l'avis du gouvernement, il était temps de se remettre au travail et de l'achever une fois pour toutes, ce qui permettrait « la liquidation des affaires en suspens répondant à l'état actuel de l'opinion en la matière [45] ». L'un des accusés de marque fut alors Alphonse de Chateaubriant, collaborateur véhément ; la sanction maximale de deux ans lui fut infligée. Lorsqu'il eut à juger André Salmon au sujet duquel existait un dossier fort copieux d'articles favorables aux causes collaborationnistes, notamment celle de la Légion des Volontaires Français qui avait fait endosser l'uniforme allemand à des citoyens français, le Comité savait que l'accusé avait été condamné par la Chambre civique à cinq ans de dégradation nationale, et par la Commission d'épuration des journalistes à une suspension de ses activités. Il décida donc de lui infliger une peine se confondant avec celle de ladite commission[46].

Il y eut également un dossier contre un auteur célèbre de romans policiers. La police avait découvert une liasse de lettres que cet auteur avait adressées sous l'occupation à la firme cinématographique Continental. Dans l'une d'elles, il réclamait le droit de conduire son véhicule sans aucune restriction, « alors que n'importe quel gaulliste [*sic*] circule librement », faisant remarquer que lui-même travaillait pour des quotidiens collaborationnistes tels que *Paris-soir, les Nouveaux Temps* et *Le Petit Parisien*. On lui infligea une interdiction de deux ans[47].

Le Comité finit également par aborder l'affaire Paul Morand ; celui-ci avait déjà fait l'objet de sanctions du Quai d'Orsay, mais son affaire avait été classée par une Cour de Justice. Il fut jugé « hors de cause (...), attendu que les écrits reprochés à Paul Morand ont un caractère purement littéraire[48] ».

Tel auteur dramatique réputé devait pour sa part passer entre les gouttes. En sa qualité de scénariste pour la firme allemande Continental, il avait fait l'objet d'une enquête de la part du Comité régional interprofessionnel d'épuration dans les entreprises ; en avril 1949, le Comité national d'épuration des Gens de Lettres devait décider que puisque le Comité régional avait déjà examiné les articles publiés par cet auteur dans *La Gerbe*, « il y a chose jugée », ce qui le mettait hors de cause. En fait, ledit auteur n'avait pas été jugé du tout, car, après que le Comité régional eut recommandé un « blâme avec affichage pour avoir apporté son concours par collaboration à des journaux favorables aux Allemands... », la préfecture de la Seine avait statué que, de toute façon, le Comité n'était pas compétent[49].

CHAPITRE V

Académiciens et artistes

Cette noble institution qu'était l'Académie française avait toujours attiré les personnalités les plus conservatrices, ou plutôt, pourrait-on dire, sa majorité conservatrice choisissait les candidats présentant avec ses membres la plus nette compatibilité d'humeur. Ainsi, à un moment crucial des luttes idéologiques des années trente, elle avait coopté en son sein le virtuel *führer* de l'extrême droite, Charles Maurras, leader de l'Action française, qui sortait à peine de prison pour avoir incité les Français à assassiner certains membres de la Chambre du Front populaire. Nombre d'éminentes personnalités du gouvernement de Vichy, à commencer par le maréchal Pétain, étaient académiciens. La question était de décider comment régler en douceur le sort de ces vénérables — et naguère vénérés — personnages.

Dans ses mémoires, Charles de Gaulle a évoqué les pressions auxquelles il avait été soumis en sa qualité de protecteur traditionnel de l'Académie. D'aucuns souhaitaient rénover l'auguste assemblée, d'autres l'estimaient tout juste bonne à supprimer. De Gaulle en discuta avec le secrétaire perpétuel de l'Académie, « l'illustre et courageux Georges Duhamel ». Nous savons, par le journal du secrétaire particulier du Général, que la discussion eut lieu le 7 septembre 1944, quinze jours seulement après la libération de Paris. De Gaulle fit clairement savoir qu'il souhaitait que l'Académie survécût sous sa forme traditionnelle, mais reconnaissait néanmoins qu'elle avait besoin de sang neuf. Plusieurs fauteuils étant justement à pourvoir, pourquoi ne pas suspendre la règle exigeant que ce soit aux candidats d'aller solliciter les voix des membres de l'Académie et élire tout simplement des grandes personnalités patriotiques ? Quelques jours plus tard, de Gaulle eut une entrevue avec plusieurs académiciens, mais ce fut pour découvrir le peu d'enthousiasme avec lequel ils envisageaient cette rénovation. « En fin de compte, l'Académie, rassurée par le bon ordre qu'elle voyait se rétablir partout, en revint à ses habitudes [1]. »

Une semaine auparavant, l'Académie avait fait preuve d'une belle énergie en excluant de ses séances « les deux Abel », comme on les appelait : Abel Bonnard et Abel Hermant, tous deux ardents collaborateurs dont les convictions ne laissaient aucune place à l'ambiguïté. L'annonce à la presse, fort succincte, précisait simplement que les onze membres présents sous la coupole avaient voté cette décision à l'unanimité ; le quorum n'ayant pas été atteint, ils considéraient leur geste comme une interdiction plutôt que comme une véritable exclusion [2]. « Et Pétain ? » demanda en gros titre l'organe socialiste *Le Populaire* [3]. Grâce aux révélations de son secrétaire, nous savons que de Gaulle était plutôt d'accord avec le souhait de l'Académie de faire « silence sur son cas [4] ». Et Charles Maurras ? Dans les pages du *Figaro,* son confrère François Mauriac, le « résistant en chef » des Quarante, adversaire déclaré de la candidature de Maurras à l'Académie dans les années trente, expliqua l'affaire du quorum non atteint. De toute façon, Mauriac trouvait cette hâte parfaitement déplacée : « Était-il urgent de prier un écrivain sous les verrous, dans une prison lyonnaise, de ne plus venir siéger quai Conti ? » Quant à Pétain : « Et pour l'autre confrère que les Allemands ont enlevé de l'Hôtel du Parc, subsiste-t-il la moindre chance de revoir un jour, sur notre seuil, se dresser cette figure tragique [5] ? » Mauriac anticipait sur les conclusions du général de Gaulle : « Il ne faut pas dissoudre l'Académie (...), il faut la renouveler (...). Les nombreux fauteuils dont nous disposons nous permettraient aujourd'hui de tenter l'aventure [6]. »

Les exclusions de Pétain et Maurras furent dans une certaine mesure favorisées par les ordonnances d'épuration, leurs condamnations à la dégradation nationale les privant *ipso facto* de leurs sièges. Aux termes du deuxième alinéa de l'article 21 de l'ordonnance du 26 décembre 1944 codifiant la procédure relative au crime d'indignité nationale, les coupables punis de dégradation nationale étaient sujets à « la destitution et l'exclusion (...) de toutes fonctions, emplois, offices publics et corps constitués [7] ». L'Académie n'eut donc nul besoin de voter pour exclure Maurras ; il lui suffit d'écouter la lecture de l'ordonnance au cours d'une de ses séances solennelles [8]. En fait, la fraction vichyste de l'Académie française — « le parti vichyssois », comme disait un spécialiste — resta puissante, même si elle préféra momentanément se faire oublier. Les fauteuils de Pétain et de Maurras — subtil hommage — restèrent vacants de leur vivant. Néanmoins, en 1958 encore, Paul Morand se vit refuser l'entrée sous la Coupole en raison de son « rôle pendant la dernière guerre », pour citer une lettre signée par onze académiciens protestant contre sa candidature [9]. Autres temps, autres mœurs : lorsqu'il se représenta dix ans plus tard, Morand fut bel et bien élu.

L'Académie Goncourt, plus restreinte, n'avait rien d'officiel, mais fonctionnait elle aussi conformément à certaines règles et traditions. Sous l'occupation, un certain nombre de ses membres avaient été la cible des attaques de la Résistance et lorsqu'ils choisirent d'accueillir parmi eux Jean de La Varende, un article des *Lettres Françaises* avertit que « l'Académie Goncourt aura des comptes à rendre [10] ». Après la libération de Paris, le même journal, sorti de la clandestinité, exigea de savoir quand les Goncourt comptaient se débarrasser de leurs membres qui avaient collaboré : Sacha Guitry, René Benjamin, Jean Ajalbert et La Varende. À ce moment, Guitry et Benjamin étaient tous deux internés [11].

L'Académie Goncourt résolut le problème en se scindant en deux : une majorité demeura active, les « brebis galeuses » végétant momentanément dans l'oisiveté. En juillet 1945, le premier de ces deux groupes accorda le Prix Goncourt à Elsa Triolet, compagne de Louis Aragon, elle-même communiste et juive ; les *Lettres Françaises* durent reconnaître qu'il s'agissait d'un « prix de bonne conduite [12] ».

L'Académie Goncourt se trouvait en quelque sorte dans une impasse, car il fallait huit voix pour voter l'exclusion d'un de ses membres, et trois au moins sur les Dix auraient dû être exclus, lesquels se refusaient bien sûr à démissionner, « car se retirer c'est s'avouer coupable », nota un observateur de ces démêlés académiques [13]. La minorité Goncourt allait d'ailleurs faire reparler d'elle : en 1947, Guitry et Benjamin annoncèrent qu'ils décernaient eux aussi un prix dont la bande pouvait laisser croire qu'il s'agissait du Prix Goncourt officiel. La majorité les attaqua en justice et gagna son procès [14].

Chaque société d'auteurs effectua sa propre épuration : de toute façon, toutes les sociétés, quelles qu'elles fussent, étaient tenues de le faire. Ainsi, l'Association des Écrivains Combattants élut une Commission d'Épuration de trois membres : le général Édouard Brémond, Pierre Chanlaine et Gabriel Reuillard [15], laquelle prononça l'exclusion de Pierre Benoit (qui figurait sur la liste noire du CNE), José Germain (alors détenu), Henri Massis (dans le même cas), François Piétri (en Espagne), Georges Scapini (aussi en fuite),

André Thérive (également exclu de la Société des Gens de Lettres) et Pierre Valéry-Radot (en fuite). Quant au président de l'Association, Paul Chack, il devait être condamné et exécuté, ainsi qu'un autre membre, Georges Suarez. Drieu La Rochelle, pour sa part, avait, nous l'avons vu, préféré se soustraire au châtiment en mettant fin à ses jours [16].

Les deux principales institutions chargées de recueillir les droits à reverser aux auteurs, la Société des Auteurs et Compositeurs dramatiques et la Société des Auteurs, Compositeurs et Éditeurs de Musique, adressèrent à leurs adhérents, comme nous l'avons déjà noté, des questionnaires qu'ils transmirent ensuite, dûment remplis, au Comité national d'épuration des Gens de Lettres, sans s'occuper de savoir si les réponses indiquaient ou non des activités ou opinions collaborationnistes, ce qui obligea le Comité à les trier tous (il y en avait environ 2 000 [17]).

Ces questionnaires suscitèrent d'inévitables protestations. Pierre Scize, par exemple, membre fondateur du journal *Combat*, protesta auprès de Marcel Pagnol, président de la Société des Auteurs et Compositeurs dramatiques : « Comme je sais à n'en pouvoir douter que tu as oublié d'être naïf, je suis bien forcé de croire que ce questionnaire n'a été élaboré que pour permettre, par son outrance même, aux gens qui avaient quelque chose à se reprocher de se défiler. Car enfin, je croirai à son existence le jour où tu m'auras montré le héros qui aura répondu oui aux questions formulées dans les deux premières pages [18]. »

Il faut dire que le document avait de quoi laisser pantois. La première question donnait déjà le ton : « Avez-vous fait des dénonciations soit par voie directe, soit par voie détournée, visant des personnes, des collectivités, des partis ou des confessions ? »

Après un certain nombre de demandes de la même encre, venait le clou du questionnaire :

« Même si vous n'avez pas effectivement aidé la propagande ennemie et si, par l'écrit, la parole, le fait ou le geste, vous n'avez pas été un collaborateur agissant, jugez-vous, en votre âme et conscience, que vous n'avez pas failli à votre devoir d'intellectuel français chargé d'une mission de confiance auprès de la masse, et que votre attitude, votre comportement, dans le privé comme dans le public, a été conforme à la dignité patriotique qu'il convenait de garder, après une défaite humiliante, pendant une occupation matériellement et moralement odieuse et face à un adversaire qui, désireux d'avilir notre pays en ayant l'air de l'appeler à la collaboration, affamait notre peuple, étouffait notre pensée, notre culture et notre liberté, torturait nos compatriotes, fusillait nos otages et se conduisait en ennemi mortel de notre génie et de notre civilisation ? »

L'un des sociétaires fit remarquer que la question était « digne de l'Inquisition ou du Nazisme » et qu'elle « a dû révolter tous ceux qui, dans le comité, ont gardé la notion de la liberté de penser ». Un autre notait : « Il faut être lâche ou idiot pour répondre à cette outrageante question. Sommes-nous sous un régime de liberté de conscience [19] ? » Pagnol lui-même trouva la question dure à avaler : dans un premier temps, il répondit « non », avant de biffer ce mot pour mettre « oui » ! Il reconnaissait avoir eu personnellement l'usage d'une automobile privée à l'époque où il était directeur des Studios de Marseille, c'est-à-dire jusqu'en 1941 ; la même année, un livre inspiré de son film *La Fille du Puisatier* avait été publié à Paris [20].

Grâce aux archives soigneusement préservées de la Société des Gens de Lettres, il nous est possible de suivre les péripéties du grand nettoyage qui se fit à l'intérieur de cette vénérable institution (fondée plus d'un siècle auparavant). La première réaction du comité de direction, à la Libération, fut le désarroi : il devait en effet remettre en cause son propre droit à l'existence, puisqu'il avait été impossible d'organiser la moindre assemblée générale depuis le début de l'occupation. Jean Vignaud, le président, expliqua à un comité extraordinaire réuni le 4 septembre 1944, soit quelques jours à peine après la libération de Paris, que le comité avait été contraint de garder en son sein des collaborateurs. Les exclure eût attiré l'attention des Allemands et, de ce fait, mis en danger l'existence même de l'organisation. Vignaud souligna ses propres efforts en faveur des Juifs et d'autres menacés d'arrestation ou de travail obligatoire. Il déclara que même si la Société avait été obligée d'envoyer des questionnaires racistes, pas un adhérent juif n'avait été radié, en dépit des règlements en vigueur sous l'occupation. Il fut convenu, pour finir, que le mandat du comité avait expiré. (*Les Lettres Françaises*, rapportant le 30 septembre que le comité « s'est sabordé », nota : « On le comprend très bien. »)

Lors de l'assemblée générale réunie le 3 octobre, un nouveau comité fut élu et l'on se mit d'accord sur la meilleure façon d'épurer la Société. Évoquant ce devoir, le nouveau président, Georges Lecomte, déclara : « Il sera fait certes sans faiblesse, avec le plus calme esprit de justice, et non sous l'influence de l'opinion extérieure qui, passionnée, violente, mal informée, risque souvent d'être injuste. » La Commission d'Épuration de la Société « jugera sur des textes, des écrits, des actes, des témoignages contrôlés ». Après quoi le comité directeur « statuera définitivement et aura la responsabilité des décisions prises ». Lecomte précisa que les sociétaires épurés seraient radiés de façon permanente ou temporaire, mais qu'ils ne seraient pas, en revanche, privés des services de répartition des droits d'auteur assurés par la Société, à moins qu'ils ne choisissent d'en démissionner.

La Commission d'Épuration de la Société des Gens de Lettres fut donc créée sous la présidence du général Paul Azan. Les membres en étaient Alexandre Arnoux, du Front national des écrivains, et Gabriel Reuillard, du Comité des Écrivains Combattants (auxquels allaient bientôt venir s'ajouter deux autres membres, Auguste Dupouy et Jean Prudhomme). Lors d'une réunion du comité, le 18 octobre, le général Azan expliqua pourquoi cette épuration était particulièrement nécessaire. Ce n'était pas seulement la France, mais le monde entier qui avait les yeux braqués sur eux : ceux dont les écrits avaient été contraires aux nobles sentiments de la France devaient être désavoués, les adhérents de la Société devaient être sans tache. Azan aurait personnellement préféré une commission d'épuration unique pour tous les intellectuels, solution prônée par André Billy dans *Le Figaro*, mais quand la chose serait-elle possible ? En attendant, il était important d'assumer les responsabilités propres à la Société. L'épuration était « une tâche ingrate, parfois amère », qui vous obligeait à oublier dans certains cas « de très vieilles amitiés ». Les épurateurs n'avaient guère de facilités pour mener leurs enquêtes, et leurs décisions pouvaient être attaquées devant les tribunaux. À quels critères fallait-il avoir recours ? Il était essentiel de n'annoncer aucune décision tant que le comité et l'assemblée générale ne les auraient pas ratifiées, et il fallait aussi garder présent à l'esprit l'appel lancé par de Gaulle en faveur de l'union de tous les Français et Françaises.

La première liste d'épurés ne prêtait guère à controverse. Y figuraient des têtes de file de la collaboration, tels Paul Chack, Georges Suarez ou Fernand de Brinon (qui tous, nous l'avons vu, devaient être exécutés). On trouvait aussi les deux Abel de l'Académie française, Bonnard et Hermant, et plusieurs autres qui allaient être condamnés par les tribunaux : Alphonse de Chateaubriant, Stéphane Lauzanne, Alain Laubreaux, Bernard Faÿ. Le comité ratifia toutes les sanctions, mais décida de faire appel à Fernand Payen (plus tard un des défenseurs de Pétain) pour le conseiller sur leur application. Et l'on demanda aux sociétaires de contribuer à l'enquête en relisant la presse de l'occupation ; Azan devait également tenter d'obtenir des renseignements auprès de l'administration.

Le bâtonnier Payen assista à l'une des réunions du comité au début de décembre. Il recommanda le plus strict respect des statuts qui laissaient aux auteurs accusés tout loisir de se défendre. Si un membre était l'objet de poursuites judiciaires, la société devait différer sa propre décision jusqu'à ce que l'affaire eût été entendue.

Les procès-verbaux des réunions du comité laissent penser que cette épuration fut une entreprise bien laborieuse. La première difficulté consistait à obtenir que les accusés se présentent devant la commission, car s'ils avaient la moindre excuse pour ne pas répondre à une convocation, leur affaire avait toute chance d'être simplement différée *sine die*. Parfois, un sociétaire bénéficiait d'un non-lieu de la Commission d'épuration, tout en étant sanctionné par ailleurs par le Comité national d'épuration des Gens de Lettres (ce fut le cas d'Henry de Montherlant). L'organisation élabora une lettre qu'elle envoya à tous les membres convaincus de collaboration mais dont les torts n'étaient pas assez graves pour justifier une radiation. Ce blâme commençait comme suit :

> « Mon cher confrère,
>
> Le Comité de la Société des Gens de Lettres, dans l'examen de l'attitude de ses membres pendant l'occupation allemande, n'a pas cru devoir prendre des sanctions à votre égard, par mesure d'indulgence et d'apaisement. Il vous exprime toutefois ses regrets qu'un sociétaire ou adhérent ait accordé, comme vous l'avez fait, sa collaboration à des journaux ou périodiques tels que... »

La Société examina les dossiers de ses membres traduits devant les tribunaux, mais décida de ne pas rendre publiques ses propres décisions tant que le verdict n'aurait pas été prononcé. (L'un des membres visés n'était autre que Philippe Pétain.) Elle poursuivit son travail tout au long de 1945. Entre-temps, le 13 mai de la même année, elle tint une assemblée générale. Lorsque le général Azan lut le rapport de sa Commission d'épuration, il y eut des protestations à la mention de certains noms. Azan trouva cette réaction compréhensible, le rôle de l'assemblée étant justement d'entériner ou de rejeter les décisions du Comité. Il nota qu'elle semblait plutôt encline à majorer les sanctions plutôt que le contraire, et qu'il fallait tenir compte de ses sentiments. Les écrivains sanctionnés devaient-ils continuer à percevoir des pensions ? voulut savoir un adhérent. Georges Lecomte plaida la charité. Pour finir, l'assemblée ratifia le travail accompli par les épurateurs et leur demanda de bien vouloir poursuivre leur tâche pendant encore un certain temps. On pria les membres ayant des faits à reprocher à d'autres membres de se manifester, ce que firent certains.

Lors d'une réunion du comité, tenue le 30 mai, la Société prit la pénible décision de retirer son titre de président honoraire à celui qui avait occupé la présidence tout au long de l'occupation, Jean Vignaud, les procès-verbaux de réunions ne révélant que trop d'exemples de sa complaisance envers Vichy pour autoriser le comité à garder silence devant l'Histoire. Les discussions concernant les activités de la Société sous l'occupation devaient se poursuivre tout au long de l'année.

Le 6 juin 1945, le comité nomma ses représentants au Comité national d'épuration des Gens de Lettres nouvellement créé, mais refusa d'accéder à sa demande de lui remettre son propre fichier d'épuration tant qu'il n'aurait pas reçu ce qu'il considérait comme les garanties souhaitables [21]. En février 1946, une nouvelle assemblée générale prit note de la radiation de sept de ses membres condamnés par les tribunaux à la dégradation nationale (parmi lesquels Pétain). Un autre membre fut radié à la suite de sa condamnation par les tribunaux belges, et deux autres par décision du comité après enquête de la Commission d'épuration. L'un d'eux fut radié parce qu'il n'avait pas répondu à la convocation de la Commission ; l'autre, pour cinq ans, à la suite d'une condamnation pour le même temps. Un autre membre fut suspendu pour cinq ans par décision du comité, et deux autres se virent infliger un blâme. D'autres dossiers étaient à l'étude, mais un plus grand nombre encore était en suspens, dans l'attente des décisions des Cours de Justice [22].

L'épuration des créateurs ne pouvait être que controversée, davantage encore que celle de tout autre groupe de citoyens, car il y avait toujours risque de s'entendre reprocher de porter atteinte à la liberté d'expression. Un certain nombre de membres de la SACEM, notamment Arthur Honegger, s'élevèrent contre une épuration fondée sur l'utilisation qui avait été faite de leurs œuvres pour accompagner des moyens de propagande, avançant qu'ils écrivaient de la musique, laquelle ne pouvait avoir aucune signification politique. La décision avait été prise de ne pas payer à ces compositeurs de droits d'auteur pour la musique utilisée pour accompagner les bandes de l'agence proallemande France-Actualités, mais les musiciens firent valoir que cette même musique avait également été utilisée par France-Libre-Actualités pour accompagner d'autres bandes : « Ainsi, la musique qui accompagnait le maréchal Pétain sur l'écran accompagne aujourd'hui le général de Gaulle (...) Nous arrivons donc à ce résultat absurde : la même musique peut être maudite ou glorieuse. La même musique peut toucher des droits ou n'en pas toucher[23]. »

En fait, les épurateurs jugeaient d'ordinaire les compositeurs non pas d'après le contenu de leurs œuvres, mais sur ce qu'ils avaient fait personnellement. Ainsi, Florent Schmitt, alors âgé de 76 ans, avait prêté son nom à l'un des mouvements les plus ouvertement collaborationnistes, « Collaboration », en tant que président d'honneur de sa section musicale ; il avait participé à un voyage de propagande à Vienne, qui faisait alors partie du Reich (en novembre 1941, pour le 150e anniversaire de la mort de Mozart) et, à Paris, il avait assisté à un dîner à l'ambassade d'Allemagne. Il était donc passible de sanctions, mais le Comité national d'épuration des Gens de Lettres, Auteurs et Compositeurs, savait aussi que depuis la Libération, les théâtres, les salles de concert et la radio s'étaient abstenus de jouer ses œuvres. En conséquence, la sanction prise contre lui en janvier 1946 fut antidatée pour couvrir une période d'un an à partir du 1er octobre 1944[24].

Certains écrivains donnèrent l'impression de passer fort aisément à travers les mailles du filet. Le bruit courait que si un auteur au nom prestigieux acceptait d'écrire pour la presse communiste ou celle de ses compagnons de route, ses péchés du temps de guerre lui étaient remis. Ainsi, un observateur prit-il note des ragots qui accompagnèrent la publication dans Les Lettres Françaises, organe des écrivains de la Résistance, d'une œuvre de Roland Dorgelès, de l'Académie Goncourt, qui, sous l'occupation, avait régulièrement écrit pour l'hebdomadaire collaborationniste Gringoire. Or, le même Dorgelès n'allait-il pas peu après remettre le Prix Goncourt à Elsa Triolet, compagne de Louis Aragon, personnalité dominante du Comité national des écrivains[25] ?

Ne pouvait-on estimer de toute façon que quiconque s'était exprimé durant les années d'occupation était dans une certaine mesure coupable ? La question fut soulevée par un Comité Saint-Just, dont les membres ne furent pas identifiés, lequel demanda au ministre de l'Éducation nationale d'étendre l'épuration à des auteurs bien connus et généralement considérés comme au-dessus de tout soupçon. Était-ce là de l'ironie ou bien une contre-attaque d'auteurs accusés de collaboration ? Le Comité Saint-Just, qui semblait fort bien informé de ce qui se passait dans le monde des lettres, réclamait des sanctions contre François Mauriac, accusé d'avoir sollicité l'autorisation des Allemands pour publier son roman *La Pharisienne ;* contre Paul Valéry, censé avoir accepté 10 000 francs pour sa contribution à l'ouvrage hagiographique de Sacha Guitry, *De Jeanne d'Arc à Philippe Pétain ;* contre Georges Duhamel, au même motif ; contre Pierre Brisson, du *Figaro,* pour avoir prétendument reçu 300 000 francs de subventions accordées par Pétain à son journal ; et contre Jacques de Lacretelle, accusé d'avoir écrit pour le périodique catholique et collaborationniste *Voix Française* [26].

Certains relevaient d'ailleurs de sérieuses lacunes dans l'épuration des écrivains. En février 1946 encore, un éditorial non signé de *Combat,* sans doute rédigé par Camus, se plaignait du fait que bien des écrivains n'eussent pas été punis ; après avoir remarqué qu'on ne parlait guère des activités du Comité national d'épuration des Gens de Lettres, *Combat* affirmait que même un journaliste pouvait ignorer ce qui s'y déroulait. Il en résultait une « situation absurde », car les écrivains collaborationnistes envoyaient leurs manuscrits à l'étranger et, comme leur renom international était plus grand que celui des écrivains de la Résistance, c'était eux qu'on publiait. À quoi il fallait ajouter que les attachés culturels à l'étranger n'était pas d'un grand secours, puisque l'un d'eux avait confondu Albert Camus avec Alfred Capus, journaliste et dramaturge mort en 1922 [27].

La censure perdurait et *Les Lettres Françaises* ne jugeait pas cela anormal, la guerre n'étant pas encore terminée. Le journal estimait en revanche qu'il était quelque peu gênant que le président du Syndicat des éditeurs, chargé de diffuser la liste des titres censurés, fût celui là même qui avait fait circuler la liste des ouvrages interdits par les Allemands sous l'occupation [28]. Les œuvres d'écrivains célèbres qui s'étaient illustrés par leur collaboration étaient à présent interdites : Céline, Rebatet, Drieu La Rochelle ; des publications de maisons connues, telles que Denoël, Grasset ou le Mercure de France, étaient également touchées [29].

Par la suite, un des écrivains épurés devait déclarer que les ouvrages des collaborateurs avaient étés victimes d'une conspiration du silence, que la police et les douanes avaient pratiqué une censure sournoise ; il ajoutait non sans ironie que les collaborateurs étaient les seuls véritables écrivains français clandestins (car il faisait fi des écrivains de la Résistance, remarquant d'une plume caustique que les poèmes d'Éluard ou les pièces de Sartre avaient fait montre d'une telle subtilité dans leur façon de résister qu'ils avaient été ouvertement autorisés dans le Paris occupé.) Les auteurs interdits ne tardèrent pas à se remettre au travail sous divers pseudonymes. Des écrivains qui se trouvaient en prison, comme Charles Maurras ou Henri Béraud, furent réédités en éditions à tirage limité (mais c'était l'État qui touchait les droits). Toute une littérature naissait des expériences vécues devant les tribunaux ou derrière les barreaux ; ces œuvres étaient signées tantôt du nom de l'auteur, tantôt d'un « X » anonyme. Quelques-uns de ces livres étaient violents, nés de la plume d'anti-républicains et antisémites impénitents. Il y eut aussi des ouvrages satiriques, notamment un anonyme *Voyage en Absurdie* à la manière de Voltaire, attribué à Pierre Gaxotte, René Benjamin, voire Sacha Guitry. (C'était en réalité l'œuvre du dessinateur Ben[30].)

A l'évidence, les peintres et les sculpteurs — à l'instar des musiciens — faisaient rarement passer un message politique dans leurs œuvres. En tant qu'individus, cependant, ils avaient pu prendre part à des activités collaborationnistes ou prêter leurs signatures souvent prestigieuses aux causes proallemandes. Certains avaient participé à des événements culturels parrainés par l'occupant. La Résistance aussi avait eu ses artistes. À la Libération, un Front national des Arts, sous la présidence de Pablo Picasso, soumit au procureur général de la République et au préfet de police une liste d'artistes dont il réclamait l'arrestation et le jugement. Sur cette liste noire figuraient des noms célèbres : Émile Othon Friesz, Paul Belmondo, Paul Landowski, ainsi que celui du président de la Société des Graveurs français et de certains critiques d'art[31].

Comme nous l'avons noté, l'ordonnance créant le Comité national d'épuration des Gens de Lettres avait également institué un Comité national d'épuration des Artistes Peintres, Dessinateurs, Sculpteurs et Graveurs ; sous l'égide du ministère de l'Éducation nationale, il était lui aussi habilité à enquêter, à tenir audience et à infliger des sanctions, parmi lesquelles l'interdiction d'exposer ou de vendre des œuvres, de travailler pour la presse, de donner des conférences ou de participer à des émissions de radio[32]. Les principales cibles de l'épuration furent les artistes qui s'étaient rendus en Allemagne nazie sous l'occupation, quoi qu'ils y aient fait. La justice disposait d'un témoin privilégié de ce voyage en Allemagne qu'avaient effectué les plus célèbres peintres français en la personne d'un jeune éditeur, tenu de se faire bien voir des Allemands car son épouse était juive. Il avait eu par ailleurs la malchance avant la guerre de gagner un procès contre un collectionneur d'art allemand ; après la victoire nazie sur la France la décision avait été cassée. Cet éditeur espérait arranger son cas en acceptant d'effectuer une visite en Allemagne. Il devait expliquer au Comité national d'épuration des artistes que ses compagnons de voyage avaient paru fort mal à l'aise de se trouver en terre ennemie ; l'un d'entre eux, au moins, André Dunoyer de Segonzac, estimait s'être complètement fourvoyé en acceptant cette idée. L'éditeur avait également remarqué qu'André Derain, Maurice de Vlaminck, Othon Friesz et Kees Van Dongen avait manifesté le plus grand mépris pour les œuvres de leurs confrères allemands. De temps en temps, Derain ou Vlaminck s'écriaient : « Merde ! que c'est moche ! » En pénétrant dans le studio d'un artiste allemand, Vlaminck « eut un mouvement de recul » et déclara : « En voyant cela, on comprend qu'un peuple perde la guerre. » Ses cadets, membres de la délégation, Roland Oudot ou Belmondo, étaient du même avis, mais s'exprimaient avec un peu plus de courtoisie [33]. En juin 1946, 23 artistes firent l'objet de sanctions de la part du Comité national d'épuration [34].

RÉSISTANCE ET RÉPRESSION

CHAPITRE VI

Les vedettes

Le monde du spectacle pouvait paraître un curieux terrain pour la chasse aux traîtres. À vrai dire, les vedettes de la scène, de l'écran et des salles de concert étaient restées très en vue durant les sombres années de l'occupation, et leurs faits et gestes avaient eu un certain écho. Certains des grands noms du spectacle français s'étaient compromis ; des théâtres, des firmes cinématographiques avaient servi la propagande ennemie.

La charge d'organiser une épuration ordonnée parmi le monde du spectacle retomba sur les épaules d'un vétéran du théâtre, Édouard Bourdet, alors âgé de 57 ans. Populaire dramaturge parisien entre les deux guerres, il avait été administrateur de la Comédie-Française durant les quatre années qui avaient précédé la défaite de la France. Dès avant la libération de la capitale, Bourdet avait été contacté pour assumer, dans le cadre du ministère de l'Information, le rôle de Délégué provisoire au Théâtre. Après la Libération, son titre officiel devint celui de Délégué aux Spectacles, dépendant du secrétariat général des Beaux-Arts au ministère de l'Éducation nationale. Il prit aussitôt quelques dispositions provisoires ; il décida par exemple que durant la période séparant la libération de Paris de l'installation officielle du nouveau gouvernement, nul ne serait autorisé à participer à une représentation théâtrale sans une carte professionnelle provisoire, laquelle ne serait délivrée qu'une fois que le syndicat correspondant aurait fourni une attestation écrite certifiant que le bénéficiaire n'avait à son actif aucun fait de collaboration. Les faits en question étaient précisés : par exemple, « Je jure sur l'honneur : 1° N'avoir ni dénoncé ni persécuté[1]... » Ces premières directives résultaient de discussions que Bourdet avait eues avec des gens de théâtre durant les derniers mois de l'occupation où l'on savait que la Libération n'était plus très éloignée et où l'on avait donc commencé à s'y préparer[2].

Aux premiers jours de la Libération, certaines vedettes de la scène et de l'écran furent l'objet d'une forme de justice plus expéditive. Les collaborateurs les plus en vue avaient été ramassés par la police ou par des escouades de résistants faisant office de policiers : ainsi Sacha Guitry. Cependant, lorsque Pierre Fresnay subit le même sort, accusé d'avoir travaillé pour la firme cinémato-graphique allemande Continental et d'avoir manifesté des senti-ments proallemands, ce fut l'épurateur en chef Édouard Bourdet qui intervint en personne, faisant le panégyrique des activités charitables de Fresnay en faveur de ses camarades sous l'occupa-tion[3].

Il fallut un certain temps pour mettre en place le nouveau système de tri, et ce retard coïncida avec un autre problème. À la fin d'août 1944, il n'y avait pas d'électricité pour les théâtres ; donc, à moins de pouvoir tirer parti de la lumière naturelle, il était de toute façon impossible de donner une réprésentation. Peu après, la Société des Auteurs et Compositeurs dramatiques informa Bourdet que les théâtres ne rouvriraient pas tant que l'épuration ne serait pas terminée, de façon à éviter les incidents.

Bourdet institua cinq organismes distincts chargés du filtrage immédiat des professions du spectacle ; ils correspondaient respec-tivement au Comité provisoire de la Société des Auteurs, à la Chambre syndicale des directeurs de théâtre, à celle des Directeurs de spectacles, au Syndicat des Tourneurs (pour les metteurs en scène de théâtre) et au Syndicat du Théâtre (artistes et person-nel)[4]. En réalité, la moindre sous-section de gens du spectacle eut son propre organe d'épuration, comme par exemple le Comité d'épuration du Syndicat des Artistes des Chœurs[5]. Le ministère de l'Éducation définit des critères pour tous ces comités provisoires d'épuration, couvrant des fautes telles qu'offres de services à l'ennemi, dénonciations, persécutions, adhésion à des groupes comme les Waffen SS, la LVF ou la Milice. En d'autres cas, par exemple adhésion au PPF ou au RNP, participation sous l'occupa-tion à des pièces ou fils de propagande ou à d'autres activités proallemandes, « la sanction à appliquer dépendra de la gravité des faits reprochés et aussi de leur caractère habituel ou, au contraire, isolé et accidentel ». Les artistes qui avaient été contraints de se produire à la suite de pressions, ou dont la collaboration avait son origine dans « une faiblesse momentanée », mais qui avaient racheté cette erreur « par des actes de courage civique », pour-raient être absous. Les sanctions allaient de l'interdiction permanente d'exercer la profession à l'interdiction temporaire de trois mois à trois ans[6].

Pour mener à bien cette tâche sans précédent, Édouard Bourdet était assisté d'une commission composée de représentants de toutes les branches du spectacle : un directeur de théâtre, un metteur en scène (André Barsacq, du Théâtre de l'Atelier), un décorateur, un auteur dramatique (Charles Vildrac), un chef d'orchestre, un machiniste, etc. Dans la plupart des cas, les membres de la commission étaient nommés par des mouvements de Résistance, mais il ne fut pas toujours facile de les convaincre d'accepter ce rôle. La commission bénéficiait du concours de la Commission de contrôle instituée par le Syndicat des Artistes, qui avait recours aux listes officielles de collaborateurs, au fichier de Radio-Paris (la station de propagande proallemande du Paris occupé), aux contrats trouvés dans les archives de la Continental et à d'autres preuves écrites du même genre[7].

L'épuration du spectacle reçut enfin l'aval du gouvernement par son ordonnance du 13 octobre 1944. Celle-ci limitait l'interdiction d'exercer une activité professionnelle à un an, mais punissait en revanche ceux qui l'outrepassaient d'un an de prison ; par ailleurs, le directeur d'un théâtre où un artiste interdit (ou tout autre membre de la profession) bravait l'interdiction, serait lui aussi puni et son établissement fermé[8]. Au départ, ce fut un acteur qui présida la Commission gouvernementale d'épuration du spectacle, mais il fut assez vite remplacé par un Conseiller à la Cour, afin de donner aux opérations une forme plus juridique. La Commission recommanda quelque 140 sanctions[9].

Non sans problème, cependant. Le 17 novembre 1944, des membres de la nouvelle Commission gouvernementale protestèrent auprès du ministre de l'Éducation : ils avaient examiné les dossiers avec soin et transmis leur avis, mais, jusque-là, le ministre n'avait pas suivi, si bien que « les personnes qui méritaient indiscutablement une sanction » étaient toujours en mesure de se produire. Cette situation « scandaleuse », disaient-ils, avait même permis à des personnes hostiles à l'épuration de distribuer une fausse circulaire, adressée aux directeurs de théâtre, annonçant que les sanctions prises contre certaines personnes avaient été levées[9].

De toute façon, dans le monde tumultueux du spectacle, tout était possible. Des tracts anonymes circulaient, tournant en dérision les états de service de résistants dont se targuaient les épurateurs : « Public, démasque-les, disait l'un de ces tracts. Siffle-les : il y va de la JUSTICE et de L'AVENIR MÊME DE LA FRANCE

— qu'ils ont trahie. » Le secrétaire général de la Commission de contrôle du Syndicat des Acteurs, Jean Darcante, était accusé d'avoir collaboré. Il se défendit devant ses pairs et reçut un vote de confiance. « Pourquoi pourchasse-t-on tellement les artistes, tant de music-hall que de comédie ou de chant — poursuivait le tract anonyme —, alors que les ouvriers qui fabriquèrent obus, V1 ou matériel roulant pour l'Armée allemande ne sont pas inquiétés, au contraire ? » Et de répondre aussitôt à cette question : parce que les épurateurs comptaient bien, en se débarrassant de prétendus collaborateurs, se ménager une place au soleil : « Au poteau, les faux résistants de l'Intérêt personnel [10]... »

La Commission gouvernementale devait régler une gamme fort étendue d'affaires. La chanteuse populaire Suzy Solidor était accusée d'avoir mis son talent et son prestige au service de Radio-Paris : on lui infligea un an de suspension de toute activité. Pour le célèbre Quatuor Loewenguth, accusé d'être passé 72 fois à Radio-Paris, la Commission recommanda une interdiction de trois mois. Peu après, cette formation se joignit à d'autres ensembles de musique de chambre, le Quintette instrumental Pierre Jamet, le Trio Pasquier, le Trio d'Anches et le Quintette à vent de Paris, pour protester auprès du ministère de l'Éducation nationale. Ils prétendaient qu'on ne leur avait pas laissé assez de temps pour préparer leur défense, et que de toute façon « les artistes sous-signés ont cru qu'il était de leur devoir de maintenir la réputation de la musique française pendant l'occupation. Qu'en serait-il advenu si le public n'avait eu sur les scènes parisiennes et à la Radio (la seule à Paris) que les artistes allemands ou proalle-mands [11] » ? Quoi qu'il en fût, le ministre ne tint pas compte de l'avis de la Commission sur le Quatuor Loewenguth qu'il fit bénéficier d'un non-lieu [12]. Il réduisit aussi la sanction infligée à Suzy Solidor, la transformant en un simple blâme [13].

Le prestigieux Charles Dullin passa devant la Commission gouvernementale en février 1945, accusé d'avoir écrit pour *La Gerbe,* publication farouchement collaborationniste, et d'avoir changé le nom du Théâtre Sarah-Bernhardt (parce que cette dernière était juive). Il répondit que ses articles avaient eu trait à des sujets purement professionnels et qu'il avait si vigoureusement protesté contre l'insistance des Allemands à débaptiser le théâtre qu'il avait obtenu un compromis : il avait été autorisé à conserver les mots « ex-Théâtre Sarah-Bernhardt » sur le fronton pendant six mois. Il les y avait en fait gardés jusqu'à la fin de l'occupation. Il fut blanchi.

Fernandel fut accusé d'avoir tourné des films pour la firme

allemande Continental; il répondit que lorsqu'il s'était rendu compte qu'il s'agissait d'une entreprise allemande, il avait tenté de différer le plus longtemps possible l'exécution de son contrat. Il avait aussi été membre du Cercle européen, de tendance collaborationniste? Oui, mais uniquement parce qu'il s'était laissé persuader de fréquenter son restaurant. Il insista sur le fait qu'il ne s'était absolument pas mêlé de politique; la Commission accepta sa défense : lui aussi fut innocenté.

De même l'abbé Maillet, directeur des Petits Chanteurs à la Croix de Bois. Il avait fait, avec ces enfants, une tournée en Allemagne afin d'y chanter pour les travailleurs et les prisonniers de guerre français. Il expliqua qu'il aurait voulu ne chanter que pour les prisonniers, mais qu'il n'en avait pas eu le droit; il souligna que sa chorale, en tout cas, ne s'était jamais produite devant des Allemands.

Michel Simon fut accusé d'avoir proféré des déclarations anti-patriotiques à l'occasion des films qu'il avait tournés sous l'occupation. Il rejeta ces accusations et déclara même qu'il avait été (faussement) dénoncé à la Gestapo comme juif. Innocenté [14].

La firme de disques Pathé-Marconi commença dès octobre 1944 à faire le siège des épurateurs pour connaître leurs directives. Elle voulait rouvrir au plus vite ses studios afin d'y faire des enregistrements pour Columbia, Pathé, La Voix de Son Maître et Swing, et elle avait besoin de savoir qui pouvait ou ne pouvait pas être engagé à cette fin. Ce ne fut qu'en février de l'année suivante que la Commission fut en mesure de lui renvoyer sa liste « mise à jour ». Parmi les vedettes de la firme, 57 personnes étaient autorisées à enregistrer, mais 26 autres n'en avaient pas le droit (parmi lesquelles Sacha Guitry, Suzy Delair, Léo Marjane, Tino Rossi et Suzy Solidor). Il y avait une troisième liste d' « enregistrements à différer » sur laquelle figuraient, entre autres, Fernandel, Georges Guétary, Paul Meurisse et Yvonne Printemps [15].

L'épuration ne faisait cependant que commencer. Le 17 février 1945 fut promulguée une nouvelle ordonnance relative aux « professions d'artiste dramatique et lyrique et de musicien exécutant ». Dans son exposé des motifs, elle précisait que l'épuration des artistes du spectacle avait été, en raison du caractère particulier de cette profession, la première mesure de ce genre prise dans le secteur privé. Cependant, à présent que le gouvernement avait établi une procédure d'épuration pour toutes les professions (avec l'ordonnance du 16 octobre 1944 relative à l'épuration dans les entreprises), il semblait indispensable d'harmoniser les deux systèmes. Cela dit, le rôle des artistes était bien particulier. Par exemple, s'il était possible d'instituer des commissions d'épuration distinctes pour le personnel technique des théâtres et celui du cinéma, c'étaient en revanche les mêmes artistes qui passaient sur la scène, à l'écran ou au micro. Pour cette raison, le gouvernement avait décidé de créer un Comité national d'épuration des professions d'artiste dramatique et lyrique et de musicien exécutant. Ayant à sa tête un magistrat, il était composé de représentants du gouvernement et du monde du spectacle, siégeant pour chaque dossier individuel avec un représentant de la branche dans laquelle l'accusé exerçait son activité. Les sanctions étaient limitées à un an ; l'artiste pouvait être exclu d'un établissement donné, ou bien d'une branche particulière des activités artistiques — théâtre, cinéma, radio, musique —, voire purement et simplement de la profession tout entière. Cette dernière sanction était applicable aux personnes convaincues d'indignité nationale pour toute la durée de leur condamnation. Comme pour toutes les autres procédures d'épuration, l'accusé devait être entendu par le comité avant que celui-ci ne prononçât la sentence. Cependant, les sanctions prises conformément à l'ordonnance antérieure (celle du 13 octobre 1944) restaient valables, même si elles devaient être soumises à l'approbation du nouveau comité [16]. Le Comité national eut pour président Maurice Côme, avocat général près de la cour d'appel de Paris [17]. (Édouard Bourdet était mort d'une embolie en janvier 1945.)

L'une des tâches importantes du Comité consistait à délivrer les attestations réclamées par les théâtres, les agences théâtrales et autres employeurs potentiels, stipulant que tel artiste avait été « filtré ». Quiconque voulait simplement se faire délivrer un passeport avait besoin d'un certificat d'épuration [18]. À présent, quelques-uns des artistes les plus célèbres de France allaient devoir subir l'épreuve. Tel chanteur, par exemple, fut accusé d'avoir chanté régulièrement pour Radio-Paris. Un témoin vint expliquer qu'après avoir été accusé d'être juif, cet interprète avait fourni la preuve qu'il n'en était rien, et avait fait ensuite des pieds et des mains pour passer à Radio-Paris alors que les Allemands ne voulaient pas de lui. Puis il était allé chanter en Allemagne et avait fréquenté l'actrice Corinne Luchaire, fille du pape de la presse collaborationniste, Jean Luchaire. Par-dessus le marché, le chanteur n'arrangea pas son cas en faisant par cinq fois faux bond au Comité qui l'avait convoqué. On finit par lui infliger dix mois d'interdiction d'exercer la profession, peine finalement réduite à trois mois.

De même Mistinguett. Le Comité national d'épuration avait

sous les yeux un dossier précisant les sommes qu'elle avait gagnées en participant à des événements parrainés par les Allemands et à des émissions de Radio-Paris, ainsi qu'une déposition sur ses fréquentations parmi les responsables et officiers allemands. « Ce sont des amours », l'avait-on entendu dire. Il était aussi question de menaces antisémites qu'on l'avait entendue proférer. Elle reçut un blâme [19].

Telle actrice fut interrogée sur sa « liaison amoureuse » avec un Allemand. À l'époque où commença l'enquête, elle était placée en résidence surveillée, accusée d'avoir dénoncé quelqu'un qui avait ultérieurement été arrêté par les Allemands. Contre elle aussi, le Comité recommanda le blâme [20]. Telle autre comédienne était allée en Allemagne, mais elle fit valoir que c'était uniquement parce qu'elle voulait rendre visite à son fiancé, interné outre-Rhin ; elle ajouta que, lorsqu'elle avait décidé d'écourter sa visite, les autorités allemandes avaient ouvertement manifesté leur déplaisir. Oui, elle avait tourné pour la Continental, mais elle ne manqua pas de faire remarquer qu'elle avait mis fin à ses activités dès que son fiancé avait été relâché. Pas de sanction [21].

Maurice Chevalier n'était pas seulement une vedette en France, mais également sur le plan international. À la Libération, sa conduite durant l'occupation fut sérieusement mise en cause ; le bruit courut même qu'il avait été lapidé par les Parisiens à son retour dans la capitale — et qu'il en était mort. Non, il était vivant, et bien vivant, déclara-t-il alors à la presse. « Les Allemands m'ont joué un vilain tour. Ils ont annoncé que je chantais et jouais pour eux (...). Mais tout ceci est faux [22]. » Il fut convoqué par la police pour un interrogatoire. N'avait-il pas bénéficié de privilèges spéciaux sous l'occupation ? Il resta néanmoins en liberté [23].

À l'époque où le Comité national d'épuration examinait son dossier, Maurice Chevalier avait reçu des propositions pour chanter pour les soldats américains, britanniques et français, et même de participer à un gala organisé par le Front national en présence du général Koenig. Le Comité se pencha sur la participation du chanteur à des manifestations parrainées par des organisations collaborationnistes, sur ses voyages en Allemagne, ses émissions pour Radio-Paris. Chevalier, cependant, bénéficait du soutien inébranlable de la communauté du spectacle, notamment du Syndicat des Artistes de variétés de la CGT qui fit remarquer que le populaire artiste n'avait pris part qu'à onze émissions de Radio-Paris, qu'il n'avait chanté qu'une seule fois pour les prisonniers de guerre français, et qu'il était même parvenu à obtenir la libération de dix d'entre eux. Le Comité se laissa fléchir : pas de sanction [24].

Le Comité avait aussi en sa possession des articles de presse relatant les tournées d'Édith Piaf en Allemagne, où elle avait chanté pour les prisonniers de guerre français et les ouvriers français travaillant dans les usines allemandes. Elle vint témoigner que sa première visite outre-Rhin lui avait été imposée sous peine d'interdiction et que, si elle avait effectivement été à l'origine du second voyage, elle avait versé l'intégralité de ses cachets aux prisonniers de guerre. Elle ajouta d'ailleurs que, lors de ce voyage en Allemagne, elle était parvenue à emporter des cartes d'identité dissimulées dans une valise à double fond, afin de faciliter l'évasion de prisonniers. (Dans sa biographie de Piaf, sa demi-sœur devait plus tard expliquer qu'en visitant les camps de prisonniers, la chanteuse s'était arrangée pour se faire photographier en compagnie de soldats français ; puis, de retour à Paris, on se servit de ces photos pour fabriquer de faux papiers d'identité — 147 en tout — qu'elle avait pu apporter aux prisonniers lors de son second voyage [25].) Piaf put également prouver qu'on lui avait interdit de passer au Casino de Paris pendant un mois parce qu'elle avait chanté une chanson censurée, et qu'elle avait réussi à éviter une tournée en Allemagne. Elle fournit une liste d'amis juifs à qui elle avait régulièrement envoyé de l'argent et précisa que son appartement avait été à la disposition de divers amis juifs. Les allégations avancées contre elle ne faisaient pas le poids face à tant de preuves positives. Le Comité décida à l'unanimité : « Pas de sanction et félicitations [26]. » « Et la vie a repris, devait se rappeler sa demi-sœur, mais on respirait mieux [27]. »

Tino Rossi avait été détenu quelque temps à la Libération, accusé d'avoir fréquenté un groupe de collaborateurs [28]. Le Comité national d'épuration n'aborda son dossier qu'en décembre 1945. Il était accusé de s'être produit en faveur de causes collaborationnistes, notamment dans un gala au bénéfice de la Légion des Volontaires Français. Pour sa défense, le chanteur déclara qu'il ne voulait pas chanter pour la LVF, mais que son théâtre avait accepté en son nom et que des légionnaires en uniforme étaient venus le chercher. Il affirma n'avoir toutefois chanté que trois chansons, au lieu des dix ou douze habituelles. Forcé par les Allemands à prendre part à un autre gala au bénéfice des travailleurs français en Allemagne — s'il avait refusé, il eût été lui-même considéré comme réfractaire —, il s'était fait délivrer un certificat médical le protégeant à l'avenir de pressions de ce genre. Son avocat assura que Tino Rossi avait déjà subi suffisamment de torts à cause de son arrestation, le 2 octobre 1944, et de ses trois semaines de détention à Fresnes ; il espérait bien pour son client l'indulgence déjà accordée à Maurice Chevalier. Un témoignage certifiait que Tino Rossi avait aidé des Juifs et des résistants. On ne lui en infligea pas moins une brève interdiction, mais « à dater du 15 septembre 1944 », ce qui la rendait purement symbolique [29].

Suzy Solidor était alors une chanteuse de cabaret fort populaire, promue au rang de vedette durant l'occupation. Le principal reproche qu'on avait à lui adresser était d'avoir chanté à Radio-Paris « Le 31 du mois d'août », qui comportait les deux vers suivants :

> *Et merde pour la reine d'Angleterre*
> *Qui nous a déclaré la guerre,*

et d'avoir lu, pour l'accompagner, un texte anti-britannique. Pour se justifier, elle expliqua qu'elle s'était laissé piéger et qu'après coup, elle avait annulé le reste de la série de vingt émissions pour laquelle elle s'était engagée par contrat. Elle parvint aussi à présenter le témoignage d'un agent de renseignements au service des Britanniques, déclarant que le cabaret de l'accusée avait été utilisé pour soutirer des informations aux membres de l'ambassade d'Allemagne qui le fréquentaient. Elle mentionna d'autres faits de résistance. Le Comité décida finalement que sa bonne foi avait peut-être été surprise lorsqu'elle avait participé à des manifestations de propagande ou chanté « *Merde pour la reine d'Angleterre* ». Cependant, comme « elle a tout au moins commis des imprudences », pour reprendre la formule des épurateurs, elle méritait un blâme. Ce qui ne l'empêchait nullement de se produire en France ou à l'étranger, comme le fit savoir le Comité d'épuration à la Direction des Spectacles et de la Musique alors que la chanteuse était sur le point de partir en tournée au Canada [30].

Une autre chanteuse connue, Léo Marjane, posait un problème plus sérieux. Le dossier réuni contre elle paraissait plus solide : il y avait de nombreuses preuves de son soutien professionnel aux causes collaborationnistes, et l'on savait que les Allemands étaient intervenus pour mettre fin aux critiques dont elle était l'objet. Elle avait pourtant été acquittée par une Chambre civique ; bien que son dossier ne reposât que sur un seul témoignage, le Comité national d'épuration estima que les autres accusations n'étaient étayées par aucune preuve et que les témoins manquaient. Elle ne fut donc pas sanctionnée du tout [31].

Sacha Guitry était une autre célébrité à qui ses démêlés avec les tribunaux évitèrent, semble-t-il, un examen approfondi de son dossier par les divers comités d'épuration (ceux des dramaturges et des acteurs de la scène et de l'écran). Nous avons déjà évoqué son arrestation et sa détention. Il devait prétendre par la suite que le motif d'arrestation indiqué dans le rapport de police était tout simplement la « rumeur publique ». Il avait été inculpé, le 15 octobre 1944, d'intelligence avec l'ennemi [32]. Après son élargissement par le juge d'instruction, un mois plus tard, *L'Humanité* écrivait : « La nouvelle incroyable a été transmise hier dans la soirée. Sacha Guitry qui s'est vautré aux pieds de l'envahisseur, Sacha Guitry qui a banqueté avec les tortionnaires, Sacha Guitry qui a ramassé des millions pendant l'occupation, Sacha Guitry est libéré [33]... » En rejetant le questionnaire adressé à tous les membres de la Société des Auteurs et Compositeurs dramatiques, Guitry expliqua : « Je vous retourne ce questionnaire qui vient de m'être adressé, sans aucun doute, par erreur — puisque, menottes aux mains, il m'a été donné de répondre à toutes ces questions déjà. » Et de faire remarquer que son affaire avait été classée [34]. Elle n'était pas exactement classée, car Guitry devait encore comparaître devant une Chambre civique pour indignité nationale ; mais l'affaire ne fut jamais entendue et le procureur lui-même reconnut qu'il ne savait même pas où trouver le dossier de Sacha Guitry [35]. Le point final ne devait être mis qu'en août 1947, lorsqu'on informa Guitry de la décision de classement. Il n'y avait donc eu, comme il le dit lui-même, aucune raison « de me mettre en prison, de me faire insulter, de prohiber mon nom, d'interdire mes films — il n'y avait pas lieu de m'empêcher de remonter sur un théâtre et de poursuivre mon destin [36] ». Son destin n'en fut pas moins — en tout cas pour un temps — marqué par cette épuration manquée. Un an après le classement de son affaire, Sacha Guitry se trouvait à Lyon pour y présenter un de ses films ; des résistants de la région arrêtèrent son véhicule et obligèrent le dramaturge et les acteurs qui l'accompagnaient à observer une minute de silence devant le monument à la Résistance de la place Bellecour [37].

Serge Lifar, naguère premier danseur étoile de l'Opéra de Paris, maître de ballet et sans doute la plus forte personnalité du ballet français d'entre les deux guerres, avait paru se montrer un collaborateur enthousiaste des Allemands. En tout cas, les charges qui pesaient contre lui ne laissaient aucune place à l'ambiguïté. Il avait personnellement proposé à Adolf Hitler une tournée de l'Opéra, avait rendu visite au Führer durant un voyage en Allemagne en octobre 1942, et il avait publié des articles à la gloire des Nazis dans la presse d'occupation. À la Libération, Lifar avait été licencié sans indemnités. En octobre 1945, le Comité national d'épuration lui interdit pour un an l'exercice de sa profession, antidatant cependant cette interdiction pour la faire commencer au 1er novembre 1944 [38]. Comme pour Guitry, toutefois, et d'autres célébrités accusées de collaboration, la fin de l'interdiction officielle ne le rendit pas pour autant acceptable à tout le monde. Près d'un an plus tard, alors qu'il devait passer en vedette dans un gala en faveur de l'érection d'un monument aux libérateurs de Paris, les protestations du public, se manifestant notamment par la lacération des affiches, le contraignirent à se retirer [39]. Il devait assumer pour deux ans les fonctions de directeur artistique du Ballet de Monte-Carlo avant d'accepter le poste moins voyant de directeur de l'Institut chorégraphique de l'Opéra de Paris.

La Comédie-Française, avec ses sociétaires attitrés, était un univers à part ; ses acteurs paraissaient souvent à l'écran, voir même sur d'autres scènes. À la Libération, ce théâtre national fut pourvu d'un nouvel administrateur général en la personne de Pierre Dux, depuis longtemps sociétaire de la maison. Il aurait voulu mettre aussitôt des répétitions en train, mais comment faire avant l'épuration définitive ? Il exposa son dilemme à Édouard Bourdet : « Commencer des répétitions avec les éléments que je crois à l'abri d'une menace de suspension aurait pour résultat de désigner les artistes qui encourent une sanction… » Une Commission d'épuration du personnel de la Comédie-Française fut instituée sous l'égide d'un président de chambre honoraire à la Cour de Paris, Joseph Jacomet. Lors de sa première séance, le 23 octobre 1944, il fut décidé que l'on entendrait tous les membres de la troupe, que des charges eussent ou non été relevées contre eux ; quant au personnel technique, il ne serait pas interrogé, à moins d'être effectivement accusé de collaboration.

Les premiers dossiers furent étudiés le 28 octobre. Ce jour-là comparut le célèbre Raimu. La Commission convint volontiers qu'il ne pouvait savoir à l'avance qu'un film qu'il avait tourné pour la Continental, *Les Inconnus dans la maison*, serait présenté en Allemagne en tant que propagande anti-française (selon ce qu'avaient cru comprendre les épurateurs). Il expliqua qu'il avait feint d'être malade pour ne pas être obligé de travailler pour la firme allemande. Il fut absous. Une actrice accusée de remarques anti-juives fournit une lettre d'un ami juif. On l'avait vue arborer une décoration vichyste, la Francisque ? Pour elle, c'était un insigne de fantaisie que lui avait donné un ami. Ah bon, mais n'avait-elle pas participé aussi à une émission de propagande qu'elle aurait dû décliner ? L'affaire se solda par un blâme… Maurice Escande reconnut s'être rendu coupable de légèreté pour avoir adhéré à l'organisation « Collaboration », mais il offrit des preuves de son patriotisme. Lorqu'il quitta la salle d'audience, les membres de la Commission demandèrent au président Jacomet quelle était l'échelle des sanctions dont ils disposaient ; pour un acteur, leur répondit-il, ils pouvaient recommander la suspension temporaire ou la révocation sans pension. Ils convinrent d'infliger à Escande la suspension d'activité minimale, eu égard au dossier particulièrement éloquent qu'il avait soumis pour sa défense. Mary Marquet était aussi convoquée cet après-midi-là, mais elle était encore en prison ; en février 1945, la Commission devait recommander sa révocation sans pension.

Le 6 novembre, d'autres membres de la Comédie-Française comparurent l'un après l'autre devant la Commission — parmi eux, Madeleine Renaud et Jean-Louis Barrault — pour être aussitôt informés que leur conduite avait été jugée « correcte et loyale ». Un peu plus tard, le même jour, la Commission entendit l'affaire de deux ouvreuses accusées d'avoir proféré des remarques anti-patriotiques. Compte tenu de l'importance des rivalités féminines qui transparaissaient dans les accusations, et du fait que leurs emplois représentaient leur unique moyen de subsistance, elles ne reçurent que des sanctions légères : mises à pied de six et quatre mois [40].

A.-M. Julien, codirecteur du Théâtre Sarah-Bernhardt, fut accusé de collaboration non pas dans son établissement, mais en tant que journaliste. Il avait beaucoup écrit pour la presse parisienne et avait tenu la rubrique radio dans *Les Nouveaux Temps* de Jean Luchaire, et l'on soumit au comité des exemples de ses éloges inconditionnels de l'Allemagne et de la collaboration. Le Comité national d'épuration des Professions d'Artiste dramatique et lyrique et de Musicien exécutant le suspendit pour six mois. Il fit appel devant le Conseil d'État, arguant que ce Comité n'était pas compétent puisque lui-même avait renoncé à ses activités d'artiste dramatique depuis 1937. Le Conseil lui donna raison et la sanction fut annulée en mai 1957 [41].

Les directeurs de théâtres privés relevaient de la Commission nationale interprofessionnelle d'épuration — la CNIE — dont nous avons déjà parlé. Une des affaires les plus remarquées fut celle d'Alice Cocéa, actrice d'origine roumaine, qui avait dirigé sous l'occupation le Théâtre des Ambassadeurs dont le propriétaire était Henry Bernstein. Arrêtée à la Libération, puis remise en liberté surveillée, toutes ses activités théâtrales avaient été suspendues pour un an sur la recommandation du Comité d'épuration du spectacle. La CNIE fut saisie de son dossier en 1948. On prétendait que son amitié avec l'épouse de l'ambassadeur allemand Otto Abetz lui avait permis de s'approprier les biens de Bernstein, qui était juif. Le théâtre avait servi de cadre à des conférences collaborationnistes. La CNIE, cependant, décida qu'elle avait déjà été suffisamment punie par la sanction antérieure, et que l'affaire pouvait être classée. Maurice Poggi, directeur du Théâtre des Deux-Ânes, fut accusé d'avoir monté des spectacles proallemands, anti-gaullistes et anti-Alliés. Il avait déjà été sanctionné par une suspension de dix mois, bien qu'il eût été relaxé par une Chambre civique au vu des preuves de l'aide qu'il avait apportée à la Résistance. La CNIE décida aussi de classer son affaire[42].

Le Comité de Libération de la Radiodiffusion avait mis au point une échelle de sanctions contre les acteurs dramatiques et lyriques qui avaient travaillé pour Radio-Paris ; ainsi, une suspension de quinze jours était prévue pour chaque émission collaborationniste. Le fichier de Radio-Paris se révéla d'ailleurs une abondante source de preuves[43]. Il y eut bientôt une Commission centrale de l'épuration de la Radiodiffusion française, habilitée à infliger des sanctions à toutes les catégories de personnel, salarié ou contractuel, depuis les directeurs administratifs et les rédacteurs en chef jusqu'aux secrétaires, maquilleuses, choristes et pompiers[44].

L'industrie cinématographique était un autre vaste champ d'investigations, car elle avait prospéré avec l'aide de l'ennemi tout au long des années noires. Des acteurs et actrices avaient alors atteint la gloire, des metteurs en scène et des auteurs avaient créé des œuvres que la postérité allait saluer comme des chefs-d'œuvre. De même que la radio était une institution publique qu'on ne pouvait utiliser qu'avec l'approbation, sinon le soutien actif des autorités d'occupation, pour faire des films, il fallait aussi bien des fonds que des autorisations. Or, si le cinéma français avait réalisé sous l'occupation un nombre de films encore jamais atteint, il le devait en grande partie à la société de production allemande Continental Film. Que faire à ce propos ? Tel fut le grand sujet de débat du Comité de Libération du cinéma français aux premiers jours de la Libération, car c'était lui qui devait trouver le juste milieu entre les exigences de la justice et la nécessité de laisser cette industrie se remettre au travail dès que possible[45]. Une commission composée de membres des différentes branches de la profession fut créée quelques jours à peine après la Libération, sous la présidence de l'acteur Pierre Blanchar[46]. Les premières têtes à rouler furent celles de certains réalisateurs bien connus, notamment Henri-Georges Clouzot, dont les premiers films importants avaient vu le jour sous l'occupation, et Henri Decoin, entre autres, furent suspendus[47]. Le Comité de Libération du cinéma dressa une liste de membres de la profession qu'il estimait mériter d'être marqués du sceau de l'infamie pour indignité nationale[48]. Par la suite, à mesure que l'épuration s'organisait, l'enquête sur les milieux cinématographiques fut confiée au Comité régional interprofessionnel d'épuration dans les Entreprises[49].

L'affaire la plus connue et la plus controversée du monde cinématographique fut sans conteste celle de Clouzot, qui n'avait que 35 ans lorsqu'il avait réalisé *L'Assassin habite au 21* en 1942. *Le Corbeau* avait suivi, financé par Continental, avec Pierre Fresnay dans le rôle principal. Le thème de cette œuvre — l'horreur de la dénonciation anonyme — aurait pu passer pour subversif durant les années d'occupation allemande et de répression vichyste. On prétendait même que les Allemands s'en étaient servis chez eux pour faire le procès du caractère français (mais la chose ne fut jamais prouvée). Lorsqu'un critique de *Combat* nota que le film de Clouzot était tenu pour le meilleur réalisé sous l'occupation, mais qu'il ne pouvait quand même pas être projeté à la Quinzaine du Cinéma français, les responsables du quotidien contestèrent la position de leur journaliste : il était impossible « d'admettre dans une manifestation qualifiée de française une production due à une firme allemande et dont les deux principaux acteurs se sont si honteusement conduits qu'ils sont aujourd'hui inculpés d'intelligence avec l'ennemi. » Peut-être Clouzot avait-il du talent, mais, « en revanche, il manquait singulièrement de caractère[50] ».

Cependant, lorsque le Comité régional interprofessionnel d'épuration examina le dossier du réalisateur, il nota qu'il était accompagné d'une pétition dont l'instigateur n'était autre que Jean-Paul Sartre, portant les signatures de Simone de Beauvoir, Michel Leiris, Michel Vitold et plusieurs autres de leurs amis qui, tout en désapprouvant formellement Clouzot d'avoir tourné pour la Continental, déclaraient avoir vu *Le Corbeau* et n'y avoir pas trouvé trace de propagande antifrançaise. Une lettre de Jacques Prévert abondait dans ce sens. On disait même que le scénario avait été déposé dès 1937. Une page entière du premier numéro des *Temps Modernes* fut consacrée à cette affaire ; l'épuration de Clouzot y était dénoncée comme arbitraire, car d'autres personnes ayant travaillé pour la Continental n'avaient pas été punies. L'affaire Clouzot servit de point de départ à une attaque contre l'irresponsabilité des épurateurs : « Personne n'a jugé, personne n'est responsable. » Et *Les Temps Modernes* de conclure : « C'est seulement dans l'univers de Kafka qu'on trouve de ces décisions saugrenues[51]. »

Le Comité qui étudia le dossier de Clouzot entendit toutefois la déposition d'un représentant de la Commission d'épuration du Comité de Libération du cinéma français qui fit valoir que le cinéaste avait été la personnalité française la plus marquante de la Continental, qu'il avait toujours entretenu de bons rapports avec les Allemands et défendu leurs intérêts. Par un arrêté du préfet de la Seine daté d'août 1945, le réalisateur avait déjà été « frappé (...) de l'interdiction de conserver un poste de commandement dans la profession » ; en 1946, cette interdiction fut prolongée de deux ans sur avis du Comité régional interprofessionnel d'épuration. Cette décision présentait Le Corbeau comme un « film tendancieux anti-français[52] ».

SEPTIÈME PARTIE

L'oubli

Car si l'on a parfois traité des crimes comme des faiblesses, on a aussi traité des faiblesses comme des crimes.

Jacques FAUVET, *Le Monde*

CHAPITRE PREMIER

Les épurés

Lorsqu'on évoque aujourd'hui l'épuration, la discussion a tôt fait de tourner court : on se rappelle les décès, les longues périodes de détention. Certaines réputations furent sérieusement ternies, des personnes peut-être innocentes furent humiliées, leur existence en tout cas perturbée pour des durées variables. Certains eurent à subir un long châtiment. Certes, toutes les condamnations à mort ne furent pas exécutées, toutes les peines de prison ne furent pas intégralement purgées, mais ceux qui avaient été convaincus de collaboration restèrent de longues années incarcérés ou internés en nombre suffisant pour que ce châtiment laissât des traces dans l'histoire du pays.

Vers la fin de 1949, cinq ans après la Libération, l'hebdomadaire *Carrefour* publia une carte de l'hexagone où l'on avait indiqué les prisons où étaient encore détenus des Français condamnés pour collaboration. Dans la Région parisienne, il y avait Fresnes bien sûr, où l'on enfermait toujours les accusés dans l'attente de passer en jugement. (Ne s'y trouvait à l'époque qu'un seul collaborateur notoire, Pierre Costantini, ancien directeur de *L'Appel*, l'un des périodiques les plus virulents de l'occupation.) À Beauregard-La Celle-Saint-Cloud, précisait *Carrefour*, étaient logés plusieurs vénérables prisonniers, notamment le savant Georges Claude et Mgr Jean Mayol de Luppé, aumônier de la Légion des Volontaires Français. Saint-Martin-de-Ré, sur l'île de Ré, était un bagne bien connu pour les écrivains et journalistes : notamment Henri Béraud, Claude Jeantet et Bernard Faÿ. Clairvaux, ancienne abbaye près de Bar-sur-Aube, hébergeait l'amiral Jean de Laborde, Charles Maurras et Xavier Vallat, alors que Jacques Benoist-Méchin se trouvait à Fontevrault, près de Saumur[1]. Un reportage antérieur sur les détenus de l'épuration dépeint la

Maison centrale de force et de correction de Poissy, où l'un des pensionnaires se rappelle que « la vedette des notables » était à l'époque Henri Béraud, digne personnage à monocle ; dans une cellule voisine se trouvait Guy Bunau-Varilla, dont le père avait été propriétaire du quotidien collaborationniste *Le Matin*. Si l'on ajoutait à ce duo le journaliste Lucien Combelle, on voit (comme nous l'apprennent les mémoires de ce dernier) qu'il y avait matière à discussions et réminiscences littéraires [2].

Toute une littérature consacrée aux « prisons de l'épuration » voit alors le jour, pour reprendre le titre d'un de ces ouvrages. La plupart de ces récits furent imprimés à compte d'auteur ou publiés par des maisons d'édition d'extrême droite ou d'autres firmes hostiles au gouvernement. L'irrépressible Xavier Vallat, ancien commissaire aux Questions juives, se trouva confiné pendant 22 mois avec l'un des plus prolifiques polémistes français, Charles Maurras, ce qui ne manqua pas de lui inspirer un livre, d'autant qu'il avait reçu la permission de passer une heure par jour avec le théoricien d'Action française. Les amiraux Estéva et Laborde avaient eux aussi leurs cellules dans une aile de l'élégant bâtiment du XVIIIe siècle où l'on avait logé tous les prisonniers condamnés par la Haute Cour — ainsi, à titre exceptionnel, que Maurras, condamné par une simple Cour de Justice. Le livre de Vallat se termine sur sa propre libération conditionnelle en décembre 1949 [3].

On trouve dans *Les Prisons de l'Épuration* une description nettement moins idyllique du même établissement ; l'ouvrage fut écrit par un détenu d'abord condamné à mort par contumace aux termes de l'article 75, puis jugé une nouvelle fois en sa présence et condamné à la prison. Comme tous les collaborateurs punis de plus d'un an de prison, Philippe Saint-Germain fut alors envoyé dans une Maison centrale. Le crâne rasé, il recevait des coups de pied de ses gardiens qui l'obligeaient à dormir nu parce qu'ils s'étaient aperçus, lors d'une fouille, qu'il avait tenté de cacher ses lunettes. Certains détenus devaient travailler, d'autres étaient forcés à marcher toute la journée autour de la cour, les pieds en sang, les infirmes étant brutalisés par les gardiens. Tous étaient en butte à de constantes humiliations, à des contraintes inutiles. Les soins médicaux brillaient par leur absence, au point que celle-ci entraîna la mort d'un prisonnier. Les gardiens étaient des brutes : l'auteur a évoqué « les corvées à quatre pattes (...), les soupes où les gardiens crachaient, les coups de clé sur le crâne, les coups de pied dans le ventre... », précisant que les communistes avaient les prisonniers à l'œil et se montraient prodigues en sévices de ce genre. Une fois remis en liberté conditionnelle, l'auteur fut frappé d'indignité nationale à vie, ce qui lui interdisait de voter, d'être fonctionnaire, d'occuper un poste de responsabilités quel qu'il fût et de travailler pour les médias [4].

Il faut signaler toutefois — et tous ces récits en font mention — que les lourdes peines infligées dans le sillage immédiat de la guerre et de la Libération n'allèrent pas souvent jusqu'au terme que leur fixait la loi. Ceux qui avaient été condamnés à la prison — peine moins dure que les travaux forcés — étaient régulièrement libérés : ainsi en 1951, au cours des dix premiers mois de l'année, 3 064 dossiers furent examinés en vue d'une libération condition- nelle et 1 112 remises de peine accordées. Cette année-là, le ministère de la Justice commença aussi à faire bénéficier les détenus condamnés aux travaux forcés de libérations condition- nelles, et 406 des 437 demandes furent acceptées. En mars 1946, 29 401 personnes se trouvaient en prison ou attendaient de passer en jugement ; le 1er novembre 1951, il n'en restait que 2 939 (dont 2 826 condamnées) [5].

Au début des années 1980, quelques collaborateurs se trouvaient encore en prison. Par exemple, un homme qui pendant vingt ans était parvenu à échapper à la justice — il avait été condamné par contumace en 1945 pour avoir remis des résistants aux mains des Allemands — fut finalement jugé en sa présence par la Cour de Sûreté de l'État en 1966 ; il ne fut libéré qu'en 1982. Un autre détenu, un Français membre de la Gestapo, qui avait arrêté et torturé des résistants, parvint à se cacher jusqu'en 1962 et fut condamné à mort trois ans plus tard par la Cour de Sûreté de l'État ; il fut à nouveau jugé en 1966, après cassation. Sa condamnation à mort fut commuée par de Gaulle en peine perpétuelle et ramenée ensuite à 20 ans de réclusion par Georges Pompidou ; le prisonnier fut finalement libéré en 1983. Un autre agent français de la Gestapo fut appréhendé en 1962. Accusé d'être responsable de 430 arrestations, de 310 déportations et de 210 décès, il fut condamné à mort en 1966. De Gaulle commua sa peine en réclusion perpétuelle, que Pompidou, encore une fois, réduisit à 20 ans ; cet homme fut lui aussi libéré en 1983. Ces trois individus étaient, semble-t-il, les derniers collaborateurs encore détenus dans les prisons françaises [6].

L'opposition politique à la Quatrième République, puis à la Cinquième de Charles de Gaulle, resta le refuge de certains des plus éloquents collaborateurs. L'un des premiers écrivains à faire le procès de l'épuration et à prôner l'oubli fut le beau-frère de

Robert Brasillach, Maurice Bardèche. Il le fit dans un pamphlet imprimé à ses frais, auquel il avait donné la forme d'une lettre ouverte à François Mauriac ; il justifiait cette idée en expliquant que cela l'aiderait à écrire « avec plus de mesure », Mauriac ayant fait tout son possible pour obtenir la grâce de Brasillach. Bardèche plaidait la cause de la « minorité honnie » des épurés, incapables d'accepter d'avoir été mis au ban de la société (l'ouvrage date de la première moitié de 1947). Les victimes de Vichy, faisait-il valoir, avaient été exécutées une fois pour toutes, alors que les victimes de l'épuration mouraient à petit feu, car on leur avait ôté leur honneur pour les refouler au sein d'une caste d'intouchables. L'auteur reprenait l'argument habituel selon lequel Pétain ayant été le chef légitime de l'État, même s'il était dans l'erreur, aucun de ses partisans ne méritait d'être puni. C'était la Résistance qui était illégale, et l'épuration n'était rien d'autre qu'une vengeance. (Aux yeux de Bardèche, il n'y avait pas jusqu'aux attaques par voie de presse contre les communistes et les Juifs qui n'eussent été parfaitement légales.) Dans sa lettre ouverte, il citait le cri d'une victime de l'épuration juste avant son exécution : « Nous ne sommes pas des traîtres, nous sommes de petits fonctionnaires ! » Mauriac avait trouvé l'épuration sévère mais justifiée ; Bardèche, lui, la croyait illégale et ce qu'il réclamait, ce n'était pas l'amnistie, mais la réparation [7].

1947 fut l'année où l'on assista aux premières attaques lancées contre l'épuration par des personnes qu'elle n'avait pas visées. Ainsi le célèbre colonel Rémy, officier de renseignements dans la Résistance, réclama dans *Carrefour* une épuration de son propre mouvement, imputant aux « volontaires de la treizième heure » des crimes et des exactions commis en son nom [8]. Un quotidien publia une série d'articles de Jean Galtier-Boissière, journaliste non conformiste, sur les hypocrisies de l'épuration, dans lesquels il attaquait tout particulièrement le parti communiste et sa collaboration avec les Nazis durant la période allant de la signature du pacte germano-soviétique, en août 1939, à l'invasion de l'Union soviétique par les forces d'Hitler en juin 1941 [9]. Ensuite, ce fut le tour d'un prêtre connu pour son franc-parler, ayant lui aussi une réputation de non-conformisme, mais que venaient appuyer de solides états de service dans la Résistance : en 1948, il rendit hommage à son vieil ami et compagnon d'armes Joseph Darnand, chef de la Milice, en faveur de qui il avait témoigné devant la Haute Cour et qu'il avait accompagné jusqu'au poteau d'exécution. Dans son court ouvrage, le R. P. Bruckberger tentait de démontrer que Darnand et le capitaine Jean Bassompierre, de la

Légion des Volontaires Français — lui aussi exécuté —, avaient été victimes de leur fidélité. Pour eux, « l'honneur comptait autant que la patrie ». C'était Pétain, affirmait-il, qui était « première-ment responsable de cette fidélité et de ces ultimes résultats[10] ».

Le premier talent littéraire confirmé à rallier le camp « révision-niste » fut Marcel Aymé, autre non-conformiste qui avait forgé sa réputation de romancier et de conteur dans les années trente. Sous l'occupation, on avait pu relever sa signature dans certains des quotidiens les plus collaborationnistes ; mais le contenu de ses articles n'avait pas ce caractère politique permettant d'intenter un procès pour trahison. Aymé décida de peindre l'épuration dans un roman satirique, *Uranus*, situé dans une petite ville anonyme de Normandie, considérablement ravagée par les bombardements alliés. (Le romancier montre les pétainistes se tapant sur les cuisses parce que les pilotes ratent leurs véritables objectifs, tels que la gare ferroviaire, mais détruisent en revanche de belles vieilles maisons et tuent des innocents.) Les héros de son livre sont eux aussi des non-conformistes qui ont collaboré ou n'hésitent pas, en tout cas, à aider les collaborateurs à échapper à l'épuration. Les résistants sont des brutes, les pires de tous étant les communistes. À la Libération, une « fournée » de collaborateurs est fusillée. Un personnage sympathique et inoffensif est tué pour des histoires d'épuration et le point culminant est atteint lorsqu'une bande de communistes attaque un prisonnier de guerre qui rentre de captivité, et que pas un seul de ses concitoyens n'ose lui venir en aide[11].

Parmi les maisons d'édition de moindre importance, certaines semblèrent se spécialiser dans la littérature hostile à l'épuration, par exemple les Éditions de l'Élan qui éditèrent *Les Crimes masqués du Résistantialisme* de l'abbé Desgranges, *Quatre ans d'occupation* et *Soixante jours de prison* de Sacha Guitry et *Fifi roi* de Claude Jamet. L'un des livres que publia cette firme en 1949 était un plaidoyer en faveur d'Henri Béraud, alors emprisonné : *Le martyre de Béraud*, de Robert Cardinne-Petit, qui déplorait le « climat permanent de guerre civile où la haine dicte à chacun son mépris du devoir et de la morale classique... » L'auteur considérait le procès Béraud comme un « procès d'opinion maquillé en procès de trahison ». Béraud, condamné à mort, avait été mis aux fers dans l'attente de l'exécution ; la peine capitale lui avait finalement été épargnée, mais pas celle du bagne. Pour Cardinne-Petit, Béraud n'avait été condamné qu'en raison de ses opinions, et l'ouvrage se terminait par une exhortation à l'amnistie.

À partir de 1950, un mensuel s'intitulant *Écrits de Paris*, qui avait ouvert ses colonnes aux victimes de l'épuration et à leurs défenseurs, commença à publier une « chronique » des abus de l'épuration. L'homme chargé de la rédiger, Jean Pleyber, qui exprimait des sentiments non seulement anti-gaullistes, mais antisémites, demandait à tous ses lecteurs de bien vouloir l'aider à « tenir à jour cette chronique en m'envoyant les coupures des journaux régionaux relatant des crimes commis en 1944 et 1945 [12] ». De ce fait, sa « Chronique du Règne de Charles le Mauvais » allait reproduire, à un moment ou à un autre, la plupart des récits abominables qui avaient circulé tout de suite après la Libération. On y trouvait par exemple le cas de cette femme qui désirait se débarrasser de son époux et l'avait fait tuer par un maquisard, anciennement membre des Waffen SS [13] ; ce récit permettait de faire d'une pierre deux coups en réunissant deux des thèmes les plus souvent développés par les adversaires de l'épuration : l'épuration servant à masquer les crimes les plus sordides, et les faux résistants. Ces chroniques devaient signaler plusieurs autres meurtres analogues, perpétrés sous couvert d'épuration et dont les coupables n'étaient que légèrement punis — quand ils l'étaient. Étaient allégués des vols et des viols commis par des résistants, ainsi que l'assassinat de deux bambins d'un et deux ans [14]. D'après ce récit, les meurtres s'accompagnaient souvent d'atrocités : par exemple, le scalp d'une femme fut cloué à la porte de sa maison [15]. Des familles entières avaient été exterminées [16]. Une jeune femme avait été tuée en robe de mariée [17]. Un chef de la Résistance avait abattu le maire, le notaire, le médecin et le curé qui s'opposaient à son projet d'ouvrir une maison close [18] — là encore, deux thèmes convergents. Une femme et sa fille avaient été enlevées ; la fille fut abattue sous les yeux de sa mère, laquelle fut ensuite rouée de coups, « les yeux presque arrachés », « torturée publiquement » et forcée de creuser sa propre tombe ; neuf mois après leur mort, les deux femmes avaient été condamnées à la dégradation nationale par une Chambre civique [19]. Les leitmotive étaient l'assassinat par intérêt personnel ou les trahisons de résistants, y compris vis-à-vis d'autres résistants [20].

En 1950 encore, un ancien combattant de la Résistance, le colonel Rémy, qui avait déjà protesté contre l'ampleur de l'épuration, rallia les dénonciateurs de l'épuration de façon encore plus marquante. Il participa à un rassemblement en faveur des victimes de l'épuration, où, tout en affirmant sa fidélité à de Gaulle, il expliqua son évolution personnelle qui le portait aujourd'hui à reconnaître la bonne foi de ceux qui avaient suivi Pétain afin de servir leur pays d'autre manière. Il fit suivre cette intervention d'un article dans *Carrefour*, intitulé « La Justice et l'Opprobre », dans lequel il déclarait que de Gaulle lui avait personnellement confié — et, au cours des années suivantes, ces paroles allaient être répétées à d'innombrables reprises par les adversaires de l'épuration — : « Voyez-vous, Rémy ! Il faut que la France ait toujours deux cordes à son arc. En juin 1940, il lui fallait la corde Pétain, aussi bien que la corde de Gaulle[21]. » Le Général contesta aussitôt les allégations de Rémy par un communiqué de presse, et écrivit à l'ancien responsable des services secrets pour l'informer qu'il ne partageait absolument pas son point de vue et le tancer vertement d'avoir ainsi rendu public de tels propos sans lui en parler auparavant. Rémy, de son côté, démissionna alors des instances dirigeantes du parti gaulliste, le Rassemblement du Peuple Français[22]. Il devait être un des seuls résistants de marque à se convertir à la cause du « révisionnisme ».

En 1956, l'*Uranus* de Marcel Aymé fut rejoint sur les rayons des librairies par un autre roman révisionniste, *Fabrice*, de Pierre Benoit, alors âgé de 70 ans et académicien depuis 1931 ; lui-même, nous l'avons vu, était une ancienne cible de l'épuration. *Fabrice* est en fait un véritable libelle en forme de roman. Héritier d'une dynastie landaise et soldat héroïque, Fabrice Hersent est libéré d'un camp de prisonniers de guerre grâce à un ami qui travaille dans les services de Pétain. Cette utile relation à Vichy, ainsi que sa faculté d'intervenir auprès des occupants à Bordeaux par l'entremise de sa belle-mère qui a une liaison avec un officier allemand, le rendent suspect en dépit de toute l'aide qu'il apporte à la Résistance. C'est ainsi qu'il cache un officier britannique parachuté dans la région, mais il est arrêté en compagnie de cet homme, qui est alors torturé et fusillé, alors que notre héros sort d'affaire grâce à l'influence de sa belle-mère. Fabrice est dès lors un homme condamné. À la Libération, il est arrêté, gardé à vue par des soldats sénégalais, puis inculpé par la Cour de Justice pour avoir dénoncé l'officier britannique. Des témoins refusent de déposer en sa faveur ; sa propre épouse, dont il est séparé et qui est devenue une héroïne de la Résistance, promet de l'aider, mais elle est retenue loin du prétoire, en partie par la jalousie de son amant, un officier des Forces Françaises Libres du nom de Samuel Werner. Fabrice est condamné à mort, son pourvoi est rapidement rejeté ; il est mis aux fers jusqu'au jour de son exécution, que le romancier décrit en grand détail. Lorsqu'on lui bande les yeux avant de le fusiller, il murmure : « Autant, n'est-ce pas, ne pas voir que ce sont des Français[23] ! »

Jean Anouilh fit la satire des épurateurs dans sa pièce *Pauvre*

Bitos. André Bitos est un médiocre petit procureur qui, à la
Libération, a abusé de son autorité ; juste avant le début de la
pièce, il assistait à l'exécution d'un de ses amis d'enfance devenu
Milicien, contre qui il a requis la peine de mort. Les autres
personnages sont de grands bourgeois ou des aristocrates, alors que
Bitos est issu de la classe ouvrière. D'ailleurs, lorsque les héros de
l'œuvre décident de monter une pièce qui est une parodie de
l'épuration, le personnage qui va incarner Danton face au Robespierre de Bitos lui dit : « Tu nous as tous tués parce que tu ne
savais pas vivre. » L'auteur n'a pas craint de montrer ses héros
sous les traits de réactionnaires cyniques qui considèrent l'épuration comme une simple question de « par ici la bonne soupe [24] ! »

Au lendemain de la Libération et de l'épuration avaient eu lieu
quelques timides tentatives pour réorganiser tant soit peu l'opposition ; nul ne s'étonnera que les principaux de ces réorganisateurs
aient été d'anciens collaborateurs ou sympathisants de la collaboration. Galtier-Boissière assista dès février 1947 à un débat sur
l'amnistie au cours duquel l'assistance scanda : « Vive Pétain !
Vive Maurras ! Vive Doriot ! À bas de Gaulle ! Mort aux Juifs [25] ! »
La même année fut fondée une organisation baptisée Défense des
Libertés françaises, sous la présidence du général François
d'Astier de la Vigerie, Compagnon de la Libération. Ce mouvement publia une brochure soutenant que l'épuration avait été
dénaturée dans l'intérêt de certains partis politiques, et réclamant
l'amnistie pour quiconque avait moins de 21 ans en 1940, pour
tous les faits mineurs de collaboration commis avant juin 1943,
date à laquelle le Gouvernement provisoire avait été officiellement
reconnu, ainsi que pour les grands mutilés de guerre et vieux
serviteurs du pays ; il citait en outre des exemples de décisions des
tribunaux d'épuration qu'il considérait comme injustes [26].

En 1947 toujours, une Union pour la Restauration et la Défense
du Service public fut fondée sous la présidence du professeur
Louis Rougier (qui, en octobre 1940, s'était rendu à Londres en
mission de la dernière chance pour tenter de conclure un accord
entre la Grande-Bretagne et Vichy). L'objectif de l'Union était de
venir en aide aux fonctionnaires épurés ; par la suite, Me Isorni
devait reconnaître que l'heure n'était pas encore venue pour une
croisade de ce genre. Les victimes de l'épuration elles-mêmes
avaient le sentiment que « leur propre affaire s'arrangerait mieux
en silence et par des voies discrètes ». Ce « sentiment général
d'appréhension et d'insécurité ne cessa guère qu'au moment du
vote de la loi d'amnistie en janvier 1951 ». L'Union constitua des
dossiers, publia un bulletin de liaison (de 1950 à 1955) et bénéficia

du soutien d'experts appartenant à la plupart des catégories de fonctionnaires[27]. En 1950, cette organisation soumit un long mémoire aux Nations unies, dénonçant ce qu'elle appelait « les violations des droits de l'homme commises par les juridictions d'exception... » Elle faisait valoir que le gouvernement français du moment — c'est-à-dire la Quatrième République — n'était pas un gouvernement de droit ; il avait créé « un appareil répressif sans précédent dans notre histoire » ; les ministères successifs « ont consacré le délit d'opinion, sanctionné l'erreur politique, jugulé la liberté d'opinion et la liberté de réunion, rejeté les principes de la non-rétroactivité des lois, de l'égalité devant la loi, de la preuve de l'intention coupable, transformé les règles de la procédure criminelle, aboli les garanties de la fonction publique[28]... »

Un Comité français pour la Défense des Droits de l'homme — à ne pas confondre avec la Ligue — fut créé par une personne qui prétendait avoir fait de la résistance, conjointement avec Philippe Saint-Germain, condamné pour collaboration. En l'espace de trois ans, cette organisation déclara avoir fourni une assistance juridique et sociale à 30 000 personnes accusées de collaboration[29].

Jean-Marie Desgranges, prêtre depuis 1891, député depuis 1928 (en 1940, il avait voté les pleins pouvoirs au maréchal Pétain), fonda en 1947, à l'âge de 73 ans, une Fraternité de Notre-Dame-de-la-Merci, dans l'esprit d'un mouvement déjà existant qui travaillait avec les prisonniers. Dans son livre déjà évoqué, *Les Crimes masqués du Résistantialisme*, il avait présenté un véritable défilé d'horreurs : emprisonnements arbitraires, condamnations injustifiées, crimes imputés à la Résistance, etc. « Lorsque mon pauvre électeur Stéphane Le Méné, modeste ouvrier plâtrier, après avoir passé quatre ans dans les camps de prisonniers d'Allemagne, arriva en gare de Vannes, on lui apprit que sa maison avait été pillée, sa femme et son petit garçon étranglés pour crime de trahison... » Ce n'est là qu'un court échantillon de la prose de Desgranges[30].

Dans son mémoire adressé aux Nations unies, l'Union pour la Restauration et la Défense du Service public avaient inclus des statistiques sur le nombre d'exécutions sommaires perpétrées contre des personnes accusées de collaboration. Elle citait le chiffre de 112 000 « au minimum », expliquant que ses calculs reposaient sur une estimation de l'armée américaine — sans autre précision — selon laquelle 50 000 personnes auraient été tuées dans la zone méditerranéenne en 1944-45, sur les données de la police de Vichy et sur une remarque du ministre de l'Intérieur Adrien

Tixier, lequel avait déclaré qu'il y avait eu 105 000 morts[31]. On allait retrouver ces chiffres à d'innombrables reprises, avec parfois certaines variations : ainsi, dans un livre relatant sa propre expérience, un collaborateur condamné par les tribunaux parlait de « 105 000 notables abattus », laissant entendre qu'un grand nombre de non-notables avaient également été tués[32]. La remarque attribuée à Adrien Tixier au sujet de ces 105 000 exécutions aurait été faite à André Dewavrin qui, sous le nom de « Colonel Passy », avait été chef des services de renseignements de la France libre ; Dewavrin aurait répété très exactement qu'il avait entendu Adrien Tixier déclarer, en février 1945, que « d'après les renseignements qu'il avait en sa possession, il y aurait eu 105 000 exécutions sommaires entre le débarquement des Alliés en juin 1944 et le mois de février 1945[33] ».

Certains crurent saisir dans un chiffre cité en 1948, devant la Chambre par François Mitterrand, alors ministre des Anciens Combattants, parlant de 97 000 personnes « décédées pour causes diverses », une allusion aux exécutions sommaires[34]. L'historien Robert Aron a proposé son propre chiffre de 30 à 40 000[35]. En 1984 encore, l'avocat Jacques Isorni a cité les 105 000 morts de Tixier-Dewavrin, ajoutant que Robert Aron hésitait entre 40 000 et 80 000. De toute façon, Isorni n'a cure des chiffres officiels : « Il ne fallait pas, pour la beauté de l'Histoire et d'une histoire terrible, que la Libération eût été un fleuve de sang et de douleur. Elle le fut[36]. »

La persistance de ce chiffre de « 105 000 » a préoccupé les chercheurs qui souhaitent commencer leur travail non par des affirmations incontrôlables, mais par des témoignages et documents vérifiables. Ainsi, l'un d'eux accepte le fait qu'Adrien Tixier ait mentionné 105 000 morts, mais il l'explique comme étant « la récapitulation de toutes les morts violentes dues pour le plus grand nombre à l'action de l'armée allemande[37] ». Car, si le ministre de l'Intérieur avait fondé sa prétendue remarque sur les rapports de ses préfets, il n'aurait pu arriver qu'au dixième du chiffre qu'on lui attribuait (nous pouvons calculer nous-mêmes ce total, car les documents qui étaient alors à sa disposition sont aujourd'hui à la nôtre). À vrai dire, il n'y avait pas à l'époque — et il n'y a toujours pas — de moyen de déterminer aisément le nombre de personnes éliminées par les résistants ou les pseudo-résistants — non plus d'ailleurs que par les collaborateurs ou les Allemands — durant les mois chaotiques qui précédèrent et suivirent immédiatement la Libération. Les rapports des gendarmeries régionales et de la police locale n'indiquent pas toujours avec exactitude si la victime

d'un meurtre ou d'une exécution sommaire était un collaborateur
— ou un résistant — affiché. Durant les premières années de la
Quatrième République, le gouvernement français essaya bien de
découvrir ce qui s'était passé. Les informations furent rendues
publiques à une époque où de Gaulle et les siens ne se trouvaient
plus au pouvoir et n'avaient plus aucun contrôle sur la collecte ou
la communication des données. Dans ses mémoires, de Gaulle lui-
même a précisé ce que les enquêteurs découvrirent. Ceux-ci
parvinrent à dénombrer 10 842 exécutions sommaires, dont 6 675
survenues au cours des combats qui avaient abouti à la Libération,
et le reste après la Libération. « Total en soi douloureux,
reconnaissait le général, mais très limité (...) par rapport au
nombre des crimes commis et à leurs affreuses conséquences » — il
parle bien entendu des crimes collaborationnistes — et, inutile de
le dire (ajoute de Gaulle) « très éloigné (...) des chiffres extravagants qu'avanceront plus tard les amants inconsolables de la défaite
et de la collaboration [38] »...

Ce chiffre de 10 000 et quelques exécutions sommaires —
frappant des collaborateurs réels ou supposés — date du début des
années cinquante, mais c'était encore le plus fiable à l'époque où de
Gaulle publia ces lignes, en 1959. On a donné depuis lors d'autres
chiffres, mais la gendarmerie nationale, par exemple, lorsqu'elle a
livré sa propre évaluation du nombre de morts violentes, n'a pas
établi de distinction entre les meurtres commis par l'armée
d'occupation allemande, la Milice et la Résistance ; ainsi, les
642 personnes assassinées par les Allemands à Oradour-sur-Glane
figurent dans les statistiques du département de la Haute-
Vienne [39].

Les chercheurs continuent à passer au crible les données
disponibles. Ils ont commencé leur travail au sein du Comité
d'Histoire de la Seconde Guerre mondiale, alors rattaché à la
présidence du Conseil, et l'ont poursuivi sous le haut patronage de
l'Institut d'Histoire du Temps Présent, qui fait aujourd'hui partie
du CNRS. Ils ont bénéficié du concours des organismes gouvernementaux ; dès le départ, ils ont eu accès aux archives de la
gendarmerie, aux rapports de police et des autorités locales,
examinant si nécessaire les registres de décès et la presse locale.
Les données ont été plus faciles à réunir dans certains départements que dans d'autres. Vers le milieu des années 1970, cette
étude était terminée pour 53 départements ; le directeur de ce
projet, Marcel Baudot (alors inspecteur général des Archives de
France) a été en mesure de rendre public le chiffre de 5 009 exécutions sommaires pour la période de l'occupation et des premiers

mois de la Libération pour les 53 départements dans lesquels des informations satisfaisantes étaient disponibles, ce qui lui a permis d'estimer que, si l'on s'en tenait à ces moyennes, le chiffre global pour l'ensemble de la France devrait tourner autour de 8 500 à 9 000[40]. Une dizaine d'années plus tard, les statistiques étaient toujours en voie de dépouillement et d'établissement ; selon Baudot, le chiffre le plus vraisemblable concernant les exécutions sommaires, tenant compte des exécutions ordonnées par les cours martiales et par d'autres tribunaux improvisés, se rapprocherait à présent de celui de 10 000 publié par de Gaulle en 1959 (8 700 exécutions sommaires à proprement parler, plus 901 exécutions après cour martiale, pour toute la France sauf six départements. Dans ces départements — Hérault, Loiret, Loire-Atlantique, Lot-et-Garonne, Seine-et-Marne et Oise —, les exécutions se seraient élevées à 300, soit la moitié des exécutions rapportées par la gendarmerie, qui ne distingue pas toujours entre les exécutions dues à la Résistance et celles perpétrées par l'occupant[41]).

En tout cas, les chercheurs sérieux ne retiennent déjà plus le chiffre de 15 000 exécutions et estiment carrément absurdes les 40 000, 80 000 ou 105 000 avancés par certains. On peut au passage comparer ces évaluations du nombre de collaborateurs exécutés aux chiffres fournis par de Gaulle pour les années d'occupation allemande : 60 000 exécutions et 200 000 déportations (avec seulement 50 000 survivants[42]).

La littérature « révisionniste » cite évidemment d'autres chiffres faits pour choquer : 128 000 condamnations par les tribunaux de la Libération, dont 5 000 à la peine capitale ; un million de Français frappés d'indignité nationale[43]. Si le nombre d'affaires judiciaires correspond en effet à peu près à celui avancé par cette source, il convient d'examiner ses autres allégations avec la plus grande circonspection. À l'époque où la dernière Cour de Justice ferma ses portes, en 1951, le nombre d'affaires jugées était de 57 954, auxquelles il faut ajouter les 69 797 affaires réglées par les Chambres civiques. Les résultats étaient les suivants[44] :

Condamnations à mort en présence de l'accusé. . . .	2 853
Condamnations à mort par contumace	3 910
Condamnations à mort exécutées	767
Travaux forcés à perpétuité	2 702
Travaux forcés à temps	10 637
Réclusion	2 044
Prison.	22 883

Dégradation nationale comme peine principale
d'une Cour de Justice. 3 578
Dégradation nationale par une Chambre civique
(dont 3 184 condamnés relevés). 46 145

Ces chiffres sembleront plutôt élevés ou plutôt bas selon l'attitude adoptée vis-à-vis de la Résistance et de Vichy. Aux yeux de Charles de Gaulle, les condamnations à mort effectivement exécutées étaient aussi justes qu'elles pouvaient l'être, tandis que les peines de détention étaient « dans leur ensemble équitables et modérées [45] ». D'ailleurs, dans une remarquable étude comparative des autres États d'Europe occidentale occupés par les nazis, qui eurent donc le même genre de comptes à régler à la Libération, l'historien Peter Novick a démontré qu'il y avait eu davantage d'arrestations et davantage de condamnations judiciaires par habitant non seulement en Belgique et aux Pays-Bas, mais aussi bien au Danemark et en Norvège. Au Danemark, il y eut quatre fois plus de peines de prison pour 100 000 habitants qu'en France ; il y en eut plus de quatre fois plus aux Pays-Bas, et six fois plus en Belgique et en Norvège. Si, en chiffre absolu, il y eut plus d'exécutions en France qu'ailleurs, le taux de décès dus à cette cause fut supérieur en Belgique. On a dénombré dans ce pays de 50 à 70 000 arrestations au cours du premier mois de libération, alors que 40 000 suspects étaient maintenus en détention à la fin des hostilités ; ce chiffre augmenta en outre de 50 % lorsque de nouvelles tensions se firent jour au moment du retour des déportés. Aux Pays-Bas, il y avait eu entre 120 000 et 150 000 arrestations et, à un certain moment, on comptait 96 000 détenus ; deux ans après la libération du pays, 62 000 personnes étaient encore incarcérées [46].

Aucun des pays occidentaux qui subirent l'occupation nazie ne possédait de législation contre la trahison appropriée à la situation. En Norvège, aux Pays-Bas et au Danemark, il fallut avoir recours à des lois rétroactives, tandis que l'on rétablissait la peine capitale abolie plusieurs années auparavant dans chacun de ces pays. En outre, dans chacun, ainsi qu'en Belgique, fut définie une forme moins grave de trahison qui s'apparentait fort à l'indignité nationale des Français. « Dans chaque pays, conclut Novick, la combinaison de solutions à laquelle on parvenait était la résultante des diverses forces et pressions qui s'étaient exercées ; les traditions de la justice, les revendications populaires, les clivages politiques et d'autres encore. Il n'y eut pas un pays où l'on fut satisfait des solutions adoptées [47]. » L'Italie, qui avait été occupée de l'intérieur et de l'extérieur — d'abord par un fascisme d'origine autochtone, puis par le gouvernement fantoche de Mussolini, enfin par l'armée allemande — conçut une vaste gamme de tribunaux et de commissions d'épuration au moins aussi étendue que celle existant en France [48].

CHAPITRE II

Le pardon

L'amnistie est une notion universelle, souvent appliquée aux crimes — ou aux erreurs — politiques. Abraham Lincoln et son successeur à la Maison-Blanche crurent y voir le meilleur moyen de rapprocher le Nord et le Sud de leur pays après la Guerre de Sécession. En France, l'épuration était encore à son apogée, au début de 1946, quand François Mauriac souleva la question de l'amnistie pour certains crimes de collaboration, certaines catégories de délinquants. « Il existe des délateurs, des assassins, des tortionnaires (...) pour lesquels même l'adversaire de la peine de mort que j'ai toujours été ne saurait rien imaginer d'autre que le suprême châtiment », écrivit le romancier dans sa chronique du *Figaro*. Mais, si l'on excluait les personnes totalement innocentes, il y avait « la foule des égarés de tous âges, et d'abord les plus jeunes que leur milieu condamnait à penser et à croire ce qu'ils ont pensé et ce qu'ils ont cru. » C'était parfois leur « témérité » qui les avait entraînés hors du droit chemin, cette même audace qui eût pu en faire des héros s'ils ne s'étaient fourvoyés. Pour les chrétiens, déclara Mauriac, c'était un véritable devoir que de poser ainsi la question de l'amnistie à la veille des élections[1]. Dans une chronique ultérieure, il plaida la cause de ceux qui se trouvaient alors en prison ou au bagne et qui, en leur âme et conscience, n'avaient pas cru agir de façon criminelle. La véritable justice, faisait-il valoir, sait adapter le châtiment au crime. Mauriac évoquait non seulement la miséricorde chrétienne, mais l'histoire de France. « C'est aux Dreyfus d'aujourd'hui, s'il en existe, qu'il faut songer, c'est pour les Dreyfus vivants qu'il serait généreux de se battre et de se compromettre[2]. »

La loi d'amnistie qui fut finalement votée — le 16 août 1947 — semblait répondre à certaines préoccupations de l'écrivain. Elle s'appliquait aux mineurs de moins de 18 ans ayant « sans discernement » commis des actes de collaboration de moindre importance, ou ayant adhéré à une organisation collaborationniste (tous les mineurs de moins de 21 ans étaient amnistiés s'ils avaient ultérieurement combattu dans les Forces Françaises Libres). Dans ces deux cas, l'amnistie était automatique, alors que les mineurs de moins de 18 ans reconnus coupables de crimes de collaboration et ceux de moins de 21 ans ayant fait partie de mouvements collaborationnistes sans avoir perpétré d'acte grave devaient demander l'amnistie, laquelle leur serait alors accordée par décret. Les fonctionnaires qui s'étaient vu infliger la plus faible sanction existant dans le cadre de l'épuration administrative, c'est-à-dire le déplacement d'office, bénéficiaient eux aussi de l'amnistie. Certains faits de collaboration commis en Algérie, qui techniquement n'avait jamais été occupée et dont la population avait pu nourrir, de ce fait, certains doutes quant au comportement qu'elle devait adopter, étaient également excusés, de même que les actes de musulmans algériens (les « mineurs de la Métropole », pour reprendre la formule d'un député) qui s'étaient contentés d'obéir aux ordres. Une loi distincte, votée quinze jours plus tard, ouvrit la voie à l'amnistie pour les Alsaciens condamnés à la dégradation nationale, eu égard à la situation particulière de leur région annexée par l'envahisseur. Comme toujours en cas d'amnistie, on considérait que le crime originel n'avait jamais eu lieu : toute référence à son sujet serait supprimée des archives judiciaires[3].

N'était-ce qu'un début ? Au fil des années suivantes, on entendit réclamer de plus en plus souvent une plus ample amnistie. Les prisons étaient pleines et bon nombre de détenus étaient des écrivains et des journalistes, des hommes politiques habitués à s'exprimer et possédant au-dehors des alliés qui ne l'étaient pas moins. Cependant, la France d'après-guerre était et resta assez longtemps la France de la Résistance. Les gaullistes, certes, allaient assez vite abandonner le pouvoir, mais ils formaient néanmoins une opposition fort véhémente. Le nouveau président de la République, Vincent Auriol, était socialiste et ancien résistant, et dans l'*establishment* politique d'après-guerre figuraient non seulement les socialistes de la vieille école, mais aussi un parti fort militant, le Mouvement Républicain Populaire (MRP). Ce mouvement chrétien, né de la Résistance, comptait parmi ses dirigeants Georges Bidault, président du CNR, et les deux Gardes des Sceaux successifs du général de Gaulle, François de Menthon et Pierre-Henri Teitgen.

Durant les premiers mois de 1948, un sondage d'opinion sembla indiquer que la masse des Françaises et des Français était loin d'être prête à oublier ou à pardonner. Était-il temps de passer l'éponge ? Non, répondit une considérable majorité (63 %), contre 24 % de oui et 13 % sans opinion. En outre, 47 % des personnes interrogées estimaient que les tribunaux d'épuration s'étaient montrés « pas assez sévères » (contre 16 % seulement trouvant qu'ils avaient été « trop sévères », 18 % les jugeant « comme il faut » et 19 % n'ayant pas d'opinion). Si l'on entrait dans le détail, on constatait que les hommes étaient moins indulgents que les femmes, les jeunes (de 20 à 34 ans) que les personnes plus âgées, les habitants des villes de 20 à 40 000 habitants que ceux des villes de 100 000 habitants ou plus. Parmi l'électorat, les adversaires les plus acharnés de l'amnistie étaient les adhérents du RGR (le Rassemblement des Gauches Républicaines, dont faisaient partie les Radicaux et l'Union Démocratique et Socialiste de la Résistance) avec 58 % contre et 31 % pour ; les socialistes, avec 81 % contre et 12 % pour ; et surtout les communistes avec 93 % contre et 4 % pour. Les gaullistes étaient divisés de façon nettement plus égale avec 49 % contre et 38 % pour, tandis que les membres du Parti Républicain de la Liberté (PRL), qui se situait au centre, étaient plutôt favorables à l'amnistie avec 54 % pour et 40 % contre[4].

Un an plus tard, le courant principal de l'opinion avait radicalement changé de cap. Le mouvement en faveur du pardon et de l'oubli n'avait certes rien d'un raz de marée, mais du moins l'amnistie était-elle abordée à présent à découvert ; elle faisait l'objet de débats publics. Mauriac n'était plus seul. Dans les pages de l'organe du MRP, *L'Aube,* Georges Bidault souligna que l'épuration avait été nécessaire — « au nom du droit, au nom de la patrie, en raison aussi des nécessités de la paix publique et de la réconciliation nationale ». Ceux qui, à présent — en 1949 —, laissaient entendre que l'épuration était regrettable, ou qu'elle avait été scandaleuse, oubliaient ce qu'avait été l'occupation, oubliaient surtout ses victimes. Bidault reconnaissait cependant qu'il y avait une différence considérable entre les lourdes sentences des tribunaux de la Libération et celles, relativement bénignes, prononcées à l'heure où il écrivait ces lignes. Cette disparité était injuste et la clémence pouvait y remédier. Selon Bidault, il appartenait à ceux qui avaient résisté de faire savoir que l'heure était venue d'oublier et de dire ce qui pouvait être oublié. Les collaborateurs qui n'avaient ni tué ni dénoncé, ceux qui n'avaient pas trahi, mais s'étaient laissé induire en erreur, pouvaient désormais être réintégrés à la nation[5]. Le bruit se répandit que le gouvernement préparait un projet de loi qui éviterait de donner à l'amnistie un caractère automatique ; son application serait sélective, exigeant l'examen successif de chaque dossier[6].

Même cela, cependant, certains anciens combattants de la Résistance ne pouvaient l'admettre. Le Mouvement National Judiciaire, dont le secrétaire général était Maurice Rolland, s'éleva sans ambages contre l'amnistie. Il contesta l'idée que la justice de la Libération avait été une justice d'exception : « L'aide à l'ennemi n'est jamais une opinion d'ordre politique, mais un agissement criminel de droit commun. » Les droits des accusés n'avaient pas été violés par les tribunaux de la Libération, si bien que les procédures normalement valables pour les recours en grâce étaient tout à fait applicables. Pour les juristes de la Résistance, une amnistie serait « le démenti sacrilège des innombrables morts et vivants qui ont eu foi dans la patrie[7] ». Les anciens résistants du mouvement Combat étaient de cet avis et le quotidien *Combat*, dont le rédacteur en chef, Claude Bourdet, avait soulevé l'idée de la clémence l'année précédente[8], ouvrit ses colonnes au débat sous le titre « Clémence ou Réhabilitation ? ». La majorité de ceux qui exprimèrent leur opinion étaient en faveur de grâces individuelles de préférence à toute forme d'amnistie globale. Dans ce cas, commenta Bourdet, il était important d'accélérer l'examen des dossiers de façon que ceux qui méritaient d'être libérés ne croupissent pas inutilement en prison[9].

Dans un discours prononcé à Alger à la fin de mai 1949, le président Auriol évoqua la question de la clémence — non seulement en ce qui concernait les habitants de l'Algérie, français et musulmans, mais aussi en France métropolitaine. Il attaqua ceux qui exigeaient l'amnistie, mais « qui tendent à donner à un geste de pardon le sens de réhabilitation, voire de glorification des fautes ou des crimes qui conduisirent à la torture et à la mort les meilleurs fils de France ». Il annonça alors que « sauf les traîtres, les dénonciateurs et les tortionnaires », les détenus convaincus de collaboration seraient libérés et recouvreraient leurs droits civiques[10].

Un sondage effectué tout de suite après ce discours laissait penser que les Français étaient disposés à suivre leur président dans cette voie. Désormais, 60 % de la population étaient en faveur de l'amnistie (23 % contre et 17 % sans opinion) ; l'amnistie recueillait les suffrages de 59 % des hommes, 61 % des femmes, 58 % des jeunes, 65 % des citadins et 54 % de la population rurale[11]. Toutefois, l'idée d'une amnistie générale était encore bien dure à avaler pour de nombreux responsables. Dans un éditorial du *Populaire*, le vieux socialiste Léon Blum précisait la dimension du dilemme. Peut-être les ordonnances sur l'indignité nationale n'avaient-elles pas été suffisamment sélectives, peut-être une mesure d'amnistie s'imposait-elle, mais Blum ne pouvait accepter l'idée qu'une amnistie juridique pourrait impliquer une amnistie morale. À ses yeux, quiconque avait collaboré devait être frappé d'ostracisme. Pas pour toujours, peut-être, mais pour une période qui, à ce moment précis, n'était pas close. « De la France et d'eux, qui donc doit réparation à l'autre ? » demanda Blum. Et de conclure : « Le retrait modeste, silencieux, et qui pourrait être digne, est la moindre qu'ils doivent à leur pays [12]. »

Nul ne s'étonnera donc que la première grande amnistie eut une naissance fort pénible : nombreux projets de loi, âpres discussions, tant au sein du cabinet que des partis de la majorité. Comme le reconnut le responsable lui-même, le projet soumis au débat par le Garde des Sceaux de l'époque, Robert Lecourt, fut « jugé par les uns excessif, et par les autres insuffisant ». Certains partisans modérés de l'amnistie étaient prêts à différer la décision jusqu'au jour où une amnistie globale serait devenue acceptable. D'autres estimaient que seul un examen détaillé des condamnations pour collaboration, dossier par dossier, pouvait se justifier [13]. Voyant qu'à la fin de l'été, rien de positif n'était sorti des milieux ministériels, un des porte-parole de la résistance modérée, Rémy Roure, insista sur l'urgence d'une décision au sujet de l'amnistie « ou de la grâce amnistiante, de tous les projets qui tendent à apaiser les passions, à désarmer les haines, à libérer enfin définitivement les consciences ». Tout en convenant que « l'arrogance de collaborateurs en liberté, de ceux qui n'ont pas payé et n'ont pas souffert », s'ajoutant aux actes hostiles à la Résistance qui avaient encore lieu, n'était pas faite pour encourager ceux qui espéraient un apaisement civil, Roure ne croyait pas qu'une amnistie pût faire du tort à la Résistance [14].

Résumant depuis l'étranger le débat qui secouait la France, un correspondant anonyme du *Times* rapportait que « l'arrogance croissante des ex-collaborateurs qui ont soit échappé à l'arrestation, soit été libérés, a été des plus remarquables au cours des douze derniers mois. L'on a abondamment médit de la Résistance, par écrit et oralement, et l'on a eu l'été dernier [1949, HL] un exemple particulièrement odieux de cette agressive impénitence, lorsque des amis de feu Philippe Henriot, ministre de la Propagande du gouvernement de Vichy, abattu par la Résistance pendant la guerre, ont assisté à une messe anniversaire à sa mémoire, célébrée à Paris, vêtus de leur uniforme de la *Milice* ».

Le *Times* reconnaissait, cependant, que la politique s'était immiscée dans l'épuration et qu'une amnistie devait survenir tôt ou tard. Serait-elle, alors, appliquée à Pétain lui-même ? « Son affaire est au cœur même du drame français, drame qui n'est pas encore achevé[15]. »

A la veille de Noël 1949, un projet de loi se trouva enfin prêt. Il prévoyait une amnistie de droit pour certains crimes, dont ceux ayant entraîné des condamnations à moins de dix ans de dégradation nationale, ou de courtes peines de prison pour des mineurs de moins de 21 ans ; et une amnistie par décret (sur demande du collaborateur condamné) pour tous les autres condamnés à la dégradation nationale, pour les alsaciens et les lorrains, dont les départements avaient été annexés par l'Allemagne, pour les personnes condamnées à trois ans de prison au moins par les Cours de Justice. À l'époque, l'ancien Garde des Sceaux, Pierre-Henri Teitgen, devenu ministre d'État, annonça que 8 000 collaborateurs seulement étaient encore détenus dans les prisons françaises. Il ajouta qu'en Belgique, où on ne comptait que 8,5 millions d'habitants, les prisons hébergeaient encore 9 000 anciens collaborateurs[16].

La controverse ne faisait que commencer ; de toute évidence, les gouvernements successifs de la Quatrième République n'éprouvaient aucun sentiment d'urgence. À l'automne de 1950, cependant, un projet de loi fut déposé et la discussion passa des colonnes des journaux à l'hémicycle de l'Assemblée nationale. « Des hommes de grand cœur soutiennent le projet et s'efforcent d'en maintenir la discussion sur le plan de ce que le Garde des Sceaux appelait : " une sereine justice et une clairvoyante humanité ", observa un partisan du projet, le pasteur Marc Boegner. Mais sans cesse, semble-t-il, d'autres orateurs ramènent le débat à ras de terre. Les préoccupations personnelles affleurent à certains discours, et le souci des élections prochaines porte atteinte à l'objectivité[17]. » (L'Assemblée nationale élue en novembre 1946 devait être remplacée à l'occasion d'un nouveau scrutin en juin 1951.) Dans *Le Populaire*, un gros titre exprimait l'opinion des socialistes :

DES GRACES AMNISTIANTES : OUI
BLANCHIR LES COLLABOS : NON

En fait, le projet de loi proposé par le Garde des Sceaux René Mayer était un compromis entre deux orientations. La principale catégorie de bénéficiaires seraient les personnes sanctionnées par les Chambres civiques pour des délits relativement mineurs. Mayer fournit à l'Assemblée de nouvelles données concernant la population carcérale : au 1ᵉʳ janvier 1949, 10 611 collaborateurs restaient incarcérés ; le 1ᵉʳ novembre de la même année, on n'en comptait plus que 6 402, et un an plus tard le chiffre était tombé à 4 784. Sur le total d'alors, 539 détenus purgeaient des peines de travaux forcés à perpétuité, 3 060 de travaux forcés à temps, 813 de réclusion et 362 de prison. Dix autres personnes attendaient la réponse à leur pourvoi en appel contre des condamnations à mort. Alors qu'en Belgique, fit remarquer le ministre, il restait encore 5 000 collaborateurs en prison [18].

Cet automne-là, le débat parlementaire fut acharné. La liberté d'expression était totale et un député put fort bien déclarer : « Vous savez comme moi qu'il y a eu des ambitieux et des cupides qui ont exécuté des hommes et sali des familles qui ne le méritaient pas [19]. » Quelqu'un rappela la remarque contestée du général de Gaulle à Rémy, à propos de la France et de son besoin d'avoir « deux cordes à son arc [20] ». Pierre-Henri Teitgen expliqua encore une fois que pour le gouvernement de la Libération, la dégradation nationale, bien qu'elle fût effectivement rétroactive au sens strictement juridique, avait en réalité été « une mesure d'atténuation et d'indulgence », épargnant à ceux qui comparurent devant les Chambres civiques les verdicts plus sévères des Cours de Justice. Si ces dernières avaient été des « juridictions d'exception », elles s'étaient montrées nettement plus clémentes que les cours martiales. Teitgen dénonça ceux qui osaient accuser la Résistance d'agissements criminels. S'il y avait eu des abus, c'était uniquement parce que la nature du régime de collaboration institué par Vichy excluait qu'il pût rester en place à la Libération, si bien que son départ avait entraîné une vacance du pouvoir à l'échelon local. Teitgen imputa en outre au parti communiste — car la France était désormais mêlée à la guerre froide — les excès de l'épuration. Il déclara que ce parti « voulait faire de l'épuration l'instrument d'une subversion politique », alors que les ministres de la Justice de la Libération avaient fait tout leur possible pour assurer la légalité. Il se rangeait du côté de ceux qui envisageaient l'amnistie pour les délits de collaboration de moindre importance ; son parti (le MRP) soutenait donc le projet de loi du gouvernement [21].

En son for intérieur, Teitgen estimait que l'amnistie était nécessaire pour remédier à la très grande inégalité des verdicts rendus par les Cours de Justice ; il était bien placé pour se rappeler que dans une région rurale reculée, on pouvait fort bien condamner une femme à des dix ou vingt ans pour « collaboration horizontale », alors que les tribunaux plus évolués de la Région parisienne considéraient que le fait d'avoir couché avec des soldats allemands ne méritait pas plus de cinq ans de dégradation nationale [22].

Lorsque le moment de voter fut enfin venu, à six heures, par un matin de décembre 1950, les socialistes aussi bien que les communistes votèrent contre l'amnistie. Dans son plaidoyer en faveur de son projet, René Mayer assura : « L'amnistie ne justifie rien [23] ». Le projet fut adopté. La loi n° 51-18 du 5 janvier 1951 autorisait notamment une libération anticipée des personnes condamnées pour crimes de collaboration à des peines à temps (inférieures à la perpétuité). La dégradation nationale cessait d'être une peine criminelle et ses effets se limiteraient désormais à la privation de droits civiques et à l'interdiction d'occuper certaines fonctions professionnelles, particulièrement de travailler dans la presse et autres moyens de communication. Certaines condamnations étaient amnistiées de droit : les peines de 15 ans ou moins de dégradation nationale, et celles de cinq ans ou moins de prison, infligées à des mineurs de moins de 21 ans. L'amnistie était possible — mais uniquement si l'on en faisait la demande — pour ceux qui avaient été condamnés à des peines de prison légères, du moment qu'ils n'avaient dénoncé personne ni provoqué la torture, la déportation ou la mort de quiconque. Une amnistie complète était accordée aux résistants qui avaient agi dans l'intention « de servir la cause de la libération du territoire [24] »...

« Loi bien timide », devaient déclarer les défenseurs des épurés. Elle était certes favorable aux quelque 50 000 Français convaincus d'indignité nationale, mais elle l'était moins à ceux qui se trouvaient encore en prison [25]. Après avoir laissé passer quelques mois, un spécialiste des abus de l'épuration fit remarquer que bien peu de détenus avaient été libérés grâce à cette loi ; et il déclara que le comportement du Garde des Sceaux René Mayer — un Juif — avait été « talmudique [26] ».

La campagne se poursuivit donc. L'une des interventions les plus remarquées fut le fait d'un des grands résistants parmi les intellectuels, Jean Paulhan. Depuis qu'il avait rompu avec le Comité national des écrivains dominé par la gauche, il avait participé à la controverse générale sur les fondements mêmes de l'épuration et la façon dont elle avait été menée à bien. Il résuma sa thèse dans une « Lettre aux Directeurs de la Résistance » dans laquelle il prenait la défense non seulement des écrivains et des intellectuels, mais de toutes les victimes de l'épuration. Il entérinait les chiffres de 60 000 exécutions sommaires et d'un million d'arrestations. Il déclara qu'aucun des 400 000 Français qui avaient été exécutés, condamnés au bagne, ruinés, déshonorés, n'avait été jugé légalement, car le régime de Vichy avait été institué par un vote légal, si bien que ses partisans ne pouvaient être des traîtres. Il ajouta que les compagnons de route du Comité national des écrivains étaient eux aussi des « collaborateurs » — mais de l'Union soviétique [27]. En décembre 1951, Paulhan tenta de faire publier sa lettre ouverte par un des organes du mouvement gaulliste, *Liberté de l'Esprit,* mais de Gaulle refusa d'en entendre parler, car il était mécontent des statistiques erronées de l'écrivain et de la thèse de la légitimité du régime vichyste que Paulhan semblait vouloir soutenir [28].

Se prononçant en faveur d'une amnistie générale à la une du *Figaro,* le journaliste Rémy Roure, ancien combattant des FFL, notait que la Belgique était hostile à l'amnistie et mentionnait des lettres de lecteurs qui lui écrivaient pour lui demander pourquoi, l'amnistie étant impossible en Belgique, elle devait être désirable en France. La réponse lui semblait fort simple : les Belges n'avaient pas eu à affronter le drame de conscience qui s'était posé aux Français, car leur gouvernement était parti pour Londres ; le roi était resté, certes, mais il avait refusé de former un gouvernement collaborationniste, si bien que le pays avait été gouverné directement par les Allemands : « Pas de double jeu, pas d'équivoque, pas de collaboration insidieuse avec des excuses politiques. » Alors qu'en France, un citoyen pouvait croire que son devoir était d'obéir à Vichy : « C'est pourquoi, si nous voulons nous débarrasser définitivement des derniers haillons de guerre civile, l'oubli bienfaisant est indispensable pour tous les " inciviques " qui n'ont pas de sang sur les mains [29]. »

Ce n'était pas souvent qu'un ancien résistant envisageait les choses sous cet angle. Aux yeux de la plupart, une amnistie globale eût représenté, comme le déclara une association d'anciens déportés, « la réhabilitation totale de ceux qui trahirent la Patrie [30] ». Les résistants craignaient que l'amnistie ne signifiât « une politique de liquidation de la Résistance » et attiraient l'attention sur certaines dispositions du projet de loi susceptibles d'interdire aux victimes de désigner nommément leurs tortionnaires [31]. Le Comité d'Action de la Résistance, regroupant plusieurs mouvements, adopta une position plus modérée : au début de 1952, il accepta le principe de la magnanimité envers les coupables, pourvu que les clauses de la nouvelle loi impliquant « un désaveu » et « une revanche » fussent omises [32].

Cette aministie plus vaste ne donna pas lieu à moins de six projets de loi différents et à quinze jours de débats parlementaires, répartis sur une période d'un an à partir de juillet 1952, ce qui ne fut évidemment pas pour contribuer à la cohérence du résultat final, comme le fit observer un juriste ; mais, pour finir, les promesses électorales de la majorité parlementaire furent tenues (elle s'était engagée à promulguer des mesures plus complètes que ne l'avaient été celles prévues par la loi de janvier 1951[33]). L'un des porte-parole les plus véhéments des partisans de l'amnistie était le tout nouveau député Jacques Isorni, vétéran des procès d'épuration, puisqu'il avait été le défenseur de Pétain, de Brasillach et de bien d'autres. Le débat qui se déroula dans l'enceinte du Palais-Bourbon, particulièrement lorsqu'il atteignit son point culminant en octobre 1952, fut un véritable rejeu du conflit qui avait opposé naguère pétainistes et gaullistes. Un petit échantillon du dialogue, au passage :

Paul Estèbe, député (membre du cabinet de Pétain à Vichy, ensuite déporté par les Allemands) : Mon fils, qui s'appelle Philippe, est venu me dire il y a quelques mois : « Papa, est-il exact que je porte le prénom d'un traître, et qu'est-ce que c'est qu'un traître ? »
Irène de Lipkowski, député : Vous ne le savez même pas[34] !

Prenant la parole, Isorni reconnut qu'il avait été élu parce qu'il avait plaidé pour Pétain. Il convenait que l'amnistie ne devait représenter ni un règlement de comptes, ni une revanche, mais le retour à la paix civile[35]. Rien de ceci ne suffit à rassurer les anciens de la Résistance. Georges Bidault signala des articles parus dans la presse pro-amnistie, qui était prête à considérer tout nouveau signe d'indulgence comme un désaveu de la cause de la France libre. Il fit remarquer une fois de plus que les autres pays occupés — les Pays-Bas et la Norvège, par exemple — avaient mis davantage de collaborateurs en prison que la France[36]. Le projet fut finalement soumis au vote en mars 1953. Il y eut 390 députés en faveur de l'amnistie et 210 contre. « Loi de justice », commenta Jacques Fauvet dans *Le Monde*, puisqu'il y avait déjà eu une amnistie de fait pour tous les « habiles collaborateurs qui avaient échappé à toute poursuite, notamment dans le domaine économique ». Loi de sagesse aussi, car elle mettait fin à ce que Léon Blum avait appelé « le bannissement intérieur », c'est-à-dire l'indignité nationale : « Car si l'on a parfois traité des crimes comme des faiblesses, on a aussi traité des faiblesses comme des crimes ». « Loi de

générosité », enfin, qui exigerait de certains de ses bénéficiaires
« le même sens de l'unité nationale dont ils profitent aujour-
d'hui [37] ». Il devait y avoir quelques modifications et une deuxième
lecture avant que le Parlement ne prît ses vacances. Le vote final se
solda par 394 pour et 212 contre, les communistes et les socialistes
se cantonnant dans l'opposition [38].

La loi n° 53-681 du 6 août 1953, telle qu'elle fut promulguée par
le président Auriol, commençait par répondre à ses critiques :

> « Art. 1er — La République française rend témoignage à la
> Résistance, dont le combat au-dedans et au-dehors des frontières a
> sauvé la nation. C'est dans la fidélité à l'esprit de la Résistance
> qu'elle entend que soit aujourd'hui dispensée la clémence.
>
> L'amnistie n'est pas une réhabilitation ni une revanche, pas plus
> qu'elle n'est une critique contre ceux qui, au nom de la nation,
> eurent la lourde tâche de juger et de punir [39]. »

Cette amnistie de 1953, qui mit le point final aux mesures prises
par la République d'après-guerre pour châtier les crimes de
collaboration, se préoccupait d'abord de celui d'indignité nationale. Quiconque avait été condamné à la dégradation — à
l'exception des personnes jugées par la Haute Cour — était
désormais amnistié (les sentences prononcées par la Haute Cour
pouvaient elles aussi être effacées, mais uniquement par décret
spécial). Quiconque avait été convaincu de commerce avec l'ennemi était aussi amnistié du moment que sa condamnation
n'excédait pas cinq ans et 20 000 francs d'amende. Quiconque avait
été convaincu de collaboration et condamné à cinq ans ou moins
bénéficiait aussi d'une amnistie de droit (exception faite pour les
personnes condamnées par la Haute Cour), à l'exclusion de
quiconque avait été reconnu coupable de meurtre, viol ou dénonciation, ou qui, par ses actes ou ses écrits, avait provoqué la
torture, la déportation ou la mort d'autres personnes, ou qui avait
coopéré avec les forces armées, la police ou les services d'espionnage de l'ennemi. Les collaborateurs dont les condamnations ne
dépassaient pas 15 ans — ou 20 ans pour les invalides de guerre et
déportés ou les combattants de la Résistance décorés — pouvaient
aussi être amnistiés sur demande de leur part. La grâce était
valable pour les condamnations par contumace et même pour les
affaires qui n'avaient pas encore été jugées, ainsi que pour les
personnes d'abord condamnées à mort mais dont la peine avait été
ensuite commuée ou réduite.

Cette loi de 1953 pourvoyait aussi aux mesures d'épuration

administrative et professionnelle. Elle n'accordait pas aux fonctionnaires le droit de réintégration, mais elle rendait la chose
possible, et elle restituait les droits si importants à la retraite. Une
autre de ses conséquences fut de lever les peines de confiscation,
sauf lorsqu'elles avaient constitué une réparation. Encore une fois,
elle couvrait d'un manteau protecteur les résistants ayant perpétré
des actes qu'ils avaient estimé commettre dans l'intérêt du pays.
L'article 45 interdisait le « rappel des condamnations ou sanctions
amnistiées » — clause qu'un juriste estima impossible à appliquer,
puisqu'elle interdisait aux collaborateurs condamnés d'avoir
recours aux archives judiciaires pour faire appel contre leur propre
sentence [40].

Ces mesures prises pour éliminer toute trace des crimes de
collaboration des dossiers des condamnés devaient terroriser,
pendant des années, les historiens spécialisés dans cette période...

CHAPITRE III

L'épuration aujourd'hui

Plus de 45 années ont passé depuis l'armistice de juin 1940 marquant le début de l'occupation allemande et du régime vichyste ; et plus de 40 depuis que l'épuration officielle a commencé. Pour ceux qui furent alors puni, tout est donc fini et bien fini. Cependant, bien des Français dont les crimes n'étaient pas moindres que ceux des collaborateurs condamnés étaient parvenus à échapper au châtiment. Ils avaient vécu — et, pour certains, ils étaient morts — en exil. Ainsi, Louis Darquier de Pellepoix, qui s'était forgé une réputation de rare sévérité en qualité de Commissaire aux Questions juives, parvint à passer en Espagne et à y vivre, sans être reconnu, presque jusqu'à la fin de ses jours ; il y mourut, toujours à l'abri de la justice française. De temps à autre, l'attention du pays s'est également portée sur certains personnages pleinement réintégrés à la société française où elles jouissaient même de positions d'autorité et de privilèges après avoir traversé indemnes l'épuration.

L'idée demeurait cependant qu'une certaine catégorie de crimes devaient être punis, aussi anciens fussent-ils. Rares furent ceux qui s'élevèrent contre cette idée lorsqu'on débusqua en Amérique latine le nazi Adolf Eichmann et qu'on le ramena en Israël pour y être jugé et exécuté. Plus récemment, les Français ont entamé une procédure analogue contre un ex-officier de la Gestapo, Klaus Barbie.

Conformément aux décisions prises par les vainqueurs de la Seconde Guerre mondiale, notamment le statut du tribunal militaire international de Nuremberg qui jugea les principaux criminels de guerre nazis, la France vota en décembre 1964 — soit vingt ans après la Libération —, à l'unanimité des deux Chambres, une loi abrogeant la prescriptibilité pour les crimes de guerre :

« Les crimes contre l'humanité tels qu'ils sont définis par la
résolution des Nations-Unies du 13 février 1946, prenant acte de la
définition des crimes contre l'humanité telle qu'elle figure dans la
Charte du Tribunal international (de Nuremberg) du 8 août 1945,
sont imprescriptibles par leur nature. »

La façon dont fut réglé, durant les années de l'après-gaullisme,
le sort des dossiers d'épuration en suspens est particulièrement
nette dans le cas de celui qui fit couler le plus d'encre et qui fut
peut-être aussi le plus énigmatique de tous. Paul Touvier n'était
certes pas un personnage de stature nationale, mais enfin son nom
était connu dans toute la région Rhône-Alpes. Il avait d'abord été
un des chefs de la Milice à Lyon, puis chef régional à partir de
1943, responsable des renseignements et des opérations, collaborant avec la Gestapo aux rafles de résistants et de Juifs. Il était
accusé de torture et de meurtre, et avait été jugé et condamné à
mort par contumace en septembre 1946 par une des Cours de
Justice de Lyon, puis à Chambéry en mars 1947. Seulement
Touvier s'était volatilisé.

Et puis, en 1972, un quart de siècle après sa seconde condamnation, l'affaire revint à la une des journaux. Certaines révélations
signalaient que Paul Touvier était parvenu à échapper à la justice
française avec l'aide de congrégations religieuses et qu'un ecclésiastique de haut rang était intervenu en sa faveur auprès du président
de la République. En novembre 1971, Georges Pompidou avait
signé un décret de grâce annulant les dernières sanctions qui
pesaient encore sur le fugitif : l'interdiction de séjour et la
confiscation des biens. À l'âge de 56 ans, Touvier était en mesure
de regagner sa maison de famille à Chambéry.

La presse suivit l'affaire de près. Touvier, expliqua-t-elle au
public, n'avait pas été un obscur petit agent de police, mais un
collaborateur particulièrement agressif : il avait volé et torturé ses
victimes, ordonné des exécutions sans jugement. Il se révéla que
c'était le secrétaire de Mgr Gerlier, cardinal-archevêque de Lyon,
qui avait pris, au début des années soixante, l'initiative de chercher
à obtenir des témoignages favorables à Touvier. Et puis, en mars
1967, les deux condamnations à mort par contumace avaient été
amnistiées de droit par la prescription, ce qui ne laissait subsister
que l'interdiction de séjour et la confiscation. Armé du soutien du
clergé, Touvier fut reçu en 1970 par le philosophe catholique
Gabriel Marcel, qui devait reconnaître par la suite s'être laissé
abuser par la version édulcorée que lui avait présentée son
interlocuteur de ses activités sous l'occupation. Ce fut Marcel qui
intervint auprès de Pompidou, lequel, en dépit des avis défavora-

bles des ministères de l'Intérieur et de la Justice, signa la grâce. (Gabriel Marcel devait ensuite déclarer : « Il y a des crimes imprescriptibles pour lesquels le pardon n'appartient qu'à Dieu [1] »). Pourtant, en apprenant la nouvelle de cette grâce présidentielle, l'un des membres de la Cour de Justice de Lyon ne fut pas le moins du monde surpris, car il avait jadis examiné le dossier Touvier et avait pu constater que, comme tant d'autres dossiers constitués à la hâte au moment de la Libération, il ne contenait pas de preuves directes, pas de réquisitoire qui eût permis à un jury de rendre un verdict de culpabilité en présence de l'accusé [2].

La découverte de ce « bourreau de Lyon » par un hebdomadaire parisien déclencha une vague de protestations et de manifestations, notamment devant la maison de Touvier à Chambéry [3]. Une campagne fut lancée — notamment parmi les familles de ses anciennes victimes — pour obtenir qu'il fût jugé une nouvelle fois pour crimes contre l'humanité, les seuls pour lesquels il fût encore possible de le poursuivre si longtemps après les événements. En octobre 1975, un tribunal parisien déclara cette plainte irrecevable du fait que la loi française établissant l'imprescriptibilité pour de tels crimes datait de 1964, alors que les actes que l'on reprochait à Touvier avaient été commis sous le statut de la prescription de dix ans à partir de la date officielle de cessation des hostilités, soit le 1er juin 1946 [4]. Les plaignants firent appel, mais la cour de cassation confirma que le statut de la prescription était valide, tout en habilitant les familles des victimes à solliciter l'avis du ministère des Affaires étrangères sur les effets de la décision du tribunal de Nuremberg concernant l'imprescriptibilité. En juillet 1979, le ministère se déclara en faveur des familles. Le procès Touvier redevenait possible, et l'instruction fut ouverte avant la fin du mois par le tribunal de Paris [5]. Lorsqu'un mandat d'arrêt fut lancé contre Touvier en 1982, celui-ci avait à nouveau disparu ; la presse signala sa présence dans toute une succession de couvents d'où l'on pensait qu'il avait eu le temps de gagner un monastère en Italie [6]...

En 1983, le tribunal de grande instance de Lyon, qui préparait alors le procès du chef de la Gestapo Klaus Barbie, lança à son tour une information concernant une nouvelle plainte portée contre Touvier, cette fois par la famille d'une autre de ses victimes, Victor Basch, président de la Ligue des Droits de l'homme d'avant-guerre, assassiné à 82 ans en compagnie de son épouse, âgée de 80 ans [7]. Où se trouve Touvier aujourd'hui ? En septembre 1984, un journal régional publia un avis de décès le concernant ; deux jours plus tard, la même publication rapportait qu'on avait découvert la tombe de Touvier dans le cimetière d'un petit village savoyard. Il n'existe cependant aucun acte de décès, aucune confirmation de la part de la mairie, de l'Église ou des pompes funèbres. Les recherches continuent[8]. C'est aussi grâce à l'affaire Barbie que la Chambre criminelle de la cour de cassation a eu l'occasion, au début de 1984, de confirmer la validité de la loi du 26 décembre 1964 relative à l'imprescriptibilité des crimes de guerre[9].

La première affaire entièrement nouvelle lancée durant cette seconde vague d'épuration à été celle de Jean Leguay, secrétaire général de la police de Paris sous l'occupation, que l'on estimait donc personnellement mêlé à certains actes tels que l'arrestation des Juifs sur ordre des autorités allemandes (les Juifs étant ensuite déportés vers les camps de concentration et, pour beaucoup, vers les chambres à gaz). En mars 1979, Leguay fut inculpé à Paris pour « crimes contre l'humanité consistant en arrestations illégales, séquestrations arbitraires, abus d'autorité, actes de barbarie, enlèvement d'enfants et mauvais traitements à enfants ». Son cas avait été signalé à l'attention générale par l'avocat Serge Klarsfeld qui, au nom d'une association appelée « Les Fils et Filles des Déportés juifs de France », s'occupait de rechercher les preuves de tels crimes et d'en dénoncer les coupables[10]. Comme tant d'autres hauts fonctionnaires de la police vichyste, Jean Leguay avait à peine été inquiété par l'épuration. Certes, il avait été révoqué, mais, dès 1955, il avait été réintégré dans le corps préfectoral par décision du Conseil d'État, lequel n'avait disposé, semble-t-il, pour fonder sa décision, que du dossier présenté par Leguay lui-même[11]... Après la Libération, Leguay avait travaillé aux États-Unis en qualité de représentant d'un parfumeur français bien connu, puis, au bout d'une douzaine d'années, il avait regagné la France pour y devenir P-DG d'une célèbre firme de cosmétiques. Lors de son inculpation, il avait 69 ans et il était à la retraite, partageant confortablement son temps entre le XVIe arrondissement et sa villa de Cannes[12].

L'affaire suivante fut celle de René Bousquet qui, en tant que secrétaire général de la police du gouvernement de Vichy, était le supérieur de Leguay. Comme nous l'avons vu, il avait été condamné à deux ans de dégradation nationale et immédiatement relevé en raison de services rendus à la Résistance. Muni de cet aval des autorités de la Libération, Bousquet avait pu reprendre sa place au ministère de l'Intérieur, d'où il était passé dans la banque pour devenir directeur général adjoint de la Banque d'Indochine, P-DG de la Société Indochine (cinéma) et administrateur d'un certain nombre d'importantes sociétés. Après que Klarsfeld eut braqué l'attention sur lui et réclamé son inculpation, Bousquet démissionna de la Banque d'Indochine et de Suez, ainsi que d'autres postes qu'il occupait en tant que représentant de cette banque auprès d'autres sociétés [13]. Cependant, à l'heure où nous écrivons ces lignes, il n'a pas été inculpé [14].

Troisième affaire notoire, celle d'un personnage encore bien plus en vue de la France d'après-guerre, Maurice Papon, qui en 1958 était préfet de police de Paris avant de devenir ministre du Budget dans le gouvernement de Raymond Barre, sous la présidence de Valéry Giscard d'Estaing. Sous l'occupation, il avait été à Bordeaux secrétaire général de la préfecture, mais avait semblé bénéficier à la Libération du soutien de la Résistance locale, puisque le commissaire régional de la République l'avait maintenu à son poste et même promu au rang de préfet des Landes. Quarante ans plus tard, cependant, les archives de l'époque firent l'objet d'un examen un peu plus attentif. On accusa Papon d'avoir facilité certaines arrestations de Juifs à la demande des autorités allemandes, acte qui semblait appartenir de droit à la catégorie des crimes contre l'humanité, devenus imprescriptibles. Papon fut inculpé en janvier 1983 ; en mars 1984, le juge d'instruction bordelais lui fit savoir qu'à la suite de plaintes déposées par 17 familles représentant 37 personnes déportées après avoir été arrêtées à Bordeaux, il faisait l'objet d'une nouvelle série d'inculpations [15]. Pour l'heure, l'affaire est toujours en cours d'instruction.

A présent qu'il est possible d'étudier les archives jusqu'alors secrètes des années de Vichy, il est probable que certaines preuves vont être découvertes sur lesquelles les enquêteurs de la Libération, si consciencieux eussent-ils été, n'auraient pu mettre la main dans le feu de l'action. Des dossiers naguère négligés recèlent des informations stupéfiantes. Ce qui ne veut pas dire que les actions intentées contre Leguay, Papon et d'autres se révéleront assez solides pour supporter l'épreuve du tribunal. Du moins des questions ont-elles été posées, qui demandent des réponses convaincantes. Une décision de la cour de cassation dans l'affaire Barbie ouvre d'ailleurs la voie à d'autres inculpations — non seulement sur l'accusation de génocide, mais aussi de sévices contre des Français résistants — autant dire que beaucoup de ceux qui échappèrent à la première épuration pourraient encore être soumis à une seconde...

La persistance du ressentiment à l'encontre des collaborateurs ayant échappé à un juste châtiment nous offrira peut-être de quoi conclure le présent ouvrage. Car elle donne à penser que, pour la majorité de l'opinion publique comme pour la presse qui la sert, il reste encore des mesures d'épuration à prendre. Ce qui semblerait logiquement indiquer que l'épuration à chaud ne fut pas excessive. De nombreux personnages publics, de nombreux hauts fonctionnaires sont passés à travers les mailles du filet, ainsi, semble-t-il, qu'un nombre non négligeable de peu reluisants criminels. Les pires d'entre eux survécurent le plus souvent en se terrant. D'autres, aujourd'hui accusés des pires forfaits, purent rester bien tranquillement dans le giron de la bonne société. Si la loi n'était à ce point protectrice, il serait possible de citer les noms de certains membres de l'élite française, y compris des auteurs et artistes respectés, des journalistes fameux, des personnalités politiques, de hauts dirigeants du monde des affaires et de l'industrie qui surent soit échapper à toute épuration, soit se soustraire à l'opprobre de celle qu'ils avaient subie. On n'a pas oublié que l'irrépressible Céline écrivit, alors qu'il faisait lui-même l'objet de poursuites, que bien d'autres collaborateurs autrement plus coupables que lui s'en étaient sortis indemnes. Il citait notamment le cas d'Henry de Montherlant [16]. À l'heure qu'il est, il n'est pas jusqu'aux errements de Céline qui ne semblent avoir été pardonnés : en 1984, le préfet de Paris a autorisé que fût placée sur l'immeuble où il habitait durant l'occupation une plaque commémorative. Quant à Montherlant, cela fait déjà longtemps qu'il existe à Paris une place Henry de Montherlant, proche de l'Académie française où il fut élu en 1960, douze ans à peine après avoir été sanctionné par les tribunaux d'épuration. Le Centre culturel installé par le gouvernement français à la Villette a ouvert en 1984 un Cinéma Arletty et, en 1985, pour le centenaire de sa naissance, le *Théâtre* de Sacha Guitry a été réédité dans une édition de luxe en douze volumes...

Que l'on se rappelle aussi qu'un nombre considérable de petits fonctionnaires — agents de police qui, sur ordre de leurs supérieurs, arrêtaient les résistants, les communistes et autres opposants politiques, ou les Juifs uniquement parce qu'ils étaient juifs — et de moyens fonctionnaires qui faisaient marcher les services de police et les préfectures, échappèrent à toute espèce d'épuration. Au pire, ils pouvaient être mutés hors de la vue de leurs victimes.

Face à tout ceci subsistent les abus indéniables, les regrettables erreurs judiciaires. Nous en avons pris note au fil des pages. Au lecteur de décider si elles auraient pu être évitées ou si, rendues inévitables par l'extrême confusion qui régnait à l'époque, elles sont aujourd'hui pardonnables. Pour la plupart, elles semblaient avoir été dues aux erreurs commises de bonne foi par des Français et des Françaises ordinaires, dans les villes et villages du pays tout entier, y compris quand certains de ces Français moyens étaient des communistes.

On peut s'attarder sur une observation de l'une des personnalités qui détenait de lourdes responsabilités durant les années d'épuration, Pierre-Henri Teitgen, professeur de droit et fervent catholique, ancien Garde des Sceaux. Lorsque fut annoncée la première grande amnistie en janvier 1951, elle comportait une clause (l'article 33) permettant aux victimes de l'épuration non officielle — familles de personnes exécutées par la Résistance, par exemple — d'intenter des actions en dommages et intérêts pour faits de guerre [17]. Aucune action importante ne fut enregistrée [18].

Quant à l'épuration officielle, est-il vraiment nécessaire de rappeler aux lecteurs toutes les preuves réunies ici même, indiquant qu'elle fut préparée et menée à bien par les juristes français les plus éclairés et par des hommes politiques aussi démocrates que modérés, qui devaient ensuite gouverner le pays « au centre » ? Faut-il les blâmer de n'avoir pas su empêcher les explosions de colère villageoise, les assassinats perpétrés dans les bois et les champs de France ? Notre ouvrage prouve amplement que, tant à Alger qu'à Paris, les Forces Françaises Libres, avec leurs commissaires de la République et leurs préfets, furent du côté de la loi et de l'ordre dès le moment où les hommes qu'elles avaient choisis assumèrent leurs responsabilités dans leurs juridictions respectives. Il nous paraît que les Français n'ont pas à rougir de leur épuration, comme ils semblent trop souvent avoir tendance à le faire. Même aujourd'hui.

NOTES

Abréviations

AN Archives Nationales.
JO *Journal Officiel.*
JORF *Journal Officiel* de la République Française.
SHAT Service Historique de l'Armée de Terre.

Prologue

1. Yves Farge, *Rebelles, Soldats et Citoyens*, Paris, Grasset, 1946, 229.
2. Étienne Fournial et al., *Saint-Étienne : Histoire de la Ville et de ses habitants*, Roanne, Horvath, 1976, 330 et suiv.
3. Maurice Tocsca, « L'Occupation », in *Vie et Mort des Français (1939-1945)*, Paris, Hachette, 1971, 126, 131 et suiv.
4. Entretien avec Charles Fournier-Bocquet, Association Nationale des Anciens Combattants de la Résistance.
5. Abbé Desgranges, *Les Crimes masqués du Résistantialisme*, Paris, l'Élan, 1948, 13.
6. Maurice Bardèche, *Lettre à François Mauriac*, Paris, La Pensée Libre, 1947, 111.
7. *Rivarol* (Paris), supp. au n° 32, 23 août 1951.
8. Jean Pleyber, « Les Travaux et les Jours », *Écrits de Paris* (Paris), juin 1950.
9. *Ibid.*, août 1950.
10. *Ibid.*, février 1951.
11. *Ibid.*, octobre 1950 ; *Rivarol*, 23 août 1951.
12. Pleyber, *Écrits de Paris*, juin 1952.
13. *Ibid.*, février 1951.
14. *Ibid.*

PREMIÈRE PARTIE : LES GAULLISTES ET LE MAQUIS
Chapitre I. La justice de la Résistance

1. AN W-III 303 (Haute Cour) ; texte également publié in Philippe Pétain, *Actes et Écrits*, Paris, Flammarion, 1974, 605 et suiv. Voir aussi Jacques Delperrie de Bayac, *Histoire de la Milice*, Paris, Fayard, 1969, 182 et suiv.
2. Delperrie de Bayac, *Histoire de la Milice*, 268 et suiv., 278 et suiv.
3. Ministère de l'Intérieur, Synthèse des Rapports des Préfets pour le mois de mai 1943. Archives départementales de la Haute-Savoie, 12 M 364.

4. Préfet de la Région de Lyon, Compte rendu mensuel d'information, 10 juin 1943, 7 août 1943, 9 septembre 1943, 11 octobre 1943. AN F 1C III 1200.

5. Préfecture du Rhône, Rapports d'Information, 5 novembre 1943, 5 janvier 1944. AN F 1C III 1183.

6. FTP-MOI, *Carmagnole Liberté*, Villeurbanne, 1982.

7. Entretien avec Henri Krischer, Nancy.

8. *Les Voix de la Liberté : Ici Londres (1940-1944)*, Paris, La Documentation Française (Club Français des Bibliophiles), IV, 1975, 49 et suiv.

9. Entretien avec Claude Urman (commandant militaire régional de la 35ᵉ Brigade). Voir 35ᵉ Brigade/Marcel Langer, *Cérémonies en hommage à la 35ᵉ Brigade FTP/MOI*, Toulouse, 1983 ; Claude Lévy, *Les Parias de la Résistance*, Paris, Calmann-Lévy, 1970, 177 et suiv. En ce qui concerne le mécontentement des CP et FTP envers l'action « désordonnée » de la 35ᵉ Brigade, voir Lévy, *Les Parias*, 208 et suiv.

10. Résumé de l'Historique du Mouvement France d'Abord ; France d'Abord, Sommaire sur l'organisation, décembre 1943. Archives départementales du Rhône : Archives de la Commission d'Histoire de la Guerre 1939-1945, dossiers C 20, C 23.

11. AN BB 30 1726. (Dossier du commissariat à la Justice, Alger.)

12. *Lyon Républicain* (Lyon), 14-15 août 1943. Signalons au passage que *France d'Abord* adressa une copie de cet article au commissaire à la Justice de la France libre, François de Menthon à Alger. AN BB 30 1726. Les assassinats de Cinquin et d'un autre membre de « Collaboration » furent signalés à Vichy par son préfet régional, Angeli, le 9 septembre. AN F 1C III 1200.

13. AN BB 30 1726.

14. Archives départementales du Rhône : Archives de la Commission d'Histoire de la Guerre 1939-1945, dossiers C 19, C 20, C 23.

15. Desgranges, *Les Crimes masqués*, 67 et suiv.

16. *L'Écho d'Alger* (Alger), 31 décembre 1943.

17. *Alger Républicain* (Alger), 10 janvier 1944.

18. Charles de Gaulle, *Discours et Messages*, I, Paris, Plon, 1970, 15.

19. *Voix de la Liberté*, I, 42 et suiv.

20. *Ibid.*, 268. (24 juillet 1941).

21. *Ibid.*, 280.

22. *Ibid.*, 295.

23. Emmanuel d'Astier, *De la Chute à la Libération de Paris*, Paris, Gallimard, 1965, 253.

24. *Libération* (zone Sud) nᵒ 21, 10 janvier 1943.

25. *Libération* (zone Sud) nᵒ 23, 1ᵉʳ février 1943.

26. *Voix de la Liberté*, IV, en face p. 224.

27. *Le Populaire* (clandestin), mars 1943, reproduit in *Journaux du Temps passé*, 20, « La Résistance », Paris, Les Yeux Ouverts, s.d.

28. *Bir Hakeim* (clandestin), nᵒ 5, août-septembre 1943.

29. *Voix de la Liberté*, III, 203 et suiv.

30. *Ibid.*, V, 8 et suiv.

31. Charles de Gaulle, *Mémoires de guerre*, II, *l'Unité (1942-1944)*, Paris, Plon, 1956, 134.

32. *La Dépêche Algérienne* (Alger), 10 octobre 1943.

33. *Ibid.*, 15 octobre 1943.

34. *Voix de la Liberté*, IV, 127.

35. *Ibid.*, 245 et suiv.

36. *Le Pilori*, décembre 1943, reproduit in Louis-Frédéric Ducros, *Montagnes ardéchoises dans la guerre*, II, Valence, L'Auteur, 1977, annexe VI.

37. *Ibid.*, Annexe IX.

38. Reproduit in *Bulletin d'Information du Front National de Lutte pour la libération de la France*, nᵒ 5, février 1944.

Chapitre II. Combat pour la France

1. *Voix de la Liberté*, IV, 157.
2. *Éditoriaux prononcés à la radio par Philippe Henriot*, n°s 11 & 12, Vichy, ministère de l'Information, 1944. (3, 4, 8, 14 mai 1944).
3. *Voix de la Liberté*, V, 91.
4. Jacques Debû-Bridel, *De Gaulle et le Conseil National de la Résistance*, Paris, France-Empire, 1978, 71.
5. *Voix de la Liberté*, V, 78.
6. 13 juillet 1944. Institut d'Histoire du Temps Présent, 72 AJ 49.
7. Jean Tracou, *Le Maréchal aux liens*, Paris, André Bonne, 1948, 324 et suiv.
8. *Le Figaro* (Paris), 21 octobre 1944, *Le Monde* (Paris), 26 septembre 1946.
9. Pierre Péré.
10. Archives départementales du Rhône : Archives de la Commission d'Histoire de la Guerre 1939-1945, dossier C 1.
11. Marcel Baudot, « La Répression de la Collaboration et l'Épuration Politique, Administrative et Économique », in *La Libération de la France* (colloque, 1974) Paris, Éditions du CNRS, 1976, 760, 769.
12. Instructions, Comité Général des Mouvements de Résistance Français, AN 72 AJ 1. *Cf.* Waldeck Rochet à Radio-Londres : *Voix de la Liberté*, V, 6. De Gaulle à Radio-Londres le 18 avril 1942 avait dit, « La libération nationale ne peut être séparée de l'insurrection nationale. » De Gaulle, *Discours et Messages*, I, 182.
13. Comité d'Action du CNR, Ordre d'opération concernant la participation des FFI aux opérations alliées, à la préparation et à la conduite de l'insurrection nationale, juin 1944. Institut d'Histoire du Temps Présent, 72 AJ 49 ; AN 72 AJ 3.
14. Du Maintien de l'Ordre Public dans les régions libérées, AN F 1A 3734.
15. AN 72 AJ 1 ; Institut d'Histoire du Temps Présent, 72 AJ 49. Autre version in Alban Vistel, *La Nuit sans ombre*, Paris, Fayard, 1970, 624ff.
16. Louis-Frédéric Ducros, *Montagnes Ardéchoises*, II, 389 ; Roger Bellanger, *Dordogne en armes*, Perigueux, Fontas, 1945, 187 ; Institut d'Histoire du Temps Présent, 72 AJ 56.
17. *Voix de la Résistance*, V, 7, 144 (13 mai et 5 août 1944).
18. *Ibid.*, 99.
19. *France d'Abord* (clandestin) n° 58, 15 juillet 1944, reproduced in *Journaux du Temps Passé*.
20. *Carmagnole Liberté*.
21. René Laplace, *Le Combat d'Oullins 1944*, Lyon, L'Hermès, 1945 (republication 1977), 32 et suiv.
22. Marcel Ruby, *La Résistance à Lyon*, II Lyon, L'Hermès, 1979, 978.
23. AN 72 AJ 158 (Institut d'Histoire du Temps Présent).
24. *Ibid.*
25. Entretien avec Jean Chaintron.
26. Pierre Péré.
27. Archives départementales du Rhône : Archives de la Commission d'Histoire de la Guerre 1939-1944, dossier D 4.
28. Archives Départementales du Rhône : Cour de Justice de Lyon, dossier François André, n° 1924. Additional information in 72 AJ 137 (Institut d'Histoire du Temps Présent).
29. Jean Chaintron.
30. *Voix de la Liberté*, IV, 149.
31. Henri Michel, *Les Courants de pensée de la Résistance*, Paris, Presses Universitaires de France, 1962, 338 et suiv.
32. *Journal Officiel de l'État Français* (Vichy) 21 janvier 1944.
33. FTP, Consignes d'ordre général, Haute-Loire. 72 AJ 56, Institut d'Histoire du Temps Présent.
34. AN Papiers Ingrand 72 AJ 521.

Chapitre III. Organiser la Libération

1. Projet de législation sur les responsabilités et les sanctions, *Résistance* (clandestine) n° 6, janvier 1943, cité *in* Michel, *Les Courants de pensée*, 339.

2. 72 AJ 49, Institut d'Histoire du Temps Présent ; aussi *in* d'Astier, *De la Chute*, 329 et suiv. Cf. Michel, *Les Courants de pensée*, 338 et suiv.

3. Jean Larrieu, « L'Épuration judiciaire dans les Pyrénées-Orientales », *Revue d'Histoire de la Deuxième Guerre mondiale* (Paris) n° 112, octobre 1978, 29.

4. Charles-Louis Foulon, *Le Pouvoir en province à la libération : Les Commissaires de la République (1943-1946)*, Paris, Fondation nationale des Sciences politiques/Armand Colin, 1975, 14 et suiv., 51 et suiv., 57 et suiv., 63, 66 et suiv.

5. *Voix de la Liberté*, V, 38.

6. JORF (Alger), 6 juillet 1944, 534.

7. *Voix de la Liberté*, V, 122.

8. Foulon, *Le Pouvoir en province*, 86. Ces instructions ont été écrites par Emile Laffon.

9. Jean Pierre-Bloch, *Le Vent souffle sur l'histoire*, Paris, Éditions SIPEP, 1956, 313F. *Cf.* Instructions pour les Commissaires Régionaux de la République, 14 juin 1944, in AN F 1A 3809.

10. Michel Debré, *Mémoires*, I, *Trois républiques pour une France*, Paris, Albin Michel, 1984, 328, 439 et suiv.

11. Entretien avec François de Menthon, Menthon-Saint-Bernard.

12. Note, France Combattante (BCRA), 17 février 1943, in AN F 1A 3733. Voir Foulon, *Le Pouvoir en province*, 53 et suiv. ; Michel, *Les Courants de pensée*, 347 et suiv.

13. Pour plus amples détails sur le CGE : Diane de Bellescize, *Les neuf sages de la Résistance : Le Comité Général d'Études dans la clandestinité*, Paris, Plon, 1949 ; Foulon, *Le Pouvoir en province*, 53 et suiv. ; Jacques Charpentier, *Au service de la liberté*, Paris, Fayard, 1959, 221 et suiv. ; Debré, *Mémoires*, I, 189 et suiv.

14. Entretiens avec Maurice Rolland.

15. Entretiens avec Charles Zambeaux.

16. Maurice Rolland. *Cf.* Henri Faucher, « L'Indignité Nationale », *La Semaine Juridique* (Paris), 1945, n° 454.

17. Maurice Rolland. Debré, *Mémoires*, I, 208, attribue l'invention de l' « indignité nationale » et des Cours de Justice au CGE.

18. Charles Zambeaux.

19. Maurice Rolland.

20. AN F 1A 3733.

21. Mémoire André Latrille, Papiers Latrille, *in* AN 72 AJ 734.

22. François de Menthon, Maurice Rolland. Ce fut après les propositions initiales du groupe Rolland que l'on demanda au groupe Latrille de régler les différences. Voir Bellescize, *Les neuf sages*, 171 et suiv.

23. Debré, *Mémoires*, I, 209.

24. Michel Debré, « Préparé dans la clandestinité, le plus important mouvement préfectoral », *Écho de la Résistance* (Paris), n° 8, août-septembre 1955, reproduit d'après *Les Cahiers Politiques* (Paris), février-mars 1946 ; Debré, *Mémoires*, I, 230.

25. Debré, *Mémoires*, I, 426.

Chapitre IV. Alger

1. De Gaulle, *Mémoires de Guerre*, II, 149 et suiv.

2. Gen. Gaston Schmitt, *Toute la vérité sur le procès Pucheu*, Paris, Plon, 1963, 30 et suiv.

3. *Ibid.*, 37 et suiv. ; de Gaulle, *Mémoires de guerre*, II, 134.

4. JORF, 10 juillet 1943, 24.

5. *Ibid.*, 19.

6. JORF, 11 septembre 1943, 116.

7. JORF, 23 septembre 1943, 140.

8. JORF, 9 octobre 1943, 183.

9. JORF, 16 octobre 1943.

10. JORF, 20 novembre 1943.
11. JORF, 8 janvier 1944.
12. AN BB 30 1730.
13. *La Dépêche Algérienne* (Alger), 8 octobre 1943.
14. 22 octobre 1943 note; intervention de Bosman au groupe de la résistance, 13 novembre 1943. AN BB 30 1730.
15. AN BB 30 1730.
16. *La Dépêche Algérienne* (Alger), 17 décembre 1943.
17. AN BB 30 1730.
18. *La Dépêche Algérienne* (Alger), 6 octobre 1943.
19. Procès-verbaux, AN F 1A 3809.
20. *La Dépêche Algérienne* (Alger), 9 décembre 1943.
21. *Ibid.*, 3 octobre 1943.
22. *Ibid.*, 12 décembre 1943.
23. *Ibid.*, 10 décembre 1943.
24. Préambule, 5 janvier 1944, AN BB 30 1729.
25. AN BB 30 1729.
26. François de Menthon, « L'Épuration », in *Libération de la France*.
27. Émile Garçon, *Code Pénal annoté*, I, Paris, Recueil Sirey, s.d.
28. JORF, 8 janvier 1944, Débats de l'ACP, séance du 5 janvier, 5.
29. Pierre-Bloch, *Le Vent souffle*, 189ff.
30. *Alger Républicain* (Alger), 11 janvier 1944.
31. JORF, 15 janvier 1944, Débats de l'ACP, séances du 11 et 12 janvier.
32. De Gaulle, *Mémoires de guerre*, II, 155.
33. JORF, 1er avril 1944, 258.
34. JORF, 22 avril 1944, 325 et suiv.
35. JORF, 7 octobre 1943, 164.
36. Schmitt, *Toute la vérité*, 37.
37. AN BB 30 1730.
38. JORF, 30 octobre 1943, 232.

Chapitre V. Les premiers procès

1. Schmitt, *Toute la vérité*, 42. Voir aussi Debû-Bridel, *De Gaulle*, 63 et suiv.
2. Pierre Pucheu, *Ma Vie*, Paris, Amiot-Dumont, 1948, 342.
3. *La Dépêche Algérienne* (Alger), 27 octobre 1943.
4. Marcel Peyrouton, *Du Service public à la prison commune*, Paris, Plon, 1950, 193ff, 230 et suiv.
5. *Ibid.*, 244
6. *Ibid.*, 244 et suiv.
7. AN BB 30 1730.
8. *Voix de la Liberté*, IV, 142.
9. *La Dépêche Algérienne* (Alger), 24 décembre 1943 ; de Gaulle, *Mémoires de guerre*, II, 550ff. L'ordonnance fut en fait signée le 8 janvier 1944, publiée au JORF le 13 janvier.
10. *Foreign Relations of the United States, Diplomatic Papers*, 1943, II, Washington D.C., U.S. Government Printing Office, 1964, 193-201.
11. Pierre-Bloch, *Le Vent souffle*, 208 et suiv.
12. Peyrouton, *Du Service public*, 247 et suiv.
13. Pucheu, *Ma Vie*, 343, 358 et suiv.
14. Paul Buttin, *Le Procès Pucheu*, Paris, Amiot-Dumont, 1947.
15. Schmitt, *Toute la vérité*.
16. Pucheu, *Ma Vie*, 359 et suiv.
17. Schmitt, *Toute la vérité*, 54 et suiv. ; JORF, 8 janvier 1944, 27.
18. Schmitt, *Toute la vérité*, 65 et suiv.
19. *Ibid.*, 68 et suiv., 97 et suiv., 103 et suiv.
20. *Ibid.*, 108.
21. *Ibid.*, 124 et suiv.
22. *Ibid.*, 186 et suiv., 197 et suiv., 230, 237.

23. *Ibid.*, 240 et suiv., 254.
24. 24 mars 1944. Charles de Gaulle, *Lettres, Notes et Carnets (juin 1943-mai 1945)*, Paris, Plon, 1983, 174 et suiv.
25. Schmitt, *Toute la vérité*, 255 et suiv., 260.
26. De Menthon, « L'Épuration », 792.
27. *Voix de la Liberté*, IV, 207.
28. 13 mars 1944. *Foreign Relations of the United States, Diplomatic Papers*, 1944, III, Washington, U.S. Government Printing Office, 1965, 654.
29. Service de Sondages et Statistiques, *Sondages de l'opinion publique française pendant l'occupation, avril-septembre 1944*, Paris, Éditions SSS, s.d. *Cf.* Charles-Louis Foulon, *Les Commissaires de la République (1943-1946)*, Thèse, Paris, Fondation Nationale des Sciences Politiques, 1973, 334 et suiv. Une partie des documents originaux se trouve aux AN, Papiers Gemahling.
30. *Écho d'Oran* (Oran), 21 mars 1944.
31. *La Dépêche Algérienne* (Alger), 23 mars 1944.
32. *Alger Républicain* (Alger), 30 mars 1944.
33. *La Tunisie Française* (Tunis), 10 mai 1944 ; *L'Écho d'Alger* (Alger), 10 mai 1944.
34. AN BB 30 1728.
35. *La Dépêche Algérienne* (Alger), 11 mai 1944.
36. AN BB 30 1730.
37. *La Dépêche Algérienne* (Alger), 13 mai 1944.
38. De Menthon, « L'Épuration », 792.
39. Debû-Bridel, *De Gaulle*, 67 et suiv.

DEUXIÈME PARTIE : LA LIBÉRATION

Chapitre I. La prise du pouvoir

1. Raymond Varlet, *Les Sanglants événements de Guéret*, Aurillac, Éditions du Chardon, 1945, 16 et suiv.
2. Ducros, *Montagnes ardéchoises*, III, 418 et suiv.
3. Rapport du Lt. Yole, maquis de l'Ardèche. Archives départementales du Rhône : Archives de la Commission d'Histoire de la Guerre 1939-1945, C 1.
4. *Ibid.*, D 4.
5. 72 AJ 98 Institut d'Histoire du Temps Présent.
6. Guy Labedan, « La Répression à la libération dans la région de Toulouse », *Revue d'Histoire de la Deuxième Guerre mondiale* (Paris), n°131, juillet 1983, 105 et suiv.
7. Direction régionale de R.4, MUR. 72 AJ 129 Institut d'Histoire du Temps Présent.
8. Col. Henri Monnet, *Mémoires d'un éclectique*, Paris, Garnier, 1980, 128 et suiv.
9. Pierre Péré.
10. Pierre Péré.
11. *Voix de la Liberté*, V, 101.
12. 72 AJ 137 Institut d'Histoire du Temps Présent.
13. Suzanne et Paul Silvestre ; Suzanne Silvestre, « Intervention », in *Libération de la France*, 808 et suiv.
14. Institut d'Histoire du Temps Présent.
15. 17 juillet 1944. *Voix de la Liberté*, V, 114.
16. Jeanne Grall, « Statistique de la Répression à la Libération (Calvados) », *Bulletin du Comité d'Histoire de la Deuxième Guerre mondiale* (Paris), n° 224, janvier-février 1977. Les preuves semblent bien indiquer qu'il n'y eut pas d'exécutions sommaires dans le département voisin de la Manche où se trouvent Utah Beach, Saint-Lô et Cherbourg ; les statistiques de la gendarmerie sur les meurtres se réfèrent en fait aux victimes des Allemands. Communiqué par Marcel Baudot.
17. Ministère de la Justice, Inspection des Services Judiciaires, Historique. Avec l'aimable autorisation de Maurice Rolland.
18. Note sur la Justice, commissaire de la République, Bayeux, 3 juillet 1944. Avec l'aimable autorisation de Maurice Rolland.

19. 4 juillet 1944. Avec l'aimable autorisation de Rolland.

20. 10 juillet 1944. Avec l'aimable autorisation de Rolland.

21. 12 juillet 1944. Avec l'aimable autorisation de Rolland.

22. 10 août 1944. Avec l'aimable autorisation de Rolland.

23. Pierre Laroque. Comme l'expliqua François Coulet au général Koenig, commandant des Forces Françaises en Grande-Bretagne, les alliés demandèrent la création de ce tribunal pour juger les suspects qu'ils avaient capturés. Le tribunal militaire fut établi par Coulet par l'arrêté nº 59 daté du 2 juillet 1944. Pierre de Chevigné, qui en tant que Commandant du Groupe des Subdivisions libérées était le représentant de Koenig auprès des armées de débarquement a déclaré à l'auteur que les suspects en question n'auraient pas été des collaborateurs, mais des espions français envoyés à travers les lignes par les Allemands. Le colonel de Chevigné n'a rien eu à voir avec l'arrestation ou le procès des collaborateurs.

24. Coulet au Gén. Délégué Militaire Koenig, 19 juin 1944. AN F 1A 4007.

25. Note, 22 juillet 1944, du secrétaire général pour la Police à M. le Sous-Directeur de la Sûreté Nationale. AN F 1A 4007.

26. Raymond Triboulet.

27. AN F 1A 4004. Un historien a qualifié l'épuration en Normandie de « molle » : 1 196 personnes furent internées dans le Calvados dont 163 étaient encore détenues au printemps suivant. Pas d'exécution extra-judiciaire après le 6 juin. Claude Lévy, « L'installation des autorités nouvelles dans le Calvados » (colloque Normandie 1944 — Libération de l'Europe, Université de Caen, 30 septembre-3 octobre 1984).

28. Témoignage d'Yves Grasset, maire de Marmande, 1949. Institut d'Histoire du Temps Présent, 72 AJ 158.

29. Laplace, *Le Combat d'Oullins*, 48 et suiv.

30. Elsa Triolet, *Les Routes de la Drôme*, *La Drôme en Armes* (Romans), 5 septembre 1944.

31. *Combat* (Paris), 2 septembre 1944, repris in *Le Monde* (Paris), 26-27 août 1984.

32. Jean Galtier-Boissière, *Mon Journal depuis la libération*, Paris, La Jeune Parque, 1945, 11.

33. Jacques Chastenet, *Quatre fois vingt ans*, Paris, Plon, 1974, 368.

34. Desgranges, *Les Crimes masqués*, 71 et suiv.

35. James Wellard, in *Voix de la Liberté*, V, 191 et suiv.

36. Abbé Roger More, *Totor chez les FTP*, Chambéry, Imps. Réunies, 1974, 120 et suiv. On trouvera une conclusion semblable chez Peter Novick, *The Resistance versus Vichy*, New York, Columbia University Press, 1968, 69, traduction française, *L'épuration française 1944-1949*, Paris, Balland, 1985.

37. *Le Monde* (Paris), 22 octobre 1983.

38. Pierre Bécamps, *Libération de Bordeaux*, Paris, Hachette Littérature, 1974, 136.

39. Ministère de l'Intérieur, Bulletin sur la situation dans les Régions et les Départements, nº 27, 13 janvier 1945. AN F 1A 4028.

40. *Ibid.*, nº 41, 15 février 1945.

41. *Ibid.*

Chapitre II. La consolidation du pouvoir

1. Ministère de la Guerre, Direction de la gendarmerie, Synthèse pour la période du 15 septembre au 15 octobre 1944. AN 72 AJ 384.

2. *Ibid.*, du 15 octobre au 15 novembre 1944.

3. *Ibid.*, du 15 novembre au 15 décembre 1944.

4. *L'Année politique*, I, avril 1946. Paris, Le Grand Siècle, 1946, 42 et suiv.

5. *Ibid.*, 43.

6. Commissaire de la République, Région de Clermont-Ferrand, *Un an d'activité* (septembre 1944-septembre 1945), Clermont-Ferrand, 1945.

7. Rapport du Chef des Forces de Police de Gers, Auch, 18 septembre 1944. Institut d'Histoire du Temps Présent 72 AJ 128.

8. Larrieu, « L'Épuration judiciaire ».

9. L'Inspecteur Général de la Magistrature à M. le Garde des Sceaux, Rapport sur la cour d'appel de Limoges, 6 novembre 1944. Avec l'aimable autorisation de Rolland.

10. Département de la Haute-Vienne, *Un an après la libération*, Limoges, 1945.
11. Albert Chaudier, *Limoges (1944-1947) : Capitale du maquis*, Paris-Limoges, Lavau-zelle, 1980, 61.
12. *Ibid.*, 92 et suiv.
13. Département de la Haute-Vienne, *Un an après la libération*, 11.
14. Entretien avec Jean Chaintron.
15. *Le Centre Libre*, organe du CDL de la Haute-Vienne (Limoges), 12 septembre 1944. Cf. Chaudier, *Limoges*, 95 et suiv.
16. Chaudier, *Limoges*, 30 et suiv., 55.
17. *Le Centre Libre*, 31 août 1944.
18. *Le Centre Libre*, 4 septembre 1944.
19. Chaudier, *Limoges*, 40 et suiv.
20. *Le Centre Libre*, 19 septembre 1944.
21. Discours prononcé à la radio par M. le préfet Chaintron, le 10 octobre 1944. Limoges, 1944.
22. Discours prononcé à la radio par M. le préfet Chaintron, le 24 novembre 1944. Limoges, 1944.
23. Discours prononcé à la radio par M. Jean Chaintron, préfet de la Haute-Vienne, le 12 septembre 1945, *in* Département de la Haute-Vienne, *Un an après la libération*.
24. Procès-verbal de la séance du CDL, 31 août 1944, *in* Chaudier, *Limoges*, 56 et suiv.
25. Circulaire, 26 septembre 1944. AN 72 AJ 383.
26. Foulon, *Le Pouvoir en province*, 124.
27. *Ibid.*, 276.
28. Bécamps, *Libération de Bordeaux*, 127 et suiv.
29. *Ibid.*, 136 et suiv.
30. Charles de Gaulle, *Mémoires de guerre*, III, *Le Salut*, Paris, Plon, 1959 (Livre de Poche, 1965), 21 et suiv.
31. Bécamps, *Libération de Bordeaux*, 143 et suiv.

Chapitre III. Un prompt châtiment

1. Foulon, *Le Pouvoir en province*, 136.
2. JORF, 6 juillet 1944, 534 ; Garçon, *Code Pénal annoté*, 266.
3. Papiers Ingrand, AN 72 AJ 521. Voir Henry Ingrand, *Libération de l'Auvergne*, Paris, Hachette Littérature, 1974, 157.
4. Papiers Ingrand, AN 72 AJ 521.
5. JORF, 6 juillet 1944, 535.
6. Institut d'Histoire du Temps Présent 72 AJ 129.
7. Marcel Baudot, *L'Opinion publique sous l'occupation*, Paris, Presses Universitaires de France, 1960, 202.
8. Rapport Ingrand, 23 mars 1946. Papiers Ingrand, AN 72 AJ 524.
9. Mise au point adressée au *Midi-Libre*, *in* Henri Noguères, *Histoire de la Résistance en France*, V, Paris, Laffont, 1981, 765ff.
10. Larrieu, « L'Épuration judiciaire ».
11. Pierre Berteaux, *Libération de Toulouse et de sa région*, Paris, Hachette Littérature, 1973, 202. On trouvera des statistiques légèrement différentes chez Labedan, « La Répression ».
12. Debré, *Mémoires*, I, 312, 328 et suiv.
13. *L'Appel de la Haute-Loire* (Le Puy), 31 août, 3-4 septembre 1944.
14. *Ibid.*, 5 et 6 septembre 1944.
15. *Ibid.*, 5 septembre 1944.
16. *Ibid.*, 16 septembre, 17-18 septembre 1944.
17. *Ibid.*, 22 et 23 septembre 1944.
18. Commissaire Régional de la République, Clermont-Ferrand, Rapport de Quinzaine, 6 octobre 1944. Papiers Ingrand AN 72 AJ 523.
19. Ingrand, *Libération de l'Auvergne*, 187.
20. Labedan, « La Répression ».
21. Desgranges, *Les Crimes masqués*, 91ff, 134.

22. Jean Lacipieras, *Au Carrefour de la trahison*, Paris, L'Auteur-Éditeur, 1950, 114f, 125ff; cf. his appendix IV.

23. Louis Rougier et al., *L'Épuration*, Paris, Les Sept Couleurs (*Défense de l'Occident*, n°ˢ 39-40, janvier-février 1957).

24. *Le Travailleur Alpin*, 3-4 septembre 1944, cité *in* Michel Chanal, « La Milice française dans l'Isère (février 1943-août 1944) », *Revue d'Histoire de la Deuxième Guerre mondiale* (Paris), n° 127, juillet 1982.

25. *Ibid.*

26. Procès-verbal, 24 mai 1945. Archives de l'Assemblée Nationale.

27. JORF, Assemblée Nationale, 9 novembre 1951, 7835.

Chapitre IV. Paris

1. *Front National* (Paris), 27 août 1944. On n'a jamais pu déterminer avec certitude si des collaborateurs attardés avaient ou non tiré dans la foule durant ces célébrations. Ce qui est certain, c'est que des résistants tirèrent en direction des toits où l'on croyait que se cachaient des tireurs. L'excitation de la foule fit le reste. Entretien avec Geoffroy de Courcel (qui se trouvait avec de Gaulle à Notre-Dame où aurait eu lieu un incident de ce genre).

2. Paul Léautaud, *Journal littéraire*, XVI *(juillet 1944-août 1946)*, Paris, Mercure de France, 1964, 44 et suiv., 57, 84.

3. Jacques Isorni, *Je hais ces impostures*, Paris, Laffont, 1977, 170 et suiv.

4. Jacques Isorni, *Mémoires*, I, *(1911-1945)*, Paris, Laffont, 1984, 263.

5. *Combat* (Paris), 30 août 1944, cité par *Le Monde* (Paris), 23 août 1984.

6. *Combat* (Paris), 4 septembre 1944, repris in *Le Monde* 26-27 août 1984.

7. *Le Figaro* (Paris), 1ᵉʳ septembre 1944; *Libération* (Paris), 1ᵉʳ septembre 1944.

8. Henri Denis, *Le Comité parisien de la libération*, Paris, Presses Universitaires de France, 1963, 172 et suiv.

9. *Ibid.*, 237 et suiv. (procès-verbal de la séance du 4 septembre 1944).

10. Entretien avec Joë Nordmann.

11. *Le Populaire* (Paris), 29 août 1944.

12. *Le Figaro* (Paris), 5 septembre 1944.

13. *Le Figaro* (Paris), 12 septembre 1944.

14. Pierre Taittinger, ... *Et Paris ne fut détruit*, Paris, L'Élan, 1948, 233 et suiv. On trouvera d'autres récits de ces arrestations de vue des victimes *in* Alfred Fabre-Luce, *Double Prison*, Paris, L'Auteur, 1946; Abbé Jean Popot, *J'étais aumônier à Fresnes*, Paris, Perrin, 1962; Philippe Saint-Germain, *Les Prisons de l'Épuration*, Paris, La Librairie Française, 1975.

15. Lucien Combelle, *Liberté à huis clos*, Paris, La Butte-aux-Cailles, 1983, 19.

16. AN F 21 (provisoire)-1.

17. Sacha Guitry, *60 Jours en prison*, Paris, L'Élan, 1949, 208 et suiv.

18. Entretien avec Robert Vassart.

19. Claude Mauriac, *Un Autre de Gaulle : Journal (1944-1954)*, *Le Temps Immobile*, V, Paris, Hachette/Tallandier 1970, 42. Réimprimé et augmenté sous le titre *Aimer de Gaulle*, Paris, Grasset, 1978.

20. Mary Marquet, *Cellule 209*, Paris, Fayard, 1949, 43 et suiv.

21. *Le Populaire* (Paris), 1ᵉʳ septembre 1944.

22. Jérôme Carcopino, *Souvenirs de sept ans* (1937-1944), Paris, Flammarion, 1953, 677.

23. Taittinger, ... *Et Paris ne fut détruit*, 239.

24. Popot, *J'étais aumônier*, 71.

25. Taittinger, ... *Et Paris ne fut pas détruit*, 239.

26. *Ibid.*, 254.

27. Roland Diquelou, « Drancy deviendra-t-il villégiature pour la 5ᵉ colonne ? », *L'Humanité* (Paris), 28 septembre 1944. Le chiffre de 6 000 détenus à Drancy est confirmé par un rapport confidentiel de la gendarmerie : Ministère de la Guerre, Direction de la Gendarmerie, Synthèse pour la période du 15 septembre au 15 octobre 1944. AN 72 AJ 384.

28. *L'Humanité* (Paris), 15-16 octobre 1944.

29. AN F 21 (provisoire)-1.

30. Fabre-Luce, *Double Prison*, 215.

31. Isorni, *Mémoires*, I, 264 sq.

32. Marquet, *Cellule 209*, 51 sq.

33. Taittinger, ... *Et Paris ne fut pas détruit*, 249 et suiv. Comparer à Alfred Fabre-Luce, *25 années de liberté*, II, *L'Épreuve (1939-1946)*, Paris, Julliard, 1963, 202 et suiv. ; Denise Aimé-Azam, *Mademoiselle de Vaux et le GOSB*, Paris, L'Auteur, 1966 ; Jean Pleyber, « Les Travaux et les Jours », *Écrits de Paris* (Paris), avril 1950.

34. Simone de Beauvoir, *La Force de l'âge*, Paris, Gallimard (Folio), 671.

35. Marcel Jouhandeau, *Journal sous l'Occupation*, Paris, Gallimard, 1980, 292 sq., 362 sq.

36. Galtier-Boissière, *Mon Journal depuis la libération*, 16ff, 31, 33, 47, 71.

37. Jean-Paul Abel, *L'âge de Caïn*, Paris, Éditions Nouvelles, 1947. Voir sur l'Institut Dentaire, Paul Sérant, *Les Vaincus de la libération*, Paris, Laffont, 1964, 182 sq., et Isorni, *Mémoires*, I, 263 et suiv.

38. Jean-Henri Roy, « Les Deux Justices », *Les Temps Modernes* (Paris), juin 1948, 2261 et suiv.

Chapitre V. *La difficile restauration de l'État*

1. Robert Aron, *Histoire de la libération de la France*, Paris, Fayard, 1959, 454 sq. ; Robert Aron, *Histoire de l'Épuration*, I, Paris, Fayard, 1967, 576 sq.

2. *Libération* (Paris), 15 septembre 1944.

3. Ingrand, *Libération de l'Auvergne*, 167.

4. Charpentier, *Au Service de la liberté*, 263.

5. JORF, 20 novembre 1943.

6. JORF, 5 octobre 1944.

7. *Recueil des arrêts du Conseil d'État statuant au contentieux*, Année 1948, Paris, Librairie Sirey, 1948, 454.

8. Papiers E. d'Astier de la Vigerie, AN 72 AJ 409.

9. *Voix de la Liberté*, V, 125 et suiv.

10. *Libération de la France*, 769 et suiv., 787 (interventions de Baudot et de Menthon).

11. Chaudier, *Limoges*, 124.

12. *Libération de la France*, 769.

13. Foulon, *Le Pouvoir en province*, 143.

14. 18 novembre 1944. Papiers Ingrand, AN 72 AJ 524.

15. Ministère de la Guerre, Direction de la Gendarmerie, Synthèse pour la période du 15 septembre au 15 octobre 1944. AN 72 AJ 384. Plus tard une note du ministère de l'Intérieur résumant ce qu'avait accompli le système distinguait trois périodes dans la politique intérieure : « 1° Une période de crise, conséquence à la fois de la libération du territoire et de la poursuite des hostilités, qui s'étend jusqu'au début de 1945. 2° Une période de régularisation de l'internement, jusqu'à la fin août 1945. 3° Une période de liquidation de l'internement, qui commence au début de septembre 1945 (...) » Cette note concède que la situation était chaotique à la libération, les camps étant remplis de personnes arrêtées par la police officielle et celle de la résistance. Inspection Générale des Camps, Note sur les internements administratifs, 22 décembre 1945. AN F 1A 3259.

16. AN F 7 14968 : Ministre de l'Intérieur aux commissaires régionaux de la République.

17. AN F 7 14968.

18. Charpentier, *Au Service de la liberté*, 251 et suiv. Le 31 juillet 1945, le Conseil des ministres décida de mettre fin aux internements administratifs sauf pour les traîtres et les trafiquants, mais (selon les termes d'une circulaire du ministère de l'Intérieur) les suspects pouvaient être astreints à résidence ou éloignés. AN F 1A 3311.

19. Charles Zambeaux.

20. AN 72 AJ 92 (Institut d'Histoire du Temps Présent).

21. Jean Pleyber, « Les Travaux et les Jours », *Écrits de Paris* (Paris) mars à août 1950. Voir aussi Desgranges, *Les Crimes masqués*, Lacipieras, *Au Carrefour*, pour d'autres prétendues atrocités de la Résistance.

22. Chastenet, *Quatre fois vingt ans*, 368 et suiv.

23. Jean Montigny, « Les Impunités abusives », *Écrits de Paris* (Paris) mars 1951.

24. Desgranges, *Les Crimes masqués*, 69.

25. Lacipieras, *Au Carrefour*, 132 et suiv.

26. Aron, *Histoire de l'Épuration*, I, 491 sq., 494 sq., 507 sq., 512, 537, 562 sq., 572, 579, 640 sq. See also Rémy, *Dans l'ombre du Maréchal*, Paris, Presses de la Cité, 1971, 89 sq. Philippe Lamour, *Le Cadran solaire*, Paris, Laffont, 1980, 254 sq.

27. Henri Frenay, *La Nuit finira*, II, Paris, Laffont (Livre de Poche), 1974, 211.

28. Charpentier, *Au Service de la liberté*, 246.

29. Baudot, *L'Opinion publique*, 264.

30. *Le Populaire* (Paris), 1er septembre 1944.

31. *Le Figaro* (Paris), 7 septembre 1944.

32. 13 novembre 1944. AN 72 AJ 116 (Institut d'Histoire du Temps Présent).

33. *L'Humanité* (Paris), 28 septembre 1944.

34. Jacques Bounin, *Beaucoup d'imprudences*, Paris, Stock, 1974, 194 ; ministère de la Guerre, Direction de la Gendarmerie, Synthèse pour la période du 15 décembre 1944 au 15 janvier 1945, AN 72 AJ 384.

35. Bounin, *Beaucoup d'imprudences*, 197 sq.

36. Berteaux, *Libération de Toulouse*, 203.

37. De Gaulle, *Mémoires de guerre*, III, 127, 421.

38. *Le Monde* (Paris), 13 janvier 1945, 30 mars 1945.

39. *Le Figaro* (Paris), 6 décembre, 7 décembre, 10-11 décembre, 12 décembre, 22 décembre 1944 ; *Le Monde* (Paris), 13 juin, 19 juin, 26 juin 1945.

40. Ministère de la Guerre, Direction de la Gendarmerie, Synthèse pour la période du 15 novembre au 15 décembre 1944, AN 72 AJ 384.

41. Ministère de la Guerre, Direction de la Gendarmerie, Synthèse pour la période du 15 décembre 1944 au 15 janvier 1945, AN 72 AJ 384.

42. Ministère de la Guerre, Direction de la Gendarmerie, Synthèse pour la période du 15 janvier au 15 février 1945, AN 72 AJ 384.

43. Ministère de la Guerre, Direction de la Gendarmerie, Synthèse pour la période du 15 février au 15 mars 1945, AN 72 AJ 384.

44. Commissaire Régional de Limoges, Rapport bimensuel, mars 1945, 1re quinzaine. AN F 1A 4022.

45. 3 juin 1945, lettre au Ministre de l'Intérieur. Papiers Ingrand, AN 72 AJ 521.

46. 27 mai 1945. François Mauriac, *Journal*, IV, Paris. Flammarion, 1950, 66.

47. *L'Humanité* (Paris), 25 mai 1945. Maréchal François Bazaine (1811-1888) avait capitulé en octobre 1870 et il avait été condamné à mort en 1873, peine commuée en détention.

48. JORF, Débats ACP, 2 août 1945 (2e séance du 1er août 1945), 1723 sq.

Chapitre VI L'opinion publique

1. *Bulletin d'Informations de l'Institut Français d'Opinion Publique* (Paris), n° 2, 16 octobre 1944. Le sondage fut fait entre le 11 et le 16 septembre.

2. *Ibid.* N° 4, 16 novembre 1944.

3. *Le Populaire* (Paris), 28 octobre, 29-30 octobre 1944.

4. Aimé Chaize, « L'Épuration », *L'Appel de la Haute-Loire* (Le Puy), 28 septembre 1944.

5. *La Voix du Peuple* (Lyon), 10 octobre 1944.

6. Conseil National de la Résistance, Association Nationale des Comités départementaux de la libération, *Resolutions*, Paris, 1944.

7. *Combat* (Paris), 27 décembre 1944.

8. Pierre de Chevigné.

9. *Année politique*, I, 444.

10. *Combat* (Paris), 10 octobre 1944 (discours du 8 octobre).

11. De Gaulle, *Discours et Messages*, I, 454.

12. Entretien avec Geoffroy de Courcel.

13. Claude Mauriac, *Un Autre de Gaulle*, 58 sq., 61.

14. De Gaulle, *Mémoires de guerre*, III, 128. *Cf.* Claude Mauriac, *Un autre de Gaulle*, 113.

15. *Le Monde* (Paris), 24 février 1945.

16. Entretien avec Pierre-Henri Teitgen.

17. Ingrand, *Libération de l'Auvergne*, 162 sq.

18. *L'Humanité* (Paris), 22-23 octobre 1944.

19. Communiqué du gouvernement, 28 octobre 1944, *in* de Gaulle, *Mémoires de guerre*, III, 365 sq.

20. *Année politique*, I, 45 sq.

21. *L'Humanité* (Paris), 1ᵉʳ novembre 1944.

22. Ministère de la Guerre, Direction de la Gendarmerie, Synthèse pour la période du 15 octobre au 15 novembre 1944. AN 72 AJ 384.

23. De Gaulle, *Mémoires de guerre*, III, 117ff.

24. *Ibid.*, 119 ; *Année politique*, I, 92.

25. De Menthon, « L'Épuration », 788 sq. *Cf.* Charles de Gaulle, *Mémoires de guerre*, I, *L'Appel*, Paris, Plon, 1954, 231 sq.

26. Denis, *Le Comité parisien de la libération*, 167.

27. *Ibid.*, 136, 231.

28. Discours prononcé à la radio par M. Jean Chaintron le 29 janvier 1945, Limoges, 1945.

29. Discours prononcé à la radio par M. Chaintron le 28 février 1945, Limoges, 1945.

30. Discours prononcé à la radio par M. Chaintron le 2 août 1945, Limoges, 1945.

31. *Année politique*, I, 72 sq. *Cf.* les instructions confidentielles de Tixier aux Commissaires de la République et préfets, le 3 novembre 1944, dans lesquelles il se plaint de ne pas être informé des arrestations : AN 72 AJ 383.

32. Geoffroy de Courcel.

33. 24 janvier 1945. AN F1A 4020.

34. Denis, *Le Comité parisien de la libération*, 164.

35. Jean-Louis Panicacci, « Le Comité départemental de Libération dans les Alpes-Maritimes (1944-1947) », in *Revue d'Histoire de la Deuxième Guerre mondiale* (Paris), nᵒ 127, juillet 1982, 99 sq.

36. Ministère de la Guerre, Direction de la Gendarmerie, Synthèse pour la période du 15 décembre 1944 au 15 janvier 1945. AN 72 AJ 384.

37. Abbé Jean Popot, *J'étais aumônier à Fresnes*, 119 sq.

38. *Les Lettres Françaises* (Paris), 17 mars 1945.

TROISIÈME PARTIE : L'ÉPURATION D'UNE RÉGION

Chapitre I. Lyon, Capitale de la résistance

1. *France Automobile en un volume* (Guide Bleu), Paris, Hachette, 1938, 200.

2. Henri Michel, *Histoire de la Résistance*, Paris, Presses Universitaires de France (Que sais-je ?), 1958, 20, 60.

3. Voir, par exemple, Henri Amoretti, *Lyon Capitale (1940-1944)*, Paris, France-Empire, 1964, 368.

4. « Situation à Lyon », 13 septembre 1944. AN F 1A 4022.

5. Département du Rhône, Rapport du 16 février 1945 (période du 15 janvier au 15 février) ; Rapport du 16 mars 1945 (période du 15 février au 15 mars). AN F 1C III 1225.

6. « Situation à Lyon », 13 septembre 1944. AN F 1A 4022.

7. Claude Morgan, *Yves Farge*, Paris, Éditeurs Français Réunis, 1954, 54, 67 sq. 72 sq. *Cf.* Foulon, *Le Pouvoir en province*, 280.

8. Note Fouché, AN F 1A 4022.

9. Frenay, *La Nuit finira*, II, 229.

10. Morgan, *Yves Farge*, 173 sq.

11. *Ibid.*, 78.

12. Fernand Rude, *Libération de Lyon et de sa région*, Paris, Hachette Littérature, 1974, 34.

13. Debré, *Mémoires*, I, 352 sq.

14. De Gaulle, *Mémoires de guerre*, III, 15.

15. Charles de Gaulle, *Lettres, Notes et Carnet (8 mai 1945-18 juin 1951)*, Paris, Plon, 1984, 68.

16. Morgan, *Yves Farge*, 85.

17. Note Fouché, AN F 1A 4022.

18. Foulon, *Le Pouvoir en province*, 93 ; Morgan, *Yves Farge*, 85.

19. Ruby, *La Résistance à Lyon*, II, 838 sq.

20. Rapport de « Grégoire » (Farge) cité in Morgan, *Yves Farge*, 94 sq.

21. Entretien avec René Tavernier.

22. Farge, *Rebelles*, 188 sq.

23. *Ibid.*, 190 sq.

24. René Tavernier.

25. *Journal officiel du Commissariat de la République (Région Rhône-Alpes)*, 4 septembre 1944, 1.

26. Rude, *Libération de Lyon*, 134.

27. Farge, *Rebelles*, 207 sq.

28. « Situation à Lyon », 13 septembre 1944, AN F 1A 4022.

29. Préfecture du Rhône, Rapport sur la situation au 1ᵉʳ octobre 1944. AN F 1C III 1225.

30. Farge, *Rebelles*, 130, 154.

31. Rude, *Libération de Lyon*, 143.

32. *La Marseillaise de Lyon et du Sud-Est* (Lyon), 23-24 septembre 1944.

33. AN F 1A 4022.

34. *La Marseillaise* (Lyon), 14-15 octobre 1944 ; *La Voix du Peuple* (Lyon), 14-15 octobre 1944.

35. Farge, *Rebelles*, 216 sq.

36. 9 décembre 1944. AN F 1A 4022.

37. Archives départementales du Rhône : Archives du Commissariat de la République.

38. Aron, *Histoire de l'Épuration*, I, 474 sq.

39. Amoretti, *Lyon Capitale*, 368.

40. Lettre de Mgr Bornet, AN, Papiers La Rocque, dossier 282.

41. Laplace, *Le Combat d'Oullins*, 144 sq.

42. Statistique de la Répression à la Libération, *in* Comité d'Histoire de la Deuxième Guerre Mondiale, *Bulletin* Nᵒ 185, janvier-février 1970.

Chapitre II. Des comptes à rendre

1. Préfecture du Rhône, rapport sur la situation au 1ᵉʳ octobre 1944. AN F 1C III 1225 ; *Le Progrès* (Lyon), 13 septembre 1944.

2. Département du Rhône, Rapport du 16 février 1945. AN F 1C III 1225.

3. Rapport du commissaire de la République, 15 mars-15 avril 1945. AN F 1A 4022.

4. Département du Rhône, Rapport du 15 décembre 1945, AN F 1C III 1225.

5. Rapport du Commissaire de la République concernant la période du 15 octobre-15 décembre 1945. AN F 1A 4022.

6. AN 72 AJ 186 (Institut d'Histoire du Temps Présent).

7. *Journal Officiel du Commissariat de la République (Région Rhône-Alpes)*, 4 septembre 1944.

8. *Ibid.*, 11 septembre 1944.

9. Farge, *Rebelles*, 226 sq ; *La Voix du Peuple* (Lyon), 11 septembre 1944.

10. *La Voix du Peuple* (Lyon), 16-17 septembre 1944.

11. *La Marseillaise* (Lyon), 16-17 septembre 1944.

12. Entretien avec Mᵉ Jean Bernard, Lyon.

13. *La Marseillaise* (Lyon), 16-17 septembre 1944.

14. *La Voix du Peuple* (Lyon), 16-17 septembre 1944.

15. Mᵉ Jean Bernard.

16. Farge, *Rebelles*, 227f.

17. Mᵉ Jean Bernard.

18. AN F 1A 4022.

19. *La Voix du Peuple* (Lyon), 26 septembre 1944.

20. *La Marseillaise* (Lyon), *La Voix du Peuple* (Lyon), 21 septembre 1944.

21. *La Marseillaise* (Lyon), *La Voix du Peuple* (Lyon), 3 octobre 1944.
22. *La Voix du Peuple* (Lyon), 5 et 6 octobre 1944.
23. Rapport du procureur général, Lyon au ministre de la Justice, 7 décembre 1944, Archives départementales du Rhône : Archives du Parquet 3U-2040. Un rapport préfectoral précise qu'il y eut 43 condamnations. Département du Rhône, rapport du 16 février 1945, AN F 1C III 1225. Il n'existe aucun renseignement vérifiable concernant les activités d'un tribunal populaire qui fonctionna, semble-t-il, aux premières heures de la libération, non plus que d'une cour martiale séparée des FTP. Entretien avec Alexis Thomas, Commissaire du Gouvernement de la Cour de Justice de Lyon ; rapport de Thomas au Comité d'Histoire de la Deuxième Guerre Mondiale octobre 1966 (Institut d'Histoire du Temps Présent). Thomas nous a déclaré que la cour martiale des FTP fusillait ses condamnés sur les bords d'un canal et jetait les corps à l'eau, incident analogue à l'un de ceux mentionnés au chapitre précédent. Il n'existe aucune trace documentaire et aucune mention dans la presse. Thomas estime qu'une dizaine de personnes avaient été exécutées par la cour martiale des FTP. (La cour martiale de Farge comportait un officier des FTP : *Journal Officiel du Commissariat de la République (Région Rhône-Alpes)* 11 septembre 1944, arrêté n° 74.)
24. Rapport du commissaire de la République concernant la période du 16 au 31 janvier 1945, Archives départementales du Rhône.
25. Morgan, *Yves Farge*, 112f. On trouvera un autre témoignage sur la cour martiale de la Loire *in* Petrus Faure, *Un Témoin raconte...*, Saint-Etienne, Imp. Dumas, 1962, 179 sq.
26. *La Marseillaise* (Lyon), 7-8 octobre, 14-15 octobre 1944.
27. *Ibid.*, 19 octobre 1944.
28. Département du Rhône, Rapport du 16 février 1945, AN F 1C III 1225.
29. 7 décembre 1944. Archives départementales du Rhône : Archives du Parquet 3U-2040.
30. Rapport du commissaire de la République concernant la période du 16 au 31 janvier 1945, Archives Départementales du Rhône.
31. Procès-verbaux, AN 72 AJ 186 (Institut d'Histoire du Temps Présent).
32. Henry Bordeaux, *Histoire d'une vie*, XII, *Lumière au bout de la nuit*, Paris, Plon, 1970, 245 sq.
33. Farge, *Rebelles*, 229 sq.
34. *Ibid.*, 257 sq.
35. Département du Rhône, Rapport du 16 février 1945, AN F 1C III 1225.
36. Farge, *Rebelles*, 242 sq.
37. Archives départementales du Rhône : Archives du commissariat de la République.

Chapitre III. Les profiteurs de l'occupation

1. Farge, *Rebelles*, 207 sq.
2. AN 72 AJ 189 (Institut d'Histoire du Temps Présent).
3. *Journal Officiel du Commissariat de la République (Région Rhône-Alpes)*, 5 septembre 1944. Arrêté n° 27.
4. AN 72 AJ 383.
5. Archives départementales de la Haute-Savoie, 12 M 344.
6. Arrêté n° 367, AN F 1A 4022.
7. *Le Figaro* (Paris), 18 novembre 1944.
8. *Journal Officiel du Commissariat de la République (Région Rhône-Alpes)*, 23-26 mars 1945, 26-28 avril 1945.
9. Rapport du commissaire de la République concernant la période du 15 mai au 15 juin 1945. Lorsque le Garde des Sceaux décida que seuls les travailleurs volontaires ayant « donné à son geste une signification politique » seraient poursuivis, le nombre d'affaires tomba de 550 à 15, même si 43 dossiers furent transmis aux Chambres civiques et 147 à la gendarmerie pour complément d'enquête. Rapport du commissaire de la République concernant la période du 15 septembre au 15 octobre 1945. AN F 1A 4022.
10. AN F 12 9599.
11. Saint-Loup, *Marius Berliet l'inflexible*, Paris, Presses de la Cité, 1962, 246 sq.
12. Farge, *Rebelles*, 260 sq. La direction installée par Farge fut accusée de favoriser les communistes : voir Rude, *Libération de Lyon*, 225.

13. *Combat* (Paris), 8 décembre 1944. On trouvera un récit détaillé et favorable de l'expérience Berliet *in* Léon Planche, « L'Expérience Berliet », *Esprit* (Paris), 1ᵉʳ juillet 1946.

14. Saint-Loup, *Berliet*, 265 sq.

15. Archives Départementales du Rhône : Archives du Parquet 3U-2049.

16. Photographies *in* AN F 1A 4022.

17. Sténographie René Bluet, AN 334 AP 19.

18. Saint-Loup, *Berliet*, 276ff.

19. *Ibid.*, 285.

20. Anthony Rhodes, *Louis Renault*, Londres, Cassell, 1969, 209.

21. *Journal Officiel du Commissariat de la République (Région Rhône-Alpes)*, 4 septembre 1944, arrêté nᵒ 17.

22. Rude, *Libération de Lyon*, 141 sq.

23. AN 72 AJ 181 (Institut d'Histoire du Temps Présent).

24. Rapport du commissaire régional de la République concernant la période du 15 octobre-15 décembre 1945. AN F 1A 4022.

Chapitre IV. Sur les rives du lac d'Annecy.

1. Bordeaux, *Histoire*, XII, 246 sq.

2. Rapport du 25 décembre 1943 au 23 janvier 1944. Archives départementales de la Haute-Savoie, 12 M 364.

3. Institut d'Histoire du Temps Présent.

4. Rapport sur la libération de la Haute-Savoie par le Cdt André, Institut d'Histoire du Temps Présent.

5. Pierre Mouthon, La Répression de la Collaboration dans le Département de la Haute-Savoie, Institut d'Histoire du Temps Présent.

6. Archives départementales du Rhône : Archives de la Commission d'Histoire de la Guerre 1939-1945, C-1.

7. *Voix de la Liberté*, V, 195.

8. Vistel, *La Nuit sans ombre*, 506.

9. Henri Noguères, *Histoire de la Résistance en France*, IV, Paris, Laffont, 1976, 431. Voir aussi Louis Jourdan et al., *Glières, Première Bataille de la Résistance*, Annecy, Association des Rescapés de Glières, 1978 ; *Le Monde* (Paris), 26 mai 1984 : « Les maquisards de Glières » ; *La Résistance Savoisienne* (Annecy), 22 mars 1945 : « L'épopée de Glières. »

10. Noguères, *Histoire de la Résistance*, V, 646. Vistel, *La Nuit sans ombre*, 506, déclare qu'il y eut 84 Allemands abattus.

11. *La Résistance Savoisienne* (Annecy), 19 août 1946.

12. *Ibid.*

13. Jean Truffy, *Les Mémoires du Curé du Maquis de Glières*, Paris, Éditions Atra, 1979.

14. Bordeaux, *Histoire*, XII, 253 sq ; *Lectures Françaises* (Paris), août-septembre 1964 : « Le Livre Noir de l'Épuration », 37f ; Jean Pleyber, « Les Travaux et les Jours », *Écrits de Paris* (Paris), mars 1950, 29 juin 1951 ; 19f.

15. Compte rendu du Capt. Peccoud dit « Quino », AN 72 AJ 181 (Institut d'Histoire du Temps Présent). Aussi chez Charles Gilbert, *La Montagne libérée*, II, La Chaume (Les Sables d'Olonne), Le Cercle d'Or, 1981, 260 sq.

16. Entretien avec Jean Comet, Annecy.

17. Procès-verbal, avec l'aimable autorisation de Joseph Lambroschini.

18. Jean Comet.

19. Entretien avec Robert Poirson.

20. Jean Comet.

21. Jean Comet.

22. Témoignage en la possession de Pierre Mouthon.

23. Jean Comet.

24. Robert Poirson.

25. Pierre Mouthon.

26. Robert Poirson.

27. Procès-verbal, Jean Comet.

28. Jean Comet. Le PV fut enregistré au Tribunal de 1re instance d'Annecy.

29. *La Libération* (Annecy), 26 août 1944.

30. Jean Comet. Voir aussi Mouthon, La Répression de la Collaboration dans le Département de la Haute-Savoie (Institut d'Histoire du Temps Présent).

31. *La Libération* (Annecy), 9 septembre 1944. Ordonnance d'inculpation avec l'aimable autorisation de Joseph Lambroschini.

32. *La Libération* (Annecy), 6 octobre 1944.

33. PV de la réunion du 9 septembre 1944, Archives départementales de la Haute-Savoie, 12 M 313.

34. PV, 26 septembre 1944, *ibid.*

35. PV, 29 septembre 1944, *ibid.*

36. *La Libération* (Annecy), 5 septembre 1944.

37. *La Résistance Savoisienne* (Annecy), 28 décembre 1944.

38. PV, 17 octobre 1944, Archives départementales de la Haute-Savoie, 12 M 313.

Chapitre V. En Haute-Savoie

1. JORF, 22 avril 1944.

2. PV de l'Assemblée du Comité Élargi, 26 août 1944. Avec l'aimable autorisation d'Adrien Galliot.

3. PV, avec l'aimable autorisation d'Adrien Galliot.

4. Compte rendu, avec l'aimable autorisation d'Adrien Galliot.

5. PV de la réunion du 9 septembre 1944, Archives départementales de la Haute-Savoie, 12 M 313.

6. *Ibid.*, entretien avec Adrien Galliot.

7. PV, Archives départementales de la Haute-Savoie, 12 M 313.

8. PV de la réunion du 12 septembre 1944, Archives départementales de la Haute-Savoie, 12 M 313.

9. *La Libération* (Annecy), 26 septembre 1944.

10. PVs des réunions du CDL du 19 et 26 septembre 1944 et autres documents, Archives départementales de la Haute-Savoie, 12 M 313.

11. *La Résistance Savoisienne* (Annecy), 2 août 1945.

12. PV, Archives départementales de la Haute-Savoie, 12 M 344.

13. PV de la réunion du CDL, 4 septembre 1944, Archives départementales de la Haute-Savoie, 12 M 313.

14. PV, 4 septembre 1944, *ibid.*

15. PV, 7 septembre 1944, *ibid.*

16. PV, 8 septembre 1944, *ibid.*

17. PV, 15 septembre 1944, *ibid.*

18. PV, 6 octobre 1944, *ibid.*

19. *La Libération* (Annecy), 16 octobre 1944.

20. PV, 31 octobre 1944, Archives départementales de la Haute-Savoie, 12 M 313.

21. PV, 7 novembre 1944, *ibid.*

22. *La Libération* (Annecy), 30 septembre 1944.

23. *La Libération* (Annecy), 25 octobre 1944.

24. PV, 28 novembre et 5 décembre 1944, Archives départementales de la Haute-Savoie, 12 M 313.

25. *La Résistance Savoisienne* (Annecy), 28 juin 1945.

26. *Ibid.*, 9 août 1945.

27. *Ibid.*, 27 décembre 1945.

28. PV, 14 novembre 1944, Archives départementales de la Haute-Savoie, 12 M 313.

29. *La Libération* (Annecy), 2 et 3 novembre 1944.

30. *Armée Nouvelle* (Annecy), 11 novembre 1944.

31. *Ibid.*, 18 novembre 1944.

32. *Ibid.*, 25 novembre 1944.

33. Service Départemental des Renseignements Généraux de la Haute-Savoie, Syn-

thèse journalière, Annecy, 16 novembre 1944, Archives départementales de la Haute-Savoie, 12 M 347.

34. *Ibid.*, 18 novembre 1944.

35. *Ibid.*, 22 novembre 1944.

36. PV de la réunion du 17 novembre 1944, Archives départementales de la Haute-Savoie, 12 M 313. Lors d'une réunion ultérieure du CDL, le porte-parole du PC émit l'idée que ces actes regrettables pourraient être le fait de provocateurs cherchant à entraîner « une psychose de guerre civile. » PV, 24 novembre 1944, *ibid.*

37. *La Résistance Savoisienne* (Annecy), 23 novembre 1944.

38. PV, 12 décembre 1944, Archives départementales de la Haute-Savoie, 12 M 313.

39. PV, 16 janvier 1945, *ibid.*

40. PV, 30 janvier 1945, *ibid.*

41. Service départemental des Renseignements Généraux, Synthèse journalière, 6 février 1945, Archives départementales de la Haute-Savoie, 12 M 347.

42. *Le Monde* (Paris), 29 juin 1945.

QUATRIÈME PARTIE. LA LOI ET L'ORDRE

Chapitre I. « La justice avant les voies ferrées »

1. De Gaulle, *Mémoires de guerre*, III, 47.

2. Hommage à André Boissarie, 9 mai 1984, par M. Rolland. Avec l'aimable autorisation de Maurice Rolland.

3. Joë Nordmann.

4. Entretien avec François de Menthon. Sur l'absence de tribunaux militaires à la libération, lorsqu'il manquait à la France une armée bien organisée, voir Garçon, *Code Pénal annoté*, I, 266.

5. François de Menthon.

6. Ministère de la Justice, Inspection des Services Judiciaires : Historique. Avec l'aimable autorisation de Maurice Rolland.

7. Entretien avec Maurice Rolland.

8. JORF, 6 juillet 1944.

9. JORF, 15 septembre 1944.

10. Pierre-Henri Teitgen, *Les Cours de Justice* (conférence, 5 avril 1946), Paris, Éditions du Mail, 1946, 25 sq.

11. Entretien avec Raymond Lindon.

12. *Le Monde* (Paris), 10 janvier 1945.

13. Rapport de R. Fournier, chef de la Mission « Justice », à M. le Garde des Sceaux, Marseille, 8 septembre 1944. Avec l'aimable autorisation de Maurice Rolland.

14. Entretien avec Raymond Aubrac. *Cf.* Foulon, *Le Pouvoir en province*, 280.

15. Claude Mauriac, *Un autre de Gaulle*, 31.

16. *Bulletin Officiel du Commissariat Régional de la République à Marseille*, 6 septembre 1944, 32. L'arrêté 864 du 27 novembre 1944 rendait le droit de grâce au chef de l'État.

17. *Bulletin Officiel du Commissariat Régional de la République à Marseille*, 8 septembre 1944, 48.

18. Entretien avec André Cellard.

19. Entretien avec Raymond Aubrac.

20. Raymond Aubrac. *Cf.* Foulon, *Le Pouvoir en province*, 151.

21. Raymond Aubrac ; arrêté n° 704 du 6 novembre 1944 in *Bulletin Officiel du Commissariat Régional de la République à Marseille*, 9 novembre 1944, 351. Pour autant qu'Aubrac se rappelle, cette mesure permit de remettre en liberté la moitié des personnes détenues.

22. Mission de liaison administrative de Groupe d'Armée pour le Théâtre d'Opérations Sud-Justice, Rapport à M. le Garde des Sceaux sur les Cours de Justice de la zone Sud, 30 septembre 1944, par R. Fournier. Avec l'aimable autorisation de Maurice Rolland.

23. Le procureur général près la cour d'appel de Nîmes à M. le Garde des Sceaux, 22 décembre 1944. Avec l'aimable autorisation de Maurice Rolland.

24. Rapport de Raymond Valabrègue au ministère de la Justice, 25 septembre 1944, AN F 1A 4020. *Cf.* Bounin, *Beaucoup d'imprudences*, 184 sq.

25. Le procureur général près la cour d'appel de Nîmes à M. le Garde des Sceaux, 22 décembre 1944, avec l'aimable autorisation de Maurice Rolland.

26. L'Inspecteur Général de la Magistrature à M. le Garde des Sceaux, 23 septembre 1944, avec l'aimable autorisation de Maurice Rolland.

27. L'Inspecteur Général de la Magistrature à M. le Garde des Sceaux, 26 septembre 1944, avec l'aimable autorisation de Maurice Rolland.

28. L'Inspecteur Général de la Magistrature à M. le Garde des Sceaux, Rapport sur la Cour d'Appel de Limoges, 6 novembre 1944, avec l'aimable autorisation de Maurice Rolland.

29. Charles Zambeaux.

30. Garçon, *Code Pénal annoté*, 268.

31. Teitgen, *Les Cours de Justice*, 29.

32. Baudot, *L'Opinion publique*, 211.

33. Procès-verbaux de la Commission de la Justice et de l'Épuration, 24 novembre, 1er décembre 1944. Archives de l'Assemblée nationale.

34. Jean Bracquemond, « Intervention à propos de la Communication de M. Baudot », *Libération de la France*, 803 ; Garçon, *Code Pénal annoté*, 266.

35. Teitgen, *Les Cours de Justice*, 30f.

36. JORF, 29 novembre 1944, 1543.

37. Charles Zambeaux.

38. Claude Jamet, *Fifi Roi*, Paris, L'Élan, 1947, 124. « Gestapaches » était un mot dont on se servait pour désigner les voyous qui travaillaient pour les Allemands.

39. Robert Cardinne-Petit, *Les Otages de la peur*, Paris, Éditions Nouvelles, 1948, 21f.

40. Taittinger, *... Et Paris ne fut pas détruit*, 269 sq.

41. Fabre-Luce, *Double Prison*, 233.

42. Peyrouton, *Du Service public*, 254 sq. ; Lucien Rebatet, *Mémoires d'un fasciste (1941-1947)*, Paris, Pauvert, 1976, 229.

43. Marquet, *Cellule 209*, 155 sq.

44. Cardinne-Petit, *Les Otages*, 23.

45. Peyrouton, *Du Service public*, 257.

46. Paul Delas, « Fresnes 1948 », *Les Temps Modernes* (Paris), août 1948, 317.

47. Taittinger, *... Et Paris ne fut pas détruit*, 269 sq.

48. Henri Béraud, *Quinze jours avec la mort*, Paris, Plon, 1951, 79.

49. *L'Humanité* (Paris), 22 et 27 septembre 1944.

50. Corinne Luchaire, *Ma drôle de vie*, Paris, SUN, 1949, 231.

51. Henry Charbonneau, *Les Mémoires de Porthos*, II, *Le Roman Noir de la Droite Française*, Paris, Robert Desroches, 1969, 215.

52. Anonyme, *Prisons de l'Épuration*, Paris, Le Portulan, 1947, 116.

53. Xavier Vallat, « Les Cours de Justice », *in* Rougier, *L'Épuration*.

54. Jean Bocognano, *Quartier des fauves*, Paris, Éditions du Fuseau, 1953, 92. Rebatet lui-même cite le texte suivant : « Rebatet 8340. Cent quarante et unième et dernier jour de chaînes. Aux successeurs, courage et confiance. » Rebatet, *Mémoires*, 259.

55. Il s'agissait du roman *Les Deux Étendards*. Rebatet, *Mémoires*, 234 sq.

56. Isorni, *Mémoires*, I, 299.

Chapitre II. Les procès parisiens

1. Entretien avec Robert Vassart.

2. René Floriot, *La Répression des faits de collaboration*, Paris, Grund, 1945, 5.

3. Yves-Frédéric Jaffré, *Les Tribunaux d'exception (1940-1962)*, Paris, Nouvelles Éditions Latines, 1962, 167.

4. *L'Aube* (Paris), 6 octobre 1944.

5. Robert Vassart.

6. PV, 4 octobre 1944, AN C.J. 1.

7. Sténographie René Bluet, AN 334 AP 8. Le dossier de Suarez consiste en majeure

partie, comme l'indiqua la cour, en une compilation de ses éditoriaux à la une d'*Aujourd'hui*. AN C.J. 1.

8. Sténographie René Bluet, AN 334 AP 8.

9. AN C.J. 1.

10. JORF, 28 août 1944, 767 sq.

11. JORF, 27 décembre 1944, 2076 sq.

12. Charpentier, *Au service de la liberté*, 257.

13. *Le Figaro* (Paris), 9 novembre 1944.

14. *Combat* (Paris), 28 septembre 1944.

15. Sténographie René Bluet, AN 334 AP 8.

16. Jaffré, *Les Tribunaux d'exception*, 168.

17. Entretien avec Raymond Lindon.

18. Béraud, *Quinze jours*, 6, 11, 18 sq, 31 sq, 48, 79.

19. Sténographie René Bluet, AN 334 AP 10.

20. Raymond Lindon.

21. Sténographie René Bluet, AN 334 AP 10.

22. *Le Figaro* (Paris), 30 décembre 1944.

23. *Ibid.*

24. Galtier-Boissière, *Mon Journal depuis la libération*, 97.

25. François Mauriac, *Le Bâillon dénoué*, Paris, Grasset, 1945, 220 sq.

26. Béraud, *Quinze jours*, 221 sq.

27. Galtier-Boissière, *Mon Journal depuis la libération*, 105.

28. Béraud, *Quinze jours*, 221 sq.

29. *Le Monde* (Paris), 21 avril 1950.

30. Jacques Isorni, *Le Procès de Robert Brasillach*, Paris, Flammarion, 1956, 35 sq. Le procès-verbal du procès figure aussi in Sténographie René Bluet, AN 334 AP 10.

31. Isorni, *Procès de Brasillach*, 53, 59 sq.

32. Robert Brasillach, *Lettres écrites en prison (octobre 1944-février 1945)*, Paris, Les Sept Couleurs, 1952, 182.

33. Isorni, *Procès de Brasillach*, 86.

34. Brasillach, *Lettres écrites en prison*, 182 sq.

35. Isorni, *Procès de Brasillach*, 146 sq, 152.

36. *Ibid.*, 155, 168 sq.

37. Brasillach, *Lettres écrites en prison*, 184.

38. Isorni, *Procès de Brasillach*, 175 sq, 177, 186, 189 sq, 203.

39. Brasillach, *Lettres écrites en prison*, 184.

40. *Ibid.*, 185 ; Isorni, *Procès de Brasillach*, 212.

41. Brasillach, *Lettres écrites en prison*, 185.

42. Isorni, *Procès de Brasillach*, 218ff.

43. Herbert R. Lottman, *Albert Camus*, Paris, Seuil, 1978, 363.

44. Simone de Beauvoir, « Œil pour œil », *Les Temps Modernes* (Paris), 1er février 1946, 823 sq.

45. Claude Mauriac, *Un autre de Gaulle*, 79 sq, 85 sq, 88, 92, 99, 247.

46. Isorni, *Procès de Brasillach*, v.f.

47. Pierre de Boisdeffre, « Apologie pour un condamné », *Le Monde* (Paris), 18 février 1975.

48. Isorni, *Mémoires*, I, 324 sq.

49. Claude Mauriac, *Un autre de Gaulle*, 75, 78.

50. Sténographie René Bluet, AN 334 AP 15 ; *Les Procès de la Radio : Ferdonnet et Jean Hérold-Paquis*, Paris, Albin Michel, 1947.

51. *Ibid.*, 201 sq.

52. Sténographie René Bluet, AN 334 AP 17 ; *Les Procès de collaboration*, Paris, Albin Michel, 1948.

53. AN C.J. 255.

54. Jean Galtier-Boissière, *Mon Journal dans la grande pagaïe*, Paris, La Jeune Parque, 1950, 31 sq.

55. Lottman, *Camus*, 363.

56. Rebatet, *Mémoires*, 240 sq.

Chapitre III. La justice et la charité

1. François Mauriac, *Le Bâillon dénoué*, 24 sq.
2. *Combat* (Paris), 18 octobre 1944.
3. Mauriac, *Le Bâillon dénoué*, 87 sq.
4. *Combat* (Paris), 20 octobre 1944.
5. Mauriac, *Le Bâillon dénoué*, 91 sq.
6. *Combat* (Paris), 25 octobre 1944.
7. Claude Mauriac, *Un autre de Gaulle*, 62.
8. *Le Figaro* (Paris), 14 novembre 1944, *in* François Mauriac, *Le Bâillon dénoué*, 131 sq.
9. *Le Figaro* (Paris), 12 décembre 1944, in *ibid.*, 171 sq.
10. *Le Figaro* (Paris), 27 décembre 1944.
11. *Combat* (Paris), 5 janvier 1945.
12. *Le Figaro* (Paris), 7-8 janvier 1945, in François Mauriac, *Le Bâillon dénoué*, 222 sq.
13. *Combat* (Paris), 11 janvier 1945.
14. *Combat* (Paris), 13 janvier 1945.
15. *Le Parisien libéré* (Paris), 12 janvier 1945, cité in *Combat* (Paris), 13 janvier 1945 et *Le Monde* (Paris), 13 janvier 1945.
16. *Le Figaro* (Paris), 26 juillet et 16 août 1945, *in* François Mauriac, *Journal*, IV, 113 sq, 128 sq.
17. « L'Incroyant et les Chrétiens », *in* Albert Camus, *Essais*, Paris, Gallimard (Pléiade), 1965, 371 sq.
18. *Le Figaro* (Paris), 19 octobre 1944, *in* François Mauriac, *Le Bâillon dénoué*, 90.
19. *Bulletin d'Information de l'Institut Français d'Opinion Publique* (Paris), n° 11, 1er mars 1945 ; n° 12, 16 mars 1945.
20. Roger Secrétain, « Échec de la Résistance », *Esprit* (Paris), 1er juin 1945, 4 sq.
21. *Esprit* (Paris), août 1947 : Domenach, 183 sq ; Mounier, 212 sq.
22. *Esprit* (Paris), novembre 1947 : « Second dossier sur la Justice politique », 656 sq.
23. *Le Figaro* (Paris), 26 octobre 1944.
24. Sténographie René Bluet, AN 334 AP 8 ; *Le Figaro*, 7 novembre 1944.
25. *Combat* (Paris), 30 août 1945, in *Actuelles*, I (Camus, *Essais*, 290).
26. Sténographie René Bluet, AN 334 AP 10 ; Galtier-Boissière, *Mon Journal depuis la libération*, 84 sq.
27. *Combat* (Paris), 27 décembre 1944.
28. *Le Monde* (Paris), 10-11 juin 1945.
29. Raymond Lindon.
30. AN C.J. 288-292 ; Sténographie René Bluet, AN 334 AP 22 ; *Le Figaro* (Paris), 3 octobre 1951 ; *France-Soir* (Paris), 4 octobre 1951.
31. Teitgen, *Les Cours de Justice*, 37.
32. Raymond Lindon.
33. Charles Zambeaux.
34. Raymond Lindon.
35. Affaire de Joseph Amblard, Éts Ducellier, Sténographie René Bluet, AN 334 AP 17.
36. *Le Monde* (Paris), 5-6-7-8 février 1949.
37. *Le Monde* (Paris), 21 juin 1949. Le directeur de Sainrapt & Brice avait reçu une sanction de la Commission Nationale Interprofessionnelle d'Épuration, parce que sa firme avait travaillé pour l'organisation allemande Todt, pour la Luftwaffe, pour la Wehrmacht, etc. AN F 12 9556.
38. *Combat* (Paris), 23 décembre 1944 ; *Le Monde* (Paris), 21 décembre 1944.
39. *Le Monde* (Paris), 21 décembre 1944.
40. *Le Monde* (Paris), 11 avril 1945.
41. *Le Monde* (Paris), 5 mai 1945.
42. *Le Monde* (Paris), 13 juin 1945.
43. *Le Monde* (Paris), 12 décembre 1945.
44. Comité d'Histoire de la Deuxième Guerre mondiale, *Bulletin* n° 202, novembre-décembre 1972 : « Statistique de la répression à la libération », Département de la Seine.
45. *Le Monde* (Paris), 13 janvier 1945.
46. Saint-Germain, *Les Prisons*, 81 sq.

47. M. Sarraz-Bournet, « Un drame de la libération », *Écrits de Paris* (Paris), août 1952.
48. *Un an d'activité*, 50 sq.
49. Ministère de l'Intérieur, Bulletin sur la situation dans les Régions et les Départements, 3 avril 1945. AN F 1A 4028.
50. Larrieu, « L'Épuration judiciaire », 35 sq.
51. Labedan, « La Répression », 110 sq.
52. Jean Goeffon, « La Cour de Justice d'Orléans (1944-1945) », *Revue d'Histoire de la Deuxième Guerre mondiale* (Paris), n° 130, avril 1983, 51ff.
53. Le procureur général à Montpellier à M. le Garde des Sceaux, 17 novembre 1944. Avec l'aimable autorisation de Maurice Rolland.
54. *Combat* (Paris), 22 décembre 1944.

Chapitre IV. Les Procès de Lyon

1. AN C.J. 171.
2. Sténographie René Bluet, AN 334 AP 9 ; AN C.J. 171.
3. *Les Nouvelles* (Lyon), 3 décembre 1944.
4. *Le Progrès* (Lyon), 4 décembre 1944.
5. *Les Nouvelles* (Lyon), 3 décembre 1944.
6. *Le Figaro* (Paris), 7 décembre 1944.
7. AN C.J. 170 ; Exposé des faits complémentaires, AN 334 AP 9.
8. *Le Figaro* (Paris), 7 décembre 1944.
9. *Le Figaro* (Paris), 10-11 décembre 1944.
10. Jean-Marie Domenach, « Lettre lyonnaise : Le procès Angeli », *Esprit* (Paris), 1er janvier 1945, 292 sq.
11. Exposé des Faits complémentaires, AN 334 AP 9.
12. AN C.J. 170.
13. *La Résistance Savoisienne* (Annecy), 30 mai 1946.
14. Claude Mauriac, *Un autre de Gaulle*, 52.
15. L'Inspecteur Général des Services Judiciaires à M. le Garde des Sceaux, 17 février 1945. Avec l'aimable autorisation de Maurice Rolland.
16. *Le Progrès* (Lyon), 25 janvier 1945.
17. L'Inspecteur Général à M. le Garde des Sceaux, 17 février 1945. Avec l'aimable autorisation de Maurice Rolland.
18. Sténographie René Bluet, AN 334 AP 10 ; voir aussi *Le Procès de Charles Maurras*, Paris, Albin Michel, 1946.
19. L'Inspecteur Général à M. le Garde des Sceaux, 17 février 1945. Avec l'aimable autorisation de Maurice Rolland.
20. Galtier-Boissière, *Mon Journal dans la grande pagaie*, 79.
21. *Journal de Genève* (Genève), 21 octobre 1949.
22. « Lettre ouverte de M. Charles Maurras à M. le Procureur Général près la Cour d'Appel de Lyon », *Écrits de Paris* (Paris), février 1951.
23. *Le Figaro* (Paris), 10 avril 1952.
24. *Le Monde* (Paris), 13-14 avril 1952.
25. Alexis Thomas.
26. Compte rendu, CDL, 24 novembre 1944. Archives départementales du Rhône.
27. Rapport d'Inspection de la cour d'appel de Lyon, 16-19 juin 1945 (Mazet-Genty). Avec l'aimable autorisation de Maurice Rolland.
28. Me Jean Bernard, Lyon.
29. Archives départementales du Rhône : Cour de Justice n° 1.
30. *Ibid.* ; aussi Archives du Parquet 3U-2058.
31. Archives départementales du Rhône : Cour de Justice nos 2, 3, 4.
32. Le Premier Président et le Procureur Général de Lyon à M. le Garde des Sceaux, 20 décembre 1944. Avec l'aimable autorisation de Maurice Rolland.
33. Commissaire Régional de la République au Ministre de l'Intérieur, 2 février 1945. AN F 1A 4022.
34. *Le Progrès* (Lyon), 11 janvier 1945.
35. *Le Progrès* (Lyon), 24 juillet 1945.

36. Archives départementales du Rhône, Cour de Justice, n° 1924.
37. *Le Monde* (Paris), 10 janvier 1945, 10 avril 1946.
38. *Le Monde* (Paris), 26 septembre 1946.
39. Archives départementales du Rhône, Cour de Justice, n° 2030.
40. Entretien avec Roland Blayo, Lyon.
41. Pierre Mouthon. La Répression de la Collaboration dans le département de la Haute-Savoie. Institut d'Histoire du Temps Présent.
42. *La Résistance Savoisienne* (Annecy), 23 novembre 1944.
43. *La Résistance Savoisienne* (Annecy), 21 décembre 1944.

Chapitre V. Justice expéditive ou lenteurs inévitables ?

1. De Gaulle, *Mémoires de guerre*, III, 127.
2. Charles Zambeaux et Pierre-Henri Teitgen.
3. Claude Mauriac, *Un autre de Gaulle*, 79 sq.
4. Pierre-Henri Teitgen.
5. De Gaulle, *Lettres (8 mai 1945-18 juin 1951)*, 147.
6. *Le Monde* (Paris), 2 avril 1947.
7. Entretiens avec Adolphe Touffait et Charles Zambeaux ; *Textes relatifs à la Haute Cour de Justice, aux Cours de Justice, et aux Chambres Civiques*, Ministère de la Justice, 1945.
8. *L'Humanité* (Paris), 18 octobre 1944.
9. *L'Humanité* (Paris), 24 octobre 1944.
10. Raymond Lindon.
11. Debré, *Mémoires*, I, 304 sq.
12. Vallat, « Les Cours de Justice », 54 sq.
13. Floriot, *La Répression*, 6.
14. Larrieu, « L'Épuration judiciaire », 41 sq.
15. De Menthon, « L'Épuration », 788.
16. Marcel Baudot, « La Résistance française face aux problèmes de répression et d'épuration », *Revue d'Histoire de la Deuxième Guerre mondiale* (Paris), janvier 1971, in Novick, *The Resistance versus Vichy*, 220 sq. (trad. française, Paris, Balland, 1985).
17. Charles Zambeaux.
18. Adolphe Touffait.
19. Charles Zambeaux.
20. L'Inspecteur des Services Judiciaires à M. le Garde des Sceaux, 12 février 1945. Avec l'aimable autorisation de Maurice .
21. L'Inspecteur des Services Judiciaires à M. le Garde des Sceaux, 9 juillet 1945. Avec l'aimable autorisation de Maurice Rolland.
22. *L'Humanité* (Paris), 20 septembre 1944.
23. *L'Humanité* (Paris), 28 octobre 1944.
24. *Année politique*, I, 113 sq.
25. Ministère de la Guerre, Direction de la Gendarmerie, Synthèse pour la période du 15 février au 15 mars 1945. AN 72 AJ 384.
26. *Ibid.*, 15 mars au 15 avril 1945.
27. *Ibid.*, 15 janvier au 15 février 1945. (Daté du 14 mars).
28. *Le Monde* (Paris), 22 mars 1945.
29. *Le Monde* (Paris), 4 mai 1945.
30. *Combat* (Paris), 1ᵉʳ août 1945.
31. *Le Monde* (Paris), 6 octobre 1945.
32. *Le Monde* (Paris), 14 septembre 1946.
33. *Le Monde* (Paris), 11 décembre 1946.
34. L'Inspecteur des Services Judiciaires à M. le Garde des Sceaux, 9 juillet 1945. Avec l'aimable autorisation de Maurice Rolland.
35. Charpentier, *Au Service de la liberté*, 264.
36. *Ibid.*, 264 sq ; *Le Monde* (Paris), 20 octobre 1945.
37. Popot, *J'étais aumônier*, 116 sq.
38. Servus Juris, *Lettre ouverte à Messieurs les présidents des Cours de Justice*, Paris, André Bonne, 1948, 11.

39. Ministère de l'Intérieur, Bulletin sur la situation dans les régions et les départements, 9 décembre 1944, AN F 1 A 4028.

40. 1er février 1947. AN 72 AJ 158 (Institut d'Histoire du Temps Présent).

Chapitre VI. La justice en ses œuvres

1. *Le Monde* (Paris), 15 février 1949.
2. JORF, 30 juillet 1949 ; *Le Monde* (Paris), 31 juillet-1er août 1949.
3. *Le Monde* (Paris), 31 juillet-1er août 1949.
4. Entretien avec Roland Blayo.
5. 31 janvier 1950. Archives départementales du Rhône : Archives du parquet, 3U-2046.
6. *Le Monde* (Paris), 21 décembre 1944.
7. *Le Monde* (Paris), 10 janvier 1945.
8. *Bulletin hebdomadaire d'informations judiciaires* (Ministère de la Justice), 2 juin 1945.
9. Teitgen, *Les Cours de Justice*, 33 sq.
10. JORF, Assemblée nationale constituante, 7 août 1946 (séance du 6 août), 3000 sq.
11. Baudot, « La Répression », 772. Ces chiffres diffèrent, mais assez légèrement, des réponses ministérielles aux questions des parlementaires ; par exemple, dans une déclaration de 1951, les chiffres donnés pour les travaux forcés étaient à perpétuité, 2702 (dont 452 par contumace) ; à temps, 10637 (1773 par contumace). Réponse du ministre de la Justice au député Paul Estèbe, 12 décembre 1951. JORF, Assemblée nationale, 13 décembre 1951, 9100. Voir aussi, pour les verdicts des Chambres civiques, JORF, Assemblée nationale, 24 mars 1954, 1213 ; 12 juillet 1952, 3939. Les Cours de Justice entendirent au total 57944 affaires, auxquelles s'ajoutaient 189 procès contre des entreprises de presse. Réponse du ministre de la Justice au député Pierre de Léotard, JORF, Assemblée nationale, 24 mars 1952, 1213.
12. *L'Humanité* (Paris), 20 octobre 1955.
13. JORF, 26 décembre 1944 ; texte modifié *in* JORF, 10 février 1945.
14. Faucher, « L'Indignité Nationale », 453 sq.
15. Jaffré, *Les Tribunaux d'exception*, 208. Il cite *Le Monde* (Paris), 20 juin 1946.
16. Jaffré, *Les Tribunaux d'exception*, 208.
17. Henri Saubel (Dr Henri Balmelle), *Mon Crime*, Moulins, L'Auteur-Éditeur, 1952, 80 sq., 112 sq., 123 sq., 150 sq.
18. Baudot, « La Résistance française », 43.
19. AN (fichier).
20. AN Z511, n° 776.
21. AN Z521, n° 1041.
22. AN Z521, n° 1033.
23. AN Z522, n° 1089.
24. AN Z557, n° 2227.
25. AN Z548, n° 1871, I.
26. AN Z596, n° 4494.
27. AN Z5119, n° 5594.
28. AN Z5135, n° 5989.
29. *Le Monde* (Paris), 5 et 6 juin 1946.
30. Jaffré, *Les Tribunaux d'exception*, 207.
31. AN Z5143, n° 6210.
32. *Le Monde* (Paris), 3 juillet 1946 ; AN Z5137, n° 6051.
33. *Le Monde* (Paris), 16 octobre 1946 ; AN Z531, n° 1279.
34. AN Z5148, n° 6294.
35. AN Z5237, n° 8152.
36. AN Z5270, n° 8492.
37. AN Z5279, n° 8580.
38. *L'Appel de la Haute-Loire* (Le Puy), 8 et 9 décembre 1944.
39. Larrieu, « L'Épuration judiciaire », 36 sq.
40. Labedan, « La Répression ».

CINQUIÈME PARTIE. LA RÉPUBLIQUE FRANÇAISE CONTRE L'ÉTAT FRANÇAIS
Chapitre I. Vichy en Haute Cour

1. De Gaulle, *Mémoires de guerre*, III, 129.
2. JORF, 19 novembre 1944, 1382ff.
3. Entretien avec Pierre-Henri Teitgen.
4. *L'Humanité* (Paris), 12 septembre 1944.
5. Louis Noguères, *La Haute Cour de la libération*, Paris, Minuit, 1965, 46.
6. *Combat* (Paris), 10 octobre 1944.
7. *Le Monde* (Paris), 31 décembre 1944-1ᵉʳ janvier 1945.
8. Charpentier, *Au service de la liberté*, 266.
9. Maurice Guérin, La Haute Cour de Justice (manuscrit), AN 72 AJ 180 (Institut d'Histoire du Temps Présent).
10. *Le Monde* (Paris), 11-12 mars 1945.
11. De Gaulle, *Mémoires de guerre*, III, 130.
12. Sténographie René Bluet, AN 334 AP 31. *Cf.* Geo London, *L'Amiral Estéva et le Général Dentz devant la Haute Cour de Justice*, Lyon, Roger Bonnefon, 1945.
13. Guérin, La Haute Cour, 12.
14. De Gaulle, *Mémoires de guerre*, III, 130.
15. Guérin, La Haute Cour, 12.
16. Sténographie René Bluet, AN 334 AP 31 ; London, *L'Amiral Esteva*.
17. Anonyme, *Prisons de l'épuration*, 209 sq. ; de Gaulle, *Mémoires de guerre*, III, 131.
18. De Gaulle, *Mémoires de guerre*, III, 131 sq. Voir aussi Herbert R. Lottman, *Pétain*, Paris, Seuil, 1984, 536 sq.
19. 28 décembre 1944. Cité in Noguères, *La Haute Cour*, 80.
20. *Ibid.*, 87.
21. Lottman, *Pétain*, 534 sq.
22. Procès-verbaux, 8 mai, 24 mai 1944, Commission de la Justice et de l'Épuration, Assemblée Consultative Provisoire, Archives de l'Assemblée Nationale ; *Bulletin hebdomadaire d'informations judiciaires* (Ministère de la Justice), 2 juin 1945.
23. Noguères, *La Haute Cour*, 91.
24. Guérin, La Haute Cour, 20.
25. Lottman, *Pétain*, 549.
26. *Ibid.*, 550 sq.
27. *Le Procès du Maréchal Pétain*, II, Paris, Albin Michel, 1945, 951.
28. *Ibid.*, 954.
29. Lottman, *Pétain*, 559.
30. *Procès de Pétain*, II, 1123.
31. Lottman, *Pétain*, 562, 566 sq.
32. Noguères, *La Haute Cour*, 95 sq.
33. *Ibid.*, 98.
34. AN 334 AP 34.
35. *Le Procès Laval*, Paris, Albin Michel, 1946, 7 sq.
36. Albert Naud, *Pourquoi je n'ai pas défendu Pierre Laval*, Paris, Fayard, 1948, 244.
37. *Procès Laval*, 112.
38. *Ibid.*, 10ff.
39. *Ibid.*, 24.
40. *Ibid.*, 12.
41. *Ibid.*, 93.
42. *Ibid.*, 97 ; voir aussi 207.
43. *Ibid.*, 97.
44. *Ibid.*, 109.
45. *Ibid.*, 116 sq.
46. *Ibid.*, 208.
47. *Ibid.*, 301 sq.

48. Naud, *Pourquoi je n'ai pas défendu Laval*, 265 sq.
49. Rapport du greffier, in Noguères, *La Haute Cour*, 100 sq. *Cf.* Naud, *Pourquoi je n'ai pas défendu Laval*, 276 sq.
50. Robert Vassart.
51. *Le Monde* (Paris), 3 novembre 1945.
52. Sténographie René Bluet, AN 334 AP 34.
53. De Gaulle, *Mémoires de guerre*, III, 293.
54. Noguères, *La Haute Cour*, 105.
55. *Le Monde* (Paris), 14 décembre 1945.
56. Noguères, *La Haute Cour*, 103 sq., 109 sq.
57. Guérin, *La Haute Cour*, 22.
58. Noguères, *La Haute Cour*, 117.
59. Sténographie René Bluet, AN 334 AP 34.
60*Ibid.*
61. *Front National* (Paris), 19 mars 1946.
62. Sténographie René Bluet, AN 334 AP 36.
63. Guérin, *La Haute Cour*, 23 sq.
64. Noguères, *La Haute Cour*, 157.
65. *Ibid.*, 149.
66. *Ibid.*, 152 sq.
67. *Combat* (Paris), 2 août 1946.
68. *Le Populaire* (Paris), 11-12 août 1946.
69. Sténographie René Bluet, AN 334 AP 36 ; for Laborde : 334 AP 39.
70. Jaffré, *Les Tribunaux d'exception*, 154.
71. *Ibid.*, 155.
72. Sténographie René Bluet, AN 334 AP 37.
73. *Combat* (Paris), 2 mars 1959.
74. Sténographie René Bluet, AN 334 AP 37.
75. Claude Mauriac, *Un autre de Gaulle*, 267.
76. Jean-Louis Aujol, *Le Procès Benoist-Méchin*, Paris, Albin Michel, 1948.
77. Noguères, *La Haute Cour*, 171-189, 193 sq.
78. *Ibid.*, 196 sq.
79. Sténographie René Bluet, AN 334 AP 40.
80. *Ibid.*
81. *Le Monde* (Paris), 22 février 1983.
82. Noguères, *La Haute Cour*, 199 ; Sténographie René Bluet, AN 334 AP 40.
83. Robert Dufourg, *Adrien Marquet devant la Haute Cour*, Paris, Janmaray, 1948, 63.
84. Noguères, *La Haute Cour*, 201, 57, 110.
85. *Ibid.*, 202.
86. *Ibid.*, 203 ; *Le Monde* (Paris), 10 mars 1948.
87. *Le Monde* (Paris), 26 mai 1948.
88. *Le Monde* (Paris), 26 mai 1948 ; Sténographie René Bluet, AN 334 AP 41.
89. Noguères, *La Haute Cour*, 220.
90. Sténographie René Bluet, AN 334 AP 41.
91. Sténographie René Bluet, AN 334 AP 46.
92. Sténographie René Bluet, AN 334 AP 47 ; Peyrouton, *Du Service public*, 278.
93. Sténographie René Bluet, AN 334 AP 47.
94. Noguères, *La Haute Cour*, 224.
95. JORF, Lois et Décrets, 4 mars 1954, 2172 (Loi 54-228 du 3 mars) ; voir débat de l'Assemblée : JO, Assemblée Nationale, 14 mars 1953, 1870 sq. ; Schmitt, *Toute la vérité*, 275.
96. Sténographie René Bluet, AN 334 AP 36.
97. *Ibid.*
98. *Le Monde* (Paris), 22 juillet 1955.
99. Sténographie René Bluet, AN 334 AP 41.
100. Sténographie René Bluet AN 334 AP 39.
101. *Le Monde* (Paris), 1ᵉʳ février 1958.

Chapitre II. Le Parlement au banc des accusés

1. Assemblée Consultative Provisoire, Commission de Législation et de Réforme de l'État, Rapport sur le projet d'ordonnance relative au rétablissement de la légalité républicaine sur le territoire métropolitain (juin 1944), AN BB30 1729.
2. JORF, 23 septembre 1943, 140.
3. JORF, 22 avril 1944, 325 sq.
4. Foulon, *Le Pouvoir en province*, 222 sq.
5. *Année politique*, I, 44 sq.
6. JORF, Assemblée Consultative Provisoire (séance du 17 novembre 1944), 18 novembre 1944, 296 sq.
7. JORF, 7 avril 1945, 1914. Sur l'épuration des conseils municipaux en Normandie, dans le sillage du Jour J, voir Lévy, « L'installation des autorités nouvelles ».
8. *Année politique*, I, 190.
9. *Le Monde* (Paris), 27 avril 1945.
10. JORF, 15 septembre 1945, 5778, (ordonnance du 13 septembre).
11. JORF, 14 octobre 1945, 6512 sq.
12. *Le Monde* (Paris), 8 novembre 1945.
13. *Année politique*, I, 316 sq.
14. *Le Monde* (Paris), 22 décembre 1945.
15. *Le Monde* (Paris), 6 juillet 1946.
16. *L'Aube* (Paris), 6 juillet 1946.
17. JORF, 19 juillet 1946, 2694 sq.
18. JORF, 22 novembre 1946, 9819.
19. Novick, *The Resistance versus Vichy*, 104.
20. *Ibid.*, 107 sq.
21. *Le Populaire* (Paris), 31 août 1944.
22. Marc Sadoun, *Les Socialistes sous l'occupation : Résistance et Collaboration*, Paris, Presse de la Fondation Nationale des Sciences Politiques, 1982, 228 sq.
23. Henri Dubief, *Le Déclin de la IIIe République (1929-1938)*, Paris, le Seuil, 1976, 204.
24. Lottman, Pétain, 466.
25. *Le Populaire* (Paris), 7 mars 1945.
26. Note à propos de l'existence légale de l'Union Interfédérale du PSF non dissoute, avec l'aimable autorisation de Gilles de La Rocque. Adrien Tixier, ministre de l'Intérieur a soutenu que le PSF était illégal : en 1937 un tribunal parisien avait infligé une amende à ses dirigeants pour reconstitution d'une association dissoute, décision confirmée, selon le ministre, lors des appels de 1938-1939. Le ministre de l'Intérieur à MM. les Commissaires Régionaux de la République, à MM. les Préfets, 6 avril 1945, AN F 1A 3238.
27. Archives des Yvelines.
28. Lettre du Col. de La Rocque aux cadres PSF, 10 janvier 1946. Avec l'aimable autorisation de Gilles de La Rocque.
29. Charles Zambeaux. Les archives du ministère de l'Intérieur désormais disponibles révèlent chez Tixier une insistance obstinée à retenir La Rocque en détention, même après que son directeur adjoint du cabinet, Raymond Haas-Picard, l'eut informé de la légalité « contestable » de cette détention qui n'était « prévue par aucun texte ». Haas-Picard recommandait que La Rocque fût plutôt astreint à résidence loin de Paris après les élections. Même si les activités des membres du PSF nécessitaient des précautions, faisait valoir l'adjoint du ministre, « il ne peut plus être question aujourd'hui d'internement, puisque nous le supprimons ». (8 octobre 1945). Peu après, Tixier se plaignait aux membres de son cabinet du fait qu'en dépit de la décision de poursuivre La Rocque en justice, prise par le Conseil des ministres, en juin précédant, la Justice n'avait pas bougé. « Je veux qu'on aboutisse à une décision claire, aussi bien pour le PSF que pour le colonel de La Rocque ! » (24 octobre 1945) AN F 1A 3239.
30. Pierre-Henri Teitgen.
31. Gilles de La Rocque.
32. Archives des Yvelines.
33. *Ibid.*
34. *Ibid.*

35. La Rocque au Préfet Léonard, 17 juillet 1945. Archives des Yvelines.

36. 23 août 1945, au Conseil des ministres, il avait été décidé, sur la suggestion du ministère de l'Intérieur, d'ouvrir une information judiciaire contre La Rocque, bien que François de Menthon eût informé Tixier le 9 mai qu'on avait des preuves que La Rocque avait gardé ses distances vis-à-vis de Vichy et que c'était son hostilité envers Laval qui avait causé son arrestation et sa déportation. De Menthon estimait qu'on pouvait tout au plus le poursuivre pour indignité nationale. Le Garde des Sceaux à M. le ministre de l'Intérieur, 9 mai 1945, AN F 1A 3239.

37. AN Papiers La Rocque, 451 AP 21 (cote provisoire).

38. Gilles de La Rocque.

39. 9 octobre 1945. Archives des Yvelines.

40. 11 octobre 1945. Archives des Yvelines.

41. Archives des Yvelines.

42. AN Papiers La Rocque 451 AP 21 (cote provisoire).

43. 11 juin 1945. Gilles de La Rocque.

44. AN Papiers La Rocque 451 AP 21 (cote provisoire).

45. 14 novembre 1945. Archives des Yvelines.

46. Archives des Yvelines.

47. 28 décembre 1945. Archives des Yvelines. Selon Gilles de La Rocque, le colonel quitta la caserne de Versailles le 31 décembre.

48. Gilles de La Rocque.

49. Gilles de La Rocque.

50. Décision du 26 juillet 1947. AN Papiers La Rocque.

51. Gilles de La Rocque.

Chapitre III. Les grands corps en accusation

1. De Gaulle, *Mémoires de guerre*, III, 128.

2. JORF, 8 janvier 1944 (ordonnance du 21 décembre 1943).

3. JORF, 17 juin 1944 (ordonnance du 19 mai 1944).

4. JORF, 6 juillet 1944 (ordonnance du 27 juin 1944).

5. JORF, 26 septembre 1944. Voir aussi André Basdevant, « L'Épuration administrative », in *Libération de la France*, 795 sq.

6. Foulon, *Le Pouvoir en province*, 162 sq.

7. AN F 1A 3809.

8. C. Angeli et P. Gillet, *La Police dans la politique (1944-1954)*, Paris, Grasset, 1967, 137.

9. Entretien avec Maurice Rolland.

10. JORF, 24 juin 1944 (ordonnance du 16 juin 1944). Voir JORF 2-3 octobre 1944, 859 sq., pour l'arrêté suspendant certains magistrats de Vichy et en nommant de nouveaux.

11. *Bulletin hebdomadaire d'informations judiciaires* (ministère de la Justice) 2 juin 1945.

12. Joë Nordmann.

13. AN BB30 1730.

14. Rapport, Commission d'Épuration, 15 novembre 1944. Dossier Épuration, Archives du ministère des Relations extérieures.

15. Arrêté du 3 octobre 1944, Notes, Direction du Personnel, Dossier Épuration, Archives du ministère des Relations Extérieures.

16. Note du secrétaire général des Affaires étrangères (Raymond Brugère) au ministre Georges Bidault, 4 octobre 1944. Dossier Épuration, ministère des Relations extérieures. Brugère souhaitait aussi que l'on revît les avancements décidées par le CFLN à Alger, par mesure d'équité envers ceux qui n'avaient pu être promus parce qu'ils étaient résistants ou prisonniers des Allemands. Il déclara par la suite que sa proposition n'avait guère été appréciée de ses collègues. Raymond Brugère, *Veni, Vidi Vichy... et la Suite*. Paris, Deux Rives, 1953, 152.

17. *Combat* (Paris), 15 septembre 1944.

18. Lettre du ministre des Affaires étrangères, 13 juin 1945. Dossier Épuration, ministère des Relations extérieures.

19. AN F 72 bis 689.

20. 29 mars 1945. Dossier Épuration, ministère des Relations extérieures.

21. Dossier Épuration, ministère des Relations extérieures.

22. Lettre du 20 décembre 1945, Dossier Épuration, ministère des Relations Extérieures.

23. Déclaration Morand (ronéo), Papiers Jacques Chardonne, avec l'aimable autorisation d'André Bay.

24. *Recueil des arrêts du Conseil d'État statuant au contentieux*, Année 1953, Paris, Sirey, 1954, 687.

25. Entretien avec Roger Peyrefitte; Roger Peyrefitte, *Propos secrets*, I, Paris, Albin Michel, 1977, 101.

26. *Ibid.*, 98.

27. Roger Peyrefitte, *La Fin des ambassades*, Paris, Flammarion, 1953, 356 sq.

28. Peyrefitte, *Propos secrets*, I, 96 sq.

29. Galtier-Boissière, *Mon Journal depuis la libération*, 299.

30. *Résistance* (Paris), 3 juillet 1945.

31. Roger Peyrefitte. Peyrefitte était régulièrement invité à des ventes avec dédicaces parrainées par le Comité National des Écrivains de Louis Aragon. Peyrefitte, *Propos secrets*, I, 21. Lorsqu'il reçut le Prix Renaudot, cependant, *L'Humanité* déclara que cette discussion était « beaucoup plus discutable » que le Prix Goncourt d'Elsa Triolet, étant donné les liens de Peyrefitte avec la délégation de Brinon. « La production littéraire de ces cinq années est assez riche pour que le jury n'ait aucune excuse; il n'avait pas à consacrer l'œuvre d'un vichyssois! » *L'Humanité* (Paris), 3 juillet 1945.

32. Peyrefitte contre le ministre des Affaires étrangères, 25 mai 1960 (1218/55). Le pourvoi en appel du ministère contre cette décision fut rejeté par le Conseil d'État : ministre des Affaires étrangères contre Peyrefitte, 28 novembre 1962, n° 51619.

33. Peyrefitte contre le ministre des Affaires Étrangères, 25 mai 1960 (476/54).

34. Ministre des Affaires étrangères contre Peyrefitte, séance du 14 novembre 1962, n° 51618. Voir *Recueil des décisions du Conseil d'État statuant au contentieux*, Année 1962, Paris, Sirey, 1962, 637.

35. Séance du 26 avril 1978.

36. Roger Peyrefitte. *Cf.* Peyrefitte, *Propos secrets*, I, 98 sq.

37. Brugère, *Veni, Vidi Vichy*, 155 sq.

38. De Gaulle, *Mémoires de guerre*, III, 55.

39. André Latreille, « Les Débuts de Monseigneur Roncalli à la Nonciature de Paris », *Revue de Paris* (Paris), août 1963, 66 sq.

40. André Latreille, *De Gaulle, la libération et l'Église Catholique*, Paris, Cerf, 1978, 21.

41. *Bulletin d'Informations de l'Institut Français d'Opinion Publique* (Paris), 16 décembre 1944.

42. Latreille, *De Gaulle*, 20 sq.; Latreille, « Les Débuts de Monseigneur Roncalli », 67.

43. Latreille, *De Gaulle*, 26 sq.

44. *Ibid.*, 48f, 54.

45. Latreille, « Les Débuts de Monseigneur Roncalli », 71 sq.

46. De Gaulle, *Lettres (8 mai 1945-18 juin 1951)*, 19 sq.

47. Latreille, « Les Débuts de Monseigneur Roncalli », 71 sq.; Latreille, *De Gaulle*, 62 sq.

48. Debré, *Mémoires*, I, 313.

Chapitre IV. L'administration sous surveillance

1. AN, Inventaire, Versements du ministère de l'Éducation nationale 1958-1968.

2. AN F17 16701, dans *Bulletin Officiel*, ministère de l'Éducation Nationale, 1er février 1945.

3. AN F17 16701. Rapport sur l'activité du Conseil Académique d'enquête de Paris (septembre 1944-juillet 1945).

4. *L'Humanité* (Paris), 3 septembre 1944.

5. Basdevant, « L'Épuration administrative », 798.

6. AN F72bis 689 : Ministère de l'Éducation nationale, lettre, 20 juin 1945.

7. AN, Inventaire, Versements du ministère de l'Éducation nationale, 1958-1968.

8. Note, 12 mai 1948. AN F17 16701.

9. *Recueil des Arrêts du Conseil d'État statuant au contentieux*, Année 1949, Paris, Sirey, 1949, 705f.

10. AN, Inventaire, Versements du ministère de l'Éducation nationale 1958-1968.

11. XXX, « L'Université épurée », *Écrits de Paris* (Paris), juillet 1949, 81 sq.

12. Basdevant, « L'Épuration administrative », 798.

13. AN CJ 288.

14. 12 mars 1944, note de Le Troquer, archives du Service Historique de l'Armée de Terre, 7 P 209.

15. Archives SHAT 9 P 133.

16. *Ibid.*

17. Jacques Vernet, *Le Réarmement et la réorganisation de l'Armée de Terre française (1943-1946)*, Vincennes (Château de Vincennes), SHAT, 1980, 121 sq.

18. 22 septembre 1944. JORF, 29 septembre 1944, 842.

19. JORF, 26 septembre 1944, 835.

20. JORF 3 octobre 1944, 861.

21. Vernet, *Le Réarmement*, 206.

22. Archives SHAT, 6 P 11.

23. Vernet, *Le Réarmement*, 123.

24. Archives SHAT, 9 P 133.

25. Notes du 18 novembre et 11 décembre 1944. Vernet, *Le Réarmement*, 124.

26. Claude Mauriac, *Un autre de Gaulle*, 59.

27. *Ibid.*, 126.

28. Archives SHAT.

29. Vernet, *Le Réarmement*, 124.

30. Archives SHAT, 6 P 11.

31. Vernet, *Le Réarmement*, 124.

32. *Ibid.*, 127.

33. Archives SHAT, 6 P 11.

34. Vernet, *Le Réarmement*, 127.

35. *JO*, Assemblée Consultative Provisoire, 21 juin 1945, 1156 sq. (séance du 20 juin).

36. Vernet, *Le Réarmement*, 128.

37. Edmond Ruby, « L'Épuration dans l'Armée », in Rougier, *L'Épuration*, 99 sq.

38. Baudot, « La Répression », 777 sq.

39. 9 décembre 1944, AN Papiers Ingrand, 72 AJ 524.

40. AN 72 AJ 91 (Institut d'Histoire du Temps Présent).

41. Ministère de l'Intérieur, Bulletin sur la Situation dans les Régions et les Départements, n° 12, 9 décembre 1944. AN F1A 4028.

42. Commissaire de la République à Bordeaux, Rapport bimensuel, 15 novembre 1945. AN F1A 4020.

43. *Bulletin d'Informations de l'Institut Français d'Opinion Publique*, n° 8, 16 janvier 1945.

44. JORF, Assemblée nationale, 26 janvier 1951, 408 ; 3 août 1948, 5230. Selon *Le Monde* (Paris), du 6 décembre 1950 des chiffres inexacts circulaient également à l'époque du débat sur l'amnistie.

45. JORF, Assemblée nationale, 26 janvier 1951, 408.

46. Jacques Isorni, « L'Épuration Administrative », in Rougier, *L'Épuration*.

47. G.-E. Lavau, « De quelques principes en matière d'épuration administrative », *La Semaine Juridique* (Paris), 1947, I, n° 584, 1-5.

48. *Recueil des arrêts du Conseil d'État*, 1948, 599.

49. *Ibid.*, 600.

50. *Recueil des arrêts du Conseil d'État*, 1949, 712.

51. *Recueil des arrêts du Conseil d'État*, 1948, 30 ; voir aussi 1949, 711.

52. *Recueil des arrêts du Conseil d'État*, 1949, 715.

53. *Ibid.*, 712.

54. Lavau, « De quelques principes », 5.

55. *Recueil des arrêts du Conseil d'État*, 1949, 258. Pierre Mauriac gagna aussi en appel contre une décision du ministère des Travaux publics de ne pas lui donner le droit de servir de conseiller à la SNCF, le Conseil estimant que le gouvernement n'était pas parvenu à spécifier les charges contre lui. *Ibid.*, 259.

56. Claude Mauriac, *Un autre de Gaulle*, 93.

57. *Recueil des arrêts du Conseil d'État statuant au contentieux*, Année 1951, Paris, Sirey, 1952, 730 sq.

58. *Recueil des Arrêts du Conseil d'État*, 1953, 686.

59. *Recueil des décisions du Conseil d'État statuant au contentieux*, Année 1956, Paris, Sirey, 1957, 676.

60. Basdevant, « L'Épuration administrative », 797.

61. René Tunc, « La Loi d'Amnistie du 6 août 1953 », *La Semaine Juridique* (Paris), 1953, II, nº 1123, 4.

SIXIÈME PARTIE : LES PARTICULIERS

Chapitre I. Ingénieurs et entrepreneurs

1. Entretien avec Raymond Aubrac.

2. Foulon, *Le Pouvoir en province*, 233 sq.

3. Jérôme Ferrucci, *Vers la Renaissance française. Une Expérience réussie : Les Entreprises réquisitionnées de Marseille* (conférence). Préface de Raymond Aubrac. Paris, Éditions de l'Union des Ingénieurs et Techniciens Français, 1945. Voir aussi Foulon, *Le Pouvoir en province*, 233 sq.

4. Notes par Raymond Aubrac, in Pierre Guiral, *Libération de Marseille*, Paris, Hachette Littérature, 1974, 205.

5. Michel-Henry Fabre.

6. Baudot, « La Répression », 779.

7. JORF, 17 octobre 1944, 965 sq.

8. Georges Capdevielle et Jean Nicolay, *La Confiscation des profits illicites*, Paris, Presses Universitaires de France, 1944, 5 sq.

9. *Le Monde* (Paris), 10 janvier 1945.

10. AN F12 9596.

11. Bracquemond, « Intervention », 804.

12. Capdevielle, *La Confiscation*, 75 sq.

13. *Le Figaro* (Paris), 13 décembre 1944.

14. *Le Monde* (Paris), 9 février 1945.

15. *Le Monde* (Paris), 6 septembre 1945.

16. *Le Monde* (Paris), 20 octobre 1945.

17. Pierre Mouthon, La Répression de la Collaboration dans le Département de la Haute-Savoie, Institut d'Histoire du Temps Présent.

18. Berteaux, *Libération de Toulouse*, 204 sq.

19. AN F12 9554.

20. AN F12 9554.

21. AN F12 9549.

22. AN F12 9623.

23. AN F12 9554. Leur appel au Conseil d'État fut rejeté en 1948. AN F12 9629.

24. AN F12 9580.

25. AN F12 9554.

26. AN F12 9556.

27. AN F12 9556.

28. AN F12 9554.

29. AN F12 9555, 9565.

30. AN F12 9554, 9555.

31. AN F12 9555, 9578.

32. AN F12 9554.

33. AN F12 9555.

34. AN F 12 9621.

35. AN F 12 9555.

36. AN F 12 9556.

37. AN F 12 9629.

38. AN F 12 9631.
39. Baudot, « La Répression », 780.
40. Charpentier, *Au Service de la liberté*, 262.
41. Foulon, *Le Pouvoir en province*, 171.
42. Entretien avec Pierre-Henri Teitgen.
43. François Mauriac, *Journal*, IV, 8 sq.
44. Teitgen, *Les Cours de Justice*, 37 sq.

Chapitre II. L'Affaire Renault

1. *L'Humanité* (Paris), 28 octobre 1944.
2. De Gaulle, *Mémoires de guerre*, III, 113.
3. *Année politique*, I, 76.
4. *Le Monde* (Paris), 31 mai 1945.
5. *Le Monde* (Paris), 13 avril 1945. Réponse des propriétaires de Gnome & Rhône in *Le Monde*, 22-23 avril 1945. La direction de la société fut acquittée par une Cour de Justice. Jaffré, *Les Tribunaux d'exception*, 178.
6. *Année politique*, I, 76-83.
7. *Le Figaro* (Paris), 29 novembre 1944.
8. Denis, *Le Comité parisien de la libération*, 147 sq ; *Combat* (Paris), 27 décembre 1944, 4 janvier 1945.
9. Saint-Loup, *Renault de Billancourt*, Paris, Amiot-Dumont, 1956, 196.
10. *Ibid.*, 184.
11. Rhodes, *Renault*, 131.
12. *Ibid.*, 157.
13. *Ibid.*, 160 sq.
14. *Ibid.*, 170 sq.
15. Saint-Loup, *Renault*, 313 sq.
16. *L'Humanité* (Paris), 19 septembre 1944.
17. AN 9 SP (cote provisoire).
18. Saint-Loup, *Renault*, 313 sq.
19. AN 9 SP (cote provisoire).
20. Saint-Loup, *Renault*, 313 sq.
21. AN 9 SP (cote provisoire).
22. *Combat* (Paris), 26 septembre 1944.
23. *Combat* (Paris), 27 septembre 1944.
24. *Combat* (Paris), 28 septembre 1944.
25. AN 9 SP (cote provisoire).
26. JORF, 17 janvier 1945, 222 sq (ordonnance du 16 janvier).
27. Saint-Loup, *Renault*, 320 sq.
28. AN 9 SP (cote provisoire) ; Isorni, *Mémoires*, I, 363.
29. Rhodes, *Renault*, 198 sq.
30. Isorni, *Mémoires*, I, 345 sq, 385 sq.
31. *Le Monde* (Paris), 17 décembre 1957.
32. Rhodes, *Renault*, 202 sq.
33. Isorni, *Mémoires*, I, 389.
34. *Recueil des arrêts du Conseil d'État*, 1949, 720 sq.
35. *Ibid.*, 1948, 610.
36. *Recueil des arrêts du Conseil d'État statuant au contentieux*, Année 1952, Paris, Sirey, 1953, 732.
37. *Ibid.*, 1949, 262 sq.
38. *Recueil des arrêts du Conseil d'État statuant au contentieux*, Année 1954, Paris, Sirey, 1956, 806.
39. Archives départementales de la Haute-Savoie, 12 M 428. En Haute-Savoie même le Syndicat Général des Entrepreneurs établit une commission composée d'entrepreneurs locaux qui avaient été victimes de l'occupation ou avaient fait de la résistance active.
40. JORF, 30 août 1944, 776 sq.

41. Georges Lefranc, *Les Expériences syndicales en France de 1939 à 1950*, Paris, Aubier, 1950, 130 sq.

42. *Le Populaire* (Paris), 29-30 octobre 1944.

43. Lefranc, *Les Expériences syndicales*, 136. On trouvera un résumé des travaux de la Commission *in* Novick, *The Resistance versus Vichy*, 134 sq.

Chapitre III. L'épuration des mots

1. Bellescize, *Les neuf sages*, 178 sq.

2. *Ibid.*, 183f.

3. Debré, *Mémoires*, I, 210 ; Pierre-Bloch, *Le Vent souffle*, 287 sq.

4. AN F 1A 4004.

5. 11 août 1944. Jean-Jacques Mayoux, *Voix de la Liberté*, V, 157 sq.

6. Bernard Lebrun, « La presse du Calvados à la libération » (colloque, « Normandie 1944-Libération de l'Europe », Caen, 1984).

7. JORF, 8 juillet 1944, 550.

8. Debré, *Mémoires*, I, 322.

9. JORF, 1er octobre 1944, 851.

10. JORF, 18 février 1945, 851.

11. *Ibid.*

12. Ministère de l'Information, Les Séquestres de presse. AN 72 AJ 383.

13. JORF, 1er octobre 1944, 851.

14. *Combat* (Paris), 11 octobre 1944.

15. Lottman, Camus, 342.

16. *Combat* (Paris), 11 octobre 1944.

17. De Gaulle, *Mémoires de guerre*, III, 134.

18. Jean Mottin, *Histoire politique de la presse (1944-1949)*, Paris, Bilans Hebdomadaires, 1949, 32 sq.

19. Chastenet, *Quatre fois vingt ans*, 369.

20. Claude Hisard, *Histoire de la Spoliation de la presse française*, Paris, La Librairie Française, 1955.

21. Anonyme, « Ote-toi de là que je m'y mette ! » in *Lectures Françaises* (Paris), août-septembre 1964 : « Le Livre Noir de l'Épuration », 54.

22. JORF, 6 mai 1945, 2571.

23. *Le Monde* (Paris), 1er novembre 1945.

24. *Le Monde* (Paris), 6 décembre 1945.

25. Affaires de presse en cours d'examen à la Cour de Justice de Paris, 14-18 janvier 1946, par Inspecteur Général Maurice Rolland. Avec l'aimable autorisation de Maurice Rolland.

26. *Le Monde* (Paris), 5 juillet 1946.

27. AN CJ 492.

28. *Le Petit Journal acquitté en Cour de Justice*, Paris, SIPRE, 1948.

29. Mottin, *Histoire de la presse*, 515 sq.

30. *Le Monde* (Paris), 16 juin 1948.

31. AN CJ 492 (*L'Œuvre*) : CA 4628.

32. Mottin, *Histoire de la presse*, 58ff ; JORF, 12 mai 1946, 4093 sq.

33. Charpentier, *Au service de la liberté*, 263.

34. Herbert R. Lottman, *La Rive Gauche*, Paris, Seuil, 1981, 253 sq, 258 sq.

35. *Les Lettres Françaises* (clandestines), n° 11, novembre 1943.

36. *Ibid.*, n° 14, mars 1944.

37. *Les Lettres Françaises* (Paris), 9 septembre 1944.

38. *Les Lettres Françaises* (Paris), 30 septembre 1944.

39. *Les Lettres Françaises* (Paris), 25 novembre 1944.

40. *Le Figaro* (Paris), 16 septembre 1944.

41. *Les Lettres Françaises* (Paris), 2 décembre 1944.

42. *Les Lettres Françaises* (Paris), 20 janvier 1945. Pour l'approvisionnement en papier, voir aussi *Les Lettres Françaises*, 16 décembre 1944.

43. AN F 12 9640.

44. 6 mars 1945. AN F 12 9640.
45. Galtier-Boissière, *Mon Journal depuis la libération*, 218.
46. AN F 12 9554, 9640.
47. Lucien Combelle, *Péché d'orgueil*, Paris, Orban, 1978, 193 sq.
48. *Ibid.*, 218.
49. AN F 12 9640.
50. AN F 12 9640.
51. AN F 12 9642.
52. AN F 12 9641. Il y avait aussi dans le dossier un témoignage de Louis Aragon (voir *Affaires de Presse en cours d'examen à la Cour de Justice de Paris*, 14-18 janvier 1946, avec l'aimable autorisation de Maurice Rolland), mais il a disparu.
53. Paris, Grasset, 1940, 51.
54. AN F 12 9641.
55. *Les Lettres Françaises* (Paris), 25 octobre 1946.
56. AN F 12 9554.
57. Examen de l'État des affaires de presse en cours d'instruction à la Cour de Justice, 6 avril 1946. Avec l'aimable autorisation de Maurice Rolland. Voir aussi Isorni, *Mémoires*, I, 332.
58. *Le Monde* (Paris), 19 juin 1948.

Chapitre IV. Gens de Lettres

1. Jean-Paul Sartre, « La nationalisation de la littérature », *Les Temps Modernes* (Paris), 1ᵉʳ novembre 1945, 205.
2. De Gaulle, *Mémoires de guerre*, III, 135 sq.
3. *Les Lettres Françaises* (clandestines), n° 4, décembre 1942.
4. *Les Lettres Françaises* (clandestines), n° 11, novembre 1943.
5. *Les Lettres Françaises* (Paris), 9 septembre 1944.
6. *Les Lettres Françaises* (Paris), 16 septembre 1944.
7. *Les Lettres Françaises* (Paris), 23 septembre 1944.
8. *Les Lettres Françaises* (Paris), 7 octobre 1944.
9. *Les Lettres Françaises* (Paris), 21 octobre, 4 novembre 1944.
10. 21 Octobre 1944.
11. *Les Lettres Françaises* (Paris), 21 juin 1946.
12. *Les Lettres Françaises* (Paris), 25 novembre 1944.
13. Correspondance de Paulhan avec François Mauriac, Claude Morgan, Vercors, 1944. Archives de Mme J. Paulhan.
14. *Les Lettres Françaises* (Paris), 12 mai 1945.
15. Rebatet, *Mémoires*, 229, 246.
16. Sartre, « La nationalisation », 206.
17. *Les Lettres Françaises* (Paris), 27 décembre 1946.
18. *Les Lettres Françaises* (Paris), 21 mars 1947.
19. Jean Paulhan, *Œuvres complètes*, V, Paris, Cercle du Livre Précieux, 1970, 328 sq.
20. *Cahiers de la Pléiade* (Paris), avril 1946, avril 1947.
21. François Mauriac, *Journal*, IV, 13.
22. Papiers Chardonne, avec l'aimable autorisation d'André Bay.
23. Lottman, *Rive Gauche*, 237.
24. 10 août 1947, 4 septembre 1947. Isorni, *Mémoires*, I, 334 sq. Pour un récit détaillé de la période d'instruction, voir L.-F. Céline, *Lettres à son avocat*, Paris, la Flûte de Pan, 1984.
25. *Le Monde* (Paris), 9 décembre 1949.
26. Galtier-Boissière, *Mon Journal dans la grande pagaïe*, 284. Céline avait écrit des lettres attestant son mauvais état de santé qui lui interdisait de rentrer en France pour son procès. En fait comme il le précisa clairement à son avocat, Mᵉ Albert Naud, il avait peur d'être mis en prison. Céline, *Lettres à son avocat*, 138.
27. *Les Cahiers de l'Herne* (Paris), I, *L.-F. Céline*, Paris, L'Herne, 1963, 139, 148, 338. Tixier-Vignancour obtint une amnistie du Tribunal Militaire pour Céline, conformément à une loi d'amnistie de 1947 en faveur des grands invalides de guerre condamnés à moins de trois ans (avril 1951) ; cependant les juges militaires ne savaient pas, semble-t-il, que ce

« Destouches » qu'ils amnistiaient était en fait l'auteur qui écrivait sous le nom de plume « Céline ». Céline, *Lettres à son avocat*, 181.

28. JORF, 31 mai 1945, 3108. Arrêté sur les associations d'auteurs qualifiés : JORF, 15 juin 1945, 3564.

29. AN F 21 (provisoire) 13.

30. AN F 21 (provisoire) 18.

31. AN F 21 (provisoire) 13.

32. AN F 21 (provisoire) 22.

33. AN F 21 (provisoire) 13.

34. *Ibid.*

35. *Ibid.*

36. 26 avril 1946. AN F 21 (provisoire) 23.

37. AN F 21 (provisoire) 24.

38. AN F 21 (provisoire) 22.

39. Le 5 avril 1946.

40. AN F 21 (provisoire) 24.

41. AN F 21 (provisoire) 25. Dujardin lui-même reçut une interdiction de deux ans. JORF, 26 janvier 1947, 1040.

42. AN F 21 (provisoire) 23.

43. AN F 21 (provisoire) 22. La décision fut prise en présence des membres du Comité, MM. Frèche, Szyber, Vildrac, Brémond et Saint-Clair. Ajalbert mourut en janvier 1947.

44. *Les Lettres Françaises* (Paris), 5 avril 1946.

45. Note, 20 avril 1948. AN F 21 (provisoire) 13.

46. AN F 21 (provisoire) 25.

47. *Ibid.*

48. AN F 21 (provisoire) 24.

49. AN F 21 (provisoire) 22. En octobre 1944, la Commission d'Épuration du Comité de Libération du Cinéma avait déjà blanchi cet auteur. *Ibid.*

Chapitre V. Académiciens et artistes

1. De Gaulle, *Mémoires de guerre*, III, 136 ; Claude Mauriac, *Un autre de Gaulle*, 24 sq.

2. *Le Figaro* (Paris), 1er septembre 1944.

3. 1er septembre 1944.

4. Claude Mauriac, *Un autre de Gaulle*, 26.

5. 1er septembre 1944. François Mauriac, *Journal*, IV, 6.

6. *Ibid.*, 7.

7. JORF, 27 décembre 1944, 2078.

8. Bordeaux, *Histoire*, XII, 292 sq. ; cf. Claude Mauriac, *Un autre de Gaulle*, 93 sq.

9. ***, « Les Élections à l'Académie Française », *Revue Française de Science Politique* (Paris), septembre 1958.

10. *Les Lettres Françaises* (clandestines) N° 5, janvier-février 1943.

11. *Les Lettres Françaises* (Paris), 30 décembre 1944. Ajalbert fut inculpé et envoyé à Fresnes en mars 1945. Galtier-Boissière, *Mon Journal depuis la libération*, 181.

12. *Les Lettres Françaises* (Paris), 7 juillet 1945.

13. André Billy, *in* Galtier-Boissière, *Mon Journal depuis la libération*, 239.

14. *Le Monde* (Paris), 1er-2 février, 3 février, 9 avril 1948.

15. *Le Figaro* (Paris), 16 septembre 1944.

16. AN F 21 (provisoire) 13.

17. Lettre de Gérard Frèche au ministre des Affaires étrangères, 11 mars 1946. AN F 21 (provisoire) 13.

18. AN F 21 (provisoire) 17.

19. AN F 21 (provisoire) 14.

20. AN F 21 (provisoire) 16.

21. Procès-verbaux, archives de la Société des Gens de Lettres ; Registre des Assemblées Générales. Avec l'aimable autorisation de la Société des Gens de Lettres.

22. Rapport administratif de Pierre Chanlaine à l'Assemblée générale ordinaire, 24 février 1946, *Chronique de la Société des Gens de Lettres*, 2e trim., 1946.

23. 4 avril 1945. AN F 21 (provisoire) 18.
24. AN F 21 (provisoire) 25.
25. Galtier-Boissière, *Mon Journal depuis la libération*, 299 sq.
26. AN F 21 (provisoire) 1.
27. *Combat* (Paris), 1er février 1946.
28. *Les Lettres Françaises* (Paris), 7 octobre 1944.
29. Circulaire Hachette N° 1, mars 1945. AN 72 AJ 383. Cf. Galtier-Boissière, *Mon Journal depuis la libération*, 140 sq.
30. André Thérive, « La Littérature clandestine sous la IVe République », *Écrits de Paris* (Paris), janvier 1949, 53 sq.
31. *Le Figaro* (Paris), 5 octobre 1944.
32. JORF, 31 mai 1945, 3108.
33. Procès-verbal, 22 janvier 1946. AN F 21 (provisoire) 13.
34. JORF, 26 juin 1946, 5745.

Chapitre VI. Les vedettes

1. AN F 21 (provisoire) 1.
2. Rapport sur l'Épuration (Christian-Gérard), Union Nationale du Spectacle, AN F 21 (provisoire) 1.
3. AN F 21 (provisoire) 3.
4. 6 septembre 1944. AN F 21 (provisoire) 1.
5. AN F 21 (provisoire) 1.
6. *Ibid.*
7. Rapport sur l'Épuration (Christian-Gérard), in *ibid.*
8. JORF, 14 octobre 1944, 937.
9. AN F 21 (provisoire) 1.
10. *Ibid.*
11. *Ibid.*
12. AN F 21 (provisoire) 2.
13. Liste des sanctions : AN F 17 16701.
14. AN F 21 (provisoire) 2.
15. AN F21 (provisoire) 11.
16. JORF, 18 février 1945, 851 sq. Le comité changea ultérieurement son nom en Comité National d'Épuration des (...) Artistes dramatiques, lyriques et des Musiciens exécutants, c'est-à-dire qu'il adopta le pluriel.
17. JORF, 9 mars 1945, 1230.
18. AN F 21 (provisoire) 4.
19. AN F 21 (provisoire) 10, 12.
20. AN F 21 (provisoire) 4.
21. AN F 21 (provisoire) 7.
22. *L'Écho d'Alger* (Alger), 6 octobre 1944.
23. *Combat* (Paris), 18 octobre 1944.
24. AN F 21 (provisoire) 6.
25. Simone Berteaut, *Piaf*, Paris, Laffont, 1969, 211.
26. 30 novembre 1945. AN F 21 (provisoire) 11.
27. Berteaut, *Piaf*, 231.
28. *Combat* (Paris), 11 octobre 1944.
29. AN F 21 (provisoire) 11.
30. AN F 21 (provisoire) 12.
31. AN F 21 (provisoire) 10 ; *Le Monde* (Paris), 6 décembre 1945.
32. Sacha Guitry, *Quatre ans d'occupations*, Paris, L'Élan, 1947, 34 sq.
33. *L'Humanité* (Paris), 14 novembre 1944.
34. 7 novembre 1945. AN F 21 (provisoire) 24.
35. *Le Monde* (Paris), 5 mars 1946.
36. Guitry, *Quatre ans*, 9.
37. *Le Monde* (Paris), 27 mai 1948.
38. AN F 21 (provisoire) 9. Par arrêté du 20 octobre 1944 une Commission d'Épuration

du Personnel des Théâtres Lyriques nationaux, composée d'un juriste, d'artistes et d'employés de l'Opéra et l'Opéra-Comique, avait commencé une épuration. Ce fut elle qui décida le renvoi de Lifar et de la cantatrice Germaine Lubin.

39. *Le Monde* (Paris), 12 septembre, 15-16 septembre 1946.
40. AN F 21 (provisoire) 3.
41. AN F 21 (provisoire) 9.
42. AN F 12 9634, 9636.
43. Rapport sur l'Épuration (Christian-Gérard), Union Nationale du Spectacle. AN F 21 (provisoire) 1.
44. AN F 21 (provisoire) 1.
45. *Le Populaire* (Paris), 31 août 1944.
46. *Le Figaro* (Paris), 5 septembre 1944.
47. *Libération* (Paris), 12 septembre 1944.
48. AN F 21 (provisoire) 1.
49. *Le Monde* (Paris), 6 avril 1946.
50. *Combat* (Paris), 22 décembre 1944.
51. « A la Kafka », *Les Temps Modernes* (Paris), 1er octobre 1945.
52. AN F 21 (provisoire) 23.

SEPTIÈME PARTIE : L'OUBLI

Chapitre I. Les épurés

1. 15 novembre 1949. AN 72AJ 615.
2. Combelle, *Liberté*, 23ff.
3. Xavier Vallat, *Charles Maurras n° d'écrou 8 321*, Paris, Plon, 1953.
4. Saint-Germain, *Les Prisons*, 119 sq.
5. *Le Figaro* (Paris), 11 décembre 1951.
6. *Le Monde* (Paris), 14 février, 15 février 1984.
7. Bardèche, *Lettre*.
8. Galtier-Boissière, *Mon Journal dans la grande pagaïe*, 136.
9. *Ibid.*, 142 sq.
10. R.-L. Bruckberger, *Nous n'irons plus au bois*, Paris, Amiot-Dumont, 1948, 41 sq.
11. Marcel Aymé, *Uranus*, Paris, Gallimard, 1948 (Folio 1980).
12. *Écrits de Paris* (Paris), avril 1950. Pour les opinions de Pleyber voir : *ibid.*, mars 1950, 26 ; avril 1950, 39.
13. *Ibid.*, mars 1950, 28.
14. *Ibid.*, 28.
15. *Ibid.*, 31.
16. *Ibid.*, avril 1950, 38.
17. *Ibid.*, 41.
18. *Ibid.*, 40.
19. *Ibid.*, mai 1950, 21.
20. *Ibid.*, juin 1950, 16.
21. Rémy (Gilbert Renault), *Dans l'ombre*, 72, 91 sq.
22. De Gaulle, *Lettres (8 mai 1945-18 juin 1951)*, 416.
23. Pierre Benoit, *Fabrice*, Paris, Albin Michel, 1956.
24. Jean Anouilh, *Pauvre Bitos*, Paris, Table Ronde, 1958 (Folio, 1972).
25. Galtier-Boissière, *Mon Journal dans la grande pagaïe*, 51.
26. *Cahiers de la France Libérée : L'épuration arme politique*, Paris, Éditions de la Nouvelle France, 1947.
27. Isorni, « L'Épuration administrative », 89 sq.
28. *Requête aux Nations Unies*, Paris, Union pour la Restauration et la Défense du Service Public (Éditions André Bonne), 1951, 13.
29. Saint-Germain, *Les Prisons*, 18 sq.
30. Desgranges, *Les Crimes masqués*, 132 ; Rémy, *Dans l'ombre*, 90.
31. *Requête aux Nations Unies*, 24 sq.

32. Saint-Germain, *Les Prisons*, 13.

33. Jean Pleyber, « Les Travaux et les Jours », *Écrits de Paris* (Paris), août 1950, 32. Pleyber prétend que Dewavrin aurait rapporté cette remarque dans une lettre à l'ancien député Jean Montigny le 21 juin 1950.

34. Jean Pleyber, « L'Épuration insurrectionnelle », *in* Rougier, *L'Épuration*, 33f. *Cf* Galtier-Boissière, *Mon Journal dans la grande pagaïe*, 147.

35. Aron, *Histoire de la Libération*, 655, 723.

36. Isorni, *Mémoires*, I, 267.

37. Baudot, « La Répression », 764.

38. De Gaulle, *Mémoires de guerre*, III, 48.

39. Baudot, « La Répression », 765 sq.

40. *Ibid.*, 767 sq.

41. Entretien avec Marcel Baudot. *Cf* de Menthon, « L'Épuration », 785 sq.

42. De Gaulle, *Mémoires de guerre*, III, 126.

43. Saint-Germain, *Les Prisons*, 14 sq.

44. Garçon, *Code Pénal annoté*, 266. On trouvera des chiffres légèrement différents, mais identiques quant aux condamnations à mort *in* Baudot, « La Répression », 771F.

45. De Gaulle, *Mémoires de guerre*, III, 127.

46. Novick, *The Resistance versus Vichy*, 159, 186 sq., (trad. française, Paris, Balland, 1985).

47. *Ibid.*, 209 sq.

48. Marcello Flores, « L'epurazione », *in* Istituto Nazionale per la Storia de Movimento de Liberazionen in Italia, *L'Italia dalla liberazione alla repubblica* (convegno, Firenze, 1976), Milan, Feltrinelli, 1978.

Chapitre II. Le pardon

1. 7 mars 1946. François Mauriac, *Journal*, V, Paris, Flammarion, 1953, 5 sq.

2. *Ibid.*, 44 sq (30 avril 1946).

3. JORF 17 août 1947 ; Henri Faucher, « Amnistie et Collaboration avec l'Ennemi », *La Semaine Juridique* (Paris), 1947, II, 658.

4. *Sondages* (Paris), 1er avril 1948.

5. *L'Aube* (Paris), 5 mars, 7 mars 1949.

6. *Le Monde* (Paris), 11 mai 1949.

7. *Le Monde* (Paris), 14 avril 1949.

8. *Combat* (Paris), 19 février 1948.

9. *Combat* (Paris), 7 mai 1949.

10. *Le Monde* (Paris), 31 mai 1949.

11. Service de sondages et statistiques, in *Le Figaro* (Paris), 21 juin 1949.

12. « A propos de l'Amnistie », *Le Populaire* (Paris), 5 juillet 1949.

13. *Le Monde* (Paris), 11 juin, 12 juin 1949.

14. *Le Monde* (Paris), 14 septembre 1949.

15. *The Times* (London), 18 novembre 1949.

16. *Le Monde* (Paris), 22 décembre 1949.

17. *Le Figaro* (Paris), 10 novembre 1950.

18. *Le Populaire* (Paris), 4 octobre 1950.

19. *JO*, Assemblée Nationale, 5 novembre 1950, 7469 (séance du 4 novembre).

20. *Ibid.*, 7472.

21. *Ibid.*, 7475 sq.

22. Entretien avec Pierre-Henri Teitgen.

23. *Le Monde* (Paris), 6 décembre 1950.

24. *JO*, Lois et Décrets, 6 janvier 1951 ; *Le Monde* (Paris), 4 janvier 1951.

25. Bernard Vorge, « L'Amnistie », *in* Rougier, *L'Épuration*, 140.

26. Jean Pleyber, « Les Travaux et les Jours », *Écrits de Paris* (Paris), août 1951, 16.

27. Paulhan, *Œuvres complètes*, V, 429 sq (publication originale aux Éditions de Minuit, Paris, 1952).

28. Claude Mauriac, *Un autre de Gaulle*, 350 (Claude Mauriac, *Aimer de Gaulle*, 490).

29. Rémy Roure, « Les portes qu'il faut ouvrir », *Le Figaro* (Paris), 3 octobre 1952.

30. *Combat* (Paris), 29 décembre 1951.
31. *L'Humanité* (Paris), 4 janvier 1952.
32. *Combat* (Paris), 21 février 1952.
33. Tunc, « La Loi d'Amnistie », 1123.
34. *JO*, Assemblée Nationale, 22 octobre 1952, 4250 (séance du 21 octobre).
35. *La Croix* (Paris), 22 octobre 1952.
36. *JO*, Assemblée Nationale, 29 octobre 1952, 4500 sq (séance du 28 octobre).
37. *Le Monde* (Paris), 12 mars 1953.
38. *Le Monde* (Paris), 26-27 juillet 1953.
39. *JO*, Lois et Décrets, 7 août 1953, 6942.
40. Tunc, « La Loi d'Amnistie », 1123.

Chapitre III. L'épuration aujourd'hui

1. *L'Express* (Paris), 5 juin 1972, 26 juin 1972.
2. Roland Blayo.
3. Paul Touvier, *Mes Crimes contre l'humanité*, Sans lieu, Imp. SPT, 1979, 25 ; *Le Figaro* (Paris), 17-18 juin 1972 ; *Le Monde* (Paris), 20 juin 1972.
4. *Le Monde* (Paris), 29 octobre 1975.
5. *Le Monde* (Paris), 12 juin 1976, 29 juillet 1979.
6. *Le Canard Enchaîné* (Paris), 23 mars 1983.
7. *Le Monde* (Paris), 20-21 mars 1983.
8. *Le Monde* (Paris), 23-24 septembre, 17 novembre 1984.
9. David Ruzié, « Crimes contre l'humanité », *La Semaine Juridique* (Paris), 9 mai 1984.
10. *Le Monde* (Paris), 14 mars 1979 ; dossier de presse de Leguay, avec l'aimable autorisation de Serge Klarsfeld.
11. Serge Klarsfeld, *Vichy-Auschwitz*, Paris, Fayard, 1983, 540.
12. *L'Humanité* (Paris), 13 mars 1979, 10 octobre 1979. Pour plus amples détails sur l'affaire Leguay : David Pryce-Jones, *Paris in the Third Reich*, New York, Holt, Rinehart & Winston, 1981, 233.
13. *L'Humanité* (Paris), 30 janvier 1979 ; *Le Monde* (Paris), 14 mars 1979.
14. Klarsfeld, *Vichy-Auschwitz*, 539f.
15. *Le Monde* (Paris), 10 mars 1984, 8 et 29 octobre 1983 ; *Le Canard Enchaîné* (Paris), 4 mai 1983.
16. Céline, *Lettres à son avocat*, 113.
17. *JO*, Lois et Décrets, 6 janvier 1951, 262.
18. Entretien avec Pierre-Henri Teitgen.

Index

Table des matières

Achevé d'imprimer en septembre 1986
sur presse CAMERON
dans les ateliers de la S.E.P.C.
à Saint-Amand-Montrond (Cher)
pour le compte de la Librairie Arthème-Fayard
75, rue des Saints-Pères - 75006 Paris

Dépôt légal : octobre 1986
N° d'édition : 2298 — N° d'impression : 1940-1249.

35.57.7626.01
ISBN : 2.210.01854.50

Imprimé en France